経営者保証ガイドラインの実務と課題 ［第2版］

小林信明・中井康之 編

商事法務

第2版はしがき

　経営者保証に関するガイドライン（以下、「本ガイドライン」という）の適用が開始（2016年）されてから約5年が経過し、本書初版の刊行（2018年）から、約3年が経過した。この間、本ガイドラインは、関係者の献身的な努力により広く周知され、活用件数も増加してきている。もとより、わが国の中小企業は約360万者（2016年時点）と言われており、その金融機関の借入れにはいまだ高い割合で経営者保証が徴求されている現実があるので、引き続きの努力が必要であることは論を俟たないところであるが、経営者保証徴求の問題点や弊害は広く認識されてきていると思われる。

　本書初版は、その「はしがき」に述べられているように、中小企業の事業再生・清算において顕在化する経営者保証債務の整理手法として、本ガイドラインを活用するに当たって、中小企業経営者、金融機関、支援専門家がどのような問題点に遭遇し、どのように解決を図ってきたのかという実務運用の実態とその課題を明らかにしつつ、今後の実務の指針を示すことを目的として刊行されたが、幸いなことに、関係者から高い評価を受け、今般、第2版を刊行する運びとなった。編集者としては、実務に少しでも貢献できたのであれば望外の喜びである。

　本書第2版においては、まず、初版の各論攷について、ガイドラインQAや実務的な取扱の進展などを踏まえてアップデイトを施している。また、本ガイドラインについて事業承継に焦点を充てた特則（以下、「特則」という）が策定（2019年）されたことを受けて、①「特則の概要と新たな融資慣行の取組み」、②「事業承継問題解決における特定調停の利用」、③「事業承継に当たっての経営者保証の問題点と特則について」、という新しい論攷をその分野の第一線の専門家にご執筆いただいている。

　広く知られるように、中小企業の経営者の高齢化が進み、このままの状態が進行すれば2025年までに経営者が70歳以上となる企業は245万者、うち125万者が後継者不在であるとも言われ、この後継対策（事業承継対策）が社会的に喫緊の課題とされている。そして、後継者が見出せない理由の1つとし

第2版はしがき

て、後継者が経営者保証の承継を望まないことが挙げられている。このような状況を背景に特則が策定されたのであるが、事業承継や事業再生と経営者保証債務の整理は密接に関連している。これらの課題や実務的な方策を検討するには、上記各論攷が極めて参考になると思われる。

　本書の特徴や構成などは初版の「はしがき」に述べられている通りであるが、第2版では各論攷のアップデート、新しい論攷の掲載、資料のアップデートがなされている。本ガイドラインや特則を活用するに当たり、第2版も少しでも実務に役立つことができればこれに過ぎる喜びはない。

　最後に、第2版も㈱商事法務の吉野祥子氏には、編集、校正など献身的な努力をいただいた。衷心からの御礼を申し上げる。

令和2年11月

編集者を代表して　小林　信明

推薦の辞

　金融庁は、金融機関が、担保・保証に必要以上に依存することなく、取引先企業の事業の内容や成長可能性等を適切に評価し、企業価値の向上に資するアドバイスやファイナンスを行っていくことが重要であると考えています。

　担保・保証の中でも、経営者による会社の連帯保証は、経営者による思い切った事業展開や、保証を行った後に経営が困窮に陥った場合の早期の事業再生を阻害する要因となっていることなどが指摘され、金融機関へ見直しを求める声が多くあります。

　そのような声を受けて、2015年12月、日本商工会議所と全国銀行協会を事務局とする研究会において、民間の自主的自律的な準則として取りまとめられたものが「経営者保証に関するガイドライン」（以下、「ガイドライン」という）です。金融機関は、ガイドラインの趣旨を踏まえて、企業向け融資への経営者保証の取得について、顧客本位の金融仲介の観点で十分に説明するとともに、真摯に活用していくことが求められます。

　金融庁が実施した金融機関の融資先企業へのアンケート調査によると、経営者保証に関して回答した企業の48％が「ガイドラインの説明を受けたことはなく、自分からも依頼したことはない」という結果となっています。金融庁では、ガイドラインが融資慣行として浸透・定着するよう、金融機関に対して、さらなる活用促進を行います。

　ガイドラインは、保証契約時等の対応（入口面）と保証債務の整理時の対応（出口面）に大きく分かれ、特に後者は、経営者が破産手続を経ることなく、破産手続の場合を超える財産を残すことが可能となるものです。これにより、経営が困窮に陥った場合の早期の事業再生や、経営者の再チャレンジを図ることができ、経済の活性化に重要な役割を果たしているものと考えます。

　本書では、その出口面をテーマとしており、実際にガイドラインに基づいて債務整理を行っている弁護士や金融機関などの実務者が、債務整理局面のさまざまな場面で抱える問題点をテーマごとに整理しているものです。実際にガイドラインに基づいて債務整理を行う実務者の皆様にとって、直面するであろう問題の解決策を検討する上で、非常に有用であると考えます。

　本書により、事業再生におけるガイドラインの活用が一層進んでいくことを期待しております。

平成30年1月
　　　　金融庁監督局　地域金融機関等モニタリング室長　　日下　智晴

初版はしがき

　本書は、中小企業の事業再生・清算において顕在化する経営者の保証債務の整理手法として、経営者保証に関するガイドライン（以下、「本ガイドライン」という）を活用するに当たって、中小企業経営者、金融機関、支援専門家がどのような問題点に遭遇し、どのように解決を図ってきたのかという実務運用の実態とその課題を明らかにしつつ、今後の実務の指針を示すことを目的としている。

　広く知られているように、中小企業が金融機関から借入れをする際に、経営者が個人保証を提供する割合は8割を超えているが、経営者保証には、その利点はあるものの、経営者の事業再生・清算に着手する決断を困難にするなど弊害も多大なものがある。そこで、商工団体・金融の関係者・学識経験者等をメンバーとする研究会が組織され、中小企業庁・金融庁の関与のもとに、経営者保証の取扱いに関する準則である本ガイドラインが策定され、平成26年2月に運用が開始された。

　本ガイドラインは、いわば社会的なコンセンサスとして策定されたものであり、加えて日本再興戦略（平成25年6月14日閣議決定）においても、新事業を創出し、開・廃業率10％台を目指すための施策として位置づけられているものであって、高度に公共性を有するものである。したがって、本ガイドラインは、法的拘束力はなく、中小企業やその経営者、金融機関などによる、自主自律的な準則（ソフトロー）ではあるものの、尊重・遵守されることが強く期待されているものである。

　本ガイドラインの経営者保証債務の整理手法としての活用に当たって、本ガイドラインやその解説として作成されたQAがあるものの、中小企業経営者、金融機関、支援専門家にとって具体的にどのように手続を進めるべきか、具体的にどのように弁済計画を作成すべきかなどが明確ではないという指摘もあるところである。

　しかし、本ガイドラインが活用される局面は、法の定めがない私的整理であり、そもそも手続や弁済計画は、具体的事案に応じて中小企業経営者側と、

金融機関側との間の協議で決まる性質を有するものであって、本質的に個別性を有するものである。したがって、本ガイドラインやQAは、それ自体によって実務運用のすべてが明確になるものではなく、具体的な実務事例の集積によって運用が固まっていくことが期待されていたものである。

現在、本ガイドラインの運用開始からすでに4年が経過し、保証債務整理の具体的な実施手続として、中小企業再生支援協議会スキーム、特定調停、REVIC、事業再生ADRにおいて手順が整備され多くの事例が集積されつつあり、実務運用の実態と課題も明らかになってきたし、加えて実務運用上の理由からQAも改定されてきている。そこで、本書の刊行が企画されたものである。

本書は、前記目的を実現するために、次の構成になっている。

第1章では、総論として、①「本ガイドラインの概要・特徴」、②「その目指すもの」、③「支援専門家および金融機関の立場からの問題点」を解説した。

第2章では、本ガイドラインの運用上の問題点として、①「主たる債務者および保証人の適格要件」、②「弁済計画の定め方・担保処理」、③「経済合理性」、④「残存資産の範囲」、⑤「免除の効果」、⑥「保証人に固有債務が存在する場合の問題点」、⑦「一体型の問題点」、⑧「単独型の問題点」、⑨「複数当事者の場合の問題点」、⑩「税務上の問題点」の10テーマについて、専門家が解説した。

第3章では、各実施手続における実際と問題点・事例報告として、①「中小企業再生支援協議会スキーム」、②「特定調停」、③「REVIC」、④「事業再生ADR」、⑤「純粋私的整理」の5つの手続について、それぞれ豊富な経験を有する者が解説した。

第4章では、金融機関関係者、中小企業再生支援協議会関係者および弁護士が参加し、運用実務の実態とその問題点をテーマに討論した座談会を収載した。

加えて、資料として、本ガイドラインとQA（課税関係の整理を含む）に加えて、①「中小企業再生支援協議会スキーム」、②「特定調停」、③「REVIC」

初版はしがき

の各手続の運用マニュアルを添付した。

　本書の編集・執筆者は、本ガイドラインの策定に主導的役割を果たした者、中小企業再生支援協議会スキーム・特定調停・REVIC・事業再生ADRにおいて本ガイドラインの運用に主導的な役割を果たした者、および本ガイドライン事案に豊富な経験を有する者であり、弁護士の視点ばかりでなく、金融機関からの視点や中小企業再生支援協議会の視点など、さまざまな立場からご執筆いただいた。

　本書は、このような構成や最適な執筆陣によって、「事例を通して実務運用の実態とその課題を明らかにしつつ、今後の実務の指針を示す」ことに貢献できる内容になっているものと自負している。本ガイドラインの活用に少しでも役立つことができれば、これに勝る喜びはない。最後に、㈱商事法務書籍出版部の吉野祥子氏には、企画、編集、そして校正の全段階を通じて、献身的な努力をいただいた。心から感謝を申し上げる。

平成30年1月

編集者を代表して　小林　信明

凡　例

1　法令・省令・ガイドライン等の略記
（カッコ内で法令名を示す際は、原則として有斐閣版六法全書巻末の法令名略語によった）

GL	「経営者保証に関するガイドライン」（経営者保証に関するガイドライン研究会）
GL・QA	「経営者保証に関するガイドラインQ&A」
個人私的整理GL	「個人債務者の私的整理に関するガイドライン」（個人債務者の私的整理に関するガイドライン研究会
私的整理GL	「私的整理ガイドライン」（私的整理に関するガイドライン研究会）
特定調停法	特定債務等の調整の促進のための特定調停に関する法律

2　団体名等の略記

再生支援協議会	中小企業再生支援協議会
JATP	事業再生実務家協会
REVIC	株式会社地域経済活性化支援機構

3　その他

特定調停利用の手引	「事業者の事業再生を支援する手法としての特定調停スキーム利用の手引」（日本弁護士連合会）
特定調停利用の手引（保証債務）	「経営者保証に関するガイドラインに基づく保証債務整理の手法としての特定調停スキーム利用の手引」（日本弁護士連合会）
特定調停利用の手引（廃業）	「事業者の廃業・清算を支援する手法としての特定調停スキーム利用の手引(日本弁護士連合会）証債務整理の手法としての特定調停スキーム利用の手引」（日本弁護士連合会）
支援協整理手順QA	「中小企業再生支援協議会等の支援による経営者保証に関するガイドラインに基づく保証債務の整理手順Q&A」

4　文献の略記
伊藤眞ほか『条解破産法〔第3版〕』（弘文堂、2020）
小林信明監修「経営者保証ガイドラインと保証債務整理の実務」銀法805号（2016）
全国倒産処理弁護士ネットワーク編『私的整理の実務Q&A140問』（金融財政事情研究会、2016）
事業再生実務家協会編『事業再生ADRのすべて』（商事法務、2015）
長島・大野・常松法律事務所編『ニューホライズン事業再生と金融』（商事法務、2016）

● 目　次 ●

第2版はしがき・*i*／推薦の辞・*iii*／はしがき・*iv*／凡例・*vii*

第1章　GLの概要、特徴と問題

1　GLの概要
岡島　弘展（全国銀行協会）

Ⅰ　GLの特徴・2
　1　GLの構成・2／2　GLの位置付け・3
Ⅱ　保証契約締結時の対応・3
　1　中小企業に求められる対応・3／2　対象債権者に求められる対応・3／3　既存の保証契約の解除の対応・4
Ⅲ　保証債務整理時の対応・5
　1　一時停止等の要請・5／2　保証債務の履行基準・5／3　残存資産の範囲・5／4　保証債務の一部履行後に残存する保証債務の取扱い・6
Ⅳ　保証人に関する信用情報機関の取扱い・7
　1　保証人の信用情報機関への登録の取扱い・7／2　GLに沿った取扱い・7
Ⅴ　適用実績・8
　1　経営者保証を求めなかった事例等・8／2　保証債務の整理事例・9

2　GLの目指すもの
藤原　敬三（元中小企業再生支援全国本部顧問）

Ⅰ　GL公表に至るまでの流れ・10

Ⅱ　GL策定において各関係者が目指したもの・11

　　1　「入口」──新規保証契約時および事業承継の際の保証契約更新時・11／2　「出口」──保証債務の整理時・14／3　まとめ・18

Ⅲ　最後に・18

③　支援専門家を受任した場合の留意事項および問題点

山形　康郎（弁護士）

Ⅰ　はじめに・21

Ⅱ　受任に際しての問題点・23

　　1　手続による分類・23／2　準則型私的整理手続との一体型整理手続における留意事項・23／3　法的債務整理手続と同時に保証債務整理手続が進められる場合および主たる債務者の整理手続（準則型私的整理手続および法的債務整理手続）終了後に単独で整理を図る場合の留意事項・24

Ⅲ　保証人に対する受任時の説明等の問題点・27

　　1　GLおよび成立の見通しの説明・27／2　保証人が遵守すべき事項の説明・27／3　対象債権者の選定・28

Ⅳ　資産調査時における問題点・29

　　1　資産調査の内容とその視点・29／2　家計収支表・30

Ⅴ　弁済計画立案時および保証債権者との交渉に関する問題点・31

　　1　残存資産の確定に当たっての留意事項・31／2　対象債権者の意向確認・31／3　不同意の意向を示す金融機関が現れたときの対応・31

④　金融機関からの視点の問題点（その1）

市原　裕彦（東京ベイ信用金庫）

Ⅰ　東京ベイ信用金庫の概要・34

Ⅱ　事例「株式会社A社」の概要・状況等・34

Ⅲ　金融機関（当金庫）からみた「A社」・35

Ⅳ　具体的事例・35

1　M&Aの打診――話合いのテーブルへ・35／2　M&Aの検討――当金庫の取組方針決定・36
Ⅴ　事業再生計画の概要・38
 1　事業再生の意義・38／2　事業再生の手法・38／3　返済計画の内容・38／4　保証債務の弁済計画および要請する保証債務減免内容・39／5　返済計画の妥当性・39／6　保証債務弁済計画の経済合理性・39／7　残存資産の範囲の相当性・40
Ⅵ　金融機関からみた実務と課題・40
Ⅶ　本件の成立の意義・42

5　金融機関からの視点の問題点（その2）
佐藤　俊彦（福島銀行）

Ⅰ　契約時の課題への対応・44
Ⅱ　事業再生における保証債務・45
Ⅲ　具体的事例から見えた問題点・47
 1　事例1・47／2　事例2・48／3　震災関連機構における保証債務の取扱い・52
Ⅳ　経営者に対する再チャレンジ支援・52
Ⅴ　最後に・54

第2章　GLの運用上の問題点

1　主たる債務者および保証人の適格要件
小林　信明（弁護士）

Ⅰ　はじめに・56
Ⅱ　保証債務整理時の債権者の対応・57
Ⅲ　主たる債務者・保証人の適格要件・57
 1　保証契約の主たる債務者が中小企業であること（GL7項(1)イ・3

項(1))・*57*／2　保証人が個人であり、主たる債務者である中小企業の経営者であること（GL7項(1)イ・3項(2)）・*58*／3　第三者保証人のインセンティブ資産・*59*／4　対象となり得る保証人（主たる債務者・保証人の誠実性）・*60*／5　主たる債務者および保証人が反社会的勢力ではなく、そのおそれもないこと・*65*

2 弁済計画の定め方・担保処理

髙井　章光（弁護士）

Ⅰ　弁済計画の定め方・*66*
　1　GLにおける規律・*66*／2　弁済計画策定における実務上の取扱い・*68*
Ⅱ　担保処理・*78*
　1　総論・*78*／2　対応方法・*79*

3 経済合理性

小林　信明（弁護士）・佐藤　昌巳（弁護士）

Ⅰ　「経済合理性」の意義・*81*
　1　GLにおける「経済合理性」の特徴・*81*／2　「経済合理性」が判断基準となる場面・*82*
Ⅱ　「経済合理性」の判断方法・*83*
　1　「経済合理性」の判断方法に関する定め・*83*／2　GL・QAに依拠した「経済合理性」の判断方法・*84*
Ⅲ　インセンティブ資産と「経済合理性」との関係・*85*
　1　インセンティブ資産の意義および根拠・*85*／2　インセンティブ資産の範囲（上限）と「経済合理性」・*86*／3　インセンティブ資産の範囲（上限）を画する「回収見込額の増加額」の算出方法・*86*
Ⅳ　単独型（いわゆる「のみ型」）における「経済合理性」の判断・*88*
　1　主たる債務の整理手続が終結しているケース・*88*／2　主たる債務の整理手続の係属中に開始されるケース・*88*
Ⅴ　実務上の諸問題・*89*

1　保証債務の整理における破産手続と比較して増加した回収見込額の増加額の考慮（2017年6月28日GL・QA改定）・89／2　いわゆる「ゼロ弁済」の許容性・90／3　将来の収入・新得財産を弁済原資とする債務整理計画の可否・92／4　主たる債務と一体として経済的合理性を判断できない場合・93

４　残存資産の範囲
　　　　　　　　　　　　大宮　　立（弁護士）・増田　薫則（弁護士）

Ⅰ　GLにおける定め・94
Ⅱ　残存資産を認める根拠・95
　　1　対象債権者の経済合理性・95／2　主たる債務の整理との一体性・95／3　インセンティブ資産を残すことが問題となるケース・98
Ⅲ　財産の評定基準時・99
Ⅳ　残存資産の内容・100
　　1　破産法上の自由財産・100／2　一定期間の生計費に相当する現預金・101／3　華美でない自宅・104／4　主たる債務者の実質的な事業継続に最低限必要な資産・105／5　その他の資産・105
Ⅴ　実例紹介・106
　　1　主債務会社が事業再生ADRにより債務整理を行った事案・106／2　主債務会社がREVIC手続により債務整理を行った事案・107

５　免除の効果
　　　　　　　　　　　　　　　　　　　　　　富岡　武彦（弁護士）

Ⅰ　保証債務の一部履行後に残存する保証債務免除の要件・109
Ⅱ　保証人の資力および免責不許可事由に関する情報の調査・開示・109
　　1　調査の実施者・109／2　調査・開示の範囲・110／3　調査の方法・113／4　開示の方法・118
Ⅲ　保証人の表明保証・119
　　1　表明保証の内容・119／2　表明保証の基準時・119／3　保証人による表明保証違反の効果および実務対応・120／4　表明保証の時

期・*122*

Ⅳ 免除の効力・*123*

1 主たる債務を免除した場合の保証人に対する影響・*123*／2 保証債務を免除した場合の主たる債務者に対する影響・*123*／3 保証債務を免除した場合の他の保証人に対する影響・*124*／4 主たる債務者の再生計画に基づく主たる債務の不履行が生じた場合、保証債務の弁済計画にいかなる影響が生じるか・*125*／5 保証人の弁済計画に基づく保証債務の不履行が生じた場合、保証債務の弁済計画にいかなる影響が生じるか・*126*

6 保証人に固有債務が存在する場合の問題点

中井　康之（弁護士）・片岡　牧（弁護士）

Ⅰ GLの基本的立場・*128*
Ⅱ 問題の所在・*129*
Ⅲ GLの柔軟で適切な運用・*130*

1 保証債権者と固有債権者との間の不平等と保証債権者の経済的合理性・*130*／2 弁済計画に基づく弁済が偏頗行為となるか・*132*／3 固有債務を対象とする場合（固有債務が過大で、保証債務の弁済計画の履行の障害となる場合）・*134*／4 小括・*136*

Ⅳ 一体型と単独型・*136*

1 リース債権や取引債権に対する保証債務の取扱い・*137*／2 主たる債務者に関する情報不足・*137*／3 主たる債務者に対する整理手続終了後の単独型の場合・*138*

7 一体型の問題点

大石健太郎（弁護士）

Ⅰ 総論・*139*
Ⅱ 対象債権者の範囲の関連性・*140*

1 固有債権・*140*／2 主債務者に対する債権を有さない場合・*140*

Ⅲ 事業再生計画と弁済計画との内容面での関連性・*141*

1 保証人提供に係る担保物の取扱い・*141*／2 保証人の弁済計画

目　次

に基づき非保全債権に対してなされる弁済額を、主債務者の事業再生計画において非保全債権額から控除するか・*144*／3　主債務の免除により付従性で保証債務も消滅してしまうことに関する手当て・*145*

Ⅳ　事業再生計画と弁済計画の成立における関連性・*146*
　　1　両計画の内容の関連性が強い場合・*146*／2　両計画の内容の関連性が強くない場合・*146*

Ⅴ　事業再生計画と弁済計画の履行における関連性・*147*

8　単独型の問題点　　　　　　　　　野村　剛司（弁護士）

Ⅰ　はじめに・*149*

Ⅱ　単独型の利用場面・*150*
　　1　典型例は、主たる債務者の法人が民事再生を申し立てた場合・*150*／2　再建型の場合・*151*／3　清算型の場合・*151*／4　準則型私的整理手続の場合・*152*／5　主たる債務の整理手続の終結後の場合・*152*／6　主たる債務者の法人が事実上の倒産の場合・*152*

Ⅲ　単独型の手続、処理方法・*153*
　　1　現状・*153*／2　特定調停・*153*／3　再生支援協議会・*153*／4　相対による広義の私的整理の場合・*153*

Ⅳ　単独型の諸問題・*154*
　　1　保証人につき、破産を求められる・*154*／2　一体型における見通しのよさは、単独型では異なるのか・*154*／3　主たる債務者の法的手続における回収見込額の増加額が影響する・*156*／4　一時停止等の要請のタイミング・*157*／5　基準とする保証債務の額・*158*／6　リース債務や取引債務の保証債務、個人債務の取扱い・*158*／7　インセンティブ資産を求める場合の時的限界・*159*／8　インセンティブ資産が認められない場合の単独型の意義・*159*／9　特定調停における印紙問題・*160*

Ⅴ　最後に・*161*

9 複数当事者の場合の問題点　　西村　賢（弁護士）

Ⅰ 複数の会社の経営者保証人を兼ねる保証人の保証債務における問題点・*162*

1 対象債権者の範囲・*162*／2 残存資産の範囲と保証債務の弁済計画における衡平性・*165*／3 手続の選択・*169*

Ⅱ 複数の保証人がいる場合の問題点・*170*

1 残存資産の範囲に関する経済合理性・*170*／2 一部の保証人の弁済および免除における他の保証人への影響・*172*／3 手続の選択・*173*

10 税務上の問題点　　須賀　一也（公認会計士）

Ⅰ GLに関連する税務の概要・*174*

1 GLと課税関係・*174*／2 債務整理手続における主たる債務者・債権者および保証人たる個人の税務・*174*

Ⅱ GLに沿った保証債務の減免・免除と税務・*180*

1 一体型・のみ型と税務・*180*／2 GLに基づく保証債務の整理に係る課税関係（公表設例）・*183*／3 経営者による併存的債務引受けである場合・*183*

Ⅲ 保証債務履行のための資産譲渡に係る課税の特例・*183*

1 資産譲渡の税務・*183*／2 保証債務履行のための資産譲渡の特例・*186*

Ⅳ 保証人たる経営者による事業用不動産等の贈与に係る課税の特例・*187*

1 不動産等の私財提供とみなし譲渡・*187*／2 保証人たる経営者による事業用不動産等の贈与に係る課税の特例・*187*

第3章　GLの特則と事業承継

1　GL特則の概要と新たな融資慣行の確立に向けた取組み
岡島　弘展（全国銀行協会）

Ⅰ　はじめに・192
Ⅱ　GL特則の目的・構成と位置付け等・193
Ⅲ　対象債権者における対応・194
　1　前経営者、後継者の双方との保証契約（二重徴求が許容される例外事例）・195／2　後継者との保証契約・196／3　前経営者との保証契約・199／4　債務者への説明内容・200／5　内部規程等による手続の整備・200
Ⅳ　主たる債務者および保証人における対応・200
　1　法人と経営者との関係の明確な区分・分離・201／2　財務基盤の強化・201／3　財務状況の正確な把握、適時適切な情報開示等による経営の透明性確保・202
Ⅴ　事業再生局面における事業承継への適用・203
　1　リスケジュール型・203／2　債権放棄型・204
Ⅵ　GL特則を契機とする新たな融資慣行の確立への期待・205

2　事業承継問題解決における特定調停の利用
髙井　章光（弁護士）

Ⅰ　はじめに・207
Ⅱ　事業承継問題により廃業となったケースの特定調停での処理・207
　1　廃業型特定調停の事例・207／2　本事例において想定される事業承継問題の解決方法・208
Ⅲ　事業承継問題の解決における特定調停の利用・211
　1　経営者保証の承継問題の解決における特定調停の利用・211／2

事業承継を契機とした事業再生を実施する場合の対応・213

③ 事業承継に当たっての経営者保証の問題点と特則について
宇野　俊英（株式会社UNO&パートナーズ）

Ⅰ　はじめに・216
　1　事業承継の現状と対応の重要性について・216／2　事業承継と経営者保証・219
Ⅱ　GL特則に対する施策・221
　1　これまでのGL取組みに対する中小企業経営者からの反応・221／2　経営者保証解除に向けた主たる施策・221／3　経営者保証コーディネーターと専門家派遣・222／4　新しい信用補完制度・227／5　関係団体等への要請と関連施策・230／6　今後の運用の見込み・231
Ⅲ　まとめ・232

第4章　各実施手続における実際と問題点、事例報告

① 再生支援協議会スキーム
加藤　寛史（弁護士）・堀口　真（弁護士）

Ⅰ　再生支援協議会等の支援によるGLに基づく保証債務の整理手順・236
Ⅱ　整理手順の手続フロー・237
　1　「一体型」・237／2　「単独型」・242
Ⅲ　整理手順の実務的な運用と課題・247
　1　インセンティブ資産・247／2　支援専門家に期待される役割・251／3　第三者保証人の取扱い・252／4　単独型の普及に向けて・252
Ⅳ　具体的事例の紹介・254

目 次

  1　一体型の事例・*254*／2　単独型の事例・*256*

2　特定調停　　　　　　　　髙井　章光（弁護士）・犬塚暁比古（弁護士）

 Ⅰ　はじめに・*258*
 Ⅱ　GLを用いた特定調停の意義・*258*
  1　特定調停とは・*258*／2　GLを用いた特定調停の意義・*259*／3　特定調停の運用・*259*
 Ⅲ　GLを用いた特定調停の特徴・*261*
  1　対象債権者にとって経済合理性が期待できること・*261*／2　和解型の手続であること・*261*／3　裁判所、調停委員会による関与・*261*／4　手続が簡便であること・*262*／5　無税償却等が認められていること・*262*
 Ⅳ　特定調停の手順・*263*
  1　債権者との事前協議の実施まで・*263*／2　申立て・*267*／3　調停機関による調停・*270*／4　調停の成立・*271*
 Ⅴ　事例からみる手順等・*271*
  1　単独型の事例・*271*／2　一体型の事例（廃業）・*276*／3　一体型の事例（再生）・*280*
 Ⅵ　最後に・*282*

3　REVIC　　　　　　　　　　　　　　　　　萩原　佳孝（弁護士）

 Ⅰ　REVIC手続における保証人の取扱い・*283*
 Ⅱ　要件・手続等・*284*
  1　特定支援手続・*284*／2　事業再生支援手続・*288*
 Ⅲ　REVIC手続における実際と問題点・*290*
  1　主債務者の計画と保証人の弁済計画との関係・*290*／2　代表者等に該当しない保証人の取扱い・*291*／3　弁済計画の内容・*291*／4　課税関係・*295*
 Ⅳ　特定支援手続における具体的事例・*296*
  1　単純廃業型・*296*／2　事業承継型・*296*

V　事業再生手続における具体的事例・297
　　　1　一般的な事例・297／2　特殊な事例・299

4　事業再生ADR　　　　　　　　　　　　木村　真也（弁護士）

　　I　はじめに・300
　　II　事業再生ADR手続の概要・300
　　　1　はじめに・300／2　事業再生ADR手続の流れ・300
　　III　事業再生ADR手続におけるGLの一体整理の手続の進行・301
　　　1　一体整理の意義・301／2　一体整理の手続・302
　　IV　保証債務の整理事例1・303
　　　1　保証人および保証債務・303／2　利用手続と進行の概要・304／
　　　3　主たる債務者の弁済計画の概要・306／4　保証人の弁済計画の
　　概要・306／5　問題点および事案の特殊性・306
　　V　保証債務の整理事例2・310
　　　1　保証人および保証債務・310／2　利用手続と進行の概要・310／
　　　3　主たる債務者の弁済計画の概要・310／4　保証人の弁済計画の
　　概要・310／5　問題点および事案の特殊性・311
　　VI　保証債務の整理事例3・312
　　　1　保証人および保証債務・312／2　利用手続と進行の概要・312／
　　　3　主たる債務者の弁済計画の概要・313／4　保証人の弁済計画の
　　概要・313／5　問題点および事案の特殊性・314

5　純粋私的整理　　　　　　　　　　　　網野　精一（弁護士）

　　I　はじめに・316
　　II　事例①・317
　　　1　手続の流れ・318／2　弁済計画の内容・319／3　本事例の特
　　徴・319
　　III　事例②・320
　　　1　手続の流れ・321／2　弁済計画の内容・321／3　本事例の特
　　徴・322

Ⅳ 事例③・322
　1　手続の流れ・324／2　弁済計画の内容・324／3　本事案の特徴・325

Ⅴ 事例④・325
　1　手続の流れ・326／2　弁済計画の内容・327／3　本事例の特徴・328

Ⅵ 最後に・328

第5章　座談会

『経営者保証ガイドラインの実務と課題』刊行に当たって… 332

〈司会〉中井　康之（弁護士）
　　　　小林　信明（弁護士）
　　　　藤原　敬三（元中小企業再生支援全国本部顧問）
　　　　獅子倉基之（埼玉りそな銀行）
〈オブザーバー〉三森　仁（弁護士）・髙井　章光（弁護士）

自己紹介・332／GLの利用実績と課題・333／GLの利用が多くない理由はどこにあるのか・336／GLのメッセージ＝破産しなくても保証債務の整理ができる・339／対象債務者としての適格性：粉飾がある場合・340／QAの改定：適時適切な情報開示の意義・341／QAの改定：免責不許可事由の「おそれ」・342／第三者保証人の適格性・343／早期事業再生等への寄与・344／GLは、主たる債務者の整理を前提としている・345／支援専門家や債務者代理人に期待される役割・346／対象債権者の範囲：特にリース債権者・取引債権者や特殊法人の場合・347／早期再生・早期廃業による回収見込増加額と経済合理性・349／経済合理性の考え方：清算の手法の違いによる回収見込額の増加額を考慮できるか・350／QAの改定：清算方法の違いによる経済合理性判断・351／ゼロ弁済と経済合理性・353／インセン

ティブ資産について：生計費・354／個別事情による積上げ・355／QAの改定：資産処分代金の生計費への充当・355／華美でない自宅・355／単独型における運用とその受皿・357／基準時後に取得した新得財産・358／弁済計画：物上保証がある場合・359／求償権の取扱い・360／主たる債務者と保証人の弁済計画の一方の不履行・360／表明保証：固有債務の確認・361／表明保証：積極財産の記載漏れ・361／固有債務がある場合・362

資料編

【資料１】経営者保証に関するガイドライン（経営者保証に関するガイドライン研究会）・370

【資料２】「経営者保証に関するガイドライン」Q&A・381

●ガイドラインおよびガイドラインQ&A策定以降の改定履歴等・407

【資料３】事業承継時に焦点を当てた「経営者保証に関するガイドライン」の特則・411

【資料４】「経営者保証に関するガイドライン」に基づく保証債務の整理に係る課税関係の整理・418

【資料５】中小企業再生支援協議会等の支援による経営者保証に関するガイドラインに基づく保証債務の整理手順・425

【資料６】「中小企業再生支援協議会等の支援による経営者保証に関するガイドラインに基づく保証債務の整理手順」Q&A・431

【資料７】経営者保証に関するガイドラインに基づく保証債務整理の手法としての特定調停スキーム利用の手引・448

【資料８】株式会社地域経済活性化支援機構支援基準・460

●執筆者一覧・468

第1章

GLの概要、特徴と問題

第1章　GLの概要、特徴と問題

1　GLの概要

全国銀行協会　岡島　弘展

　中小企業や小規模事業者の経営者による個人保証（経営者保証）には、経営者への規律付けや信用補完として中小企業の資金調達の円滑化に寄与する面がある一方で、保証後において、経営者による思い切った事業展開や、経営が窮境に陥った場合における早期の事業再生等の着手を阻害する要因となるなど、保証契約時・履行時等においてさまざまな課題が存在するという指摘がなされてきた(注1)。

　このような状況に鑑み、2013年8月に「経営者保証に関するガイドライン研究会」が日本商工会議所と全国銀行協会を事務局として組織され、さらに金融・商工団体の関係者、法務・会計の専門家、学識経験者等や、中小企業庁、金融庁等の関係省庁等もオブザーバーとして参画し、精力的に議論を重ねた上で、同年12月5日に、GLおよびGL・QA(注2)が策定、公表され、2014年2月に、GLの適用が開始された。

Ⅰ　GLの特徴

1　GLの構成

　GLは、大きくは、「保証契約時等の課題への対応」（4項～6項）と「保証債務の整理（履行時）の課題への対応」（7項）の2つの柱で構成されている。

（注1）　中小企業庁・金融庁「中小企業における個人保証等の在り方研究会報告書」（2013年5月）を参照。
（注2）　GLの趣旨の一層の明確化により、GLの円滑な運用を図る観点から、適用開始後5回にわたってGL・QAを一部改定（直近の改定は2019年10月15日）。

2 GLの位置付け

　GLは、経営者保証における合理的な保証契約のあり方等を示すとともに主たる債務の整理局面における保証債務の整理を公正かつ迅速に行うための準則で、法的拘束力はないものの、主たる債務者、保証人および対象債権者による、自主的自律的なルールとして遵守され尊重されることが期待されている。また、主たる債務者、保証人および対象債権者は、GLに基づく保証契約の締結、保証債務の整理等における対応について誠実に協力することとされているとともに、GLに基づく保証債務の整理は、公正衡平を旨とし、透明性を尊重することとされている。

Ⅱ　保証契約締結時の対応

　日本の中小企業は8割強が経営者保証を付けているとのアンケート調査結果(注3)も公表されているが、GLは、まず保証契約締結時について、中小企業が過度な個人保証に依存しない金融のあり方を示している。

1　中小企業に求められる対応

　中小企業が経営者保証に依存せずに円滑に資金調達できるようにしていくためには、まずは中小企業の経営実態を改善する必要があるとして、中小企業は、①企業と経営者との関係の明確な区分・分離、②財務基盤の強化、③財務状況の明確な把握、適時適切な情報開示等による経営の透明性確保等、経営改善に努めることが重要であるとしている。

2　対象債権者に求められる対応

　対象債権者も、前記1の3条件がすべてクリアできなくとも、経営者保証に依存しない融資を一層促進するために、①停止条件または解除条件付保証

(注3)　中小企業庁「中小企業における個人保証等の在り方研究会　参考データ集」を参照。
http://www.chusho.meti.go.jp/koukai/kenkyukai/kojinhosho/2013/130502sankou.pdf

契約、②ABL（動産・売掛金担保融資）、③金利の一定の上乗せ等の経営者保証の機能を代替する融資手法のメニューの充実を図るよう努めるとともに、中小企業において前記の①〜③の要件が将来にわたって充足すると見込まれるときは、経営者保証を求めない可能性や代替的な融資手法を活用する可能性を検討することとしている。

3 既存の保証契約の解除の対応

　保証契約の締結時の対応とは別に、既存の保証契約を解除する場合の対応もGLの6項で記載している。

　具体的には、中小企業において経営の改善が図られたこと等により、中小企業および保証人から既存の保証契約の解除等の申入れがあった場合は、対象債権者は申入れの内容に応じて、改めて、経営者保証の必要性や適切な保証金額等について、真摯かつ柔軟に検討を行うとともに、その検討結果について主たる債務者および保証人に対して丁寧かつ具体的に説明することとされている。

　さらに、現在、中小企業の経営者の高齢化による事業承継の問題が指摘されているが、中小企業では後継者を選ぶ際に、子息に事業を引き継がせるとしても高額の経営者保証を子息に引き継がせたくないということもあるし、従業員の中から、優秀だからと経営を引き継がせるとしても、経営者保証をそのまま引き継ぐと、事業に失敗したら、自分の資産はなくなる懸念もあり、経営者保証がネックになって事業承継が円滑に進まないということも問題として指摘されている。

　そこで、GLでは、事業承継時に、前経営者に係る既存の保証契約を解除するためには、前経営者は、実質的な経営権・支配権を有していないことを対象債権者に示すために、中小企業の代表者から退くとともに、支配株主等にとどまることなく、実質的にも経営から退くこと（併せて、当該法人から報酬等を受け取らないこと）、前経営者が、主たる債務者から社会通念上適切な範囲を超える借入等を行っていることが認められた場合は、これを返済することなど、事業承継が円滑に行われやすくするための考え方を整理している。

Ⅲ 保証債務整理時の対応

次に、GLのもう1つの柱である保証債務整理時の対応である。

1 一時停止等の要請

対象債権者にGLに基づき一時停止等を要請する場合には、原則、主たる債務者、保証人および支援専門家（弁護士、税理士、公認会計士等）が連名で書面により、すべての対象債権者に同時に要請し、かつ手続申立前から債務の弁済等が誠実で、対象債権者とは良好な取引関係が構築されているという要件を満たすこととしている。また、対象債権者もGLの適用の要請があった場合には、誠実かつ柔軟に対応することとされている。

2 保証債務の履行基準

GLでは、保証債務の履行に際して、保証人の手元に残すことのできる残存資産の範囲についての考え方を示しており、対象債権者は、必要に応じ支援専門家とも連携しつつ、次のような点を総合的に勘案して決定することとされている。

① 保証人の保証履行能力や保証債務の従前の履行状況
② 主たる債務が不履行に至った経緯等に対する経営者たる保証人の帰責性
③ 経営者たる保証人の経営資質、信頼性
④ 経営者たる保証人が主たる債務者の事業再生、事業清算に着手した時期等が事業の再生計画等に与える影響
⑤ 破産手続における自由財産（破産財団に属しないとされる財産）の考え方や、民事執行法に定める標準的な世帯の必要生計費の考え方との整合性

3 残存資産の範囲

弁済原資にしなくともよい資産を残存資産というが、残存資産には、まず

①自由財産がある。これは、債務者が破産しても弁済原資にしなくてよい財産があるという考え方である。さらに、もう1つ、自由財産に加え、②一定の経済合理性(注4)が認められる場合、債務者の資産として残し得るものがあると考えられ、GLでは、自由財産以上の資産を残すことを認めている。これは、中小企業の安定した事業継続や事業清算後の新たな事業の開始等に向けたインセンティブとして一定期間の生計費(注5)に相当する額や華美でない自宅(注6)等を当該保証人の残存資産に含めることに合理性があると考えられるためである。

4 保証債務の一部履行後に残存する保証債務の取扱い

GLでは、GL7項(1)に基づく保証債務の整理の対象となり得る保証人の要件に加え、次のすべての要件を充足する場合には、対象債権者は、保証人からの保証債務の一部履行後に残存する保証債務の免除要請について誠実に対応することとされている。

① 保証人は、すべての対象債権者に対して、保証人の資力に関する情報を誠実に開示し、開示した情報の内容の正確性について表明保証を行うこととし、支援専門家は、対象債権者からの求めに応じて、当該表明保証の適正性についての確認を行い、対象債権者に報告すること
② 保証人が、自らの資力を証明するために必要な資料を提出すること
③ 主たる債務および保証債務の弁済計画が、対象債権者にとっても経済

(注4) 経済合理性については、主たる債務と保証債務とを一体として判断することとしており、例えば、再生型手続の場合、①主たる債務および保証債務の弁済計画(案)に基づく回収見込額の合計金額と②現時点において主たる債務者および保証人が破産手続を行った場合の回収見込額の合計金額とを比較して、①が②を上回る場合には、一定の経済合理性があると判断する。このように主たる債務と一体として判断することになるため、主たる債務を整理した後に保証債務の整理について申し出たとしても、経済合理性の判断ができないため、残存資産を残せないこととなるので留意が必要。
(注5) 一定期間の生計費については、標準的な生計費(33万円／月)×雇用保険の給付期間(90〜330日)を参考。
(注6) 自宅が店舗を兼ねており資産の分離が困難な場合等、安定した事業継続等のために必要となる華美でない自宅は回収見込額の増加額を上限として残存資産に含めることも考えられる。これに該当しない自宅については、処分・換価する代わりに当該資産の「公正な価額」に相当する額を分割弁済することも考えられる。

合理性が認められるものであること
④　保証人が開示し、その内容の正確性について表明保証を行った資力の状況が事実と異なることが判明した場合（保証人の資産の隠匿を目的とした贈与等が判明した場合を含む）には、免除した保証債務および免除期間分の延滞利息も付した上で、追加弁済を行うことについて、保証人と対象債権者が合意し、書面での契約を締結すること

Ⅳ　保証人に関する信用情報機関の取扱い

1　保証人の信用情報機関への登録の取扱い

(1)　信用情報機関への照会

対象債権者（金融機関等）が融資を行うに当たって、経営者保証を求める場合、主たる債務者のほか、保証人についても信用情報機関に信用状況を照会し、融資実行の審査の参考にしているケースもある。

(2)　信用情報機関への保証人情報の登録

対象債権者が融資を実行した場合、その情報を信用情報機関に登録するが、前記(1)で保証人について信用情報機関に照会を行ったようなときは、その保証人の情報も信用情報機関に登録される。

(3)　保証人の事故情報の登録

主たる債務者からの債権回収が困難となった場合には、債務の残余額の返済を保証人に請求し、弁済を受けることがあるが、保証人がその弁済ができなくなったときは、その旨の情報（いわゆる事故情報）を信用情報機関に登録することとなる。

2　GLに沿った取扱い

GLにおいて、対象債権者は、このGLによる債務整理を行った保証人との間で弁済計画について保証人と合意に至ったとき、または当該保証人が弁済計画について分割弁済によった場合において当該債務を完済したときは、信用情報機関に「債務履行完了」として登録する（ただし、この分割弁済で弁済できないような事態が生じた場合には、事故情報が登録されることになるので留

意する必要がある）。

Ⅴ 適用実績

　GLの適用開始日からすでに6年以上が経過し、経営者保証に依存しない融資の実行や既存の保証契約の解除については、着実に適用件数も増えている状況である。一方、保証債務の整理については、準則型私的整理手続（支援協整理手順(注7)や、特定調停スキーム利用の手引(注8)、REVICにおける特定支援業務(注9)）が整備されており、適用実績も一定程度積み重ねられているところである(注10)。

1　経営者保証を求めなかった事例等

　金融庁が公表した「『経営者保証に関するガイドライン』の活用に係る参考事例集」には、経営者保証に依存しない融資の一層の促進に関する事例や既存の保証契約の適切な見直しに関する事例等が掲載されている。

　前者は、「事業性評価の内容を考慮して経営者保証を求めなかった事例」、「保全不足ではあるが、経営者保証を求めなかった事例」、「今後のモニタリング強化の方針のもと、組合員全員の保証を解除した事例」等が、また、後者は、「過去に不適切な経理処理が行われたが、事業承継に際し、新・旧経営者が経営者保証を求めなかった事例」、「GLの要件を一部満たしていないが、事業承継に際し、新・旧経営者から経営者保証を求めなかった事例」等があり、これらの事例が参考となる。

（注7）　https://www.chusho.meti.go.jp/keiei/saisei/2019/190626saisei.htmを参照。
（注8）　https://www.nichibenren.or.jp/activity/resolution/chusho/tokutei_chotei.htmlを参照。
（注9）　http://www.revic.co.jp/business/retry/index.htmlを参照。
（注10）　GLの適用実績については、中小企業庁および金融庁が定期的に公表している。

2 保証債務の整理事例

　金融庁が公表した「『経営者保証に関するガイドライン』の活用に係る参考事例集」には、前記Ⅴ1の事例のほか、「中小企業再生支援協議会を活用した事例」、「特定調停を活用した事例」、「REVICの特定支援業務を活用した事例」、「REVICを活用した事例」等が掲載されている。個々の事例によって残存資産の範囲は変わってくるが、これらの事例には「華美でない自宅」が残ったケースや一定の生計費に相当する額が残ったケース等が記載されているので参考となる。

2 GLの目指すもの

元中小企業再生支援全国本部顧問　藤原　敬三

I　GL公表に至るまでの流れ

　2013年12月に公表され、翌2月1日から運用が開始されたGLは、日本商工会議所と全国銀行協会が共同で設置した「経営者保証に関するガイドライン研究会」（以下、「GL研究会」という）において策定・公表されたものであり、研究会にも参加した中小企業団体および金融機関団体共通の自主的自律的な準則であるが、そこに至るまでには2つの流れがあった。まず1つは、民法改正に向けた流れであり、その中で個人保証そのもののあり方が議論されていたが、個人保証制度の撤廃や一律的な制限は、結果的には中小企業に対する与信の収縮や中小企業の経営規律の低下につながりかねないことから、中小企業における経営者保証の問題は民法改正の議論から切り離された。またもう1つの流れは、バブル崩壊後の金融監督行政の変化であり、担保・保証に過度に依存しない融資慣行の定着に向けた流れである。バブル崩壊後から「リレーションシップバンキング」の推進が叫ばれ、すでにその流れは始まってはいたが、具体的な指針の策定に向けた動きとしては、2010年11月、中小企業庁により開催され、金融庁、法務省もオブザーバーとして参加した「中小企業の再生を促す個人保証等の在り方研究会」であり、2011年4月には報告書がまとめられている。ここでは、中小企業の再生局面にフォーカスして経営者保証問題が議論されている。その後、2013年1月には、民法改正に向けた流れと合流するかのように、中小企業庁、金融庁が事務局となり、法務省をオブザーバーとして「中小企業における個人保証等の在り方研究会」が始まり、今度は再生局面のみならず、融資の入口段階つまり融資取引開始時点における経営者保証のあり方にまで範囲を拡大して議論され、2013年3月に報告書がまとめられた。

その後、2013年6月に「日本再興戦略」が閣議決定され、その中で、経営者本人による個人保証制度の見直しに向け、早期にGLを策定する旨が明記された。これを受け、同年8月にGL研究会が設置され、前記の各研究会における報告書や長年の議論を尊重した上で立場の異なる多くの関係者が議論し接点を見出した成果物こそがGLなのである。だからこそ、中小企業団体および金融機関団体を含む関係者が自主的自律的にGLを守り、広く普及することが強く期待されているといえよう。

Ⅱ　GL策定において各関係者が目指したもの

さて、GLの策定において、それぞれの関係者は何を目指したのであろうか。当事者である「中小企業の経営者」および「金融機関」と、出口における主な利用者である「弁護士」というそれぞれの切り口から、GL研究会の委員の一員として関与した立場から、GL研究会における議論も踏まえ整理してみたい。そして、筆者がGLの普及促進のために留意すべきと考えている点についてもふれてみたい。

1　「入口」──新規保証契約時および事業承継の際の保証契約更新時

(1)　中小企業経営者が目指したもの

中小企業金融においては、経営者の個人保証は当然に行われている。そして個人保証が解除されるのは、企業業績の向上により株式公開に至るときくらいであるといっても過言ではないであろう。もちろん、上場企業の子会社や極めて好業績の特殊な企業等においては、個人保証を伴わない取引もないわけではない。

このようにその当否は別として、中小企業融資において経営者の個人保証の徴求は融資慣行としてすでに定着しているため、中小企業の経営者が新規融資を受ける際には戸惑いはないようだが、子息等に事業承継する際や経営が行き詰まり法的整理を含めての事業再生を考える際の2つの時点で、この経営者保証の問題が表面化する。通常、経営が順調に進んでいるときは、法人個人が一体となり資金面でも公私混同となってしまっていることも多々見

受けられる。このような経営者側の本音については、GL研究会においても委員である中小企業の経営者が「自分の会社なのであるから、保証をすること自体に違和感はない。保証がなくなる代わりに金利が高くなるのでは困る。問題は、息子に承継する際の二重保証や会社が法的整理に至った場合のセットでの個人破産である」という趣旨の発言があったことからも理解できるところである。

　もちろん、そもそも融資を受ける時点から個人保証が不要となることが理想ではあるが、実現可能性も考慮した上で経営者が目指したいところとしては、事業承継時の二重保証等にもみられる過度な保証がなくなることと、万が一の事業再生倒産局面においての個人破産の回避であろう。

(2)　**金融機関が目指したもの**

　そもそも金融機関が中小企業金融において経営者の個人保証を必要としてきた最大の理由は、経営者への規律であって、保証履行による回収が目的ではないようである。GL研究会の場でも、実際に企業が破綻した際に金融機関が経営者の個人保証により回収できた金額は極めて少ない旨の発言もあった。また、金融機関としては、中小企業では粉飾が多く、決算書等財務諸表の信頼性が極めて低いことから、経営者の個人保証は粉飾防止対策という側面もある。

　このような実情から、金融機関として、新規融資時の無保証取引の実施に向けて、GLにおいて目指したものは、経営規律（ガバナンス）と財務諸表の信頼性の向上であろう。

(3)　**GLにおける着地**

　以上のような中小企業経営者および金融機関の双方が目指すものが、GLでは、「入口」すなわち新規保証契約時および事業承継の際の保証契約更新時の対応として規定されている。

　具体的には、経営者側に、3つの対応が求められている。「法人と経営者との関係の明確な区分・分離」、「財務基盤の強化」、「財務状況の正確な把握、適時適切な情報開示等による経営の透明性確保」である（GL4項(1)①ないし③）。このうち、「法人と経営者との関係の明確な区分・分離」については、「社会通念上適切な範囲を超えないものとする」との表現が用いられて

いるように、厳格に法人と個人の一体性が否定されているわけではなく、節度をもった範囲内での法人と個人の資金のやりとりと正確な帳簿への記載が求められているものと解釈すべきであろう。次に「財務基盤の強化」については、現実的には自然な要件といわざるを得まい。そして最後の「財務状況の正確な把握、適時適切な情報開示等による経営の透明性確保」については、本質的ではあるものの極めて解決が困難な点である。具体的には、経営者には、金融機関に対する事業計画や業績見通し等々に関する情報開示と説明が求められており、加えて「開示情報の信頼性の向上の観点から、外部専門家による情報の検証を行い、その検証結果と合わせた開示が望ましい」とされており、相当厳しい要件となっている。

そして、金融機関には、停止条件付きや解除条件付きの保証契約をABL等の融資手法に活用する等の工夫、そもそもの保証の必要性、適切な保証金額、物的担保との関係等々について、新規保証契約時のみならず事業承継時においても十分に経営者に説明するとともに話し合うことが求められている。中でも、事業承継時における前経営者の保証契約の解除については適切に判断するよう求められている。今後、多くの中小企業において発生する後継者不足問題を考えれば、事業承継時の保証の取扱いの問題は、すべての金融機関において避けては通れない問題であろう。

「入口」について、GLに記載された内容に沿って粗々整理すると以上の通りであるが、中小企業と地域金融機関との現状の取引実態を踏まえて考えてみると、これまで「担保・保証に過度に依存しない融資」と叫ばれ続けてきたにもかかわらず変わらなかったものが、GLの成立によって一気に変わるとは到底思えない。GL研究会においても「形式的には企業に融資しているが、実態は経営者に融資していると考えている」といった意見が一部業態の金融債権者から出ていたことも事実である。とはいえ、少々時間は要するであろうが大きく変化していく可能性はあり、期待したいところである。また、GLの公表を機に、金融庁による監督指導が強化されたこともあり、多くの地域金融機関において「無保証融資」の実行件数が開示される等の動きが出てきており、「入口」部分でのGLが目指した「経営者保証のない融資取引の拡大、普及」は、一定程度の成果は出てきているといえるのではないだ

第1章　GLの概要、特徴と問題

ろうか。

2　「出口」──保証債務の整理時

(1)　中小企業経営者が目指したもの

「出口」すなわち保証債務の整理時において、GLが目指したものは、「中小企業における事業再生局面や法的整理局面において、経営者の個人破産を回避することのみならず、一定の生計費や華美でない自宅が残せることがインセンティブとなり、私的整理に限らず民事再生等法的整理も含めた早期事業再生が加速すること、更には過去における主債務の整理後に保証債務のみが残存し継続して保証履行が行われているケースについて、単独型として整理することにより、再チャレンジを後押しすること」である。

さて、経営者が目指したものとしては、まずは、会社の事業再生や整理時における保証人の自己破産の回避と信用情報登録機関への登録回避、これは最低の目標であり、次に、一定期間の生計費等の手元資金、そして自宅を残すことである。もちろん、自宅については会社借入れの担保となっている場合もあるが、可能な限りの配慮を期待したい、というところであろう。そして何よりも、事業再生や事業清算を検討するに当たって、保証人の破産回避等についての一定の見通しが立つ、すなわち予見できることが何よりの目指すところであったといえよう。

(2)　金融機関が目指したもの

多くの金融機関は、前述の通り保証からの回収はあまり期待してはいないこと、加えて、過去に事業再生や企業の破産を数多く経験してきた金融機関としては、主債務の整理後に残る保証債務の整理が完了するまで税務上の処理が完結しない（保証人からの回収の有無が確定しないと無税での損金処理ができないため）という現実もあることから、GLの策定により、保証債務の主債務との一体整理が可能となることは、金融機関にとってはメリットであるという側面がある。

とはいえ、保証人に法的整理によるよりも多くの財産を残し、かつ保証債務を免除することが、金融機関として、「株主代表訴訟に耐えられるのか」また「無税での処理が確約されるのか」の2点が現実的な大きな問題であり、

GLの策定により解決してもらいたい目標であったと思われる。

まず、「株主代表訴訟に耐えられるのか」の点については、GLが、中小企業団体、金融機関団体、各種専門家および金融庁等関係省庁が参加して策定された準則であり、GLの範囲で対応する限りにおいては「株主代表訴訟」の心配はないであろう。

問題は2点目の税務の問題である。GLと税務との関係についての誤解が多いのではないだろうか。具体的には、GLに基づいた保証債務の整理を行った場合に、債権者である金融機関において無税償却が可能であるか、債務者である経営者において所得認定されないのかの点についてであるが、一般的に税務上の問題がない旨の国税庁に対する「文書照会」とその回答がなされているわけではなく、「事例照会」となっている。この点、私的整理GLや個人版私的整理GLとは異なっている。ここは、極めて重要な点であり、「GLで処理すれば無税償却できる」とか、さらには「GLの精神に沿って処理すれば無税償却できる」などと安易に考えるべきではない。正確にいえば、単に事例（それも相当程度限定的な事例）に対しての回答があるだけなのである。もっとも、中小企業庁から国税庁宛てに「事例照会」が行われていること、さらには準則型私的整理手続の下でGLに基づく保証債務整理が行われることを勘案すれば、基本的には無税償却が認められる可能性も高いと思われ、それほど神経過敏になることはないのかもしれない。ただし、今後継続して国税庁からの信頼を得て、GLが広く普及するためにも、いきすぎた運用は慎むべきであろう。

(3) **経営者の代理人である弁護士が目指したもの**

中小企業から依頼を受け、法的手続であれ私的整理手続であれ事業再生や事業清算を検討するに当たり、最終的な決断を行うのは経営者であり、事業再生や事業清算を進めるためには経営者の説得は避けては通れない。その際、個人破産の回避や一定の資産や自宅が残せることが相当な確度で見込めることができれば、かかる説得もしやすく、代理人となる弁護士としては何よりも実現したいところだろうと思われる。

もっとも、代理人弁護士としては、依頼人のために可能な限りの財産を残す努力も必要であろうが、事業再生や事業清算に至る中小企業の経営者はす

第1章　GLの概要、特徴と問題

でに私財を投入済みであることも多く、何よりも残存する保証債務の免除と個人破産の回避が約束されることが最も重要なことではないだろうか。

また、過去における多くの倒産企業においては、経営者等の個人保証の整理がなされず、長年にわたって完済できない保証債務の履行を続けているケースが多々見受けられる。このようなケースは、特に信用保証協会による代位弁済後の求償権の回収において数多く見受けられるところであり、債務整理の相談を受ける弁護士としては気になっていたところであり、GLの策定により、このような問題が一気に解決に向かうことを期待するところであろう。

(4)　GLにおける着地

GLでは、出口である「保証債務の整理」について、大きく3項目、「利用の対象となり得る保証人」、「保証債務処理の2つの手続（一体型と単独型）」、「保証債務の整理を図る場合の対応」に分けて規定されているが、このうち「保証債務の整理を図る場合の対応」について、前述した各関係者が目指したものとの関係を踏まえてコメントしたい。

「保証債務の整理を図る場合の対応」として、各準則型私的整理手続に共通する考え方として、5項目に分けて記載されている。

(i)　一時停止等の要請への対応（GL7項(3)①）

ここでは、中小企業の私的整理手続として広く普及している再生支援協議会において実質的な一時停止として用いられている「返済猶予の要請」を取り込んでいるところから、GLが、柔軟な運用を期待しているという精神がみてとれる。

(ii)　経営者の経営責任の在り方（GL7項(3)②）

ここには、「……結果的に私的整理に至った事実のみをもって、一律かつ形式的に経営者の交代を求めないこととする。具体的には、……」と規定されている。これは再生支援協議会における運用と実質的に同じであり、多くの地域金融機関においてはすでに同様の運用がなされているところではある。しかしながら、一部においてはいまだに経営者の退任を形式的に要求する金融機関もあることから、極めて重要な規定であり、GLの考え方として普及することが期待されているといえよう。

2 GLの目指すもの

(iii) 保証債務の履行基準（残存資産の範囲）（GL7項(3)③）

残存資産の範囲に関し、GLでは大きく2点が規定されている。

まず1点目は、「残存資産の範囲」について、対象債権者は必要に応じ支援専門家とも連携しつつ決定するものとし、保証債務の履行請求額の経済合理性については主たる債務と保証債務を一体として判断するとしている。そしてこれらの判断に際しては、破産手続における自由財産の考え方や民事執行法に定める標準的な世帯の必要生計費の考え方との整合性、および経営者が事業再生や事業清算に早期に着手したことに伴い考慮すべき経済合理性等々を総合的に勘案すると規定している。

次に2点目は、「保証人の説明責任と債権者の検討義務」についてである。具体的には、「一定期間の生計費や華美でない自宅等について残存資産に含めることを希望する場合には、保証人が対象債権者に説明する」と規定し、保証人が希望する場合には保証人自身および支援専門家に説明責任があることと、その説明を受けた対象債権者は、GLに規定された考え方に則って真摯かつ柔軟に検討すること、という双方の義務が規定されている。

(iv) 保証債務の弁済計画（GL7項(3)④）

ここでは、保証債務の減免を含む弁済計画の記載内容について規定されているが、その他「単独型」に関して、準則型私的整理手続の利用を原則とするものの、支援専門家等の第三者の斡旋によるものも妨げない旨追記されており、準則型私的整理手続だけでなくいわゆる弁護士による純粋私的整理も許容されている点に留意が必要である。

(v) 保証債務の一部履行後に残存する保証債務の取扱い（GL7項(3)⑤）

保証債務の免除要請に際して行う「表明保証」に関して、事実と異なることが判明した場合（保証人の資産の隠匿を目的とした贈与等が判明した場合を含む）には、免除した保証債務および免除期間分の延滞利息も付した上で、追加弁済を行うことについて、保証人と対象債権者が合意し、書面での契約を締結すること等、必要な手続が規定されており、保証人の誠実な対応が求められている。

3 まとめ

　GLが目指す「入口」としての「個人保証のない融資の普及」に関しては、すでに一定程度の広がりをみせており、近時のマイナス金利環境下での金融機関間の貸出競争も追い風となって、今後さらなる普及が期待できるという見方もある。とはいえ、現実問題としては、財務基盤の強化、すなわち企業業績が良好であることが大前提となる以上、一定規模の優良中小企業に限定された利用にとどまっていると考えるのが自然である。しかし、それでもなお、中小企業における間接金融において「経営者の個人保証」が機械的に求められていた金融慣行に変化が生じたことの意義は極めて大きい。

　また、「出口」としての「中小企業の事業再生局面や法的整理局面における経営者の個人破産の回避および一定の残余財産の確保がインセンティブとなって、早期事業再生と早期事業清算が加速すること」に関しては、債権者である金融機関にとってもメリットがあり、再生支援協議会においては、GLの策定以前から主たる債務の整理と一体的に経営者保証の整理に取り組んでいたところでもあり、GLの策定公表を受けて加速度的に普及することが期待される。

Ⅲ　最後に

　「出口」におけるGLの利用拡大に向けて個人的な考えを述べたい。
　まず、残存資産の考え方に関して、破産手続との比較から算定される経済合理性の範囲内であればすべて許容されるとか、許容すべきであるという主張を耳にするが、この主張は少々いきすぎであろう。例えば「一定期間の生計費」に関しては、GLは、「一定期間（当該期間の判断においては、雇用保険の給付期間の考え方等を参考とする。）の生計費（当該費用の判断においては、1月当たりの標準的な世帯の必要生計費として民事執行法施行令で定める額を参考とする。）」と規定し、GL・QA7-14も「目安」となる金額を記載している。もちろん「目安」であり、絶対的な基準ではないが、文字通り「大凡の基準」と考えるのが自然であろう。その上で、「一定期間の生計費」とは別に、

「破産手続における自由財産の考え方や、その他の個別事情を考慮して」「その他の資産」を残存資産に加えるという考え方が基本的な考え方である。

なお、GL・QA7-14には改訂により「当事者の合意に基づき、個別の事情を勘案し、回収見込額の増加額を上限として、以下のような目安を超える資産を残存資産とすることも差し支えありません」との記載が追記されておりかかる取組みを否定するものではないが、金融機関としては、管理回収の側面から、株主代表訴訟や背任行為への該当性という側面からの慎重な検討は必要であろうし、かかる取組みを一般的な考え方として普及させることには無理があるのではないだろうか。この点、金融機関が無税処理によって得られる額や表明保証により知らざる資産が発覚した額等を、GLの利用によって生じた利益であるとして経済合理性を構成する要素の1つとする考えは、GLには記載されてはいないし、GLの精神とは少々次元の異なるものであると思われる。

また、GLの利用拡大、普及を目指す道として大きく2つの考え方があるように感じている。1つ目は、GLに基づいて、より多くの残存資産を残す実績を重ねることにより、経営者の事業再生、事業清算へのインセンティブを高め、早期の事業再生、事業清算を果たそうとする考え方である。もう1つは、GLの考え方をベースとする一定の基準に基づいて数多くの利用実績を積み重ねることにより、GLの早期の普及を進めようとする考え方である。前者の考え方では、「一定期間の生計費」を目安以上に残すことや、「一定期間の生計費」と「華美でない自宅」に加えて経済合理性の範囲で「その他の資産」を残存資産とすることを目指すことになるが、300万円～500万円近くの資産と自宅に加えてさらなる資産を残すことについて債権者である金融機関はもとより税金が投入されている政府系金融機関や信用保証協会が応じるにはハードルが高くなるのは当然のことであり、個別事情を相当慎重に判断しなければならず（前述の通り税務問題も気になるところである）、実例を重ねるには相当な時間を要するであろう。むしろ、保証人個人の自己破産および信用情報登録機関への登録の回避と、破産手続における自由財産よりも多くの資産を残す事例を数多く積み重ねることがGLの普及の近道であると思われる。再生支援協議会では、全国47都道府県において均一的な運用を行う必

要性もあり、後者の考え方に基づいて運用しているが、信用保証協会を含む多くの金融機関が、目安に基づいた「一定期間の生計費」を残存資産とすることを受け入れているなど、十分ではないものの、GLの普及が始まりつつあると感じている。

3 支援専門家を受任した場合の留意事項および問題点

弁護士　山形　康郎

I　はじめに

　支援専門家とは、GLに従って、保証債務の整理を行う際に、これを支援する弁護士、公認会計士、税理士等の専門家であって、すべての対象債権者がその適格性を認めるものである（GL5項(2)ロ）。支援専門家が担う具体的な役割としては、保証債務に関する一時停止や返済猶予の要請（以下、「一時停止等の要請」という）、保証人が行う表明保証の適正性の確認、対象債権者の残存資産の範囲の決定の支援、弁済計画の策定支援が考えられるとされている（GL・QA7-6）。
　支援専門家の支援を受けた弁済計画の内容等に対して、事業再生ADRでは、手続実施者が、再生支援協議会手続では、外部アドバイザーとなる弁護士が検証を行い、調査報告を行い、これを受けて、対象債権者は同意・不同意を決することになる。その意味で、支援専門家は、債務整理を行う際の債務者代理人に近い役割を果たすと考えれば理解しやすい。
　支援専門家の適格性は、当該専門家の経験、実績等を踏まえて対象債権者が総合的に判断することとなるとされ、前記の通り、公認会計士等が就任する余地も認められているが、同時に、支援内容が非弁行為とならないよう留意する必要があるとされている（GL・QA5-7）。実際の保証債務整理の場面では、対象債権者との間で債務整理交渉が伴うことが多いことから、ここでは、債務整理交渉も伴う事案を弁護士が受任することを前提に、受任時からの手続の流れに従って論じることとする。
　なお、REVICスキームによる保証債務の整理については、同機構が主体となって、GLに即して経営者の保証債務を整理する手続であって、弁護士などの専門家は、支援専門家ではなく、外部アドバイザーという形で、私財

【図表１−３−１】各手続におけるGL取扱いの相異点

	特定調停	再生支援協議会	事業再生ADR	REVIC	純粋私的整理
支援専門家	必要（債務者代理人）	必要	必要	不要（ただし、外部アドバイザーが私財調査・表明保証の適正性の確認・免責不許可事由がないことの確認に関与）	必要
弁済猶予等の要請のタイミング	特定調停申立に先立って	弁済計画策定支援決定時	主債務者の正式受理時	支援決定時	弁済計画案提出に先立って
弁済猶予等の要請の主体	保証人・支援専門家（一体利用型の場合は主債務者も）	保証人・支援専門家・支援協	保証人・支援専門家・主債務者・JATP	REVIC	保証人・支援専門家
スキーム	一体利用型・単独型	一体利用型・単独型	一体利用型	一体利用型	一体利用型・単独型
調査報告とその作成主体	無（調停委員会による調整）	有（外部専門家の弁護士）	有（手続実施者）	無	無
その他の特徴	17条決定の活用の余地あり		単純型なし	再生支援・特定支援いずれも利用可	

調査その他の業務に関与する。

　このため、本稿の対象外とするが、保証人に対して実施する説明や資産調査の進め方など後記Ⅲに関連する問題点については、外部アドバイザーに就任する場合においても同様の問題点となるので参照されたい。

Ⅱ 受任に際しての問題点

1 手続による分類

　GLに従って保証債務を整理する場合の手続は、①準則型私的整理手続（事業再生ADR、再生支援協議会、特定調停）において、主たる債務者（会社）と同時に整理手続が進められる一体型、②主たる債務者（会社）について、法的債務整理手続（破産、民事再生等）がなされ、これと並行して保証債務の整理が進められる単独型（のみ型）③主たる債務者（会社）の準則型私的整理手続または法的債務整理手続が終了した後に、保証人のみの整理が進められる単独型（のみ型）（特定調停、再生支援協議会）に分かれる。
　前記分類に従って、受任に際しての問題点について、若干の相異が存することから、前記分類別に整理する。

2 準則型私的整理手続との一体型整理手続における留意事項

(1) 手続の進捗

　準則型私的整理手続を利用する場合は、主たる債務者の整理手続と並行して保証債務の整理手続も進められる。基本的には、主たる債務者の弁済計画案と同時に保証債務の弁済計画案の提出が求められ（GL・QA7-22）、同意を得るタイミングも同時となる。このため、後述する私財調査、一時停止等の要請、弁済計画案の策定などについての業務を主たる債務者の整理手続に遅れることなく進めていく必要がある。
　主たる債務の整理手続は、比較的短期間で進むことが予想されるため、手続が開始される前に十分な準備期間を確保した上で進める必要がある。
　なお、個別の手続の進捗については、事業再生ADRにおける手続実施者、再生支援協議会、裁判所（調停委員）と協議をしながら、その進行に合わせて進めていくことになる。

(2) 主たる債務者の代理人等との兼任

　主たる債務者との兼任の可否については、利益相反の顕在化に注意する必要があるとされているところ（GL・QA5-8）、事業再生ADRにおいては、

第1章　GLの概要、特徴と問題

原則として主たる債務者の代理人と支援専門家の兼任は避けることを前提とした運用がされている(注1)。再生支援協議会手続では、「主たる債務者の代理人が保証人の支援専門家に就任することは可能」とはされているが、前記GL・QAにもある通り、利益相反の顕在化には留意が必要とされている(注2)。特定調停手続においては、この点に関しては、手引等に特段の記載はないが、GL・QA 5-8記載の原則に従って判断するものと考えられる。

　また、第三者保証についても、GLに従った整理が可能であることが前提とされているが（GL・QA 7-18参照）、その場合、個別事情を考慮して、経営者と他の保証人との間で、残存資産の調整を行う場合などについては、利益相反の顕在化のおそれが高いことから、このような場合にも利益相反に留意した上で、支援専門家への就任を慎重に検討する必要がある。

3　法的債務整理手続と同時に保証債務整理手続が進められる場合および主たる債務者の整理手続（準則型私的整理手続および法的債務整理手続）終了後に単独で整理を図る場合の留意事項

(1)　手続の進捗

　手続の進捗については、法的債務整理手続と同時に進められる場合、主たる債務者の整理手続終了後の単独型の場合、いずれの場合でも、保証債務の整理手続は、特定調停や再生支援協議会手続で別途進められることになる。このため、手続をどのようなタイミングで進めるかは、支援専門家の判断に委ねられることになる。

　もっとも、残存資産の範囲の決定において、自由財産を超えて、いわゆるインセンティブ資産を求めるのであれば、法的債務整理手続の係属中で主たる債務に関する再生計画等が認可された時点（またはこれに準じる時点）までに保証債務整理の申立てを行う必要がある（GL・QA 7-20・7-21）。

　したがって、法的債務整理手続を進める破産管財人や民事再生申立代理人等と連絡を密にし、手続の進捗を確認しながら、そのタイミングを失うことがないよう慎重にスケジュール管理を行うことが必要である。

(注1)　事業再生ADRのすべて368頁。
(注2)　支援協整理手順QA【Q18】参照。

(2) 手続の選択

　特定調停、再生支援協議会手続、支援専門家が対象債権者と相対で行ういわゆる純粋私的整理型で整理を図るか、のいずれを選択することになるか、支援専門家において判断する必要がある。

　再生支援協議会による場合、個別支援チームの弁護士による調査報告書を基に対象債権者を説得することができる一方で、専門家費用が必要となる点、リース債権者等の保証債権者や固有債権者を対象とすることも可能ではあるが、再生支援協議会手続に馴染みが薄い点などが特徴として挙げられる。

　特定調停手続による場合、成立を証する調書には債務名義としての効力があることから、保証債権者にとって信用力が高い点、17条決定による一定程度の強制的解決を図ることが可能な点などが認められる一方で、印紙代について取扱いが統一されておらず、債務免除額に合わせた追納が求められる可能性がある点(注3)などが特徴として挙げられる。

　準則型私的整理手続によらず、支援専門家が対象債権者と相対で交渉して整理を図ることもGL上は許容されており（GL・QA7-2）、対象債権者数が少ない場合など、保証債務者の債務の整理に関して賛同が得やすい状況にある場合などにおいて選択することが考えられる。

(3) 主たる債務者の代理人等との兼任

　2(2)で述べたところと同じく、利益相反の顕在化に留意しつつ個別に判断することになる。

(4) 一時停止等の要請時期

　前記(1)でも記載した通り、一時停止等の要請のタイミングについては、支援専門家の判断によるところが大きく、どのタイミングで一時停止等の要請を実施すべきかが問題となる。

　一時停止等の要請をもって、集団的債務整理の開始を意味する(注4)とされており、GL上は、その効力が生じた時点が、財産の評定の基準時となるとされている（GL7項(3)④イｂ）。

(注3)　私的整理の実務Q&A140問238頁［髙井章光］。
(注4)　小林信明「経営者保証ガイドラインの特徴と利用上の問題点」ニューホライズン事業再生と金融56頁。

したがって、同時点において保証人が保有する財産から担保権や優先債権の弁済を控除したものが、保証債務として履行すべき資産を確定することになる。

このため、その後に取得した資産は、原則として、弁済の対象から外れることになり、早期に一時停止等の要請を行うことにより、弁済対象資産を確定することがよいケースもあるようにも思われる。

一方で、保有する財産が減少するのみで新たな資産の取得が見込まれないケースでは、財産の評定の基準時をあまり前倒しすると弁済対象となる資産が履行時には失われている可能性も高い。そのため、一時停止等の要請後に財産が減少している場合には、詳細な使途の説明を行い、弁済原資が失われたことについても債権者から理解を得る必要が生じることになる。

この他にも、拙速に一時停止等の要請を行うと後の手続において問題が生じることにもなる事情もある。具体的なものとしては、資産調査開始後に、保証債務の整理方針が変更されることがあるとか、一時停止等の要請は、すべての対象債権者に対して、同時に行われることが求められているところ、保証人の固有債権者が存在する場合には、当該債権者を対象債権者とするかどうか、慎重な判断が必要となり、要請時にいまだ方針が固まっていない場合があるといった事情である。

したがって、実際には、GLによる保証債務手続の見通しが具体的に明らかになる時点までは、一時停止等の要請は行わず、保証債務の整理に関して受任した旨およびGLに従った保証債務の整理を行う予定である旨を記載した受任通知を債権者宛に送付した上で、個別の権利行使を控えるように要請を行っていることが多いように思われる。

なお、再生支援協議会手続による場合には、一時停止等の要請に該当する「返済猶予の要請」は、再生支援協議会、保証人および支援専門家の連名で行うことになっている点が、特定調停手続や純粋私的整理型の場合のように、支援専門家の判断によって一時停止等の要請をするケースと異なっている。このため、前記要請を行うに当たって、再生支援協議会とも十分な協議を経る必要があるし、これに先立って、十分に時間的余裕のある段階で相談の申込みを行い、事案の概要や状況を再生支援協議会とも共有しておくこと

が重要である。

III 保証人に対する受任時の説明等の問題点

1 GLおよび成立の見通しの説明

支援専門家は、就任に際し、保証人に対して、GLに従った保証債務の整理手続について、全対象債権者の同意によって成立するものであること、対象債権者の一者でも不同意となった場合には、原則として、整理手続による弁済計画案は成立しない[注5]ことについて説明しておく必要がある。

また、不成立となった場合、確実に保証債務の整理を行うことを希望するのであれば、別途、破産手続や再生手続といった法的手続にて整理を行う必要があること、同時に着手金や裁判所予納金といった整理に要する費用が発生することも説明をしておく必要がある。

これらは、一般論として説明する必要があるところ、例えば、対象債権者の中に、主たる債務者または保証人自身とのこれまでの関係が敵対的であるなどして、同意を得ることが困難であるなどの事情がすでに明らかとなっている場合には、当該案件に即して、成立の可能性の見通しが容易ではないことなども説明しておく必要がある。このほか資産の概要を前提に、手元に残すことが可能となる財産の見通しについても説明する必要がある。

2 保証人が遵守すべき事項の説明

支援専門家は、保証人に対して、保証人は、資産状況を調査し、その調査結果を開示した情報の内容の正確性について表明保証を行う必要がある（GL7項(3)③・⑤イ）とともに、自身に免責不許可事由が生じていないこと、保証債務の整理の申出後に、免責不許可事由が生じるおそれがないことについても表明保証を行う必要がある（GL・QA7-4-2）こと[注6]、仮にこれらに対して表明保証違反があった場合には、保証債務の免除を受けていたとしても、免除した保証債務および免除期間分の延滞利息も付した上で、追加

(注5) 不同意の債権者が大きな影響がない場合には、対象債権者から外す形で成立を図る余地もある（GL・QA7-8）。

弁済を行う必要がある（GL 7 項(3)⑤ニ）点についても、十分に説明を行う必要があり、理解を得ておく必要がある。

また、支援専門家自身も対象債権者に対して、表明保証の適正性について確認を行う存在であり（GL 7 項(3)③）、一定の責任を負う立場に立つことを前提に、保証人の説明が不十分なものである場合には、安易に説得されるものではなく、第三者的観点から厳しく調査を行う者であることも説明を行う必要がある。

なお、表明保証違反の事実があり、保証人に過失があった場合でも、当該過失の程度を踏まえ、当事者の合意により、当該資産を追加的に弁済に充当することにより、免除の効果は失効しない取扱いとすることも可能（GL・QA 7 -31）とされている。しかし、これは対象債権者の同意が必要となる処理であって、資産の開示漏れに対して、大きな問題とはならないと誤解されることがないよう十分に注意を促すことも必要である。

このほか、保証人が、一時停止後に対象債権者に無断での資産処分をしたり、新たな債務の負担を行ったりした場合（GL・QA 7 -12）、必要な情報開示を行わない場合には、当該処分等を「合理的な不同意事由」（GL 7 項(3)）として、対象債権者から保証債務の整理手続に対して不同意とされる（GL・QA 7 - 7 ・ 7 -12）ことについても伝え、こういった態度をとることがないよう理解を得ておく必要がある。

3 対象債権者の選定

準則型私的整理手続との一体型整理手続の場合、基本的には主たる債務者

（注 6 ）　対象債務者の要件として、「保証人に破産法第252条第 1 項（第10号を除く。）に規定される免責不許可事由が生じておらず、そのおそれもないこと」（GL 7 項(1)ニ）とされている。過去のすべての行為を対象とし、「そのおそれもないこと」が対象債務者の要件とすることは要件として厳しすぎるし、「そのおそれ」がないことまで表明保証することは困難であるとの批判があった。
　　GL・QAの改訂（平成29年 6 月28日付け）において、生じていないこととそのおそれとの関係は、生じていないことは、「保証債務の整理の申し出前」を対象とし、そのおそれは、「保証債務の整理の申し出から弁済計画の成立までの間」を対象するものとして解すべきである旨が明確にされた（GL・QA 7 - 4 - 2 ）。

3 支援専門家を受任した場合の留意事項および問題点

と保証債務整理手続の対象債権者は重なることが多い。主たる債務者の対象債権者以外に保証債権者が存在したとしても、これらの債権者の債権は、私的整理による解決を図る場合、毀損されることはないためである。もっとも、保証人に固有の債権者が存在する場合、弁済計画の履行に重大な影響を及ぼすおそれのある債権者については、対象債権者に含めることができるとされている（GL 7項(3)④ロ）ことから、これを対象債権者に含めるかどうか、同意が得られる見込みや債権額が20万円を超えるかどうか（GL 7項(3)④ロ）なども考慮しつつ検討することになる。

主たる債務者の法的債務整理手続と同時にまたは法的債務整理手続後に保証債務整理手続を行う場合には、主たる債務自体は毀損されており、保証債務の履行が求められる状況にあることから、原則として、保証債権者はすべて対象債権者とする必要がある。リース債権者については大半が保証債権者となっており、商取引債権者の中にも保証債権者となっているものが存在することからその選定をいかに行うかが問題となる。個別には、弁済計画の履行に重大な影響を及ぼすおそれのある債権者かどうかという観点（GL・QA 7 -28）や最終的に同意が得られる見込みがあるかという観点などを考慮した上で、対象債権者とするかどうかが決せられることになる。

固有債権者を対象債権者とするか否か、対象債権者とした場合の問題点、事前調整の際の問題点については、第2章6を参照されたい。

Ⅳ 資産調査時における問題点

1 資産調査の内容とその視点

資産調査では、はじめに保有資産の概要を記載しやすいようにシートを交付し、記載を求めるなどして、概要を把握するとともに、そのエビデンスとなる原本類の提出を受ける。その際に、不自然な点がないか確認をしながら財産の存在を確認する。

また、評価が必要な資産（不動産・自動車など）は、できるだけ早期に鑑定を取得する、査定書を取得するなどして評価を行う。これは、残存資産の範囲を確定させる上でのデータが必要であるためである。不動産の評価につ

第1章　GLの概要、特徴と問題

いては、早期処分価格を基準に評価する。

　保有する銀行口座については、過去2年分の通帳や取引履歴についても提出を受け、引き落とされているものからすれば、本来存在すると思われる資産が保証人の自己申告資産から漏れていることがないか（保険契約やゴルフ会員権など）、どのような取引を行ったのか履歴だけでは説明がつかないものはないか、などについて保証人から直接ヒアリングをし、具体的な確認をすることになる。

　この他にも、主たる債務者が窮境に陥った時期以降について、その時期における生活状況はどのようなものであったかについて、取引金融機関は、意見を述べる可能性もあることから、取引履歴については、可能であれば、前記のように2年に限定するのではなく、それ以上前のものであっても、確認をしておいたほうがよい。

　これらの調査を行う際には、自己破産申立てを行うに当たって、申立代理人であっても求められる第三者的視点による調査と同じような目線で資産調査を行う必要があると考えられる。

2　家計収支表

　保証人が家計収支表を作成することは義務付けられてはいない。しかし、弁済計画案等を提出した後になってから、金融機関によって、直近2か月分などの生活状況を確認するための家計収支表の提出を求めてくるケースがみられる。

　家計収支表の作成は、保証債務整理手続上、要件とされているわけではないものの、整理手続に入ってから、突然求められたとしても集計に時間を要し、場合によっては資料が散逸して提出が困難となるケースもある。

　そこで、実際の必要の有無にかかわらず、あらかじめ家計収支表の作成を求めておき、保証債権者の求めに応じて、即時に情報開示できるよう準備しておくことが望ましい。

V 弁済計画立案時および保証債権者との交渉に関する問題点

1 残存資産の確定に当たっての留意事項

　残存資産の範囲の確定についての個別論点については、**第2章4**を参照されたい。

　ここでは、保証人の保有する不動産について、残存資産となるかどうか議論する場合において、仮に該当不動産を処分する場合であっても、第三者へ処分する場合と知人等に対して相場で処分した上で、リースバックを求める場合がある。また、仮に処分せず残すことになった場合においても担保権者との交渉や弁済の方針などについて、検討すべきさまざまな論点が存在する。

　それぞれ問題となる不動産は、経営者が保有していたものであって、仮に華美でないものであったとしても、その方針を確定させるには慎重な検討が必要であるとともに、合意に至るまでにも時間を要することから、保有不動産の処理方針については、早期に検討に着手し、これを確定させた上で実施に注力することが必要となる。

2 対象債権者の意向確認

　対象債権者の意向確認については、事前の相談が要件とされているわけではないが、十分な時間的余裕をもって、取引先の金融機関との事前相談を踏まえながら、進めることが望ましい（GL・QA6）とされている。

　基本的には、メインバンクの意向を確認した後、順次、下位の金融機関の意向確認を行っていくのがよいと考えられる。

　その際には、まず、GLによる整理を受け入れる土壌があるかどうか、という点を最優先に確認しながら進め、残存資産の確定範囲や具体的な弁済計画案についても、取りまとめの進捗に合わせて、個別に協議しながら確定を図っていくことが望ましい。

3 不同意の意向を示す金融機関が現れたときの対応

　支援専門家が対象債権者に対して、意向確認を進める中で、対象債権者の

第1章　GLの概要、特徴と問題

一部から、明示的に反対意見が示される場合や、現時点においては、同意が困難な状況にあることが暗に示されたりする場合がある。準則型私的整理手続との一体型の場合には、主たる債務の整理手続と並行して行われることから、ある意味、主たる債務に注目が集まり、顕在化しないこともあるが、主たる債務者の整理手続と切り離されて検討が進められる単独型の場合には、問題となることが多いように思われる。

　具体的には、①破産手続による結果（弁済額の面で）と大きく変わらないのであるなら、保証人も、破産管財人に透明性をもって処理してもらいたい、②主たる債務者と一体での経済合理性を示すだけでなく、保証人自身においても、GLによる保証債務の整理のほうが、経済合理性があることを示す必要がある（ゼロ弁済では経済合理性がない）、③過去、主たる債務者（会社）が取引を継続していた時代に、会社において粉飾決算を行うなど不誠実な対応がみられたため、誠実な保証人としては評価できない、などの反対意見が想定される。

　しかし、これらの事情をもって、「合理的な不同意理由」とすることは、困難であり(注7)、不同意の理由にはならず、これまでの議論を踏まえても、一時停止等の要請後の資産処分や債務負担などのみが、不誠実な対応として、「合理的な不同意理由」を構成することになると考える(注8)。

　これらにふれているGLおよびそのGL・QAなどの記載を示しながら、対象債権者の主張に理由がないことを粘り強く説得すべきである。

(注7)　債務整理着手前や一時停止前に債務不履行や不正確な開示（主たる債務者の粉飾など）があれば、態様を問わず一律にGL上の「弁済の誠実性」や「適示適切な開示」の要件に抵触するなどの主張がなされることがある。これらの問題に対して、GL・QAでは、これらの要件は、債務整理着手前や一時停止前の行為にも適用されるものの、その事実が存在すれば直ちにGLの適用が否定される、と解することは適切でないことを明確にするとともに、具体的な「態様、私的流用の有無等を踏まえた動機の悪質性といった点を総合的に勘案して判断すべきと考え」るべきであることを示す改訂（平成29年6月28日付け）がなされている（GL・QA3-3）。

(注8)　ゼロ弁済であっても経済合理性が認められる点について、第2章❸参照、主たる債務者に粉飾決算があった場合の問題点について、第2章❶参照。なお、ゼロ弁済の許容性を明確化する趣旨も含めて、自由財産を弁済対象にせず、残存資産とすることが「弁済の誠実性」に抵触するという考えは誤りであることもGL・QA改訂（平成29年6月28日付け）により明確にされている（GL・QA3-4）。

3 支援専門家を受任した場合の留意事項および問題点

　なお、そのときの姿勢としては、当方がGLに即した債務整理案を提示しているといっても、あくまでも当方の意見であることを忘れてはならない。

　金融機関は、主たる債務者が窮境に陥る前の状態も含めて、会社および保証人の振る舞いをよく知っている。支援専門家が、保証人からのヒアリングを通じて、すべてを認識しているかのように対象債権者を説得しても、結果として、支援専門家の了知しない過去の事実を示されることにより、足元をすくわれるような指摘を受けることも珍しくない。

　基本的には、GL上、不同意に合理的な理由があるほどの問題にはならないにしても、金融機関に対して、主たる債務者や保証人が、往時の振る舞いについて、何らかの不満を示される可能性のある立場にあることを前提に、謙虚な姿勢で交渉に当たることが望ましい。

　なお、不同意の意向を示した対象債権者について、保証債務整理手続申立前に完全に説得できていない場合であっても、十分な事前調整がなされていることと、大半の対象債権者について同意の意向が確認できていることを前提に、ある程度見切り発車とはなるものの、手続の申立てについては同意を得た上で、申立てを行い、再生支援協議会、調停委員会（特定調停）など第三者的立場の機関から説得を試みてもらい、同意に結び付けることも検討すべきである(注9)。

　さらに、それでも同意が得られない場合には、特定調停手続における17条決定を利用して、成立を図る(注10)ことも１つの方策である。

(注9)　宮原一東「主債務者を事業譲渡後、破産手続により整理し、保証人は、特定調停を申し立て、『経営者保証ガイドライン』に基づき、保証債務に加え、個人的借入金債務も取り込んで、いわゆる17条決定により同時に整理した事例」事業再生と債権管理155号（2017）127頁。

(注10)　再生支援協議会手続のもとで同意取得が困難となった場合には、特定調停手続に切り替えた上で17条決定を求めることになる。当初からある債権者から不同意の意向が示されている場合には、始めから特定調停手続を選択することも考えられるが、再生支援協議会手続において、多数の賛成を得たという実績を残した後に、特定調停手続を申し立てるということも考えられる。

4 金融機関からの視点の問題点（その１）

東京ベイ信用金庫　市原　裕彦

I　東京ベイ信用金庫の概要

　当金庫は1928年に創立、本店所在地は千葉県市川市にある。店舗数は千葉県内の市川市、浦安市、船橋市、松戸市、柏市、流山市、野田市、我孫子市に21店舗、東京都内は江東区、江戸川区に6店舗の計27店舗あり、千葉県北西部、東京都城東地区を営業エリアとしている。2016年3月時点で、預金量の規模は全国265金庫中78位であり、役職員数は464名である。
　地方創生・地域貢献活動、事業性評価や経営支援等の専担部門として「地域サポート部」が2015年7月に創部され、経営支援等に携わる担当者は4名体制となっている。

II　事例「株式会社Ａ社」の概要・状況等

　「株式会社Ａ社」は千葉県北西部にて鉄鋼関連の製造加工業を営み、業歴は約50年、従業員数は10名前後おり、工作機械では対応が難しい鉄材加工についての技術力と自社工場、および機械設備を保有していた。
　リーマン・ショックの影響による大幅な景気後退、公共事業の減少等による建設業界全般の不振に伴い売上げが減少、また受注確保のため業界内の競争も激化し、業績は悪化した。Ａ社は主に設備投資による多額の債務を抱えていたことから実質は債務超過状態にあったが、前記の理由により当然資金繰りも悪化し、返済額軽減の条件変更を繰り返すことによりキャッシュ・アウトを抑え、資金繰り安定化を図っている状況にあった。
　震災復興等による建設業界に対する需要の高まりに伴い、同社の業況も持ち直しを見せ始めていた。

代表者は2代目で、創業者時代は役員で工場全般を管理する技術畑出身であった。現在は高齢となっており、後継候補を含め後継者は見つかっておらず、事業存続について将来的な不安を抱えていた。

Ⅲ　金融機関（当金庫）からみた「A社」

A社との取引は、主たる設備資金のための証書貸付と資金繰りのための割引手形を保証協会保証のないプロパー扱いで、その他の運転資金について保証協会保証を利用して金融取引を行っていた。

業況悪化後、返済額軽減の条件変更を継続して行い、また並行して経営改善計画策定支援、改善計画の進捗についてモニタリングを行っていたが、計画目標との乖離が発生している状況にあった。プロパー融資については不動産担保による保全と代表者等の個人保証があったが、当金庫評価での保全は不足しており、返済元金軽減によりキャッシュ・フローを捻出していること、債務償還年数は長期となり後継者も不在であることから債務者区分は「破綻懸念先」としていた。

業況回復に向けて外部専門家（弁護士・中小企業診断士・公認会計士・不動産鑑定士・司法書士）と連携した経営相談や新たな経営改善計画の策定等の支援を継続していたが、売上高に対し借入金過大の状況に大きな変化はなく、千葉県再生支援協議会と連携した支援を模索している状況にあった。

Ⅳ　具体的事例

1　M&Aの打診——話合いのテーブルへ

前述の状況の中、2014年2月、A社の取引先である同業企業「B社」の取引金融機関からM&Aの打診があった。B社は以前からA社の技術力を高く評価している一方で、A社に後継者がおらず、若干名ではあるが技術者の離職も発生していることから「同社が培ってきた高い技術力が近い将来失われてしまうことを危惧している」とのことであった。

A社の代表者も多額の債務返済と後継者問題、自身の年齢、従業員の年齢

から、あと5～10年の事業継続は可能であるが、それ以上の期間の事業継続に不安を抱えていた。

一方でこのM&Aの話合いのテーブルに着く際には自社の財務内容等を先方に開示しなければならず、買収先が同業取引先であることから不調となった場合の今後の取引への影響等について懸念を抱いていた。

本案件については、お互いの取引金融機関を介しての打診であったため、財務情報の開示に関する懸念は払拭され、2014年4月、B社から事業譲渡による譲受けを希望していることと譲受希望金額が記載された「意向表明書」がA社宛に送付され、具体的な検討に入った。

2　M&Aの検討──当金庫の取組方針決定

B社の「意向表明書」による譲受金額についてA社は顧問税理士と内容を検討した。譲渡金額については交渉の必要があるが、現状を踏まえると今回の提案を受け入れたほうがよいのではないか、という結論に至った。また本件が成立した際には代表者個人の保証債務について免除が可能か、との投げかけがあった。

当金庫としても債権者として、A社という債務者に対する債権を回収する、という目線をもった上でこのM&Aの提案に対する方向性を決定する必要があった。当金庫にとって本件以前にM&Aの譲渡金額による債権回収の事例はなく、本件で提案されている譲渡金額の妥当性はどう判断するのか、どのくらい回収できるのか、どのように回収するのか、まったく経験のない案件であった。

法人、代表者個人ともに破産等の法的整理に至るケースとは異なるため、代表者の保証債務についてどのような取扱いをするのかについても判断材料となる事例や基準がない状況であった。

また、A社には当金庫以外にも保証協会、その他金融機関の債権者がおり、保証債務等の問題も含めて当金庫のみの判断では対応は不可能である。このため、A社について相談していた再生支援協議会の支援を得るため、2014年9月、A社代表者、再生支援協議会、当金庫の3社で面談を行い、相談案件として受付された。

4 金融機関からの視点の問題点（その1）

　その後、A、B両社の間でも譲渡金額等について交渉が続けられたが、金額面の折り合いやA社内部の課題解決のための紆余曲折があり、相応の時間を要することとなった。これらの課題が解決し、一定の方向性が打ち出されたことから、2015年5月、再生支援協議会の2次対応決定に至った。
　2015年6月、再生支援協議会による第1回バンクミーティングが開催され、あらためてA社の現況とM&Aの提案の経緯について説明が行われた。
　その中で、従業員の雇用維持、技術力の承継の重要性、譲渡金額や諸条件等からも検討に値するものであること、事業譲渡による再生と考えていることが関係金融機関に説明された。また、M&A、第2会社方式による再生スキームとなるが、再生支援協議会としては本件の「経済合理性」およびM&Aの条件の検証を行うこと、代表者については「GL」の適用を行う方向である旨の説明があった。
　前述した通り当金庫にとってはこのようなケースは初めての事例であり、債権回収の視点からの「経済合理性」や「GL」といった言葉の意味については理解しているものの、具体的に実務上どのように対応、検討できるのか、まったくの手探りで準備を整えることとなった。このため提示されていた譲渡金額を基準に当金庫の不動産担保評価額との比較を行い、その差額が許容範囲となるのか否か等、本件の進捗に伴って変化する新たな情報等について、当金庫の経営陣にそのつど説明し、当金庫の本件の取組方針の確認を行っていた。
　2015年8月、譲受側であるB社からB社独自で行っていたA社の資産デューデリジェンスにより、工場建物および機械設備の譲受金額を下方修正し、これに伴い譲受金額総額も下方修正する旨が通知された。当初の提示金額より下振れした修正となったため、A社の意向の再確認や当金庫内でも再度調整を行うこととなったが、本件に対して経営陣が地域経済維持のために前向きに取り組む姿勢に変化はなかった。その後協議会支援専門家による財務デューデリジェンス、不動産鑑定等の調査報告が完成し、併せて支援専門家弁護士によって代表者個人の保有資産の開示内容についての適正性が確認された。
　2015年8月下旬には、A社・B社の間で再生支援協議会による再生計画に

すべての金融債権者の同意が得られることを条件とした事業譲渡契約が締結された。2016年9月、バンクミーティングが開催され、再生支援協議会による再生計画案が全金融機関に示され、当金庫は同計画案に同意、他の金融機関についても同意の回答となり、再生計画案が成立した。

V　事業再生計画の概要

1　事業再生の意義

A社は明らかに債務過剰で、かつ大幅な債務超過となっている。これらを解消するには長期間の年月が必要と考えられる。一方で代表者は高齢であるが、後継者が不在という大きな問題を抱えている。

仮に後継候補者が見つかったとしても、現在の過剰債務のままでの事業承継は困難と考えられ、自助努力による自主再建の可能性は極めて低いと考えていたところ、同業企業「B社」から支援の打診があった。B社はA社とのシナジー効果に強い関心を示しており、またA社の従業員全員の雇用を表明している。

B社の支援を得れば事業再生は可能と考えられ、取引先や従業員家族への悪影響の回避および雇用の維持・技術の伝承等が図れるなど地域経済にとって大きな意義がある。

2　事業再生の手法

A社が行っている事業の全部を、事業譲渡によりB社またはB社の100％子会社へ承継し、事業の継続を図る。

A社は事業譲渡対価を原資として、金融機関に返済を行い、事業譲渡後、会社は特別清算する。

3　返済計画の内容

事業譲渡対価から再生費用を差し引いた金額を金融機関に返済する。事業譲渡対価のうち工場土地・建物の金額については、根抵当権者である金融機関に返済する。事業譲渡対価から工場土地・建物の金額を差し引いた金額に

4 金融機関からの視点の問題点（その1）

ついては、各金融機関借入金の非保全残高の割合で、各金融機関に返済する。これらを実施後の残高に対する返済は、特別清算による配当に基づき行われるが、その余の残高については実質的に債務免除を要請する。

4 保証債務の弁済計画および要請する保証債務減免内容

代表者の保証債務について、その保有資産のうち、預金の一部、保険の一部解約返戻代金および出資金の合計金額をもって、その一部の履行を行う。その余の保証債務については、「GL」に基づき免除を要請する。

前記免除要請に際し、代表者は対象債権者に対し、保有資産を開示するとともに、開示内容の正確性および免責不許可事由の不存在について表明保証し、支援専門家である弁護士が保有資産の開示内容の適正性の確認を行う。

残存資産の必要性については、①預金990千円は本来自由財産であること、②その他の預金については「GL」に定める一定期間の生活費であること、③保険は保証人が高齢かつ持病を有していること、④高齢の近親者を事実上保証人が扶養している状態であること、⑤自宅の居住継続性が保証されている状態ではない（自宅はB社の社宅として売却し賃貸物件として居住する）ことが挙げられた。

5 返済計画の妥当性

清算型の法的手続との比較において、基準日での清算配当率と本件事業再生計画を比較した場合には、B社がA社の事業性を評価したことにより、清算手続による回収より多くの返済を行うことができる。したがって、本件事業再生計画は、清算型の法的手続による場合に比べて債権者にとって経済合理性が認められる。また、A社の事業価値の試算金額とB社からの事業譲渡対価を比較すると、本件返済計画で債権者への返済原資となるB社からの事業譲渡対価が上回っており、債権者にとって経済合理性が認められる。

6 保証債務弁済計画の経済合理性

本件保証債務弁済計画は、会社の事業再生計画とともに提出されており、「GL」に規定する「主たる債務と保証債務の一体整理を図る場合」に該当す

る。したがって、その経済合理性は主たる債務の弁済計画と保証債務弁済計画を総合的に考慮して検討される。

本件では主たる債務の返済計画および保証債務弁済計画による回収見込額の合計は、主たる債務者および保証人が破産手続を行った場合の回収見込額を上回っており、債権者にとって経済合理性が認められる。

7 残存資産の範囲の相当性

本件保証債務弁済計画において、保証人の残存資産とすることとされている金額は、対象債権者の回収見込額の増加額の範囲内であり、「GL」に基づき、残存資産に含めることを検討し得るものである。本件について、個別・具体的に判断した場合、総合的に勘案し、残存資産の範囲の相当性に関して不相当であるとまでは認められない。

Ⅵ 金融機関からみた実務と課題

金融機関側から本件を振り返ってみると、それぞれの立場での「考え方」や「視点」について調整を図りながら、最終的に取組姿勢を「同じ方向」に統一していく過程にさまざまな課題があった。

まず1点目に、本件に取り組む「意義」についてである。

地域金融機関として「地域経済への貢献」という視点からみると、本件に取り組むことは「事業継続」、「技術伝承」、「雇用継続」、「取引先企業や従業員家族への悪影響の回避」、「代表者個人の生活資金の確保」といった点で大きな意義がある。

一方で債権者としての「債権回収」目線では、破綻懸念先であり、返済額軽減という条件変更は行っているとはいえ、元利金の返済は遅滞なく履行されており、法的手続にも至っていないにもかかわらず、なぜ「今」一部債権のカットを行わなければならないのか、という考え方がある。本件については、①代表者が高齢、かつ後継者が不在であること、②従業員の高齢化も進んでおり、このままでは長期にわたって事業を継続していくことは困難であること、③直近の業績等を踏まえると債権の回収には長期の期間を要する

こと、④今後新たなスポンサー企業が現れる可能性は低いと考えられること、などから本件に「前向きに取り組む」方向性が打ち出された。

2点目として「顧客の意向、姿勢の変化への対応」である。

金融機関の債権回収目線から見て、B社が提示する買収金額は債権回収のための原資であり、「高ければ高いほどよい」こととなる。また買収金額の内訳において、不動産譲渡に関する金額については担保権による回収と比較して大きな下振れがあれば担保権を有する金融機関はより厳しい見方をせざるを得なくなる。

譲渡側企業も自社の売却金額は税法上の問題等を除き、大まかに考えればやはり「高ければ高いほうがよい」である。実際に本件のA社についても、当初B社から提示された金額では「話にならない」という姿勢であった。実際に話合いの初期の段階では、「金額面で折り合わないのでこの話はお断りする」、との意向があった。この時点で顧客と当金庫の間には「高ければ高いほうがよい」という共通の認識があった。

しかしその後、B社から修正案が提示され、交渉が継続されていく過程で、B社の熱意や従業員全員の再雇用といった条件面の呈示、また「GL」の適用により自己破産等の法的整理を免れること、残存資産が認められる可能性などが明らかとなり、M&A成立のために解決しなければならない自社内の課題が1つずつ解決されていく中で代表者に著しい心境の変化が見受けられた。

「そんな条件では受け入れられない、まだまだ自分が頑張っていく」から「ある程度条件が整えられれば検討してもよい」へ、さらに「もうこの話をまとめてほしい」へと変化し、第1回バンクミーティング後にB社から買収金額の下方修正が示された際には、「ご迷惑をおかけするが、何とか対応していただきたい」という話となった。

3点目としては金融機関側の体制やモチベーションの維持である。直接取引先とつながる営業店にとって、「M&Aによる事業再生」は一般的な営業推進と異なり、具体的な「成果」となるまでには相当の時間を要し、そのプロセスの途上で「なかなか進展しない」、「時間をかけても破談になる公算が高い」ことから「割に合わない」と考えられがちである。

第1章　GLの概要、特徴と問題

　当金庫の場合、本部においても定例人事異動で担当者が変わる、前述の通り同様の事例の経験もなく、「地域経済への貢献」、「事業再生支援」に関わる関係部と「債権管理回収」の担当部は別部門であり、案件の情報共有や検討課題の協議について遺漏がないよう、常に細かな「横の連携」を図る必要があった。さらに本件については、初めての対応案件であったことから取組姿勢と方向性の決定から始まり、最終的には「一部債権カットに応じる」という経営判断による決裁となる。このため長期にわたる交渉の過程において、案件の条件等に変化が生じるつど、細かな「経営陣・担当部内における縦」と「外部関係者・担当各部における横」との情報共有・認識を維持することが求められることとなり、数多くの報告等が必要となった。

Ⅶ　本件の成立の意義

　本件成約までには紆余曲折も多くあり、成約に至るまでに長期間を要することとなったが、「A社」、「B社」の経営者の決断と官民の組織団体、金融機関等が連携の上、それぞれがこの「事業再生計画を成立させる」という同じ方向に前向きな姿勢で向き合い、それぞれが課題解決に向け行動した結果が結実し、2015年9月成立に至った。
　クロージング・セレモニーにおいてA社の代表者が「本当に今回の件について、皆さんのお力でこのようにまとまりありがとうございました」といったあとの安堵の表情が印象に残った。
　現在、A社代表者、従業員は全員新会社に雇用され、勤務地ほか、就業環境に大きな変化を受けることなく事業に従事しており、代表者はこれまで培ってきた技術や経験を次世代に承継するという役割を担いつつ、現場の長として活躍している。
　本件はM&Aによる事業再生、「GL」適用の一体型案件として千葉県内では初めての事例となった。経営者の高齢化等の事由で事業所数が減少するなか、本件の成立により「事業の継続」、「雇用の維持」、「GL」の積極的な活用ができたことにより、地域経済への貢献、安定に資することができたことは、地域金融機関である当金庫にとっても大きな意義をもつものであったと

4 金融機関からの視点の問題点（その１）

考えている。

　今後、ますます事業再生や事業承継に伴う「GL」の適用が求められる。当金庫のような小規模な金融機関においては担当部署のスタッフ人員が少数であり、定期的な人事異動で経験も知識も異なる状況の中で、専門的な対応が要求される。こうした現状からも相談案件についての具体的な手法や、新しい施策での対応の可否の判断、また、成約に向けてどのようなハードルがあるのか等をよりスピーディーに把握するためには外部専門家との連携が不可欠となる。そうした連携からできた方向性は大きな幹となり外部専門家との連帯感を生み、当金庫の本部からお客様の近くにいる営業店への連絡も明確に伝達される。大きな幹ができれば、難しい事柄もお客様に伝わりやすくなり、理解も深まる。また、お客様の気持ちも当金庫に伝わりやすくなることから、結果としてお客様の想いに一番近い解決策をご提案することが可能になるものと考えている。

第1章　GLの概要、特徴と問題

5 金融機関からの視点の問題点（その2）

福島銀行　佐藤　俊彦

Ⅰ　契約時の課題への対応

　経営者保証に依存しない融資の一層の促進については「①法人個人の一体性の解消と体制整備」、「②財務基盤の強化（法人返済能力の向上等）」、「③財務状況の適時適切な情報開示等による経営の透明性の確保に努める」が将来にわたって充足すると見込まれるときは、経営者保証を求めない可能性や代替的な融資手法の可能性を改めて検討することとしている。
　審査部門で個別案件をみていると、近年の金融機関事情からGLの無保証貸出は違った意味で浸透していると感じる。一握りの前向きな資金需要に金融機関が群がり、優良企業に対する貸出金利は劇的に低下している。貸出金利が下限に張り付いてくると無担保、無保証等の融資条件で差別化してくる。
　つまり、経営者保証に依存しない貸出が浸透しているのは優良企業に対する金融機関競合から派生した結果であり、法人個人の一体性が解消されたわけでもなく、適時適切な情報開示が行われているわけではない。
　誤解を恐れずにいえば優良企業の経営者にとっては、いつでも計画的に事業廃止をすることができるし、それを助長させる危険性を孕んでいる。前述の3要件を厳正に遵守し、会計の正確性・透明性と連携して進めていくことが要諦である。
　一方、親子での事業承継を目論んでいる経営会社の業績が比較的良好な経営者においては、「個人保証は当たり前」という反応がある。GLのパンフレットを持参し、説明しても、どこか他人事であり、どちらかというと余計なことをいわないでほしいという雰囲気さえある。
　これは、経営者が存命中に親から子へ事業承継する場合に「金融機関との付き合い方」、「経営者は全責任を負う」という心構えを、保証人となる決断

を通じ伝えていることである。

また、親である経営者が事業承継によって保証人となった若かりし日を鮮明に覚えており、身が引き締まったという経験からくるようである。

しかし、これは親世代の反応であり、次世代経営者の立場からみれば、保証人というリスクを抱えてまで事業承継したくないという意見が多い。

金融機関としても適切なGLの運用をすることが、自身の顧客である事業者を守り共存共栄できる最善の道である。

金融機関は、資産査定において中小事業者の債務者区分評価を法人個人一体として判断してきている。事業の利益蓄積が法人だけではなく、経営者個人に資産形成される中小企業の特性を勘案し、包括根保証により実質同一であることを縛っていた。

「法人は債務超過であるが個人は資産が潤沢であり、一体と見れば債務超過ではない」、「法人は赤字であるが、多額の役員報酬等を支出しており実質的に赤字ではない」、こうした金融機関の評価は定着しており、経営者個人の（華美でない）生活の維持という観点はあまり考慮されていない。そのため法人の実質債務超過や事業の限界点が不明確な中で、個人資産に割り込んだ形で貸し出し、結果として経営者個人がすべてを失うこととなるケースがある。

融資審査の際に適切に評価し、顧客（経営者個人）本位の業務運営の観点からアドバイスを行うことが重要であり、資産査定の考え方を直さなければならない時期と思う。

また、「法人個人の一体性の解消」、「売掛金や商品在庫等の動産を担保とする貸出（ABL）」が普及することと表裏一体でGLが金融慣行として定着すると考えられる。これは金融機関が過剰貸出を抑制し、再生や廃業諫言を適宜に行うことにつながると考えられる。

Ⅱ　事業再生における保証債務

再生支援協議会等の外部機関、専門家の協力により、さまざまな再生手法を試みてきたが、中小企業の再生における要諦の１つとして、保証責任と経

営者の処遇をどのようにするかということがある。

　金融機関に多大な迷惑（貸倒損失）をかけるわけだから、当然に経営者は退任して自己破産してくれなければ責任は果たせないのではないかというのが一般的な感情である。

　しかし、中小企業の経営者は企業の存立基盤そのものであることも多く、会社から退任させた場合、再生計画自体が成り立たなくなることが多い。

　よって、経営者を残置させることで金融機関への弁済額が最大化し、経営者が再生計画を履行することで責任を果たす（保証責任は継続的に協議していく）との考え方もできる。

　GL以前の実質的債権放棄スキームは、会社分割または事業譲渡を活用した形態が多く、存続会社に適正債務を寄せて、過剰債務を抱えた清算会社は破産または特別清算で整理する。清算会社は整理するが過剰債務部分の経営者保証は、そのままであるという問題を抱えていた。

　これは優先順位を企業再生に置き事業存続をさせた上で、落ち着いてから経営者保証の問題を解決するという形態が多かったためと思う。そもそも過剰債務部分の経営者保証を再生計画の中で議論することは少なかった。

　当行でも再生計画の作成までが再生部門であり、特別清算、保証人への請求は融資管理部門の仕事と分けられていた。保証債務の債権者はすべて再生計画に同意した金融機関であり、話し合いで解決できるという安心感もあった。

　GL施行後、過去の再生事案の経営者保証がどのようになっているか調査をしたところ保証債務の整理は以下の状況に大別された。

・債権売却された後、譲受サービサーとの協議により、一括弁済し放棄した。
・毎月10千円程度の少額保証弁済を履行している。
・まったく請求がきていない（メイン金融機関に請求しないといわれた）。

　期間を経過しての調査だったこともあり、経営者の方々の反応もさまざまで「保証債務は終わりと思っていた」との声が多かった。経営者側からの視点でみて、保証債務問題が再生の障害にならなかった理由を考えると以下のようなものが挙げられる。

・再生企業に対する追加貸出が生じないような事業再生計画を作成するため。
・仮に追加貸出が生じても事情のわかるメイン金融機関が対応するため。

通常、個人がローン債務の不履行の状況になると個人信用情報に事故登録され、新たなカード発行や金融機関や貸金業者からの借入れができなくなり、日常生活に支障を来すことがある。

事業再生において、経営会社に対する保証債務の弁済余力はないが、個人名義のカード等の少額債務は払ってしまうこともあるので、個人信用情報に事故登録されることはない。

そのため、前述するような経営会社に対する保証の存在には気付かないままということがある。

こうした忘れ去られたような過年度の事業再生計画における経営者保証をGL活用により整理することで、再生企業のステップ・アップに寄与することができる。

III 具体的事例から見えた問題点

1 事例1

A社は資金繰り悪化により、事業譲渡による再生計画を企図、併せてA社の保証人である経営者Bの処遇が1つの論点となった。これは事業譲渡対価による金融機関への弁済額が想定より低かったことも一因であった。

A社代表者の頃の経営者Bは、多額の役員報酬を得ており、別荘地、高級品等の購入を盛んに行っていた。

金融機関に提出された各種個人資料は、自宅を含めた所有不動産、現存する資産のすべてを売却し保証債務の弁済を行う内容であり、自己破産するよりも経済合理性を有していると判断できた。自宅売却に至った理由は、以降の住宅ローン弁済継続を鑑みての判断であった。

結果とすれば売却代金と住宅ローン弁済が近似値であり、保証債務への弁済に充てる余剰はなかった。仮に担保権等がなかった場合でも、華美な自宅か否かの議論はあったかと思う。

第1章　GLの概要、特徴と問題

しかし、各金融機関から「あの多額の報酬や高級品は、どこに消えたのか？」という疑問が出された。A社代理人に各金融機関の声を斟酌してもらい、過去に遡って再調査を行った。再調査結果を見ると、従業員に対する慰労や私的事情により散財しており、期待した財産は見つからなかった。

個人調査としては相当の時間と労力をかけていただいたが、それでも金融機関側の大半の意見を集約すると「これだけ金融機関に迷惑をかけ、経済事件ともいえる首謀者である経営者Bは、経営責任をとり自己破産すべきである」ということであった。

本事案はA社代理人が経営者Bの経営責任はないと判断していたため、金融債権者として考えられる手は第三者に対する損害賠償責任（会社法429条1項）を求めるか否かの判断となる。結論からすれば、経営者BはGLの成立は諦め、自己破産に切り替えることになった。自己破産と比較し、GL活用は十分に経済合理性を有しており、事業譲渡先スポンサーも経営者Bの仕事を評価し自己破産回避を望んでいたが、前述の結果となった。

金融債権者が経営責任にまで言及し、その代替えとして過度に保証責任を求める場面をみかける。金融機関担当者は努めて冷静に可否判断を行いたいが懲罰感情が上回ってしまうことは往々にしてある。債務者に対する猜疑心が芽生え表明保証についてさえも疑いを抱き、自己破産に追い込んだ本事案の選択は正しかったのか、債務者（保証人）・債権者両方の言い分が理解できるだけに難しい判断であった。

2　事例2

事業再生に携わる中で、外部専門家の方とチームとして協力していくと「再び同じチームで事業再生を」ということで別の事業者の紹介を受けることがある。

当然だが、財務内容がよい企業というのは皆無であり、事業再生の可能性はあるが現メイン金融機関からの協力が得られないような場合が大半である。

その中でA社の事案は特徴的だった。決算書を開くと、金融機関借入れはやや多いが、業績は比較的順調であり、なぜこの会社が困ることがあるのかという疑問が生じた。

5 金融機関からの視点の問題点（その２）

　A社は過年度において会社分割による事業再生計画を実行している。概要は以下の通りである。
　① 存続会社の株式は東京都の親族が経営する企業や再生ファンド等が取得。代表者に前社長が残置。
　② 存続会社の借入れは大手都市銀行が肩代わりする。
　③ 清算会社は特別清算し実質的な債権放棄を行う。
　この事案の紹介をはじめに受けたのが東日本大震災の前年のことであった。計画実行当初は苦戦していたが、徐々に回復してきていた中で顕在化したA社の問題は以下の通りであった。
　① A社株式を旧オーナー家（代表者B）が買い戻さなければならない。
　② 借入れをX銀行から地元銀行に借換えしなければならない。
　つまり、株主や借入等も地元に戻すことが事業再生計画の最終形であり、株主も金融機関も「つなぎの役割」であったということだった。
　代表者Bから経緯・現状等をいろいろ聴き取りをしていく中で、代表者Bが特別清算した会社の保証債務を毎月分割弁済していること、自宅を売却して保証弁済したことがわかった。毎月分割弁済額は、個人として相当に負担が大きい金額であった。
　代表者BがA社の株式を再取得するためには、保証債務を含む負債の整理は不可欠であるため、代理人弁護士を付け、旧債権者との交渉を行うこととした。
　旧債権者の顔ぶれとスタンスは以下の通りであった。

C銀行	旧メイン	保証債務は請求しない（時効経過）
D銀行	旧準メイン	毎月70千円分割弁済、自宅売却による弁済
Eサービサー	旧付合銀行から取得	少額一括弁済で残債務免除済
信用保証協会		毎月10千円分割弁済

　代表者は公職等の立場があり、存続会社の保証人でもあるため、現行メインのX銀行との関係から破産等の法的手続は避けたい。そのため代理人弁護士が時間をかけて数十回にわたる任意交渉を行った。
　実質的にD銀行、信用保証協会との２社協議であり、保証免除額が多額で

第1章　GLの概要、特徴と問題

あるため両者の内諾のもと特定調停による解決に踏み切った。

　しかし、結論としてはD銀行の不同意により決裂することとなった（信用保証協会は同意）。

　不同意時期の直後、2011年3月11日東日本大震災が発生したことにより、当面は事業存続が最優先となった。

　東日本大震災の余震も頻度が低くなってきた頃、再生に向けての機運が高まってきたが、今度はA社および株主等の意思統一ができず俎上にのらなかった。さすがに巡り合わせが悪いのかと思った。その後、2013年の冬に代表者Bの代理人弁護士から再考の連絡があった。

　この時期は翌年にGLの施行が予定されていたこともあり、正攻法での保証債務解決を目論んだ。ただし、数年前に特定調停で不同意とされていることもあり、残されたD銀行との事前交渉を万全に行い、内諾を得た上で特定調停を行うスキームとした。

　現時点ですでに自宅を売却してしまっている代表者Bの支払能力ギリギリの提案であり、今後、A社と取引を始めようとする金融機関が心配するほどだった。

　特定調停日の当日は、保証債務は解決するという楽観した考えで、チームの1人である税理士とA社の資本計画、事業計画を精査していたところに代理人弁護士から耳を疑うような連絡があった。「……D銀行が不同意です……」前回に続き、2回目も不同意。

　結論からいえば経営者保証の解決に失敗したわけだが、その原因は、D銀行が保証債務弁済による回収額の最大化にこだわったことにある。

　つまり、A社事業再生計画の中で会社分割により金融機関の入替えが行われ、存続会社は、X銀行がメインとなる一方で清算会社の債権者にはD銀行を含む旧金融機関が残った。

　そのため、旧金融機関は事業再生よりも保証債務弁済による最大回収を優先的に考えたわけである。

　また、金融機関内部の意思決定について読み違えがあったのも本事案が失敗した一因である。

　金融機関の意思決定は事案の軽重に応じて、株主総会、取締役会（常務

5 金融機関からの視点の問題点（その２）

会）から支店長までの職位に権限が委譲されている。事業再生に関わる債権放棄、DDS、DESは取締役会決裁としている金融機関は多いと思う。それでは保証債務の免除、保証人の脱退は金融機関でどのような権限にあるのか。当行でいえば主たる債権額に応じて部長から常務会となっている。

　小職も自行メインの再生対象先の方針協議を行う場合、最終的な決裁権限を想定し、事案進捗に併せ適宜、各役員に対する事前説明を行い取締役会で否決とならないよう段取りする。

　問題は非メイン先で債権放棄等の要請がきた場合の対応となる。突然、情報量が十分でない他行メインの取引先から債権放棄要請があり、２～３週間での可否判断を求められる。しかし、取締役会は頻繁に開催されるわけではないので２～３週間の期日というのは余裕があるとはいえない。近年では社外取締役や監査役に対する事前説明を行うことで時間は従前よりも要する傾向にある。

　これらの要因もあり、これまで事業再生に携わってきて、取締役会に付議すること自体を避けたがる担当の方は少なくない印象をもっている。

　D銀行との事前交渉は、本部職位者と代理人弁護士との間で行われていたが、取締役会で正式決裁となることから、D銀行の望むすべての資料を開示した上で、本部職位者からの内諾を得ていた。特定調停も円滑に進んでいたが、最終的には前述の結果となった。

　代理人弁護士によれば、D銀行本部職位者は平謝りであったそうであるが、取締役会で何があったか、事前段取りが十分であったかは知る由もない（特定調停ではなく弁済額を増やすか、自己破産の二択の議論であったとのこと）。

　特定調停が不首尾に終わったため、D銀行とは個別に協議し、最終的には長期間の分割保証弁済による残債務免除の合意を取り付けた。A社の事業再生計画は難産の末、決定され現在は事業も好調に推移している。

　保証債務の整理に当たって経済合理性は充足、代表者Bの自宅も売却、窮境の主たる要因であった前代表者も逝去していた。代表者Bは経営者ではあったが、この時40代であり、本来は過去の過大投資の経営責任を過度に問われる立場にはないはずである。旧金融機関の主張は、経営責任と保証責任を混同したものと考えられる。

第1章　GLの概要、特徴と問題

　A社が当初事業再生計画を策定した当時は保証債務を一体解決することに言及した金融機関は皆無である。ところがその後A社の業績は急回復。この時点で保証債務を解決しようとすると、D銀行のような長期にわたっても役員報酬で弁済してほしいという主張もまったく理解できないわけではない。

　2つの事案を通じてわかることは、金融機関は経営者責任を追及するに当たりさまざまな要素を考慮するということである。

　経営者としての責任の取り方が不十分であると判断される場合、保証責任を通じて経営者としての責任追及を求めることがある。

3　震災関連機構における保証債務の取扱い

　東日本大震災における二重債務問題を解決するために、産業復興機構や㈱東日本大震災事業者再生支援機構が設立され、数多くの事業者の貸出債権が買取りされた。

　両機構に共通するのは、震災前の正常取引先の貸出債権を買取りし東日本大震災前の状況に復元、自然災害により窮境を招いたのであって経営者に責任はないという考え方である。

　ここで問題となるのは、困っているのは全事業者同じであるが、震災前から業績不振に陥っていた企業の経営者に責任はないのかということだった。リーマン・ショック後、金融円滑化法が施行された直後でもあり、大半の事業者が震災前から赤字で条件変更を求めている状況だったので、厳密に考えれば保証責任を問わないでよい事案は少なかったかもしれない。

Ⅳ　経営者に対する再チャレンジ支援

　自行の宣伝になってしまうかもしれないが、2015年8月に倒産者限定の再チャレンジファンド（呼称：福活〔福島の復活を目指す造語〕ファンド）を設立した。

　GLと目的等は同じであるが、このファンドの概要は、過年度の法的破綻等を経験された元経営者の新設した会社に対し出資するものであり、かなり先進的な試みであると思う。

5 金融機関からの視点の問題点（その2）

このファンドの要件は、以下の3点である。
① 倒産した過去があること。
② 元経営者である個人の債務（保証債務含む）が新事業の運営に支障無い程度に整理されていること。
③ 新会社の営業拠点が福島県であること。

そのためファンドに申込みされる元・現経営者は過去に会社を潰した経験がある方ばかりで、事業会社の債務整理方法は多種多様である。

事業会社を法的整理した場合、個人も自己破産等により個人保証の解決をしていることが多い印象である。変わったところでは、個人は自己破産したが、会社は何もせずに放置しているということがあった。話を聞くと自己破産するお金がなかったということだった。

その他の経営者保証を解決していない方々をどのようにするかというのが、ファンド受付の前段の作業になる。事前調査により債権者の数、金額、発生時期等の確認を行い、最終的に弁護士にお願いするかどうかの判断をする。新事業の喫緊性等を鑑み、破産という解決方法もあるが、すでに新会社を設立されている元経営者の方も多いため、GLを勧めることが増えている。

受付前に債務（経営者保証）を整理してしまってくださいとアドバイスをするのだが、かなり時間がかかるために諦める方も少なくないのが現状である。

保証人でないのであれば、個人の負債内容は会社の事業と関係ないのではないか、という疑問もあるかと思うが、個人の生活が安定していないと仕事に身が入らないし、個人が借金の厳しい取立てを受けている状況で会社の資金に手を付けないことができるのか疑問である。

また、ファンドとして銀行として「大事なのは潰れ方」と考えている。失敗した事業を支えてくれた旧債権者に対し、どれだけ真摯に対応したかということである。

夜逃げ同然にして責任から逃げる行為は、経営者としての人格識見が疑われ、再チャレンジする資格があるとは思えない。事業経営はよいことばかりではないので、一番底の時に真摯に債権者の協力を得ることができるかは重要である。

V　最後に

　経営者保証の契約時の対象債権者への対応として、経営者保証を求めざるを得ないと判断した先には「保証債務の整理に当たり適切な対応を誠実に実施する」こととしている。

　前述したが中小企業の特徴として法人の内部留保が少なく、経営者個人の蓄財が多いため、金融機関では資産査定の判断において法人個人一体としてみなす判断を行ってきた。中小企業の法人個人の一体性を解消することは、金融機関からの適切な指導に加え、税理士等の協力も不可欠であり、短期的に解決できる課題ではない。

　金融機関としては、出口（保証債務履行時の課題への対応）について保証人の将来の生活や再チャレンジに支障を来たさないように配慮していくことが重要だと考えており、GLの趣旨が正しく理解されることで入口（契約時の課題への対応）の無保証対応に過敏反応することはなくなると考えられる。

　本来再チャレンジしてほしい人、真面目な人間ほど借金の奴隷になりがちであり、銀行員は裏切られた過去（自身が貸し出した先が取立不能、銀行内で責任追及）にとらわれ、それを忘れない傾向にある。

　しかし、形式的にGLに合致しないだけで遠ざけるべきではなく、有能な経営者個人を埋没させずに活かし発掘するという点を金融機関職員の矜持としてほしいと願う。

第2章

GLの運用上の問題点

第2章　GLの運用上の問題点

1　主たる債務者および保証人の適格要件

弁護士　小林　信明

I　はじめに

　中小企業において、経営者の個人保証（以下、「経営者保証」という）には、中小企業の資金調達に資する点はあるものの、その各ライフステージ（創業、成長・発展、早期の事業再生着手、円滑な事業承継等）における取組み意欲を阻害するおそれがあるとの指摘がなされてきた[注1]。特に、中小企業の経営状況が悪化し、その改善努力が実を結ばずに、いよいよ窮境に陥った際に、客観的には事業再生や清算（以下、「事業再生等」という）に着手すべきであっても、経営者としては、経営者保証があるために、その保証債務の履行請求を受けることによる個人生活の破綻を恐れて、なかなかその決断をできずに漫然と時間が経過してしまう可能性が生じる。その結果、中小企業の経営状況や財務状況はますます悪化してしまい、早期に決断すれば再生できたはずの中小企業が再生できず、または清算するにしても債権者に弁済すべき原資が減少してしまうことになりかねない。このような状況は、中小企業やその経営者にとってはもとより、債権者にとっても債権の回収金額の減少を招くことになり不利益であり、また社会の活性化の観点からも好ましいものではない。

　このような状況に鑑み、経営者保証ガイドライン（以下、「GL」といい、そのQ&Aを「GL・QA」という）は、2013年12月に策定、公表され、そして、2014年2月1日から適用が開始された。

　GLの内容は、①融資契約締結時の対応と、②保証債務の整理時の対応に大きく分かれるが、本稿は、後者の債務整理の主たる債務者および保証人の

（注1）　「中小企業における個人保証等の在り方研究会報告書」2頁、GL1「はじめに」を参照。

適格要件について論じるものである。

II　保証債務整理時の債権者の対応

　保証人は、その負担する保証債務について、GLに基づく債務整理を対象債権者に対して申し出ることができ、その申出を受けた対象債権者は、合理的な不同意事由がない限り、当該債務整理手続の成立に向けて誠実に対応することが求められている（GL7項(1)・(3)）。

　債務整理手続や弁済計画の内容などがGLの定めやその趣旨に反する場合には、対象債権者にとって合理的な不同意事由があることになるが、この合理的な不同意事由には、主たる債務者・保証人適格要件が欠ける場合も含まれる。したがって、その適格要件に欠ける場合には、GLが適用されなくなるので、その解釈に当たっては、GLが策定された趣旨を踏まえてなされなければならず、いたずらに形式的、膠着的にならないように留意しなければならない。

III　主たる債務者・保証人の適格要件

1　保証契約の主たる債務者が中小企業であること（GL7項(1)イ・3項(1)）

　ここにいう「中小企業」とは、中小企業・小規模事業者（GL「はじめに」参照）であるが、必ずしも中小企業基本法に定める中小企業者・小規模事業者に該当する法人に限定しておらず、その範囲を超える企業も対象になり得る。また、個人事業主についても対象に含まれる。ちなみに、中小企業基本法に定める中小企業者は、おおむね下記のものをいう。

①　製造業、建設業、運輸業その他の業種（後述の②から④までに掲げる業種を除く）に属する事業を主たる事業として営むものの場合
　ⅰ　資本金の額または出資の総額が3億円以下の会社
　ⅱ　常時使用する従業員の数が300人以下の会社および個人
②　卸売業に属する事業を主たる事業として営むものの場合

ⅰ　資本金の額または出資の総額が１億円以下の会社
　　　ⅱ　常時使用する従業員の数が100人以下の会社および個人
　③　サービス業に属する事業を主たる事業として営むものの場合
　　　ⅰ　資本金の額または出資の総額が5000万円以下の会社
　　　ⅱ　常時使用する従業員の数が100人以下の会社および個人
　④　小売業に属する事業を主たる事業として営むものの場合
　　　ⅰ　資本金の額または出資の総額が5000万円以下の会社
　　　ⅱ　常時使用する従業員の数が50人以下の会社および個人

2　保証人が個人であり、主たる債務者である中小企業の経営者であること（GL 7 項(1)イ・3 項(2)）

　「経営者」とは、中小企業・小規模事業者等の代表者をいうが、以下のような者が保証人となる特別な事情がある場合やこれに準じる場合にも、GLの適用対象になるとされている。
　①　実質的な経営権を有している者
　②　営業許可名義人または経営者の配偶者（当該経営者とともに当該事業に従事する配偶者に限る）
　③　事業承継予定者（経営者の健康上の理由のため保証人となる場合）
　ところで、経営者以外の第三者保証人（以下、「第三者保証人」という）については、その保護を図るべきであるという社会的要請に従い、その保護施策がなされてきた経緯がある[注2]。例えば、2006年から、信用保証協会では、原則として、中小企業の借入れを保証するに際して、その求償権に関して第三者保証の徴求は行わないこととしたが[注3]、加えて、2011年（同年7月14日施行）から、金融庁は、金融機関が企業に融資する際に、第三者保証を求めないことを原則とする旨の監督指針の改正を実施した。これによって、金融機関の融資にあっては、原則として、第三者保証人が生じることはない状況となった。
　GL 3 項(2)が、保証人の要件について経営者に限定する趣旨は、金融機関

（注2）　小林信明「経営者保証ガイドラインの特徴と利用上の問題点」ニューホライズン事業再生と金融42頁。

においては、前記のように、第三者保証を求めないことを原則とする融資慣行の確立が求められていることにある（GL・QA3－2参照）。

そうとすれば、例外的に第三者保証契約が締結されていて、その保証債務を整理する場合には、GLの適用を否定する理由はまったく存在しないことになる^(注4)。

3　第三者保証人のインセンティブ資産

第三者保証人について、GLが適用されるとしても、残存資産については、必ずしも経営者保証人と同じではない。保証人の手元に残る資産（以下、「残存資産」という）には、まず、破産法上の自由財産^(注5)が考えられる。保証人が破産した場合でも配当原資とならない財産は、GLでも保証人の手元に残す財産とする考え方が採用されている（GL7項(3)③ホ）。加えて、主たる債務者の事業再生等の実効性の向上等に資することを重視し、経営者たる保証人による早期の事業再生等の着手の決断をするインセンティブとして、経済合理性の範囲内において自由財産を超える財産を残存資産とすることが認められている（GL同項(3)③ニ）。この資産は「インセンティブ資産」と呼ばれている。

(注3)　中小企業庁金融課通達「信用保証協会における第三者保証人徴求の原則禁止について」(2006年3月31日)。例外的に許容されるのは、①実質的な経営権を有している者、営業許可名義人または経営者保証人の配偶者（当該経営者本人とともに当該事業に従事する配偶者に限る）が連帯保証人となる場合、②経営者本人の健康上の理由のため、事業承継予定者が連帯保証人となる場合、③財務内容その他の経営の状況を総合的に判断して、通常考えられる保証のリスク許容額を超える保証依頼がある場合であって、当該事業の協力者や支援者から積極的に連帯保証の申出があった場合（ただし、協力者等が自発的に連帯保証の申出を行ったことが客観的に認められる場合に限る）である。
(注4)　GL3項脚注5は、「このガイドラインは中小企業の経営者（及びこれに準ずる者）による保証を主たる対象としているが、財務内容その他の経営の状況を総合的に判断して、通常考えられるリスク許容額を超える融資の依頼がある場合であって、当該事業の協力者や支援者からそのような融資に対して積極的に保証の申し出があった場合等、いわゆる第三者による保証について除外するものではない」としている。
(注5)　破産法34条3項の本来的なもののみならず、同条4項により実務的に拡張されるべきものも含まれる。また、将来の収入のように新得財産も自由財産に準じて扱われることになる。

第2章　GLの運用上の問題点

　それでは、第三者保証人にはインセンティブ資産は認められないのであろうか。
　第三者保証人については、前記のように社会的にもその保護の施策がとられているにもかかわらず、第三者保証人となった場合には、経営者保証人よりも残存資産が少ない扱いとすることには違和感があるところである。しかし、GLは、インセンティブ資産が認められる根拠を、主たる債務者の早期事業再生等の着手の決断に依拠している以上、主たる債務者の早期事業再生等の着手の関与の点で異なる立場にある、経営者保証人と第三者保証人とで異なる取扱いとなることはやむを得ないともいえる。ただし、GLでは、第三者保証人の保護という社会的要請を踏まえ、第三者保証人について次のような取扱いを認めている。
　まず、第三者であっても早期の事業再生等の着手の決断に寄与している場合には、インセンティブ資産は認められる（GL 7 項(3)③）。
　上記の寄与については、事実判断の問題であるし、第三者でも種々の関与の仕方があるので、あまり厳格に解する必要はないものと思われる。
　次に、早期の事業再生等の着手に寄与していない第三者保証人については、個別事情を考慮して経営者と保証人との間で残存資産の配分調整を行うといった対応（例えば、第三者保証人により多くの残存資産を残すこと）も可能と考えられる（GL・QA 7-18参照）。実質的にも、第三者保証人は、保証履行により事業者および他の保証人に対して求償権を取得することから、第三者保証人にも、経営者保証人が得られる保護を分け与えて、その代わりに第三者保証人が取得する求償権について放棄をしてもらうなど、事業者および経営者保証人の債務整理に協力を求めることが必要となることにも留意が必要である。

4　対象となり得る保証人（主たる債務者・保証人の誠実性）

　GLは、主たる債務者・保証人の適格要件として次の事項を求めている。
　① 　主たる債務者・保証人の双方が弁済について誠実であり、対象債権者の請求に応じ、それぞれの財産状況等（負債の状況を含む）について適時適切に開示していること（GL 7 項(1)イ・ 3 項(3)）。

②　保証人に破産法252条1項（10号を除く）に規定される免責不許可事由が生じておらず、そのおそれもないこと（GL7項(1)ニ）。

　この①②の事由の内容は重複する点が多いが、要は主たる債務者と保証人に誠実性を求めているものである。典型的な例としては、主たる債務者や保証人が財産の隠匿行為や偏頗行為、情報の不開示や虚偽の情報開示（粉飾決算内容の開示）をした場合などが問題となる。もっとも、これらの事由は、保証人につきGLの適用を認めることが相当かどうかの適格要件となるものであるから、形式的、硬直的に判断するのではなく、GLによる保護を与えるのが相当ではないと考えられる程度の悪質性や重大性を備えるものに限ると解釈されるべきである(注6)。

　この問題は、「保証債務整理局面」と「保証債務整理着手前の局面」とで分けて考えることが有益であると思われる。

(1)　**保証債務整理着手後の局面**

　保証人の債務整理局面では、主たる債務者および保証人が、GLの要件を満たす弁済計画案を策定するが、その前提として計画を誠実に履行する意思があり、また、債務整理の申出後直ちに対象債権者に対して、それぞれの財産状況等を適時適切に開示し、その開示情報に虚偽がない状態が求められる。この局面においては、主たる債務者と保証人の弁済の誠実性や適切な情報開示について厳格に求められるのは当然であるといえる。

(2)　**保証整理着手前の局面**

　しかし、保証債務整理着手「前」のことについては、別個に考えるべきである。例えば、過去に粉飾があったというだけで、この適格要件を満たさないとすべきではない。GLの目的が、保証人の責任追及ではなく、早期の事業再生や円滑な事業承継、新たな事業の開始といった保証人の再チャレンジに主眼が置かれているからである。GLで保証債務の整理を検討するケース（特に、主たる債務者が中小企業のケース）では、主たる債務者において過去に不適切な会計処理が行われていることが少なくないのが実態であり、それにもかかわらず債務整理着手「前」における「弁済についての誠実性」や「適

（注6）　小林・前掲（注2）53頁参照。

第2章　GLの運用上の問題点

時適切な情報開示」を厳格に求め、GLの適格要件がないとすることは、経営者保証人の早期の事業再生へのインセンティブが失われ、GLの推進が阻害される懸念が生じる。

　このような懸念を重視して、「弁済についての誠実性」や「適時適切な情報開示」が要求されるのは、債務の整理局面に入った後だけのことであるとの見解もあるようである(注7)。

　しかし、①GLにおいては、主たる債務者・保証人のこれらの誠実性の要件は、債務整理着手「前」の融資契約締結時の対応を含む要件として規定されていること（GL 3項）、②GLは、平時から主たる債務者・保証人の適時適切な情報開示を前提に、金融機関に対しても誠実な対応を促し、金融機関と中小企業の平時からの良好な関係を構築することも目指していることからすれば、債務整理着手「前」においても、主たる債務者や保証人の誠実性を期待しているものと解される(注8)。したがって、主たる債務者・保証人の適格要件としては、債務整理着手「前」の主たる債務者・保証人の「弁済についての誠実性」や「適時適切な情報開示」は問題にならないとすることはできない。

　ただし、債務整理着手後の局面では、「弁済についての誠実性」や「適時適切な情報開示」の要件はより厳しく求められるのは当然であるが、債務整理着手「前」における「弁済についての誠実性」や「適時適切な情報開示」

(注7)　GL 3項(3)の要件は、東日本大震災を受けて策定された「個人債務者の私的整理に関するGL」の3項(2)の要件（弁済について誠実であり、その財産状況〔負債の状況を含む〕を対象債権者に対して適正に開示していること）に由来するところ、当該GLの3項(2)の要件は、当該GL・QAにおいて、「債務者に、このガイドラインの要件を満たす弁済計画案を作成し、履行する意思があり、債務整理の申出後直ちに対象債権者に対して提出する財産目録及び債権者一覧表の各記載に虚偽がない状態を指します。従って、債務整理の申出書、財産目録及び債権者一覧表において、その各記載に虚偽があると認められる特段の事情がない限り、この要件を満たすものと考えられます」（Q 3 - 4）と解釈されている。
(注8)　主たる債務者と保証人の誠実性要件を定めるGL 3項(3)は、整理着手前の局面を含めての定めであるし、また一時停止等の要請への対応の局面においては、GLは、「手続申立て前から債務の弁済等について誠実に対応し、対象債権者との間で良好な取引関係が構築されてきたと対象債権者により判断され得ること」（GL 7項(3)①ハ）を、対象債権者が誠実かつ柔軟な対応をするための要件と定めていることからも明らかである。

1 主たる債務者および保証人の適格要件

の要件を厳しくすれば、前記のように、早期の事業再生へのインセンティブが失われ、GLの推進を阻害するとの懸念は無視すべきではない。そこで、債務整理着手後の局面での「弁済についての誠実性」や「適時適切な情報開示」には厳格な対応を行い（厳格な基準）、他方、債務整理着手「前」の局面での粉飾等には緩やかな対応を行う（緩やかな基準）といったダブルスタンダードでの対応が必要であろう。緩やかな基準の具体的な当てはめとしては、粉飾額が大きく粉飾に至る動機にも汲むべき点はない場合、または粉飾額が大きく経営者保証人が私腹を肥やしているような場合であって、かつ、主たる債務の整理局面においていかに誠実な対応をとり、主たる債務の早期整理により対象債権者にとって経済合理性のある計画を策定するとしても、毀損した信頼関係を回復できないようなときには、GLによる救済は困難と考えられる(注9)。

このように「弁済についての誠実性」および「適時適切な情報開示」の要件を解釈した場合、過去に粉飾があってもGLを適用すべきこととなってモラルハザードの観点から不相当な結果とならないか、という点が問題になる余地もある。しかし、GLの目的は、前記の通り、保証人の責任追及ではなく、早期の事業再生等や円滑な事業承継、新たな事業の開始といった保証人の再チャレンジに主眼が置かれていることを忘れてはならない。また、真に悪質な粉飾を過去に行った経営者保証人に対しては、悪意で加えた不法行為に基づく損害賠償請求権を行使できると考えられるから、かかる請求権については債務免除の対象としない（なお、「悪意で加えた不法行為に基づく損害賠償請求権」は破産手続において被免責債権とされている〔破産法253条1項2号〕）ことを通じて適切に対処することも可能である。

なお、主たる債務者、保証人の誠実性に関する前記の立場は、平成29年6月18日GL・QA改定により確認された。すなわち、同改定後の新GL・QA3-3は、「弁済についての誠実性」や「財産状況等（負債の状況等を含む）について適時適切に開示」という要件は、①債務整理着手後や一時停止後の

(注9) 小林信明ほか「座談会・経営者保証ガイドラインの現状と課題──経営者保証ガイドライン開始1年で見えてきたもの（第2部）債務整理時（出口）における現状と課題」銀法787号〔2015〕10頁以下参照。

行為に限定されないこと、②債務整理着手後や一時停止後における適時適切な開示等の要件は、厳格に適用されるべきであるものと考えられるが、他方、債務整理着手前や一時停止前においては、これらに反する行為があったことをもって直ちにGLの適用が否定されるものではなく、不正確な開示の金額およびその態様、私的流用の有無等を踏まえた動機の悪質性といった点を総合的に勘案して判断すべきと考えられることを明示した。

(3) 免責不許可事由

免責不許可事由についても、債務整理着手後の局面と債務整理着手「前」の局面とでダブルスタンダードでの対応が考えられる。

債務整理着手後に免責不許可事由に該当する事実が発生した場合には、厳格に対応すべきである。他方、債務整理着手「前」の局面では、形式的には、破産法が定める免責不許可事由に該当するとしても、それが悪質ではなく、程度としても軽微な場合には、GLの適用を否定するまでのことはないと解するべきである。破産法における免責不許可事由の解釈としても、評価概念として総合的・個別的に判断すべきとされている上(注10)、これらの事由のいずれかに該当したとしても、破産法252条2項により、裁判所は一切の事情を考慮して免責許可ができる（裁量免責）ことにも留意する必要がある。

裁判所の破産実務においては、仮に免責不許可事由があっても、破産者の破産手続への協力等を勘案して裁量免責を行うことが少なくない。GLの適用においても、そのような破産実務を参考にした対応をとるべきと考える。

具体的には、経営者保証人が主たる債務者である事業者の支払不能後に自宅等の資産（譲渡資産）を処分し一部の債権者に弁済するなど、破産であったならば破産管財人により否認権を行使される可能性を否定できない行為をした場合の対応としては、当該行為を無効として譲渡資産を保証人の資産とみなした上で、GLに則って、弁済計画を策定することが考えられる。そして、当該譲渡資産が自宅の場合、金融機関の経済合理性を満たす限りにおいて、華美でない自宅（GL7項(3)③）として評価できる場合には、保証人の残存資産とみなして資産移転を実質的に許容する弁済計画を策定し、他方で、

(注10) 条解破産法1647頁以下参照。

保証人の残存資産として残すことが困難な場合には、譲渡資産の公正な価格を弁済原資として拠出させることで、譲渡資産のさらなる処分を求めない対応もあり得るところである。

また、GLは、免責不許可事由自体のみならず、「そのおそれ」と規定しているが（GL7項(1)ニ）、そのことによって免責不許可事由の不当な拡大解釈につながり、GLの適用が制限されることは避けるべきある。

この立場から、平成29年6月18日、GL・QA7-4-2が改定され、「免責不許可事由が生じておらず」とは、保証債務の整理の申し出前においては、免責不許可事由が生じていないことを指し、「そのおそれもないこと」とは、保証債務の整理の申し出から弁済計画の成立までの間において、免責不許可事由に該当する行為をするおそれのないことを指すとされた。これによって、「そのおそれもないこと」によって、免責不許可事由が不当に拡大解釈されないこととなった。

そして、保証人に免責不許可事由が生じていないことや、そのおそれがないことの確認をどのように行うのか問題となるが、必要に応じ、例えば、保証人の表明保証により確認することが考えられる（GL・QA7-4-2〔2015年7月31日付け改定〕）。

5 主たる債務者および保証人が反社会的勢力ではなく、そのおそれもないこと

その他の適格要件として、主たる債務者および保証人が反社会的勢力ではなく、そのおそれもないことが要求されている（GL3項(4)）。この事由が要求されるのは当然といえる。この要件については、主たる債務者や保証人側からの申出の際に確認を求めることが考えられるが、対象債権者などが独自のルートで調査することもあり得るところである。

2 弁済計画の定め方・担保処理

弁護士　髙井　章光

I　弁済計画の定め方

1　GLにおける規律

(1)　GLが要求する記載事項

　GLは、7項(3)④において、「保証債務の弁済計画」について規定しており、保証債務の弁済計画においては、原則として、以下の事項を記載することとされている。

> イ）a）保証債務のみを整理する場合には、主たる債務と保証債務の一体整理が困難な理由及び保証債務の整理を法的債務整理手続によらず、このガイドラインで整理する理由
> 　b）財産の状況（財産の評定は、保証人の自己申告による財産を対象として、本項(3)③に即して算定される残存資産を除いた財産を処分するものとして行う。なお、財産の評定の基準時は、保証人がこのガイドラインに基づく保証債務の整理を対象債権者に申し出た時点（保証人等による一時停止等の要請が行われた場合にあっては、一時停止等の効力が発生した時点をいう。）とする。
> 　c）保証債務の弁済計画（原則5年以内）
> 　d）資産の換価・処分の方針
> 　e）対象債権者に対して要請する保証債務の減免、期限の猶予その他の権利変更の内容

　そして、保証人が、対象債権者に対して保証債務の減免を要請する場合、保証人が財産の評定の基準時に保有するすべての資産（残存資産を除く）を処分・換価し、またはこれに代わり対象資産の「公正な価額」に相当する額を弁済する方法により、担保権者その他の優先権を有する債権者への優先弁済の後に、すべての対象債権者（ただし、債権額20万円以上の債権者に限るが、すべての対象債権者の同意によりこの20万円という金額については変更が可能と

される）に対して、債権額の割合にて弁済を実施し、その余の保証債務は免除を受ける内容を記載するものとしている（GL7項(3)④ロ）。この場合の対象債権者には、保証債務以外であっても、弁済計画の履行に重大な影響を及ぼすおそれのある債権者を含むことができるとされている。

なお、GL7項(3)⑤においては、以下のすべての要件を充足する場合には、対象債権者は、保証人からの保証債務の一部履行後に残存する保証債務の免除要請について誠実に対応するとされ、以下の要件を充足する内容の弁済計画が求められている。

> イ）保証人は、全ての対象債権者に対して、保証人の資力に関する情報を誠実に開示し、開示した情報の内容の正確性について表明保証を行うこととし、支援専門家は、対象債権者からの求めに応じて、当該表明保証の適正性についての確認を行い、対象債権者に報告すること
> ロ）保証人が、自らの資力を証明するために必要な資料を提出すること
> ハ）本項(2)の手続に基づき決定された主たる債務及び保証債務の弁済計画が、対象債権者にとっても経済合理性が認められるものであること
> ニ）保証人が開示し、その内容の正確性について表明保証を行った資力の状況が事実と異なることが判明した場合（保証人の資産の隠匿を目的とした贈与等が判明した場合を含む。）には、免除した保証債務及び免除期間分の延滞利息も付した上で、追加弁済を行うことについて、保証人と対象債権者が合意し、書面での契約を締結すること

(2) GL・QAによる補足説明

GL・QAは、2013年12月5日に制定された後、2014年10月1日、2015年7月31日、2017年6月28日、2018年1月26日および2019年10月15日に一部改定を行っている。改定後のQAでは、GLの要件判断における柔軟な対応方法の例示（QA4-10）、将来の要件充足を促すための条件付保証契約の活用（QA4-11）、事業性評価に着目した運用（QA4-13新設）、物的担保等の保全を加味した適切な保証金額の設定（QA5-11）、保証人保有資産の処分・換価による金銭の残存資産への算入（QA7-14-2）、保証人の資産の売却額の増加が見込まれる場合にその増加分を回収見込額の増加額に加えて算出することが可能であること（QA7-16）、弁済計画案の提出時期についての説明（QA7-22）、残存資産についての説明（QA7-23）、弁済計画が原則5年

以内となっている点について、関係者の合意によって5年を超える期間の弁済計画の策定が可能であること（QA 7-24）、「公正な価額」は、関係者間の合意に基づき適切な評価基準日を設定し、その期日に処分を行ったものとして資産価額を評価するものであり、具体的には法的倒産手続における財産の評定の運用に従うことが考えられること（QA 7-25）、優先権を有する債権者として租税債権者が含まれること（QA 7-26）、20万円未満の少額債権者の取扱内容（QA 7-27）、保証債務以外の債権者の取扱い（QA 7-28）、保証人の将来収入を弁済原資とすることが可能なこと（QA 7-29）、準則型私的整理手続によらない場合（QA 7-30）などの説明がなされている。特に、QA 7-31では、保証人が表明保証した資産内容が事実と異なる場合の取扱い（GL 7項(3)⑤ニ）について、過失による場合には、その過失の程度を踏まえて、当事者の合意によって、免除の効果までは消滅させず、当該資産を追加的に弁済に充当するという取扱いも可能であること、およびそのような取扱いについて書面で合意しておくことが考えられることが説明されている。

2　弁済計画策定における実務上の取扱い

(1)　総論

弁済計画については、主たる債務者と一体として作成する場合と、保証人のみを対象として作成する場合がある。主たる債務者と保証人を同一手続にて調整する場合であっても、弁済計画については別々に策定することが多いため、以下において、主たる債務者と一体として作成する場合については概要を説明するにとどまり、保証人についての弁済計画を中心に、実務上の取扱いを説明する。

弁済計画の内容は、おおむね以下のような内容となっている。

【主たる債務者】
　① 債務額の確認（支払義務の内容の確認）
　② 弁済方法（一括支払であるか、分割支払であるか）
　③ 債務免除条項
　④ 期限の利益喪失条項（分割払の場合）
　⑤ 清算条項

2 弁済計画の定め方・担保処理

【保証人】
① 債務額の確認（支払義務の内容の確認）
② 弁済方法（一括支払であるか、分割支払であるか）
③ 債務免除条項
④ 期限の利益喪失条項（分割払の場合）
⑤ 担保権解除（担保権が存在する場合）
⑥ 表明保証および新たな資産が見つかった場合の措置
⑦ 清算条項

このような内容について、特定調停においては調停条項または民事調停法17条決定にて、再生支援協議会では保証債務に関する計画（通常は主たる債務者に関する再生計画案と一体になっている）にて、REVICによる特定支援スキームにおいては和解契約書（ただし、一体型であるため主たる債務者も契約当事者となる）において規定することになる。

(2) 一体型の場合の主たる債務者に関する弁済計画

主たる債務者に関しては、再生型であるか清算型であるかによっても内容が異なる。

再生型において、スポンサーによる支援を受ける場合には、スポンサーからの資金による一括弁済とすることが多く、その場合には、スポンサー支援により一括弁済を行い、残債務は免除を受けるという内容となる。なお、事業譲渡や会社分割を利用する計画の場合には、その旨の説明が弁済計画において記述されることもある。

他方、自主再建により事業収益からの弁済による場合には、根拠となる事業計画が示されることになるため、弁済計画に当該事業計画が添付されたり、当該事業計画に基づく弁済計画であることを明記することが多い。特に信用保証協会の求償権放棄を求める場合には、信用保証協会の内規（「求償権の放棄に係る基準について（全国統一基準）」）によって、合理的かつ公正衡平であり、適正な内容・手続で作成された再生計画に基づく必要があり、また、債務免除について法人税基本通達9-4-2等にて税務上の損金算入を行う場合にも合理的な再建計画に基づく必要があるため、弁済計画の中に合理的な再建計画に基づく計画であることを明記することが求められる場合もある。日

第2章　GLの運用上の問題点

　本弁護士連合会が定めた特定調停スキームの調停条項案のひな型では、最初に「弁済計画の基本方針」（後記）を記載することとしているが、これはGLの要請に応じたものであるほか、「合理性が認められる経営改善計画[注1]」に基づいて弁済条項が規定されていることを明記することにより、信用保証協会内規（「求償権の放棄に係る基準について（全国統一基準）」）における求償権免除の要件や、債権放棄・債務免除益対応のための税務上の取扱いを行う上での要件（法人税基本通達9-4-2「合理的な再建計画に基づく債権放棄」、同通達12-3-1(3)「債務の免除等が多数の債権者によって協議の上決められる等その決定について恣意性がなく、かつ、その内容に合理性があると認められる資産の整理」）を充足していることを明確にしているものである。

【日本弁護士連合会による特定調停スキーム調停条項案ひな型1条】

> 申立人と相手方株式会社○○○（以下「相手方」という。）は、申立人と相手方ほか金融債権者○社（以下「相手方ら」という。）との間における申立人の弁済計画の主な内容は、申立人において経営危機に陥っており、破たんを回避するため、不採算事業を撤退するとともに、採算事業についても必要なリストラ策を講じた上で、合理性が認められる令和○年○月○日付け経営改善計画案【注：又は「別紙経営改善計画案」】のとおり、令和○年以降、毎年○○○円の営業利益を出す計画のもとにおいて、相手方らに対して、○年間にて総額○○○○円を返済するというものであることを確認する。

＊日本弁護士連合会策定「事業者の事業再生を支援する手法としての特定調停スキーム利用の手引」から引用。

　また、事業において利用を継続する予定の担保権付不動産等については、分割弁済を実施した上で一定額の支払をもって担保解除を行う旨の条項が入ることもある。

　他方、清算型の場合、処分未了の資産がある場合にはその処分方法が規定されることがあるが、多くは残った資金を平等に弁済し、残債務は免除する

（注1）　「合理性が認められる経営改善計画」とは、一般的に、実現可能性の高い抜本的な経営再建計画（いわゆる実抜計画）や合理的かつ実現可能性の高い経営改善計画（いわゆる合実計画）とされるものであり、一般的な数値基準の目標としては、①計画3期目以降は経営黒字となる計画であること、②計画3～5期目までに実質債務超過が解消し資産超過となること、③債務超過解消時期の要償還債務の償還年数が10年程度（主債務者の業種による）となることとされている。

旨の弁済計画となることが多い。一体型の場合で主たる債務者と保証人とを一緒の弁済計画で規定するケースにおいては、このような主たる債務者の弁済条項の後に、保証債務に関する弁済条項が付け加えられる形となる。なお、特定調停やREVIC（特定支援スキーム）においては、債務調整を実施した後に、特別清算手続にて弁済を実施するスキームを策定する場合がある。その場合、弁済額を確定額にてあらかじめ決めてしまった上で弁済条件を決定する方法のほか、現在の弁済原資からその後の特別清算手続費用を控除した残金を債権按分にて弁済するという規定方法（下記）がとられる場合もある。その場合、弁済条項においては、弁済条件は不確定額とならざるを得ないが、債権者には別途に想定弁済率（額）を提示するなどして説明することになる。また、この合意の効力については、特別清算手続において、和解型の場合には裁判所の許可を、協定型の場合には裁判所の協定認可決定の確定を停止条件とすることが考えられる。

> 第○条 申立人及び相手方は、申立人が、特別清算手続開始時点において有する申立人の資産から特別清算手続終了までに必要な費用等を控除した弁済原資を申立人の各債権者が有する債権額に応じて案分した金額を各債権者に対し弁済し、もって各債権者に公平・平等な条件にて弁済を行うことを確認する。

(3) **単独型の場合の保証債務に関し一体整理が困難な理由およびGLにて整理する理由**

GLは、弁済計画において、まず、保証債務のみ整理する場合には、一体整理が困難な理由およびGLにて整理する理由を原則として記載するとしている。しかし、実務においては、これらの内容はそれぞれの準則型整理手続の申立書等に記載されることで済まされ、調停条項や合意書においてはその記載は省略されることが多い。

(4) **保証債務者の財産の状況**

財産目録については表明保証の対象となるため、弁済計画における別紙として添付される場合もあるが、弁済計画に含ませずに別途に債権者に対して財産目録と表明保証書面（および支援専門家による報告書）を提出する場合も多い。残存資産の内容については、弁済額を確定する際に明確にする必要があるものの、弁済計画においては特にその詳細内容などは明記しないことも

ある。

(5) **保証債務の弁済条件**

　弁済計画において最も重要な部分である。①債務額の確認（支払義務の内容の確認）と②弁済方法（一括支払であるか、分割支払であるか）とで構成される。特定調停における調停調書は債務名義となるため、強制執行を前提とした弁済条項が記載されることになる（下記参照）。

> 〔弁済がある場合〕
> 第○条　申立人は、相手方に対し、申立人が相手方に対して負っている保証債務の残債務として、金○○○○円の支払義務があることを認める。
> 第○条　申立人は、相手方に対し、平成○年○月○日限り、前項の支払義務のある金員のうち、金○○○円についてについて、相手方が指定する○○銀行○○支店の「○○○○」名義の○○口座（口座番号○○○）に振り込む方法により支払う。但し、振込手数料は申立人の負担とする。

> 〔全額免除する場合〕
> 第○条　申立人は、相手方に対し、申立人が相手方に対して負っている保証債務の残債務として、金○○○○円の支払義務があることを認める。
> 第○条　相手方は、申立人に対し、前項の支払義務を免除する。

　他方、中小企業再生支援協議会の再生計画案においては、弁済内容が以下のように説明されることになる。

> 〔弁済がある場合〕
> １．保証人の弁済計画及び残存資産の希望
> 　(1)　保証人の弁済計画の基本方針
> 　　　保証人が保有する資産（担保に供している資産及び後記残存資産を除く）を処分・換価して得られた金銭を原資として、保証債権者に対し、その債権割合に応じて按分して弁済し、その余の保証債務についての免除を依頼します。
> 　(2)　残存資産の内容とその必要性等
> 　　　（略）
> ２．弁済の方針
> 　(1)　弁済原資
> 　　　保証人における弁済原資は、資産目録記載の資産総額から、残存資産合計○○○円を控除した○○○円でございます。
> 　　　具体的な弁済額については、上記弁済原資○○○円を保証債権者一覧表記載の各保証債権者の非保全残高に応じて按分して弁済します。ただし、１円未満

の端数は切り捨てるものとします。
(2) 表明保証の効果
(略)

〔全額免除する場合〕
1．保証人の弁済計画及び残存資産の希望
(1) 保証人の弁済計画の基本方針
保証人が保有する資産（担保に供している資産を除く）から後記残存資産を除きますと、弁済原資がございませんので、保証人からの弁済額はゼロ円とし、保証債務の全額免除といたしたく存じます。
(以下、略)

残存資産を控除した保証人の資産を弁済原資とするのが一般的である。しかしながら、自由財産を超えるインセンティブ資産の上限は、主たる債務者が再生型の場合には破産に至らなかったことによる対象債権者の「回収見込額の増加額」、もしくは主たる債務者が清算型の場合には、早期に破産ではなく私的整理による清算に着手したことによる保有資産等の劣化防止に伴う「回収見込額の増加額」で画されてしまうため、「回収見込額の増加額」を超えて保有資産を残す場合には、その差額について公正価額相当額を支払う必要があるため、親類などの支援者から資金を調達するか、保証人がその後の収入をもって分割弁済を実施することになる。なお、GLでは原則として弁済期間は5年以内としているが、5年を超える場合も少なくなく、事案に応じて柔軟に対応している。筆者が経験した事案では、華美でない自宅を有していたものの、「回収見込額の増加額」がそれほど多くなかったことから、自宅評価額と「増加額」の差額については保証人の収入から分割して弁済するものとし、合計103回（8年7か月）の分割弁済条件で合意したものがある（将来収入からの分割弁済については、QA7-29にて認められている）。

なお、前記①債務額の確認条項においては、通常は、主債務者からの弁済後の残債務が支払義務ある債務額として確定することが多いが、主債務者の弁済条件が確定していない場合には、保証債務額も確定しない場合が生じ得る。筆者が経験した事案では、主債務者は再生手続であり、スポンサーによる一括弁済が実施されているため、1名の債権者以外はすべて保証債務を確定することができたが、1名の債権者は、別除権者であって別除権不足額

が確定しない状況にあった。保証債務者間では平等に扱う必要があったため、基準となる債権額については、基準時の保証債務額とし、前記別除権者たる債権者以外は主たる債務者からの弁済後の残債務額で確定し、当該別除権者たる債権者については、基準時点の保証債務額から、将来において主たる債権者から弁済がなされた場合にその弁済額を控除した残債務を基準となる債権額とすることとした。よって、合意時においては当該別除権者たる債権者の基準債権額は確定しないため、下記の通り、確定後に他の債権者と同条件での弁済を実施する旨の条項とした。

> 第○条　申立人は相手方に対し、【基準時点】における債務残高から【主債務者】から弁済を受けた金員を控除した残金（以下「対象債権」という。）について、【主債務者】からの弁済がなされた日を含む月の翌月末日限り、対象債権の○％相当額（小数点以下切り捨て）を支払う。

このケースでは、弁済総額は確定していたが、前記の事情によって支払対象となる保証債務の総額が確定しないため、すべての保証債権者に対する弁済率も暫定的なものとし、将来において総保証債務額が確定し弁済率が変更となった場合には、差額の追加弁済をすべての債権者に対して実施する旨の条項も規定した。

(6) 資産の換価・処分の方針

基本的に資産の換価・処分の方針を弁済計画に記載することはないものの、例えば不動産を売却し、その売却代金から売却に必要な費用を控除した残金を原資として弁済するなどのケースにおいては、資産の換価・処分方針を弁済条件と絡めて規定することが想定される。この場合、更生手続における更生計画での処分連動方式での条項案[注2]が参考となる。

(7) 保証債務の減免、期限の猶予などの権利変更の内容

債務免除においては、分割払がすべて終了した後に残債務を免除するという形式と、合意時に先に債務免除する形式がある。履行の担保を行いやすいと考えられるのは前者であるが、債権者側の債権管理においては後者が便宜の場合もある。後者の場合であっても、分割払が滞れば免除の効力は失われ

(注2)　松下淳一・事業再生研究機構編『新・更生計画の実務と理論』（商事法務、2014）189頁参照。

GLを適用することによって認められる残存資産に加えて資産を手元に残すために、その後の給与収入などを原資として分割払を行う場合、弁済が滞れば免除の効力が失われることになるが、その範囲は残存資産を超える部分に限定されるべきである。例えば1500万円の自宅について「回収見込額の増加額」が1000万円の場合、差額の500万円を5年分割にて支払い、残債務の免除を受けるという場合、分割が滞ったとしても、保証債務総額から既払額を控除した残額の免除がなされないとすべきではなく、差額の500万円から既払額を控除した残額についてのみ期限の利益が失われる形に条項を規定すべきである。そうでないと、本来GLによって確保できた残存資産まで失う結果となるからである。

　保証免除の規定については、保証人の資産についての表明保証違反があった場合の取扱いにおいて議論があるが(9)において後述する。さらに、保証人の保有する資産を評価して評価相当額を弁済原資とする場合の評価基準たる「公正な価額」については、(8)において後述する。

　なお、GLでは債務免除の対象債権者を債権額20万円以上に原則限っているが、筆者が経験したケースでは、特定調停手続において、保証人の弁済原資が多くなかったことと、債権者をより平等に取り扱うことによってGLおよび特定調停手続の信頼性が増す効果が生じたことから、少額債権者（約7000円の債権と約10万円の債権。なお、いずれも信用保証協会が代位弁済した後の残金）も対象としながら、分割条件について他の債権者より短期間での弁済とすることで配慮を行ったことがある。当該少額債権者からも異論がなく、他の債権者においても異論が出されずに成立となった。

　GLにおいては、保証債務以外でも、弁済計画の履行に重大な影響を及ぼすおそれのある債権者を対象とすることができるとされているが、想定し得る債権としては、主債務者の整理によって保証人に収入がなくなったことによって返済が滞ることとなった住宅ローン債権やカードローン債権などである。また、主たる債務者の資金繰りのために、保証人が消費者金融等から借入れを行い、主たる債務者に貸付けを行っているケースでは、主たる債務者が支払原資を保証人に報酬等の名目にて渡し、その原資で保証人が支払を

行っていることが多く、主たる債務者の資金支援を得ることができなくなった場合には、この債権についても対象債権とすることが考えられる。

(8) 資力についての情報開示と表明保証

(4)にて述べた通り、弁済計画において、保証人の資産目録を添付した上で、表明保証条項を規定する場合もあるが、弁済計画には資産目録は特に添付せず他の手段にて開示された資産目録を前提として表明保証条項を規定する場合がある。

この開示された資産について、保証人は換価処分を行い、または「公正な価額」の評価額をもって弁済原資とすることになるため、換価処分方法や「公正な価額」の評価方法は債権者との交渉において重要事項となる。換価処分においては、例えば不動産の場合には複数の仲介業者を選定した上で売却活動を実施し、さらには債権者が推薦する仲介業者を含ませる対応などによって換価処分方法の公正性を担保させる配慮を行うこともある。換価処分が困難な資産については、換価処分が困難であることを債権者に資料を基に説明した上で、一定額で保証人の親戚や知人にて買い取ってもらう対応なども考えられる。

しばしば問題となるのは華美でない自宅を残存資産とする場合の「公正な価額」である。評価額が高くなれば、残存資産の上限を画する「回収見込額の増加額」を上回ることとなり、差額調整が必要となるため債権者としては回収額が増えることになる。他方、債務者としては自宅の評価額が「回収見込額の増加額」を上回った場合には、その上回った差額について弁済がさらに必要となり、債権者への弁済額が増えてしまうため、資金的余裕がない中で、自宅売却も含めかなり厳しい対応を迫られることとなってしまう。しかしながら、債権者においてGLの意義や当該保証人の資産状況や生活状況に理解を有する場合には、双方の評価額に極端な差が生じていなければ、GLの意義等に鑑みて一定の評価額において合意することも十分に可能と考える。その場合には、評価の根拠となる資料が必要であり、不動産の場合であれば不動産鑑定書が考えられるが、不動産鑑定書を取得するにも相当額の費用と時間がかかることもあるため、複数の不動産業者の査定評価書をもって説明資料とすることも考えられる。筆者が経験した事案では、不動産鑑定書

を用意した事案もあるが、不動産業者の査定評価書を基準として交渉により合意に至った事案もある。なお、「公正な価額」について、GL・QA 7 -25は、「具体的には、法的倒産手続における財産の評定の運用に従うことが考えられます」としていることから、再生手続の財産評定（民再124条）を基準とすることが考えられる。この場合、評定の基準は「財産を処分するもの」とし、「事業を継続するものとして」の評価を例外的としており（民再規56条1項）、実際に再生支援協議会の運用においても、この評価は早期売却価格とされている(注3)。これは、担保権者が当該担保目的物から優先的に回収できる価格は、最終的には競売手続による価格であることから、その評価を基準としているものと思われる。しかしながら、筆者の経験においては、担保権者においては早期売却価格ではなく通常の売却価格を基準とすることを要請する傾向にあり、運用面の課題の1つといえる。

　非上場株式についての評価は基本的には純資産価格を用いる方法が簡便であるが、少数株主の株式においては実際の処分方法が限られ、処分価格も低くなりがちであることから、評価において非流動性減価として30％から50％の減額評価をする場合も考えられる。

(9)　**表明保証違反の場合の措置**

　GLは、保証人の資産開示が誠実になされたことを前提として、残存資産を決定し、弁済総額が決定されることとしているため、資産開示が誠実になされることは非常に重要である。したがって、GLでは表明保証の適正性について支援専門家が確認を行い、債権者に報告を行うものとし、さらに保証人にはその資力を証明するための資料提出を義務付けている。GLにおいては、開示された内容と事実が異なることが判明した場合には、原則として、免除の効力は失われ、免除期間分の延滞利息も付して追加弁済をしなければならないとされている。その場合、下記のような条項となる。

（注3）　小林信明「経営者保証ガイドラインの特徴と利用上の問題点」ニューホライズン事業再生と金融58頁においても、「公正な価額」の評価基準は、基本的には早期処分を前提とする処分価額であると考えるとしている。

> 第○条　申立人は、平成○年○月○日における申立人の資産が別紙資産目録記載のとおりであることを表明保証し、本調停成立後、平成○年○月○日において申立人が保有する財産で、同目録に記載されていないものが発見されたときは、第○項の債務免除の効力を失うものとする。

ただし、前述の通り、GL・QA 7-31では、過失の場合は、免除の効力を失わせるのではなく、開示から漏れていた資産のみを原資とする追加弁済を行うという取扱いが可能とされ、最近の弁済条項ではこちらの取扱いが主流となっていると思われる。筆者が経験した事案においては下記のような条項にて成立となった。

> 第○条　申立人は、平成○年○月○日における申立人の資産が別紙資産目録記載のとおりであることを表明保証し、本調停成立後、平成○年○月○日において申立人が保有する財産で、同目録に記載されていないものが発見されたときは、速やかにその事実を相手方に通知し、相手方らの指示に従ってこれを換価し、相手方らに対し、換価代金から必要経費を控除した残額に、相手方らの各債権額の割合に応じた額を支払うものとする。この場合において、相手方の第○項による債務免除の意思表示は、新たにされた弁済の限度で効力を失うものとする。

(10) その他

GL・QA 8-4は、弁済計画の実施状況の報告を求めることができるとされている。そのため、債権者から、弁済期間中において一定の範囲内におけるモニタリングを求める内容の条項の設定を求められることも考えられる。しかしながら、当事者双方にとって負担が大きな作業となる場合があり、実際には条項として記載を求められることは少ないものと思われる。

II　担保処理

1　総論

特に自宅について抵当権が設定されている場合の処理が問題となる場合がある。保証人としては自宅を残存資産として残し、居住の継続を望む場合が多い。この抵当権については、住宅ローンを被担保債権とする場合のほか、主たる債務者に対する債権の物上保証を行っている場合がある。GLに基づ

く保証債務の弁済計画の効力（債務免除の効力等）は、保証人の資産に対する抵当権者には及ばないので、取扱いについては注意が必要である（GL・QA7-19）。

　保証債権者にとって、保証人の資産における責任財産は、自宅において抵当権が設定されている場合には、自宅評価額から抵当権の被保全債権総額を控除した残高となる。したがって、このような場合のGLにおける残存資産は、この自宅評価額と抵当権の被保全債権総額との差額となり、これが「回収見込額の増加額」を上限として範囲内であるか否かが問題とされる。担保権の被保全債権総額のほうが自宅評価額よりも多い場合には残存資産の算定において自宅の評価額は加える必要はなく、担保権の処理ができれば、自宅を残すことができることになる。

　他方、自宅評価額が抵当権の被担保債権総額より少なかったりまたは、被担保債権総額が自宅評価額を上回っていてもその差額が大きくない場合であり、「回収見込額の増加額」の範囲内として保証債務の弁済から免れることができたとしても、担保権者への支払が滞ったときには、担保権実行がなされてしまうことになる。特に、これまで支払を行ってきた住宅ローンのほか、主たる債務者のために物上保証している場合には、新たに当該担保権者と弁済条件について交渉せざるを得ない。これらの担保権者との対応が問題となる。

2　対応方法

(1)　親類等による担保目的物の買取等

　担保権者が被担保債権の一括弁済を求めてきた場合や、保証人にほとんど資力がない場合には、親類等の支援を得て対応することが考えられる。この場合、当該不動産評価額をもって、親類が保証人に貸し付けた上で、保証人が担保権者に対して弁済することで担保解除を得るか、または担保権者の了解の下に、不動産評価額をもって当該不動産を親類に売却し、売却代金から費用を控除した残金を担保権者に支払うことで担保抹消を求めることになる。通常は、実際に売却するよりは評価額を支払うことによって担保解除を得たほうが、売却にかかる経費を削減することができ合理的な解決が望めるが、

第2章　GLの運用上の問題点

担保権者によっては保証人がそのまま不動産を所有することを望まず、売却した形にすることを望む場合もあるため、担保権者との協議が重要となる。

なお、担保権者との関係においては、当該担保目的物（例えば自宅不動産）の評価額について、GLにおける財産開示における「公正な価額」に縛られる必要はないはずであるが、当該担保権者が保証債権者でもある場合には、GL上の「公正な価額」が物上保証の担保解除を行う上での基準となる担保目的物の評価額となると考えられる。

(2)　収入による評価額相当の分割弁済

担保権者への支払総額がそれほど大きくなく、保証人の収入において一定期間の分割弁済が可能であれば、協議によって分割弁済合意を行うことになる。その場合、分割弁済実施期間中においては、担保権の実行を禁じ（ただし、被担保債権の弁済条件を合意することになるため、特に担保権実行禁止の条項を入れなくても、弁済を実施している限りにおいて違約はなく担保権者は担保権の実行はできないことから、当該条項を入れなくても問題はない）、規定の金額を完済した場合には担保解除を行う旨を合意書によって確認することになる。

これらの担保権者との交渉については、担保権者をも対象債権者に含めた上で、GLに基づく弁済計画を策定することも可能である（GL・QA7-19）。筆者が経験した事例では、主債務者の債権の担保として、保証人の自宅に抵当権を設定していたものの、保証人に対して個人保証契約は締結していない抵当権者に対して、他の保証債権者と一緒に特定調停手続における相手方とした上で、自宅の評価相当額を合意し、分割弁済を内容とする調停条項にて合意したことがある。

3 経済合理性

弁護士 小林 信明
弁護士 佐藤 昌巳

I 「経済合理性」の意義

1 GLにおける「経済合理性」の特徴

　私的整理手続において債務整理をする場合、対象債権者がその整理に同意するに当たり自らにとって経済合理性(注1)があることが前提とされるのが通常である。

　GLの最大の特徴の1つは、経営者たる保証人による早期の事業再生等の着手の決断について、主たる債務者の事業再生等の実効性の向上等に資するものとして、保証人の手元に残すことができる財産（以下、「残存資産」という）について、破産手続において自由財産(注2)として認められる財産を超える財産（以下、「インセンティブ資産」という）を含めることを可能とした点にある。

(注1)　この経済的合理性については、債務者が破産した場合と比較して検討されるのが一般的である。その比較において、破産した場合と比べて回収金額が増加するのであれば、経済的合理性があるといえる。加えて、破産した場合と比べて回収金額が下回らない場合でも経済的合理性は否定されないものと考えられる（注4参照）。
　　　　この問題は、いわゆる「ゼロ弁済問題」と呼ばれるが、それはV2で後述する。
　　　　なお、小林信明「経営者保証ガイドラインの特徴と利用上の問題点」ニューホライズン事業再生と金融60頁注31は、「経済合理性の比較としては、より正確には『回収額』だけの問題ではなく、『回収時期』を含めて考察すべきであるが、本ガイドラインでは、簡明性を考慮し前者だけの比較としている」と述べている。
(注2)　ここでいう自由財産とは、破産法34条3項（本来的な自由財産）および4項（裁判所の決定で拡張される自由財産）その他法令により破産財団に属しないとされる財産をいう。拡張される自由財産については、裁判所が個別事案で判断するものであるが、実務的な慣行が認められるものは、GL上の自由財産として認められるべきである。

しかし、対象債権者が保証債務の整理のみの経済合理性を検討する場合、保証人が破産したと想定したときの自由財産よりも多くの残存資産を残すことは、対象債権者にとって保証人が破産したと想定したときと比べて回収金額が下回ることを意味し、経済合理性が認められないことになる。そこで、GLは、経済合理性について保証債務だけではなく主たる債務と一体として判断することとし（GL7項(3)③）、主たる債務および保証債務につきGLに基づく債務整理を行った場合における対象債権者の回収見込額の合計金額と、主たる債務者および保証人が破産手続を行った場合における対象債権者の回収見込額とを比較し、「前者の回収見込額が後者の回収見込額を下回らない場合には経済合理性がある」と判断できるとしたものと考えられる[注3]・[注4]。

ただし、主たる債務の整理手続の終結後に保証債務の整理を開始したときは、主たる債務と保証債務を一体として経済合理性を判断することはできず、保証人の債務整理のみの経済合理性が問われることになるため、インセンティブ資産を残存資産とすることはできないことになる（GL7項(3)③）。

2 「経済合理性」が判断基準となる場面

GLは、保証債務の整理に当たって、3つの場面で「経済合理性」を判断基準として用いている。

まず、①保証人の対象債権者への申出時に保証債務がGLに基づく整理の対象となるか否かを判断する基準として「経済合理性」を用いる（GL7項(1)

[注3] 小林・前掲（注1）60頁、黒木正人ほか「パネルディスカッション『経営者保証に関するガイドライン』に基づく保証債務整理の現状と課題」事業再生と債権管理161号（2018）35頁［小林信明発言］参照。

[注4] 「経済合理性」を「清算価値保障原則」と言い換えることも可能である。清算価値保障原則の意義について、倒産学説上破産配当を超える弁済を保障することを意味するか、破産配当を下回らない弁済を保障するかについて争いがある。この点、再建型倒産法制における「清算価値保障原則」が同意をしない少数債権者の保護を基礎とすると考えられる（山本和彦『倒産法制の現代的課題（民事手続法研究Ⅱ）』〔有斐閣、2014〕63頁参照）のに対し、対象債権者全員の同意を前提とする私的整理における「清算価値保障原則」は、金融機関の同意判断としての合理性を基礎とするものと考えられ、後者は前者よりも弾力的であってよい。したがって、私的整理における清算価値保障原則（経済合理性）は、破産配当を下回らない回収を受けることで足りると解されるべきである。

ハ)。次いで、②保証人の手元に残すことのできる残存資産の範囲を決定する場面で、保証債務の履行請求額やインセンティブ資産の検討・判断に当たって「経済合理性」を必要としている（GL7項(3)③）。そして最後に、③保証債務の免除の要件として「経済合理性」が用いられている（GL7項(3)⑤）。これらの場面で、対象債権者にとっての「経済合理性」が問われることになるのである。

II 「経済合理性」の判断方法

1 「経済合理性」の判断方法に関する定め

対象債権者への申出に対し、保証債務がGLに基づく整理の対象となるには（前記①の場面）、債務整理計画（弁済計画）案が「主たる債務及び保証債務の破産手続による配当よりも多くの回収を得られる見込みがあるなど、対象債権者にとっても経済的な合理性が期待できること」が必要である（GL7項(1)ハ）。この「より多くの回収を得られる見込み」の判断方法については、GL・QA7-4が算式を定めている。

また、保証人の手元に残すことのできる残存資産の範囲ないし保証債務の履行基準を定めるに当たって（前記②の場面）、「経済合理性について、主たる債務と保証債務を一体として判断する」（GL7項(3)③）ことになるが、この場合の「経済合理性」の判断方法については、GL・QA7-13が算式を定めている（なお、残存資産に含める資産に言及するGL7項(3)③〔「上記ニに関連して、」で始まる段落〕においても「経済合理性」の用語が使用されているが、その内容を直接明らかにしたGL・QAはない。しかし、同一の条項内に存在する以上、GL・QA7-13の記載内容がそのまま妥当すると解するのが合理的である）。

そして、GL・QA7-4と7-13とは、多少の文言の相違があるとはいえ、「経済合理性」の判断方法として記載されている内容は、同じであり、主たる債務と保証債務を一体として経済合理性を検討する場合の基本的な考え方を示している[注5]。

また、「経済合理性」が判断基準とされるもう1つの場面（前記③の場面）である保証債務の免除の要件としての「経済合理性」（GL7項(3)⑤）につい

ては、その判断方法を明らかにしたGL・QAはないが、他の二場面における「経済合理性」の判断方法が同じであることに顧みれば、ここでの「経済合理性」も同一の判断方法によると解するのが合理的である。

2 GL・QAに依拠した「経済合理性」の判断方法

GL・QA7-4および7-13は、以下の比較により破産手続による配当よりも多くの回収を得られる見込みがある場合には、経済合理性が認められるとしている。

(1) 主たる債務者の整理が再生型手続の場合

主たる債務者が再生型手続の場合、以下の通り①の額と②の額をそれぞれ算出し、①の額が②の額を上回る場合には、回収見込額の増加が認められることを踏まえ、「経済合理性」があると判断される。

① 「主たる債務及び保証債務の弁済計画（案）に基づく回収見込額の合計金額」

② 「現時点において主たる債務者及び保証人が破産手続を行った場合の回収見込額の合計金額」

(2) 第二会社方式の場合

主たる債務者が第二会社方式により再生を図る場合、以下の通り①の額と②の額をそれぞれ算出し、①の額が②の額を上回る場合には、回収見込額の増加が認められることを踏まえ、「経済合理性」があると判断される。

① 「会社分割（事業譲渡を含む）後の承継会社からの回収見込額及び清算会社からの回収見込額並びに保証債務の弁済計画（案）に基づく回収見込額の合計金額」

② 「現時点において主たる債務者及び保証人が破産手続を行った場合の回収見込額の合計金額」

(3) 主たる債務者の整理が清算型手続の場合

主たる債務者が清算型手続の場合、以下の通り①の額と②の額をそれぞれ

（注5） GL・QA7-16は、この基本的考え方を前提に、保証人にインセンティブ資産が認められ得る上限を示す「回収見込額の増加額」の具体的な算出方法を示したものと考えられる。後記Ⅲ3参照。

算出し、①の額が②の額を上回る場合には、回収見込額の増加が認められることを踏まえ、「経済合理性」があると判断される。

① 「現時点において清算した場合における主たる債務の回収見込額及び保証債務の弁済計画（案）に基づく回収見込額の合計金額」
② 「過去の営業成績等を参考としつつ、清算手続が遅延した場合の将来時点（将来見通しが合理的に推計できる期間として最大3年程度を想定）における主たる債務及び保証債務の回収見込額の合計金額」

Ⅲ　インセンティブ資産と「経済合理性」との関係

1　インセンティブ資産の意義および根拠

「インセンティブ資産」の用語については、GLにもGL・QAにも明示的な記載はないが、一般に、経営者たる保証人による早期の事業再生・事業清算の着手の決断に対するインセンティブとして、「経済合理性」の範囲内で、自由財産に加えて認められる残存資産と考えられている(注6)。

GLに基づく債務整理計画において「インセンティブ資産」が認められることは、次のGLの定めを根拠とする（下線は筆者による）。すなわち、「一定の経済合理性が認められる場合には、対象債権者は、破産手続における自由財産の考え方を踏まえつつ、……一定期間（……）の生計費（……）に相当する額や華美でない自宅等（ただし、主たる債務者の債務整理が再生型手続の場合には、破産手続等の清算型手続に至らなかったことによる対象債権者の回収見込額の増加額、又は主たる債務者の債務整理が清算型手続の場合には、当該手続に早期に着手したことによる、保有資産等の劣化防止に伴う回収見込額の増加額、について合理的に見積もりが可能な場合は当該回収見込額の増加額を上限とする。）を、当該経営者たる保証人（……）の残存資産に含めることを検討することとする」（GL 7項(3)③）。

（注6）　小林信明監修・経営者保証に関するガイドライン研究会事務局編著『これでわかる経営者保証』（金融財政事情研究会、2014）52頁参照。

2 インセンティブ資産の範囲(上限)と「経済合理性」

前記のようにGLは、回収見込額の増加額をもって、インセンティブ資産の上限となることを示している。

この定めは、GLが「経済合理性」について、主たる債務と保証債務を一体として判断し、その「経済合理性」が保証人の残存資産の範囲を画するという基本的な考え方を示している[→Ⅱ]ことを前提に、その基本的な考え方を残存資産に含めるインセンティブ資産の範囲(上限)に反映させるに当たり、対象債権者の「回収見込額の増加額」を基準としたものである。

3 インセンティブ資産の範囲(上限)を画する「回収見込額の増加額」の算出方法

GL・QA7-16が定めた「回収見込額の増加額」の算出方法は、以下の通りである。

(1) 主たる債務の整理が再生型手続の場合

主たる債務者が再生型手続の場合、合理的に見積りが可能な場合には、①から②を控除して算出する。

① 「主たる債務の弁済計画(案)に基づく回収見込額」

② 「現時点において主たる債務者が破産手続を行った場合の回収見込額」

なお、2017年6月28日GL・QA改定により、同7-16に「保証人の資産の売却額が、現時点において保証人が破産手続を行った場合の保証人の資産の売却額に比べ、増加すると合理的に考えられる場合は、当該増加分の価額も加えて算出することができ(る)」ことが追記された(同趣旨の付記は(2)、(3)についてもなされたが、この意義については、Ⅴ1で後述する)。

(2) 第二会社方式の場合

主たる債務者が第二会社方式により再生を図る場合、合理的に見積もりが可能な場合には、①から②を控除して算出する。

① 「会社分割(事業譲渡を含む)後の承継会社からの回収見込額及び清算会社からの回収見込額の合計金額」

② 「現時点において主たる債務者が破産手続を行った場合の回収見込額」

なお、2017年6月28日GL・QA改定により、同7-16に「保証人の資産の売却額が、現時点において保証人が破産手続を行った場合の保証人の資産の売却額に比べ、増加すると合理的に考えられる場合は、当該増加分の価額も加えて算出することができ（る）」ことが追記された。

(3) **主たる債務の整理が清算型手続の場合**

主たる債務者が清算型手続の場合、合理的に見積りが可能な場合には、①から②の額を控除して算出する。

① 「現時点において清算した場合における主たる債務及び保証債務の回収見込額の合計金額」
② 「過去の営業成績等を参考としつつ、清算手続が遅延した場合の将来時点（将来見通しが合理的に推計できる期間として最大3年程度を想定）における主たる債務及び保証債務の回収見込額の合計金額」

なお、2017年6月28日GL・QA改定により、同7-16に「準則型私的整理手続を行うことにより、主たる債務者又は保証人の資産の売却額が、破産手続を行った場合の資産の売却額に比べ、増加すると合理的に考えられる場合は、当該増加分の価額も加えて算出することができ（る）」ことが追記された。

(4) **GL・QA 7-16の改定**

ところで、GL・QA 7-13が、「経済合理性」判断のために主たる債務と保証債務の回収見込額の合計金額の増加の有無を算出する算式を規定しているのに対し、前記改定前のGL・QA 7-16は、主たる債務についての回収見込額の増加額を算出する算式を定め、保証債務の回収見込額に言及していないため、一見すると、前記2の記述とは異なり、両者の基礎にある考えに相違があるように理解されかねないことが懸念される。しかしながら、GL・QA 7-13が、GLに基づく債務整理の「結果」が対象債権者にとっての「経済合理性」に適うか否かを判断する物差しとして機能するのに対し、GL・QA 7-16は、GLに基づく債務整理の「前提」として保証人の債務整理計画におけるインセンティブ資産の範囲（上限）を画する物差しとして機能するものであって、判断の対象・局面が異なるにすぎない。GL・QA 7-16の基礎にある考え方がGL・QA 7-13と異なるわけではない。このことが、前記

第2章 GLの運用上の問題点

GL・QA 7 -16の改定により明らかにされたといえる。

Ⅳ 単独型（いわゆる「のみ型」）における「経済合理性」の判断

　GLにおいては、保証債務の整理についての合理性、客観性および対象債権者間の衡平性を確保する観点等から、主たる債務が準則型私的整理手続による場合は、保証債務も同一の準則型私的整理手続を利用して整理する一体型の整理が原則とされている（GL 7 項(2)イ）。しかし、主たる債務が法的整理手続による場合や、すでに主たる債務の手続が終結している場合等主たる債務と保証債務の一体整理が困難な場合には、保証債務のみを単独で整理を行うことが認められる（これを「単独型」または「のみ型」という。GL 7 項(2)柱書・ロ）。

1　主たる債務の整理手続が終結しているケース

　GLによれば、主たる債務の整理手続が終結しているケースでは、自由財産の範囲を超えて保証人に資産を残すことについて、対象債権者にとっての「経済合理性」が認められないことから、残存資産の範囲は自由財産の範囲内とされている（GL 7 項(3)③、GL・QA 7 -20。この点については、Ⅴ 4 で後述する）。

2　主たる債務の整理手続の係属中に開始されるケース

　これに対し、保証債務の整理の申立てが主たる債務の整理手続の係属中に開始されるケースでは、自由財産の範囲を超えた資産（インセンティブ資産）を保証人の残存資産に含めることを検討することが可能となる（GL・QA 7 -20参照）。この場合の「経済合理性」の判断も、「主たる債務と保証債務を一体として判断する」（GL 7 項(3)③）こととなるが、主たる債務の整理と保証債務の整理の手続主宰者が異なること、手続の進行や手順、各手続の進捗度合いが異なることを踏まえ、どのように行うかが実務上問題となる。

　この点、インセンティブ資産の範囲（上限）は、基本的に主たる債務者の「回収見込額の増加額」を基礎として定めるものであるから、主たる債務者

の債務整理手続において「回収見込額の増加額」が確認できなければ、保証人の残存財産に含めることのできるインセンティブ資産の範囲（上限）を確定的に算出し、これを踏まえた債務整理計画案を作成することはできない。そこで、保証人の保証債務の整理の手続は、主たる債務者の債務整理手続において「回収見込額の増加額」が弁済計画（案）（再生型の場合）または破産配当等（清算型の場合）によって確定するタイミングを意識し、これを保証人の債務整理計画案に取り込むことを可能とするペースで進行させることが合理的だと思われる。

もっとも、主たる債務者が破産手続を行う場合において、債務者財産が換価回収され、破産配当が実施されるまでに長期間を要することが想定されるなど特段の事情があるときには、保証人が確保可能な客観的な資料に基づき「回収見込額の増加額」を合理的に見積もり、対象債権者の同意を得て、当該見積りを踏まえた保証人の債務整理計画を成立させることは許容されてよいと考える(注7)。

V 実務上の諸問題

1 保証債務の整理における破産手続と比較して増加した回収見込額の増加額の考慮（2017年6月28日GL・QA改定）

GL・QA7-16は、前述の通り、対象債権者は、①主たる債務者が再生型手続の場合（第二会社方式による場合を含む）は主たる債務の回収見込額と主たる債務者が破産手続を行った場合の回収見込額とを比較し、②主たる債務者が清算型手続の場合は主たる債務および保証債務の現時点における回収見込額と清算手続が遅延した場合の回収見込額とを比較して、それぞれ回収見込額が増加する場合に、その範囲内で、インセンティブ資産を残存資産に含めることができることを示している。

このGL・QAに関し、従来、保証債務について私的整理手続を行うことによって、保証人の破産手続が行われた場合と比較して回収見込額が増加す

(注7) 佐々木宏之「一時停止要請から弁済計画策定まで」事業再生と債権管理163号（2019）119頁参照。

るとき（私的整理手続によるほうが破産手続によるのと比較して、資産がより高額で換価・処分できる場合等が考えられる）には、GL・QA 7 -16の明文の定めからは離れるが、「経済合理性」については「主たる債務と保証債務を一体として判断する」（GL 7 項(3)③）べきであることを踏まえ、保証債務の回収見込額の増加額を考慮して、インセンティブ資産の上限が定められるべきではないかが議論されてきた。これを肯定する立場からは、GL・QA 7 -16は、回収見込額の増加が見込まれる典型例を取り上げ、その場合の回収見込額の増加額の算出方法を示したものであり、それ以外の場合における回収見込額の増加額の算出を否定する趣旨まで含むものではないとされた。先にⅢ 3 (4)で言及した2017年 6 月28日GL・QA 7 -16の改定は、この肯定説の考え方を採用してこの議論に終止符を打ち、インセンティブ資産の範囲を定めるに当たって、従来の算出方法による回収見込額の増加額に、保証人の破産手続を想定した場合と比較した保証債務の回収見込額の増加額を加えて考慮できることを明らかにしたといえる(注8)。

なお、保証債務について私的整理手続を行うことによって、保証人の破産手続の場合と比較して回収見込額が増加する場合には、保証人の資産がより高額で換価・処分できる場合のほかに、事業の清算・整理業務のコストが少なくてすむ場合などが考えられる。改定GL・QA 7 -16は保証人の資産売却の場合のみを記載しているが、今般の改定の趣旨からすればそれ以外の場合を排除する合理的な理由はないと考えられる。

2　いわゆる「ゼロ弁済」の許容性

保証人に保有資産がない場合において、主たる債務と保証債務からの回収見込額を一体として「経済合理性」を判断しても回収見込額の増加額がゼロであるときに、保証人が対象債権者に保証債務を一切弁済しない旨の債務整理計画（いわゆる「ゼロ弁済」の計画）は許容されるであろうか。

具体的には、主たる債務者が破産手続に配当がなく、かつ保証人の保有する総資産が破産手続における自由財産（現金99万円等）を下回ると想定され

（注8）　黒木ほか・前掲（注3）35-36頁［小林発言］参照。

る場合などで問題となる。

　この点、私的整理における経済合理性についての意味合いは、前記Ⅰで述べた通りであり、破産配当を下回らないことを意味すると解されるが、GLの文言（GL７項(1)ハ）は、一見すると対象債権者にとっての経済合理性は、破産配当よりも多くの回収を得られる見込みがある場合を意味するように読めなくもなく、GL・QAもそれを前提に記載されていると解することもできなくはない。しかし、ガイドラインの文言を子細にみれば、「経済合理性」について「主たる債務及び保証債務の破産手続による配当よりも多くの回収を得られる見込みがあるなど」（下線は筆者）と記され（GL７項(1)ハ）、典型例以外のケースを想定した文言である「など」が付記されている。そして、GL・QAは、単に回収見込額の増加が見込まれる典型例を取り上げ、その場合の判断の算式を記載したにすぎないと解することができる[注9]。

　実質的に考えても、「ゼロ弁済」としても、破産手続において予想される配当率を下回るわけではないから、経済合理性を否定するまでもなく、また対象債権者としては、GLに基づく債務整理計画を受け容れることにより、債権免除に係る無税償却が可能となり、また保証人たる経営者による早期事業清算の着手の判断による債権管理コストの低減が図られるなどの経済的メリットが得られる[注10]上、資産状況の任意開示、保全費用、執行費用、強制執行による価格下落の回避等強制的な回収を実施するに当たって必要となる負担を回避できるなどの実利を得られる可能性もある。したがって、対象債権者としては、たとえ回収見込額がゼロであったとしても、当該事案における個別具体的な事情を総合的に考慮し、GLに基づく債務整理計画の受容れの許否を判断できるとするのが合理的であり、これを可能とする解釈がGL制定の趣旨に適うと考えられる[注11]。

　また、GLの文言（GL７項(3)⑤柱書）上は保証債務の一部履行後に残存する保証債務の免除要請がなされる建付けとなっていることと平仄が合うかとの指摘もあろう。しかし、これは単に保証債務の一部履行がなされる典型的な

(注9)　佐藤敦＝小川里美「回収見込額の増加額を上回る資産を残存資産とした事例」事業再生と債権管理154号（2016）91頁参照。
(注10)　小林・前掲（注１）60頁。

債務整理計画を想定して規定されたにすぎず、履行がまったくない計画を否定するという格別の意義を有するものとは解されない。

以上を踏まえると、保証人がGL 7 項(3)⑤イ、ロおよびハの要件を充足する限り、保証人による「ゼロ弁済」を内容とする債務整理計画案の作成を否定する合理的理由はない。対象債権者としても、当該事案における個別具体的な事情を考慮し、GL 7 項(3)③イないしホなどの事項を総合的に勘案した上で、当該計画案を受け容れるか否か（さらには修正を求めるか）を決定すればよく、GLが「ゼロ弁済」の計画を否定していると解する必要はない。

3　将来の収入・新得財産を弁済原資とする債務整理計画の可否

GLに基づく保証債務の整理においては、財産評定時(注12)以降に発生した収入や新得財産は、原則として、弁済原資とすることは想定されていない（GL 7 項(3)④ロ、GL・QA 7 -23・7 -29。なお、GL 5 項(2)イ参照）。もっとも、例外として、保証人からの申出により、例えば、自由財産に該当しない保険や自動車等特定資産を換価・処分する代わりに受け戻すなど、処分・換価対象資産の「公正な価額」に相当する額を弁済する債務整理計画案を作成するに当たり、将来収入を弁済原資に充当することは想定されている（GL・QA 7 -29）。

問題は、このようにGLが想定している場合以外に、将来の収入や新得財産を弁済原資とする債務整理計画が認められるかである。

この点、前記の通りGLおよびGL・QAは、将来の収入や新得財産を原則として弁済原資として想定していないことに照らせば、対象債権者がこれらを弁済原資として要請することは、原則として許容されるべきではないと考えられる。もっとも、保証人において、相当の理由がある場合（例えば、対

(注11)　佐々木宏之「経営者保証ガイドラインにおける『残存資産』、『インセンティブ資産』の考え方」事業再生と債権管理154号（2016）80頁、黒木ほか・前掲（注3）38頁［佐々木宏之・小林発言］、大西雄太「経営者保証に関するガイドラインを利用して債務整理を図った2事例、表明保証違反が判明した場合における追加弁済条項の事例紹介」事業再生と債権管理163号（2019）94頁。

(注12)　GLに基づく債務整理を対象債権者に申し出た時点（保証人等による一時停止等の要請が行われた場合にあっては、一時停止等の効果が発生した時点）（GL 7 項(3)④イb、GL・QA 7 -11）。

象債権者に「経済合理性」の判断を促すため(注13)、あるいは「経済合理性」や残存資産ないしインセンティブ資産の範囲を巡って疑義や見解の相違が生じた際にその調整の手立てとする場合(注14)）や、遺産相続などによって、当初想定し得ない巨額な新得財産を取得した場合などにその自由意思に基づき、かかる新得財産を弁済原資とする債務整理計画案の申出を行い、対象債権者が当該申出を受け容れることを否定するまでの必要はないように思われる（ただし、GLは、基本的に将来の収入・所得財産を弁済原資として想定していないことに留意し、自由意思に基づくかの判断には慎重な検討を要するものと解する）。

4 主たる債務と一体として経済的合理性を判断できない場合

　主たる債務の整理手続の終結した後に保証債務の整理を開始したときは、主たる債務と保証債務を一体として「経済合理性」を判断することはできない（GL7項(3)③）。主たる債務整理手続が終結した後には、経営者たる保証人による早期の事業再生等の着手の決断に対するインセンティブを与える必要がなく、対象債権者は、保証債務だけの経済合理性を判断することになるからである。したがって、対象債権者は、保証債務の整理について、保証人が破産した場合の破産配当と比較して、それを下回る回収額である場合には、同意することが困難となるので、そのような債務整理計画案を定めることのないよう支援専門家として留意が必要である（GL・QA7-20）。

　主たる債務の整理手続の終結後とは、主たる債務の整理が私的整理手続による場合には主たる債務の私的整理の合意の効力が発生した時点をいい、主たる債務の整理が法的整理手続による場合には、主たる債務に関する再生計画等が認可され、その効力が発生した時点をいうものと解される（GL・QA7-21）。

(注13)　例えば、主たる債務者において保証人や従来の従業員の雇用維持を前提条件として事業譲渡する場合に、そのような前提条件を欠く事業譲渡よりも低額の譲渡価額となることが想定されることを考慮し、保証人が当該事業譲渡の実行によって確保できる将来収入や新得財産を原資として保証人としての弁済額を上乗せすることなどが考えられる。

(注14)　例えば、経済合理性や回収見込額の増加額等に関するGLの解釈が対象金融機関ごとに異なり、このギャップを埋めるため和解・調整的な観点から保証人が将来収入を弁済原資とした弁済を含む債務整理計画案を申し出ることなどが考えられる。

4 残存資産の範囲

弁護士　大宮　　立
弁護士　増田　薫則

I　GLにおける定め

　GLは、保証債務の履行に際し、保証人の手元に残すことのできる資産（以下、「残存資産」という）の範囲を決定するに当たっては、必要に応じ支援専門家とも連携しつつ、以下のような点を総合的に勘案して決定すると定めている（GL7項(3)③）。

> イ）保証人の保証履行能力や保証債務の従前の履行状況
> ロ）主たる債務が不履行に至った経緯等に対する経営者たる保証人の帰責性
> ハ）経営者たる保証人の経営資質、信頼性
> ニ）経営者たる保証人が主たる債務者の事業再生、事業清算に着手した時期等が事業の再生計画等に与える影響
> ホ）破産手続における自由財産（破産法第34条第3項及び第4項その他の法令により破産財団に属しないとされる財産をいう。）の考え方や、民事執行法に定める標準的な世帯の必要生計費の考え方との整合性

　前記ニに関連して、GLは、「経営者たる保証人による早期の事業再生等の着手の決断について、主たる債務者の事業再生の実効性の向上等に資するものとして、対象債権者としても一定の経済合理性が認められる場合には、対象債権者は、破産手続における自由財産の考え方を踏まえつつ、経営者の安定した事業継続、事業清算後の新たな事業の開始等……のため、一定期間……の生計費……に相当する額や華美でない自宅等……を、当該経営者たる保証人……の残存資産に含めることを検討することとする」（GL7項(3)③）と定め、一定の要件を満たす場合に、破産した場合よりも多くの資産を保証人の残存資産とすることを認めている。

　このように、GLでは、保証人が一定の要件を充足する場合に、残存資産

を認めることにより、保証人に早期の事業再生等を決断させるインセンティブを与えている。

II 残存資産を認める根拠

1 対象債権者の経済合理性

　破産した場合よりも多くの資産が保証人の残存資産となるのであれば、対象債権者に対する弁済原資は、保証人が破産した場合よりも少なくなる可能性が高く、保証人単体でみた場合、対象債権者にとっての経済合理性（清算価値保障原則の充足）を説明することは困難となる。

　しかし、経営者たる保証人が早期に主たる債務者である会社（以下、「主債務会社」という）の事業再生等の着手を決断し、その結果、主債務会社が対象債権者に提供する弁済原資が増加するのであれば、当該保証人は、結果として対象債権者の回収額の増加に貢献したことになる。

　そうであるならば、主債務会社が対象債権者に提供する弁済原資の増加額の範囲内で、当該保証人に対し、破産した場合よりも多くの財産を残したとしても、主債務会社と保証人の弁済原資を合算すれば、対象債権者にとっての経済合理性（清算価値保障原則）は充足されていることになる。

　GLが定める、「経営者たる保証人による早期の事業再生等の着手の決断について、主たる債務者の事業再生の実効性の向上等に資するものとして、対象債権者としても一定の経済合理性が認められる場合」（GL7項(3)③）とは、まさにこのような場合を指しており、具体的には、【図表2-4-1】のような場合に、対象債権者にとっての経済合理性が認められるとされている（GL・QA7-13）。

2 主たる債務の整理との一体性

　主債務の整理が終わった後に保証債務の整理を行う場合、その時点で主債務の弁済額が確定している一方で、対象債権者としては、保証人について破産手続によって回収することもできるから、保証人について、破産した場合よりも多くの財産を残す根拠を欠くことになる。したがって、保証人に破産

第2章　GLの運用上の問題点

【図表2-4-1】

```
(再生型手続の場合)

  ┌─────────────────┐          ┌─────────────────┐
  │主たる債務の弁済計画(案)に基│          │現時点において主たる債務者が破│
  │づく回収見込額              │          │産手続を行った場合の回収見込額│
  └─────────────────┘          └─────────────────┘
           ＋              ＞            ＋
  ┌─────────────────┐          ┌─────────────────┐
  │保証債務の弁済計画(案)に基づ│          │現時点において保証人が破産手続│
  │く回収見込額                │          │を行った場合の回収見込額      │
  └─────────────────┘          └─────────────────┘

(主債務会社が第2会社方式により再生を図る場合)

  ┌─────────────────┐
  │会社分割(事業譲渡を含む)後の│          ┌─────────────────┐
  │承継会社からの回収見込額    │          │現時点において主たる債務者が破│
  └─────────────────┘          │産手続を行った場合の回収見込額│
           ＋                            └─────────────────┘
  ┌─────────────────┐   ＞              ＋
  │清算会社からの回収見込額    │          ┌─────────────────┐
  └─────────────────┘          │現時点において保証人が破産手続│
           ＋                            │を行った場合の回収見込額      │
  ┌─────────────────┐          └─────────────────┘
  │保証債務の弁済計画(案)に基づ│
  │く回収見込額                │
  └─────────────────┘

(主債務会社が清算型手続の場合)

  ┌─────────────────┐          ┌─────────────────┐
  │現時点において清算した場合にお│          │過去の営業成績等を参考としつつ、│
  │ける主たる債務の回収見込額    │          │清算手続が遅延した場合の将来時│
  └─────────────────┘          │点(注1)における主たる債務の回│
           ＋              ＞    │収見込額                      │
  ┌─────────────────┐          └─────────────────┘
  │保証債務の弁済計画(案)に基づ│                   ＋
  │く回収見込額                │          ┌─────────────────┐
  └─────────────────┘          │前記時点における保証債務の回収│
                                          │見込額                        │
                                          └─────────────────┘
```

(注1)　将来見通しが合理的に推計できる期間として最大3年程度を想定する(GL・QA 7-13)。

した場合よりも多くの財産を残すためには、保証人の債務整理手続が、主債務会社の債務整理手続と並行して行われなければならない。

　GLも、この点に関し、保証債務のみを整理する場合であって、「主たる債務の整理手続の終結後に保証債務の整理を開始したときにおける残資産の範囲の決定については、この限りでない」（GL７項(3)③）と定め、「主たる債務の整理手続の終結後」に保証債務の整理を開始したときは、GLに基づき残存資産を残すことはできないと定めている。

　「主たる債務の整理手続の終結後」とは、主債務の整理手続に応じて、それぞれ以下の場合を指す（GL・QA７-21）。

| 準則型私的整理手続の場合 | 主たる債務の全部または一部の免除等に関して成立した関係者間の合意の効力が発生した時点 |
| 法的整理手続の場合 | 主債務に関する再生計画等が認可された時点またはこれに準じる時点 |

　GL・QA７-20によれば、主たる債務の債務整理手続の終結後に保証債務のみの整理を開始した場合、残存資産の範囲は「自由財産の範囲内」とされている。

　したがって、主たる債務の整理手続の終結後に保証債務のみの整理を開始する場合、破産法上の自由財産（拡張的自由財産を含む）を残すことはできるが、GLで認められている自由財産を超える残存資産（いわゆるインセンティブ資産）を残すことはできない。

　なお、私見ではあるが、GL・QA７-20の趣旨は、保証債務のみで対象債権者にとっての経済合理性（清算価値保障原則）を充足する必要がある、という意味と理解される。

　したがって、主たる債務の債務整理手続の終結後に保証債務のみの整理を開始する場合であっても、保証人が破産した場合と比較して対象債権者に対してより多くの弁済が実現できるのであれば、対象債権者にとっての経済合理性（清算価値保障原則）は充足されるから、例えば、保証人が破産した場合に手続費用として支出が予定されている申立手数料（貼付印紙額）や予納金の範囲内であれば、自由財産を超える資産を保証人に残すことはできると考えられる。

GLにおいても、「主たる債務の整理手続の終結後に保証債務の整理を開始したときにおける残存資産の範囲の決定については、この限りでない」（GL7項(3)③）と定めるのみで、自由財産以外の財産を残存させることを否定してはいない。

3 インセンティブ資産を残すことが問題となるケース

(1) 退任する経営者
GL7項(3)③に記載されている「経営者の安定した事業継続、事業清算後の新たな事業の開始等」の「等」には、事業再生時に経営者を退任する場合や事業清算後に新たな事業を開始しない場合も含まれており、経営者たる保証人が経営者を退任する場合も、GLに基づきインセンティブ資産を残すことができる（GL・QA7-15・7-17）。

(2) 経営者以外の保証人
保証人の中には、直接主債務会社の経営に関与したことがない者も存在する。このような保証人であっても、GLの対象になることは、**本章❶**の通りである。

GLにおいて、インセンティブ資産を含めることができる根拠が、早期に主債務会社の事業再生等の着手を決断したことによる、弁済原資の増加にあるのだとすると、直接、主債務会社の経営に関与していない保証人については、主債務会社の事業再生等の着手の決断に直接関与していないから、インセンティブ資産を含める合理的根拠が存在しないのではないかという疑問が生じる。

現に、GL・QA7-18では、「早期の事業再生等の着手の決断に寄与していない経営者以外の保証人については、一義的には、対象債権者から破産手続における自由財産以外の資産については保証債務の履行を求められることが想定され」るとしている。

しかし、経営に関与し、直接または間接に業績悪化に関与した経営者についてインセンティブ資産が認められるのに対し、経営に関与できず、主債務会社から何の経済的利益も得ておらず、単に保証書に署名捺印をしただけの第三者たる保証人についてインセンティブ資産が認められないというのは公

平を失する感が否めない。

　実務上は、直接、主債務会社の経営に関与していない保証人であっても、保証人の理解と協力がなければ、主債務会社の債務整理手続が進まないことが多い。不動産の任意売却やこれに伴う担保解除を行う場合、担保保存義務（民504条）との関係で、保証人から同意を得ることが実務慣行であり、返済条件を変更する場合も、同様に保証人から同意を得ることが通例である。対象債権者にとっては、主債務会社に対する債権を処理する上で、保証人に対する債権処理を一体として行うのが通常であり、一部の保証人が主債務会社の債務整理に協力的ではない場合、結果的に主債務会社の債務整理が実現しないおそれがある。保証人が保証債務を弁済した場合には、保証人は主債務者に対して求償権を取得するから、求償権を放棄してもらうなどの対応をするに当たっても、保証人の理解と協力は必要である。

　したがって、直接、主債務会社の経営に関与していない保証人でも、上記のような点で早期の事業再生等の着手の決断に寄与している場合には、かかる保証人にもインセンティブ資産を残す合理的な根拠が存すると考えられ、この点はあまり厳格に解する必要はないと考えられる。

　また、早期の事業再生等の着手の決断に寄与していない保証人については、個別事情を考慮して、経営者と保証人との間で残存資産の配分調整を行うといった対応が可能である。GL・QA 7-18も、「個別事情を考慮して経営者と保証人との間で残存資産の配分調整を行うことは可能です」と定めている。

Ⅲ　財産の評定基準時

　GLでは、保証人が保有する財産の評定の基準時は、保証人がGLに基づく保証債務の整理を対象債権者に申し出た時点とされており、保証人等による一時停止等の要請が行われた場合は、一時停止等の効力が発生した時点をいう、とされている（GL 7項(3)④イｂ）。

　したがって、残存資産の金額の評定も、前記時点を基準に計算されることになる。

　なお、前記評定基準時よりも前に、破産法に定める否認権を行使できるよ

うな資産の処分がなされている場合には、当該資産を保証人が保有する資産に含めた上で、残存資産の範囲を検討することも考えられる(注2)。

Ⅳ 残存資産の内容

1 破産法上の自由財産

　破産手続においては、差押禁止財産等（破34条3項）が自由財産とされ、破産者は、自由財産を自由に管理処分することができる。また、破産者の個別の事情に応じ、生活の保障を図ることを可能にするため、裁判所の判断で、事案に応じて柔軟に自由財産の範囲を拡張することが認められている（同条4項）。これらの財産は、GLにおいても残存資産とされている。

(1) 本来的自由財産（破34条3項）

　破産法上自由財産とされる財産としては、以下のものが挙げられ(注3)、これらの財産は、GLにおいても残存資産になる。

(i) 差押禁止財産

① 差押禁止動産（民執131条）：生活に欠くことのできない家財道具／農業および漁業経営者も含め自己の知的または肉体的な労働によって業務に従事する者のその業務に欠くことのできない器具等
② 差押禁止債権（民執152条）：給料および退職金請求権の4分の3等
③ 労働者の補償請求権（労働基準法83条2項）
④ 生活保護受給権（生活保護法58条）
⑤ 平成3（1991）年3月31日以前に契約された個人を保険金受取人とする簡易生命保険の還付請求権（旧簡易生命保険法50条、簡易生命保険法81条、同法平成2年改正附則2条5項）
⑥ 災害弔慰金、災害障害見舞金、被災者生活再建支援金、東日本大震災

（注2）　村上義弘＝小谷貴由「『経営者保証ガイドライン』に基づく保証債務の整理において、破産手続が行われた場合に否認の成否が問題となりうる財産評定基準日以前の処分資産について、基準日時点の保有資産として一部を弁済額とし、残りを残存資産とする内容の弁済計画が成立した事例」事業再生と債権管理149号（2015）124頁参照。
（注3）　東京地裁破産再生実務研究会編著『破産・民事再生の実務〔破産編〕〔第3版〕』（金融財政事情研究会、2014）373頁。

関連義援金に係る請求権および交付された現金（災害弔慰金の支給等に関する法律及び被災者生活再建支援法の一部を改正する法律及び東日本大震災関連義援金に係る差押禁止等に関する法律）
⑦　行使上の一身専属権（慰謝料請求権、遺留分減殺請求権、離婚に伴う財産分与請求権等）(注4)　等

(ⅱ)　現金

破産手続開始時に破産者が有する現金は、99万円までが自由財産となるから（破34条3項1号、民執131条3号、同施行令1条）、99万円までの現金は、GLにおいても残存資産になる。

(2)　拡張的自由財産（破34条4項）

前記の本来的自由財産のほか、破産者の個別の事情に応じ、生活の保障を図ることを可能にするため、裁判所の判断で、事案に応じて柔軟に自由財産の範囲を拡張することが認められている。

具体的には、①破産者の生活の状況、②破産手続開始時に破産者が有していた自由財産の種類および額、③破産者が収入を得る見込み、④その他の事情を考慮して決定することとなる（破34条4項）。

東京地方裁判所破産再生部では、在京三弁護士会との協議に基づき、「個人破産の換価基準」（【図表2-4-2】）を設け、本来的自由財産以外にも、原則として破産手続における換価または取立てをしないものを定めており、換価または取立てをしない場合は、その範囲内で自由財産の範囲の拡張の裁判があったものとして取り扱っている(注5)。

したがって、「個人破産の換価基準」に記載された財産は、原則として、GLにおいても残存資産に含まれる。

2　一定期間の生計費に相当する現預金

前記1に掲げる自由財産のほかに、保証人が、安定した事業継続等のため、一定期間の生計費に相当する現預金を残存資産に含めることを希望した場合、

(注4)　ただし、一定の場合には一身専属性が失われ、自由財産とならない場合がある（東京地裁破産再生実務研究会編著・前掲（注3）376頁）。
(注5)　東京地裁破産再生実務研究会編著・前掲（注3）377頁。

【図表2-4-2】

【個人破産の換価基準】
1　換価等をしない財産
　(1)　個人である破産者が有する次の①から⑩までの財産については、原則として、破産手続における換価または取立て（以下、「換価等」という）をしない。
　　①　99万円に満つるまでの現金
　　②　残高が20万円以下の預貯金
　　③　見込額が20万円以下の生命保険解約返戻金
　　④　処分見込価額が20万円以下の自動車
　　⑤　居住用家屋の敷金債権
　　⑥　電話加入権
　　⑦　支給見込額の8分の1相当額が20万円以下である退職金債権
　　⑧　支給見込額の8分の1相当額が20万円を超える退職金債権の8分の7
　　⑨　家財道具
　　⑩　差押えを禁止されている動産又は債権
　(2)　上記(1)により換価等をしない場合は、その範囲内で自由財産の範囲の拡張の裁判があったものとして取り扱う（ただし、①、⑨のうち生活に欠くことのできない家財道具及び⑩は、破産法34条3項所定の自由財産である。）。
2　換価等をする財産
　(1)　破産者が前記①から⑩までに規定する財産以外の財産を有する場合には、当該財産については、換価等を行う。ただし、破産管財人の意見を聴いて相当と認めるときは、換価等をしないものとすることができる。
　(2)　上記(1)ただし書により換価等をしない場合には、その範囲内で自由財産の範囲の拡張の裁判があったものとして取り扱う。
3　換価等により得られた金銭の債務者への返還
　(1)　換価等により得られた金銭の額及び上記1(1)の①から⑦までの財産（⑦の財産の場合は退職金の8分の1）のうち換価等をしなかったものの価額の合計額が99万円以下である場合で、破産管財人の意見を聴いて相当と認めるときは、当該換価等により得られた金銭から破産管財人報酬及び換価費用を控除した額の残部又は一部を破産者に返還させることができる。
　(2)　上記(1)により破産者に返還された金銭に係る財産については、自由財産の範囲の拡張の裁判があったものとして取り扱う。
4　この基準によることが不相当な事案への対処
　　この基準によることが不相当と考えられる事案は、破産管財人の意見を聴いた上、この基準と異なった取扱いをするものとする。

対象債権者は、準則型私的整理手続における利害関係のない中立かつ公正な第三者の意見を踏まえつつ、保証人の経営資質、信頼性、窮境に陥った原因における規制性等を勘案し、一定期間の生計費に相当する現預金を残存資産に含めることを検討する（GL・QA7-14）。

具体的には、以下のような目安を勘案することとされている。ただし、以下に掲げる考え方はあくまでも「目安」であって、具体的な事案によっては以下の基準で計算される金額を超える生計費を残存資産とすることも認められ得る(注6)。

「一定期間」とは、以下の雇用保険の給付期間の考え方を参考にして決定される（GL・QA7-14）。

保証人の年齢	給付期間
30歳未満	90日～180日
30歳以上35歳未満	90日～240日
35歳以上45歳未満	90日～270日
45歳以上60歳未満	90日～330日
60歳以上65歳未満	90日～240日

＊（引用元）厚生労働省職業安定局ハローワークインターネットサービスホームページ。

前記期間の範囲で、「一定期間」を何日とするかは、個別具体的な事案ごとに判断されることになる。例えば、3か月後に再就職が決まっているような場合には、「一定期間」は「90日」とされるであろう。ただし、多くの場合は、将来の収入が未確定な場合が多く、前記幅の最長期間をもって「一定期間」と定めている例が多いようである。

「生計費」については、1月当たりの「標準的な世帯の必要生計費」として、民事執行法施行令1条の定めに従い計算される「月額33万円」が基準となる。

例えば、55歳の保証人について、将来の収入の見通しがない場合、前記表により「一定期間」を330日（11か月）とすると、「一定期間の生計費に相当

(注6) 「座談会・経営者保証ガイドラインの現状と課題――経営者保証ガイドライン開始1年で見えてきたもの〔第2部〕」銀法787号（2015）24頁〔小林信明発言〕。

する現預金」は、33万円×11か月＝363万円となる。

したがって、この保証人は、自由財産である99万円の現金に363万円の現預金を加算した、合計462万円の現預金を残存資産に含めるよう求めることができることになる。

前記表によれば、保証人が65歳以上である場合に、「一定期間」をどの程度と定めればよいか明らかではないが、65歳以上であっても、「一定期間の生計費に相当する現預金」を残す必要性は65歳未満の場合と変わりないから、65歳未満の場合に準じて「一定期間」を90日～240日と定めればよいと考えられる[注7]。

3　華美でない自宅

(1) 概要

自宅が店舗を兼ねており資産の分離が困難な場合その他の場合で安定した事業継続等のために必要となる「華美でない自宅」は、残存資産に含めることができる（GL・QA 7 -14）。

GL・QA 7 -14に明示されているように、「自宅が店舗を兼ねており資産の分離が困難な場合」がその典型例であるが、これはあくまで例示であり、「事業継続等」（GL 7 項(3)③）とされていることからすれば、主債務会社の事業継続に必要な場合のみならず、保証人の安定的な生活のために必要な場合も、「等」に含まれるものと解釈して差し支えない。

「華美」であるか否かは、周辺相場、築年数、同居者の人数、扶養家族や要介護者の有無等を勘案して個別具体的な事案ごとに判断すべきであり、金額で画一的に判断することは困難である。なお、「華美でない自宅」に該当するとして、自宅を残存資産に含めた実例については、後記Ⅴを参照されたい。

「華美でない自宅」とはいえない場合、原則として、保証人は当該自宅

（注7）　須藤英章＝富永浩明「事業再生ADRにおいて、経営者保証ガイドラインの利用により保証人である社長の自宅を残す債務整理案が成立した事案」金法1993号（2014）6頁、山田晃久「『経営者保証に関するガイドライン』と保証債務の整理」事業再生と債権管理144号（2014）58頁参照。

を処分・換価することになるが、処分・換価する代わりに、自宅の「公正な価額」に相当する額（もし担保権などの優先権がある場合はこれを控除した額）を分割弁済することによって、自宅の処分を回避することも可能である（GL・QA 7-14）。

(2) 「華美でない自宅」に担保権が設定されている場合

自宅が「華美でない」と判断される場合であっても、自宅に担保権が設定されている場合、当該担保権者の権利を害することはできない。このような場合には、担保権者を対象債権者に含めた上で、自宅の「公正な価額」に相当する額で親族等に売却したり、分割弁済する内容等を計画に記載することなどが考えられる（GL・QA 7-19）。

4 主たる債務者の実質的な事業継続に最低限必要な資産

主たる債務者の債務整理が再生型手続で、本社、工場等、主たる債務者が実質的に事業を継続する上で最低限必要な資産が保証人の所有資産である場合、原則として、当該資産は保証人から主たる債務者である主債務会社に譲渡されるため、当該資産は保証債務の返済原資から除外されることになる（GL 7項(3)③、GL・QA 7-14）。

他方、保証人が主債務会社から当該資産の譲渡対価を受領する場合、当該対価は保証債務の返済原資になるのが原則である。

ただし、譲渡対価として受領した金員が、他の残存資産の要件を充足する場合（99万円以下の現金、一定期間の生計費に相当する現預金等）、これを根拠として残存資産に含めることは可能である。

5 その他の資産

前記1～4に掲げる資産のほか、GLでは、生命保険等の解約返戻金、敷金、保証金、電話加入権、自家用車その他の資産について、破産手続における自由財産の考え方や、その他の個別事情を考慮して、残存資産に含めることができるとされている（GL・QA 7-14）。

例えば、保証人が高齢者の場合は生命保険への再加入が困難な場合が多く、生命保険の解約返戻金を残存資産に含める必要性が高いといえるし、保証人

が地方に居住する場合は、生活必需品として自家用車を残存させることが必要な場合が多い。

なお、保証人が資産を処分・換価した結果得られた金銭は、財産の評定基準時に「現預金」でなかったとしても、前記2の基準に従い残存資産に含めることが可能である（GL・QA7-14-2）。

V 実例紹介

残存資産の範囲は、個別具体的な事案ごとに判断されるものではあるが、参考までに、実際にGLに基づき保証人の債務整理を行った事案について、残存資産とされた資産の範囲を紹介する。当該事案における残存資産に含めることの必要性については、各引用論文を参照していただきたい。

1 主債務会社が事業再生ADRにより債務整理を行った事案[注8]

資　産	評価額等	残存資産該当性の判断
現金	100万円超	自由財産に準じ、全額が残存資産とされた。
自宅土地（地積約150坪）自宅建物（床面積約48坪／築30数年）（無担保）	約1000万円	都市部の不動産ではなく、近隣との比較でごく普通の規模と認められたため、「華美でない自宅」と判断され、残存資産とされた。
保険（6契約）解約返戻金	合計600万円超	保証人が病気療養中であったため、医療保険4契約については残存資産とされた。また、医療保険でない2契約（解約返戻金：約384万円）については、「一定期間の生計費に相当する金額」（33万円×8か月＝264万円）に相当する部分に加え、退職金請求権のうち自由財産と認められる部分を弁済原資とする代わりに、その全額が残存資産とされた。

（注8） 須藤＝富永・前掲（注7）6頁。

自動車 （走行距離7万km）	40数万円	日常生活の移動手段として必要不可欠であるため、残存資産とされた。
退職金請求権	250万円	退職金請求権のうち250万円×3/4＝187万5000円は本来自由財産と認められるが、前記の通り医療保険でない2契約を残存資産に含めることとしたため、全額が対象債権者の弁済原資とされた。

2　主債務会社がREVIC手続により債務整理を行った事案(注9)

（会長：年齢65歳超）

資　産	残存資産該当性の判断
現預金	99万円＋「一定期間の生計費」として33万円×8か月＝264万円が残存資産とされたほか、今後必要と見込まれる生活費・医療費、亡妻の遺言執行費用等に必要な費用に相当する現預金が残存資産とされた（合計約590万円）
自宅	保証人が老人ホームに居住していたため、残存資産とされなかった。
保険（7契約）解約返戻金	生命保険5本のうち、返戻金のない2本、解約返戻金が約7万円と少額な保険1本、基本年金額7万円の終身給付年金保険1本が残存資産とされた。 解約返戻金が約50万円の保険1本は残存資産とされなかった。
自動車	自動車2台は査定価格が0円であったため、残存資産とされた。
不動産（原野） （地積約840㎡）	不動産（原野）は早期処分価格が0円であったため、残存資産とされた。

(注9)　富岡武彦「法人の代表者2名の保証債務について、地域経済活性化支援機構手続を利用し、『経営者保証ガイドライン』に基づく保証債務の整理を行った事案」事業再生と債権管理147号（2015）78頁。

第2章　GLの運用上の問題点

（社長：年齢65歳超）

資　産	残存資産該当性の判断
現預金	現預金99万円のほか、33万円×8か月＝264万円の範囲内で、合計約330万円全額が残存資産とされた。
保険（4契約）解約返戻金	4本の生命保険のうち、3本については解約返戻金が1100万円であったが、社長および社長扶養家族の今後の生活に必要な資産として残存資産とされた。 残り1本については解約返戻金がないため残存資産とされた。
自動車	自動車1台の査定価格は約40万円であったが、社長の今後の生活に必要であり、換価価値が低いため、残存資産とされた。
不動産	山林：約700㎡は早期処分価格約4万円、山林：約2500㎡は早期処分価格約4万円、保安林：約1500㎡は早期処分価格0円であったため、残存資産とされた。
その他の資産	その他の資産についても、社長および社長扶養家族の今後の生活に必要な資産として残存資産とされた。

5 免除の効果

弁護士 富岡 武彦

I 保証債務の一部履行後に残存する保証債務免除の要件

　GLは、以下のイからニすべての要件を充足する場合には、対象債権者は、保証人からの保証債務の一部履行後に残存する保証債務の免除要請について誠実に対応することとされている（GL7項(3)⑤）。

イ）保証人は、全ての対象債権者に対して、保証人の資力に関する情報を誠実に開示し、開示した情報の内容の正確性について表明保証を行うこととし、支援専門家は、対象債権者からの求めに応じて、当該表明保証の適正性についての確認を行い、対象債権者に報告すること
ロ）保証人が、自らの資力を証明するために必要な資料を提出すること
ハ）本項(2)の手続に基づき決定された主たる債務及び保証債務の弁済計画が、対象債権者にとっても経済合理性が認められるものであること
ニ）保証人が開示し、その内容の正確性について表明保証を行った資力の状況が事実と異なることが判明した場合（保証人の資産の隠匿を目的とした贈与等が判明した場合を含む。）には、免除した保証債務及び免除期間分の延滞利息も付した上で、追加弁済を行うことについて、保証人と対象債権者が合意し、書面での契約を締結すること

II 保証人の資力および免責不許可事由に関する情報の調査・開示

1 調査の実施者

　GLにおいて、支援専門家は、保証人が開示した、保証人の資力に関する情報の内容の正確性に係る表明保証の適正性について、確認を行い、対象債権者に報告することが求められている（GL7項(3)⑤イ）。支援専門家が当該表明保証の適正性の確認を行うためには、支援専門家は、まず、保証人の資

力に関する情報の内容の正確性について、調査する必要がある。したがって、GLにおいては、保証人の資力に関する情報の内容の正確性について、支援専門家による調査が前提とされているものと解される。

支援専門家とは、弁護士、公認会計士、税理士等の専門家であって、すべての対象債権者がその適格性を認めるものをいう（GL5項(2)ロ）。詐害行為・偏頗行為等の否認行為の有無、免責不許可事由の調査等、破産法など法律に関する事項が調査事項であることを考慮すると、法律の専門家である弁護士が支援専門家となることが想定される。

2　調査・開示の範囲

(1)　保証人の資力

(i)　GL

GLにおいて、保証人は、すべての対象債権者に対して、保証人の資力に関する情報を開示すること、および、保証人が、自らの資力を証明するために必要な資料を提出することとされており（GL7項(3)⑤イ・ロ）、「資力」に関する情報が、支援専門家による調査・保証人による開示の対象となっている。

(ii)　資産

「資力」に関する情報として、主に、保証人がGLに基づく保証債務の履行を対象債権者に申し出た時点の資産や当該時点までの資産の移動の情報が考えられる。

(iii)　負債

GLに基づく保証債務の整理の対象となり得る保証人の要件として、保証人が、対象債権者の請求に応じ、自らの財産状況等（負債の状況を含む）について適時適切に開示していることが求められている（GL7項(1)イ・3項(3)）こと、保証債務以外の負債の状況によっては、保証債権者以外の債権者についても、対象債権者とすることを検討する必要があること、「資力」には、文言上、資産のみならず、負債も含まれると解されることなどからすれば、支援専門家は、保証債務以外の負債の有無および額等について、調査する必要があると解される。

(iv) 収入および支出の状況

　保証人の弁済計画案の内容として、一括弁済ではなく、分割弁済による保証債務の弁済計画案を策定する場合があること(注1)、「資力」には、文言上、資産のみならず、収入および支出の状況も含まれると解されることなどからすれば、支援専門家は、保証人の収入および支出の状況について、調査する必要があると解される(注2)。

(2) **免責不許可事由**

　GLに基づく保証債務の整理の対象となり得る保証人の要件として、保証人に破産法252条1項（10号を除く）に規定される免責不許可事由が生じておらず(注3)、そのおそれもないこと(注4)が求められている（GL7項(1)ニ）ことから、免責不許可事由に関する情報についても、開示の対象となると解される。したがって、支援専門家は、免責不許可事由に関する情報についても、調査・確認する必要があると解される(注5)。

(注1)　GLにおいては、保証人が財産の評定の基準時において保有するすべての資産を処分・換価する代わりに、処分・換価対象資産の「公正な価額」に相当する額を分割弁済する場合も認められている（GL7項(3)4イc・ロ）。
(注2)　小林信明「経営者保証ガイドラインの特徴と利用上の問題点」ニューホライズン事業再生と金融59頁、小林信明「経営者保証に関するガイドラインの概要」金法1986号(2014) 54頁。
　　　破産手続開始の申立書にも、債務者の資産および負債に加え、債務者の収入および支出の状況を記載する必要がある（破規13条2項1号）。
(注3)　「免責不許可事由が生じておらず」とは、保証債務の整理の申出前において、免責不許可事由が生じていないことを指す（GL・QA7-4-2）。
(注4)　「そのおそれもないこと」とは、保証債務の整理の申出から弁済計画の成立までの間において、免責不許可事由に該当する行為をするおそれのないことを指す（GL・QA7-4-2）。
(注5)　再生支援協議会手続における、弁済計画策定支援（第2次対応）の利用申請書には、「免責不許可事由に関する確認」事項があり、保証人と支援専門家は、同事項の記載内容を確認の上、連名で再生支援協議会による保証債務の整理（第2次対応）を申し込むこととされている。
　　　特定調停の申立書には、保証人に免責不許可事由が生じておらず、そのおそれもないことを記載する必要があることとされている（GLに基づく保証債務整理の手法としての特定調停スキームの手引き別添様式3）。
　　　事業再生ADR手続における、支援専門家の確認報告書には、保証人に免責不許可事由がないことを確認報告したことなどが記載される（事業再生ADRのすべて367頁・543頁）。

第2章　GLの運用上の問題点

　この要件は、保証人について、GLの適用を認めることが相当かどうかの適格性を問うものであるから、形式的に判断するのではなく、GLによる保護を付与することが相当ではないと解される程度の悪質性や重大性を備えるものに限定して解釈すべきである。例えば、形式的には、保証人に破産法が定める免責不許可事由が生じていたとしても、当該事由が悪質ではなく、程度としても軽微な場合には、GLの適用を否定するまでのことはないと解される(注6)。

　免責不許可事由は、評価概念であることから、破産法における免責不許可事由は、総合的・個別的に判断すべきとされている(注7)。また、破産手続においては、免責不許可事由に該当する場合であっても、裁判所は、破産手続開始の決定に至った経緯その他一切の事情を考慮して免責を許可することが相当であると認めるときは、免責許可の決定をすることができるものとされている（破252条2項）。

　そこで、GL手続においても、免責不許可事由に該当する場合であっても、保証人が負担する保証債務について、GLに基づく保証債務の整理を対象債権者に対して申し出た経緯その他一切の事情を考慮して免責を許可することが相当であると認めるとき、例えば、無償または廉価で資産を譲渡した事実があった場合(注8)に、当該事実を対象債権者に報告するとともに、譲渡した資産自体を戻したり、相当価格の支払を受けたりするなどにより資産状況を回復した上で弁済計画を作成する等の対応により、対象債権者の理解が得られ、弁済計画が成立する見込みがあれば、GLに基づく保証債務の整理の対象となり得る保証人として、取り扱ってよいものと解される(注9)。

　また、GLの文言上は、免責不許可事由のみならず、「そのおそれもないこと」と規定していることから、GLにおいては、破産法の免責不許可事由よりも厳しい要件が定められているようにも思われるが、この要件を広く解釈すべきではなく、保証人の行為が、免責不許可事由に該当するか否か、また、

（注6）　小林・前掲（注2）ニューホライズン事業再生と金融53頁。
（注7）　条解破産法1710頁以下。
（注8）　当該資産が、「華美でない自宅」等、残存資産に含まれる場合には、GLに基づく保証債務の整理の対象となり得る保証人として、取り扱ってよいものと解される。

保証人の行為が免責不許可事由に該当したとしても、破産手続開始の決定に至った経緯その他一切の事情を考慮して免責を許可することが相当であると認められるか否かを判断すれば足りるものと解釈すべきである(注10)。

(3) 小括

以上述べた通り、支援専門家は、保証人の資産のみならず、負債の状況、収入および支出の状況ならびに免責不許可事由についても、調査する必要があると解されるが、保証人の弁済計画案が成立するためには、対象債権者すべての同意が必要であることから、調査・開示の範囲については、対象債権者と協議の上、定める必要があるものと解される。

3 調査の方法

(1) 総論

GLにおいて、調査の方法については、特段規定されていないが、保証人の弁済計画案が成立するためには、対象債権者すべての同意が必要であることから、調査の方法については、対象債権者と協議の上、定める必要があるものと解される。調査の具体的な方法については、破産法などの法令や裁判所における破産手続の実務運用等(注11)が、参考となる。

(2) 資産

支援専門家は、資産目録を策定する上で必要な資料を保証人から提出させたり、保証人らに事実関係を確認したりするなどの方法で保証人の資産を調

(注9) 支援協整理手順QA24、私的整理の実務Q&A140問307頁〔三森仁〕、石井健「REVICを利用したスキーム」経営者保証ガイドラインと保証債務整理の実務34頁、小林信明ほか「座談会・経営者保証ガイドラインの現状と課題」銀法787号（2015）17頁〔小林信明発言〕、加藤寛史ほか「座談会・経営者保証ガイドラインの運用開始から2年目を迎えて──準則型私的整理手続の適用事例における課題と展望」金法2018号（2015）29頁以下、経営者保証に関するガイドラインに基づく保証債務整理の手法としての特定調停スキーム利用の手引第1.4(1)④。
(注10) 第2章1を参照。小林・前掲（注2）ニューホライズン事業再生と金融54頁、小林ほか・前掲（注9）17頁〔小林発言〕。
(注11) 破産手続開始申立てに当たり、申立代理人弁護士が調査・確認すべき事項に関する、各地の裁判所における運用が参考となる。破産再生部である東京地方裁判所民事第20部は、申立代理人弁護士が破産手続開始「申立てにあたり調査・確認すべき事項」を公表している（中山孝雄ほか編『破産管財の手引〔第2版〕』〔金融財政事情研究会、2015〕62頁）。

査することが考えられる。

 (i) **調査の基準時**

保証債務の弁済計画案には、財産の状況を含む内容について、記載する必要があるところ、財産の評定の基準時は、保証人がGLに基づく保証債務の整理を対象債権者に申し出た時点をいい、保証人等による一時停止等の要請が行われた場合にあっては、一時停止等の効力が発生した時点をいうとされている（GL7項(3)④イｂ）。

よって、資産に関する調査は、一時停止等の効力が発生した時点[注12]が基準となると解される[注13]。

 (ii) **調査対象期間**

第三者名義の財産であっても、法的倒産手続における否認行為[注14]に該

(注12) 対象債権者が一時停止等の要請を応諾したときを意味するが（GL・QA7-11）、一時停止等の要請を書面で行った場合、対象債権者により、一時停止等の要請を応諾した時が異なる可能性があるから、対象債権者と協議の上、財産評定の基準日は一時停止等の要請書の日付とすることなどが考えられる（神戸俊昭「特定調停を利用したスキーム」経営者保証ガイドラインと保証債務整理の実務28頁）。経営者保証に関するガイドラインに基づく保証債務整理の手法としての特定調停スキーム利用の手引第2.2(3)。

　再生支援協議会手続においては、財産評定および表明保証の基準時は、原則として、弁済計画策定支援（第二次対応）決定日とされている（支援協整理手順QA37）。ただし、弁済計画策定支援決定日以前に支援専門家による一時停止等の要請が、GL7項(3)①イロ）に従って行われており、当該要請時点を財産評定および表明保証の基準時とすることについて対象債権者の同意がある場合には、当該要請時点を財産評定および表明保証の基準時として取り扱うこともできるとされている（支援協整理手順QA37、加藤寛史「経営者保証ガイドライン『単独型』の普及に向けた再生支援協議会の取組み──整理手順及び同Q&A改訂の解説」事業再生と債権管理166号〔2019〕68頁）。

(注13) すべての対象債権者との合意により、一時停止の効力が発生した時点より財産評定の時期を遅らせて再度設定し、その時点での評価額を資産目録に記載した事例として、山田尚武＝尾田知亜記「代表者を同じくする２社の金融債務である主債務を、特別清算により整理を行うと同時に、早期に事業停止をし、資産価値の劣化を防ぐことによりインセンティブ資産300万円を確保しながら『経営者保証ガイドライン』を用いてリース債務の保証債務を含む代表者の保証債務を整理した事例」事業再生と債権管理152号（2016）123頁。

　GLの規定と異なる財産評定基準時を定めることを合意した場合において、資産目録上の資産が一時停止等要請の効力発生時の資産を下回るときには、債権者側には税務当局から保証人に対する利益供与や寄付と認定されるリスクがある旨指摘しているものとして、佐々木宏之「一時停止要請から弁済計画策定まで」事業再生と債権管理163号（2019）117頁。

当し、否認権行使により保証人に帰属する資産は、保証人の財産であると解される[注15]。

　主たる債務者である法人の破産手続開始原因が、支払不能または債務超過であること（破16条1項）、債務者が支払を停止したときは、支払不能にあるものと推定されること（同法15条2項）、主たる債務者に破産手続開始原因があれば、保証人にも破産手続開始原因があることが通常であると考えられることなどからすれば、主たる債務者が、債務超過・支払停止・支払不能などとなった時点から保証人がGLに基づく保証債務の整理を対象債権者に申し出た時点までの間における、保証人の資産内容につき、調査することが考えられる[注16]。

(ⅲ)　**財産の評定方法**

　GLにおいて、財産の評定は、財産を処分するものとして行うこととされている（GL7項(3)④イb）。具体的には、法的倒産手続における財産の評定[注17]の運用に従うことが考えられる[注18]。

　不動産などの資産の評価方法について、不動産鑑定まで実施するのか、近隣不動産業者の簡易な査定書や固定資産評価証明等を使うかについて、対象債権者と協議することが考えられる[注19]。

(3)　**負債**

　債務者が破産手続開始の申立てをするときは、債権者[注20]の氏名または

(注14)　破160条以下、民再127条以下。
(注15)　私的整理の実務Q&A140問307頁［三森仁］。
(注16)　破産手続が行われた場合に否認の成否が問題となり得る財産評定基準日以前の資産処分について、基準日時点の保有資産とした事例として、村上義弘＝小谷貴由「『経営者保証ガイドライン』に基づく保証債務の整理において、破産手続が行われた場合に否認の成否が問題となりうる財産評定基準日以前の処分資産について、基準日時点の保有資産として一部を弁済額とし、残りを残存資産とする内容の弁済計画が成立した事例」事業再生と債権管理149号（2015）124頁。
(注17)　破153条1項、民再124条1項、民再規56条1項本文。
(注18)　GL・QA7-25。
(注19)　特定調停利用の手引（保証債務）第2.2(5)。
　　　不動産鑑定評価によらない不動産の早期処分価額算定方法については、佐々木・前掲（注13）183頁が参考になる。

名称および住所ならびにその有する債権および担保権の内容を記載した、債権者一覧表を裁判所に提出しなければならないものとされている（破20条2項、破規14条1項）。

GL手続においても、支援専門家は、保証人に対する債権者の一覧表を作成する上で必要な資料を保証人から提出させたり、保証人らに事実関係を確認したりするなどの方法で保証人の負債を調査することが考えられる。

(ⅰ)　調査の基準時

資産に関する調査は、一時停止等の効力が発生した時点が基準となると解されることから、資産に関する調査同様、負債に関する調査についても、一時停止等の効力が発生した時点が基準となると解される(注21)。

(ⅱ)　調査の対象となる負債

GL手続における対象債権者とは、原則として、中小企業に対する金融債権を有する金融機関等であって、現に経営者に対して保証債権を有するものまたは将来これを有する可能性のあるものをいう（GL1項）。そして、この「金融債権」とは、銀行取引約定書等が適用される取引やその他の金銭消費貸借契約等の金融取引に基づく債権をいうものとされている(注22)。

したがって、経営者が主たる債務者の金融債務以外の債務に対し保証している場合の保証債務は、原則として対象債務に含まれない。また、保証人を主たる債務者とする、住宅ローン、消費者ローン、学資ローン等の債務（以下、「保証人の固有債務」という）も、原則として対象債務に含まれない。

もっとも、主たる債務者の金融債務以外の債務に対する保証債務や保証人の固有債務が多額な場合、保証人の残存資産の状況や将来の収入の状況に

(注20)　租税債権者も含まれる。
(注21)　既存の債務についてされた担保の供与または債務の消滅に関する行為のうち、保証人が支払不能になった後や、保証人の義務に属せずまたはその時期が保証人の義務に属しない行為であって、支払不能になる前30日以内にされたものについては、法的倒産手続における否認行為に該当する（破162条、民再127条の3、会更86条の3）。主たる債務者が支払不能であれば、保証人も支払不能であることが通常であると考えられることからすれば、主たる債務者が支払不能となった場合などにおいては、保証人が「支払不能になる前30日以内」となった時点から保証人がGLに基づく保証債務の整理を対象債権者に申し出た時点までの間における、保証人の負債内容についても、調査することが考えられる。
(注22)　GL・QA1-2。

よっては、当該債務の支払が不能となり、保証人が破産する可能性がある。この場合、主たる債務者の金融債務以外の債務に対する保証債務や保証人の固有債務に係る債権者を対象債権者から除外した弁済計画に基づき対象債権者に弁済したことが、偏頗弁済となり、保証人の破産手続において、否認される可能性がある[注23]。

また、弁済計画案は、主たる債務および保証債務の破産手続による配当よりも多くの回収を得られる見込みがあるなど、対象債権者にとっても経済的な合理性が期待できるものである必要がある（GL 7 項(1)ハ）。しかるところ、主たる債務者の金融債務以外の債務に対する保証債務や保証人の固有債務に係る債権者を対象債権者から除外した弁済計画案の場合、当該除外された債権者は、保証人の残存資産から回収することが可能となることから、当該弁済計画案は、経済合理性を充足しなかったり、債権者間の衡平性[注24]を害したりするおそれがある[注25]。

この点、GL手続においては、残存資産からの回収等によって弁済計画の履行に重大な影響を及ぼすおそれのある債権者についても、対象債権者に該当しない当該債権者が対象債権者に含まれることを了承する場合には、対象債権者に含めることが可能とされている[注26]（GL 7 項(3)④ロ）。

そこで、対象債権者の範囲や弁済計画案の内容[注27]を検討する前提として、主たる債務者の金融債務に係る保証債務のみならず、主たる債務者の金融債務以外の債務に係る保証債務や保証人固有の債務についても、調査しておく必要があるものと解される[注28]。

(4) 収入および支出の状況

債務者が個人であるときは、破産手続開始の申立書には、①破産手続開始の申立ての日前 1 月間の債務者の収入および支出を記載した書面[注29]および②確定申告書の写し、源泉徴収票の写しその他の債務者の収入の額を明ら

(注23) 小林・前掲（注 2 ）ニューホライズン事業再生と金融75頁。
(注24) 支援協整理手順QA16参照。
(注25) 加藤ほか・前掲（注 9 ）24頁［鈴木学発言］、小林ほか・前掲（注 9 ）16頁［中井康之発言］。
(注26) GL・QA 7 -28。
(注27) 弁済計画案における保証人の固有債務の取扱いについては、第 2 章 6 を参照。

かにする書面(注30)を添付するものとされている（破規14条3項5号）。

GL手続においても、支援専門家は、保証人に係るこれらの書類を保証人から提出させたり、保証人らに事実関係を確認したりするなどの方法で保証人の収入および支出の状況を調査することが考えられる(注31)。

(5) 免責不許可事由

支援専門家は、保証人に係る免責不許可事由の有無や、同事由に該当する場合であっても、裁量免責（破252条2項）の当否について、調査することが考えられる。保証債務を整理するGL手続においては、破産法に定める免責不許可事由のうち、詐害行為（同条1号）、偏頗行為（同条3号）該当性が、調査の主な対象となるものと思われる。

4 開示の方法

支援専門家が、保証人の資産、負債、収入および支出の状況ならびに免責不許可事由に関する調査を行った結果について、「調査報告書」等の書面を作成し、対象債権者に開示することが考えられる。

(注28) 再生支援協議会手続においては、対象債権者に該当しない債権者がいる場合には、弁済計画案の相当性を判断するに当たり、当該債権者の状況を把握する必要があることから、資産状況だけでなく負債状況についても表明保証を求めることもあり得るものとされている（支援協整理手順QA36）。
　　　特定調停手続においては、「負債目録」については、固有の債務があり、弁済計画案の履行可能性や相当性の検証や説明のため、必要がある場合に適宜作成すれば足りるものとされている（特定調停利用の手引（保証債務）別紙2・3頁）。
(注29) 東京地方裁判所民事第20部においては、申立直前2か月分の「家計全体の状況」を裁判所に提出する運用とされている（中山ほか編・前掲（注11）72頁）。
(注30) 東京地方裁判所民事第20部においては、最近2か月分の給与明細および過去2年度分の源泉徴収票または確定申告書の各写しを提出し、源泉徴収票・確定申告書の控えのない人等は、これらに代えまたはこれらとともに課税（非課税）証明書を提出する運用とされている（中山ほか編・前掲（注11）66頁）。
(注31) 特定調停手続においては、対象資産を処分・換価する代わりに対象資産の「公正な価額」に相当する額を分割返済する内容の場合、月次収支表（家計状況表）の作成が求められる場合もあるものとされている（特定調停利用の手引（保証債務）別紙2・4頁）。

Ⅲ　保証人の表明保証

1　表明保証の内容

　GLにおいては、保証人(注32)は、すべての対象債権者に対して、保証人の資力に関する情報を誠実に開示し、開示した情報の内容の正確性について表明保証を行うことが要件とされている。

　前述した通り、保証人は、すべての対象債権者に対して、保証人の資産・負債・収入および支出の状況に関する情報を誠実に開示し、開示した情報の内容の正確性について表明保証を行う必要があると解される(注33)。

2　表明保証の基準時

　一時停止等の要請以降に保証人が取得した財産は、自由財産となること

(注32)　保証人の成年後見人から表明保証を取得した事例として、森智幸「成年被後見人を含む保証人について、中小企業再生支援協議会の支援により、『経営者保証に関するガイドライン』を用いて保証債務を整理した事案」事業再生と債権管理155号（2017）109頁。
(注33)　免責不許可事由が生じていないことや、そのおそれがないことについては、必要に応じ、例えば、保証人の表明保証により確認することが考えられる（GL・QA7-4-2）。
　再生支援協議会手続の参考書式においては、資産および免責不許可事由に関する事項が表明保証の対象となっており、負債・収支状況は、表明保証の対象となっていない。もっとも、対象債権者に該当しない債権者がいる場合には、弁済計画案の相当性を判断するに当たり、当該債権者の状況を把握する必要があることから、資産状況だけでなく負債状況についても表明保証を求めることもあり得ることとされている（支援協整理手順QA36）。
　また、特定調停手続における参考書式においては、資産が表明保証の対象となっており、負債・収支状況・免責不許可事由に関する事項は、表明保証の対象となっていない（特定調停利用の手引（保証債務）別添書式2-1）。もっとも、固有の債権者を対象債権者に含めない場合、弁済計画案の履行可能性や相当性の検証や説明のため、「表明保証書」に「負債目録」を添付することを検討するものとされている（特定調停利用の手引（保証債務）別添書式2-2）。
　事業再生ADR手続においては、保証人は、保証人の財産状況等に関する情報を誠実に開示し、開示した情報の内容の正確性について表明保証することとされている（事業再生ADRのすべて367頁）。
　REVIC手続においては、保証人は、資産・負債の内容と家計収支表の内容に関し、表明保証を行うこととされている（私的整理の実務Q&A140問288頁［片岡牧］）。

第2章　GLの運用上の問題点

から(注34)、表明保証の基準時は、財産評定の基準時と同じ時点、すなわち、一時停止等の効力が発生した時点(注35)と解される。

3　保証人による表明保証違反の効果および実務対応

(1)　保証人による表明保証違反の効果

　GLにおいては、保証人が開示し、その内容の正確性について表明保証を行った資力の状況が事実と異なることが判明した場合(注36)（保証人の資産の隠匿を目的とした贈与等が判明した場合を含む）(注37)には、免除した保証債務および免除期間分の延滞利息も付した上で、追加弁済を行うことについて、保証人と対象債権者が合意(注38)し、書面での契約を締結することとされている（GL 7項(3)⑤ニ）。

　この通り、GLにおいては、保証人による表明保証違反行為があった場合、免除した保証債務が復活し、免除期間分の延滞利息も付された上で追加弁済を行うというペナルティが保証人に課されることとされている。

(2)　保証人と対象債権者との間の合意方法

　保証人と対象債権者が書面での契約を締結することが求められているが、

(注34)　QA 7 -23。
(注35)　再生支援協議会手続においては、財産評定および表明保証の基準時は、原則として、弁済計画策定支援（第二次対応）決定日とされている（支援協整理手順QA37）。ただし、弁済計画策定支援決定日以前に支援専門家による一時停止等の要請が、GL 7項(3)①イ)ロ）に従って行われており、当該要請時点を財産評定および表明保証の基準時とすることについて対象債権者の同意がある場合には、当該要請時点を財産評定および表明保証の基準時として取り扱うこともできるとされている（支援協整理手順QA37、加藤・前掲（注12）68頁）。
(注36)　保証人に開示漏れの資産がある場合や、開示漏れの資産の移動が判明した場合などが考えられる（小林・前掲（注2）ニューホライズン事業再生と金融59頁）。
(注37)　再生支援協議会手続における、「表明保証書」の参考書式においては、「私に、破産法第252条第1項（第10号を除く。）に規定される免責不許可事由が生じておらず、そのおそれもないことを表明し保証します」の表明に反して免責不許可事由に該当する行為が見つかった場合においても、対象債権者に対し、対象債権者から免除を受けた保証債務額および免除期間分の延滞利息も付した上で追加弁済することを約する内容となっている。
(注38)　この合意の内容としては、表明保証に違反することを解除条件とする保証債務の免除が考えられる（小林・前掲（注2）ニューホライズン事業再生と金融59頁、小林・前掲（注2）金法1986号57頁）。

合意の方法としては、保証人と対象債権者との間で、別途書面を締結することや(注39)、弁済計画案に保証人と対象債権者との間の合意内容を記載し、当該弁済計画案について、対象債権者から同意を得ること(注40)や、特定調停手続における調停条項において、保証債務の追加弁済に関する条項を定め、調停を成立させることなどが考えられる。

(3) **過失による表明保証違反**

「表明保証を行った資力の状況が事実と異なることが判明した場合」(GL7項(3)⑤二)には、保証人の故意によるものだけではなく、保証人の過失により、表明保証を行った資力の状況が事実と異なる場合も含まれると解されている(注41)。

しかるに、保証人の記憶違いなど、保証人の過失により、資産等の開示漏れなど、表明保証を行った資力の状況が事実と異なる場合であっても、保証債務免除の効果がすべて否定されてしまうことは、保証人にとって酷であるといえる。しかるところ、当該過失の程度を踏まえ、当事者の合意により、当該資産を追加的に弁済に充当することにより、免除の効果は失効しない取扱いとすることも可能とされており(注42)、また、このような取扱いとすることについて、保証人と対象債権者が合意し、書面で契約を締結しておくことも可能とされている(注43)。

そこで、過失による表明保証違反の場合に備えて、保証人から対象債権者に提出する表明保証書、保証人と対象債権者との間で締結する合意書面、保証債務の弁済計画案、保証人と対象債権者との調停条項において、当該資産を弁済原資として追加弁済を行う(注44)ことにより、債務免除の効力を失効させない旨の条項を盛り込むことが考えられる(注45)。

(注39) 私的整理の実務Q&A140問289頁［片岡牧］。
(注40) 小林・前掲（注2）金法1986号57頁注11。
(注41) GL・QA7-31、支援協整理手順QA40。
(注42) GL・QA7-31。
(注43) GL・QA7-31。
(注44) この限度で従前の債務免除の効力は失われることとなる（小林・前掲（注2）ニューホライズン事業再生と金融60頁、小林ほか・前掲（注9）19頁［中井康之発言］）。

4　表明保証の時期

　対象債権者に資産内容を開示した後に新たな資産が見つかる可能性があることから、保証人の表明保証や、支援専門家の適正性についての確認は、実務上、可能な限り遅い時点で行うことが考えられる(注46)が、保証人の弁済計画案が成立するためには、対象債権者すべての同意が必要であることから、表明保証書の提出時期については、対象債権者と協議の上、定める必要があるものと解される。なお、保証人が開示し、その内容の正確性について表明保証を行った資力の状況が事実と異なることが、保証債務免除の効果が発生するまでに判明した場合、保証人は、あらためて表明保証を行うことが必要であると解される(注47)。

(注45)　私的整理の実務Q&A140問249頁［渡邉敦子］、小林ほか・前掲（注9）19頁［中井発言］。
　　特定調停手続における調停条項案の参考書式においては、表明保証違反が判明した場合、保証人は速やかに当該資産を換価し、対象債権者に対し、換価代金から換価に必要な費用を控除した残額を支払う。ただし、保証人が故意に事実と異なる過少な資産を申告したことが判明した場合、または保証人が資産の隠匿を目的とした贈与もしくはこれに類する行為を行っていたことが判明した場合には、保証人は対象債権者に対し、免除を受けた債務額およびこれに対する遅延損害金を支払うものとされている（特定調停利用の手引（保証債務）別添書式5）。
　　保証債務の相続人が被相続人のすべての資産を把握することが困難であるという事情を踏まえ、相続人の主観に限定を加えず、表明保証違反が判明しても、保証債務免除の効果は覆ることなく、判明した資産を弁済原資として追加弁済を行うことを内容とする調停条項を定めた事例として、大西雄太「経営者保証に関するガイドラインを利用して債務整理を図った2事例、表明保証違反が判明した場合における追加弁済条項の事例紹介」事業再生と債権管理163号（2019）99頁。
(注46)　保証人による表明保証・支援専門家による確認は、再生支援協議会手続においては、外部専門家の調査報告書作成前、債権者会議開催前に（支援協整理手順QA7、8）、特定調停手続においては、調停成立時までに（特定調停利用の手引（保証債務）第2.4(3)）、事業再生ADR手続においては、仮受理の申請の段階で（遅くとも正式申込みまでに）（事業再生ADRのすべて367頁）、それぞれ提出する必要があるものとされている。
(注47)　私的整理の実務Q&A140問120頁［新宅正人］。

Ⅳ　免除の効力

1　主たる債務を免除した場合の保証人に対する影響

　法的債務整理手続においては、主たる債務者に対する債権者が保証人に対して有する権利に影響を及ぼさないとされているが（民再177条2項、会更203条2項、会社571条2項）、私的整理手続においては、このような規定は存在しない。

　したがって、私的整理手続においては、主たる債務を免除した場合、保証債務の付従性(注48)により、保証債務も免除されると解される(注49)。

　しかるに、債権者が、主たる債務者に対しては債務の一部を免除したが、保証人に対しては債務を取り立てる旨の意思表示をなし、保証人がこれを承諾したときは、保証人は債権者に対し前記免除部分については付従性を有しない独立の債務を負担するに至ったものと解されている(注50)。

　よって、債権者が、主たる債務者の再生計画において、主たる債務を免除する場合には、主たる債務者の再生計画とともに、保証人の弁済計画も成立させて、債権者と保証人との間の合意の効力によって、保証人が付従性を有しない独立の債務を負担させることで、主たる債務の免除によって、保証債務の免除を発生させないことが必要となる(注51)。

2　保証債務を免除した場合の主たる債務者に対する影響

(1)　単純保証債務を免除した場合の主たる債務者に対する影響

　保証人の債務を免除したとしても、主たる債務者に対して影響を及ぼさない(注52)。

(注48)　民448条参照。
(注49)　保証債務の免除を認める裁判例として、札幌高判昭和57・9・22判タ487号166頁、札幌高判昭和61・3・31判タ603号89頁、東京地判平成8・6・21判タ955号177頁。保証債務の免除を認めない裁判例として、東京地判昭和51・8・26下民集27巻5～8号552頁。
(注50)　最判昭和46・10・26民集25巻7号1019頁。
(注51)　小林・前掲（注2）ニューホライズン事業再生と金融70頁。
(注52)　我妻榮『新訂債権総論』（岩波書店、1964）487頁。

(2) 連帯保証債務を免除した場合の主たる債務者に対する影響

連帯保証人の債務を免除したとしても、主たる債務者に対して影響を及ぼさない（民458条・441条）[注53]。

3 保証債務を免除した場合の他の保証人に対する影響

(1) 単純保証の場合

数人の保証人がある場合には、それらの保証人が各別の行為により債務を負担したときであっても、別段の意思表示がないときは、各保証人は、それぞれ等しい割合で保証債務を負う（民456条・427条）。この場合、1人の保証人の債務を免除したとしても、他の保証人に対して影響を及ぼさない。

もっとも、保証人がある場合において、債務が主たる債務者の商行為によって生じたものであるとき、または保証が商行為であるときは、主たる債務者および保証人が各別の行為によって債務を負担したときであっても、その債務は、各自が連帯して負担するものとされている（商511条2項）。同条項は、各保証人が主たる債務者と連帯すると同時に、保証人相互間でも連帯して債務を負担せしめる趣旨を包含するものと解されている[注54]。

(2) 保証連帯（連帯共同保証）の場合

共同保証人が相互に連帯の特約をして、分別の利益を放棄したとき、このような関係を保証連帯という[注55]。

複数の連帯保証人が存する場合であって、これらの保証人が連帯して保証債務を負担する旨特約した場合（いわゆる保証連帯の場合）、または商法511条2項に該当する場合、各保証人間に連帯債務ないしこれに準ずる法律関係が生じるが、連帯保証人の1人に対し債務の免除がなされた場合であっても、他の連帯保証人に対して影響を及ぼさないものと解される（民441条）[注56]。

(注53) 改正前民法が適用される場合においても、連帯保証人には負担部分がないことから、負担部分の存在を前提とする改正前民法437条は準用されず、連帯保証人の債務を免除したとしても、主たる債務者には影響がない（我妻・前掲（注52）502頁）。
(注54) 大判明治44・5・23民録17輯320頁。
(注55) 我妻・前掲（注52）502頁・505頁。

5 免除の効果

(3) 連帯保証（共同連帯保証）の場合

複数の連帯保証人が存する場合であっても、保証人が連帯して保証債務を負担する旨特約した場合（いわゆる保証連帯の場合）、または商法511条2項に該当する場合でなければ、各保証人間に連帯債務ないしこれに準ずる法律関係は生ぜず、連帯保証人の1人に対し債務の免除がなされても、当該債務免除は他の連帯保証人に効果を及ぼすものではないと解されている(注57)。

4 主たる債務者の再生計画に基づく主たる債務の不履行が生じた場合、保証債務の弁済計画にいかなる影響が生じるか

保証債務の一部履行後に残存する保証債務の免除の効力は、主たる債務者の債務の弁済方法が一括弁済であるか分割弁済であるかにかかわらず、原則として、保証人が弁済計画に基づき保証債務の履行を完了した時期に発生するものと解される。

しかるところ、保証人が弁済計画に基づき保証債務の履行を完了する前に、主たる債務者の再生計画の不履行が生じた場合、保証債務の弁済計画にいかなる影響が生じるか。

主たる債務者の再生計画の不履行が生じた場合に、保証債務の弁済計画の効力が失われ、当該弁済計画成立前の保証債務が復活するとすれば、当該再

(注56) 改正前民法が適用される事案においては、数人の連帯保証人の間で保証連帯の特約がある場合には、改正前民法437条が準用されると解されている（大判昭和15・9・21民集19巻20号1701頁）。

　したがって、改正前民法が適用される事案において、複数の連帯保証人が存する場合であって、これらの保証人が連帯して保証債務を負担する旨特約した場合（いわゆる保証連帯の場合）、または商法511条2項に該当する場合、各保証人間に連帯債務ないしこれに準ずる法律関係が生じ、連帯保証人の1人に対し債務の免除がなされた場合、他の連帯保証人に効果を及ぼすものと解される（最判昭和43・11・15民集22巻12号2649頁）。

　よって、改正前民法が適用される事案において、複数の連帯保証人が存する場合であって、これらの保証人が連帯して保証債務を負担する旨特約した場合（いわゆる保証連帯の場合）、または商法511条2項に該当する場合、保証人に対する債権者としては、ある保証人の弁済計画において、当該保証人の債務を免除する場合には、当該保証人の弁済計画とともに、他の保証人の弁済計画も成立させて、ある保証人の保証債務の免除によって、他の保証人の保証債務の免除を発生させないことが必要となるものと解される。

(注57) 前掲・最判昭和43・11・15。

生計画に基づく主たる債務の履行を完了するまで、当該弁済計画成立前の保証債務が潜在的に存在し続けることと同じであり、GLによる債務整理を行うインセンティブは失われてしまい、経営者をして早期の事業再生等に着手させようとするGLの趣旨に反することになってしまう。

また、Ⅳ1で述べた通り、債権者が、主たる債務者の再生計画において、主たる債務を免除する場合には、通常、主たる債務者の再生計画とともに、保証人の弁済計画も成立させることによって、保証人が独立の債務を負担することを内容とする合意が、債権者と保証人との間に成立していると思われる。

したがって、主たる債務者の再生計画の不履行が生じた場合であっても、保証債務の弁済計画には影響がなく、保証人は、当該弁済計画に基づき、保証債務の履行を完了すれば、保証債務の一部履行後に残存する保証債務について、免除を受けられると解すべきである(注58)。

5 保証人の弁済計画に基づく保証債務の不履行が生じた場合、保証債務の弁済計画にいかなる影響が生じるか

保証債務の一部履行後に残存する保証債務の免除の効力は、保証債務の弁済方法が一括弁済であるか分割弁済であるかにかかわらず、原則として、保証人が弁済計画に基づき保証債務の履行を完了した時期に発生するものと解される。

しかるところ、保証人が弁済計画に基づき保証債務の履行を完了する前に、保証人が弁済計画の履行を怠った場合、保証債務の弁済計画にいかなる影響が生じるか。

保証人が弁済計画の履行を怠った場合であっても、直ちには弁済計画に影響がないものと解される。もっとも、弁済計画は、債権者と保証人との合意によって成立した契約であるため、保証人が弁済計画の履行を怠った場合、債権者は、弁済計画を解除することも可能であると解される。

保証人は、弁済計画の履行を怠ったことによる、弁済計画の解除を避け

(注58) 小林・前掲(注2)ニューホライズン事業再生と金融73頁。

るため、①一時的な期限の猶予等について債権者と個別に合意（民法上の和解）したり、②すべての債権者との合意によって弁済計画を変更したりすることが考えられる。保証人が弁済計画の履行を怠った場合であっても、これらの方法をとった上で、弁済計画を履行し、保証債務の履行を完了すれば、保証人は、保証債務の一部履行後に残存する保証債務について、免除を受けられると解すべきである。

6 保証人に固有債務が存在する場合の問題点

弁護士　中井　康之
弁護士　片岡　　牧

I　GLの基本的立場

　GLが経営者の保証債務の整理手順を定めているのは、経営者保証が、中小企業の事業再生や清算（廃業）に対する経営者の決断を遅らせる原因になっているとの基本認識から、中小企業の主たる債務の整理と同時に経営者の保証債務も整理し、しかも経営者に本来的自由財産だけでなくインセンティブ資産を残存させることにより、経営者に中小企業の事業再生や清算（廃業）を早期に決断させるためである。それにより、中小企業に対して金融債権を有し、かつ、経営者に対して保証債権を有している金融債権者に、早期処理による回収額の増大化を実現するとともに、中小企業の早期再生や早期清算を促進し、経営者の再生とともに日本経済の活性化を図ることを目的としている。
　したがって、もともと、GLに基づく保証債務の整理手続は、保証債権を有する金融債権者のみを対象債権者とすることが予定されている。
　しかし、経営者は、自然人としての通常の経済活動を通じて、保証債務以外に固有債務を負担していることも少なくないが、固有債務もあることが、GLに基づく保証債務の整理手続の適用を否定する理由とすることは適切ではない。適用を否定すれば、GLに基づいて保証債務の整理ができる場面は、保証人に保証債務のみがある場合に限定され、GLの前述の目的を達することができなくなるからである。むしろ、固有債務のある場合も、GLを柔軟かつ適切に運用することが検討されるべきであろう。

Ⅱ　問題の所在

　GLは、GLが適用される対象債権者として、「中小企業に対する金融債権を有する金融機関等であって、現に経営者に対して保証債権を有するもの」と定め、主たる債務の整理局面において保証債務の整理を行う場合においても、その対象債権者としては、「保証債権の債権者」を想定している（GL１項「目的」参照）。しかし、中小企業の経営者は、金融機関に対する保証債務を負担するほかに、住宅ローンやカードローンなどの固有の債務を負担していることも少なくない。

　そこで、GLを適用して、経営者である保証人の保証債務の整理を行うときに、同じ保証人が負担している固有債務を整理の対象としないこととした場合においても、反対に、固有債務も対象とした場合においても、それぞれ次のような問題が生じ得る。

　第１に、保証人に固有債務があるにもかかわらず、保証債務のみを対象として整理ができるとすると、保証債権を有する債権者（保証債権者）は、弁済計画に基づいて一定の弁済を受けることはできるものの、それを超える部分は債権放棄をすることになるが、保証人は、保証債務の整理ができる上に、GLに従って残存資産（本来的自由財産とインセンティブ資産）を確保することができるので、整理の対象とならない固有債務は、保証人のこれら残存資産と将来の収益・収入からその全額の弁済を受けることが可能となる。そのような結果は、保証債権者の犠牲のもとに、固有債務の債権者（固有債権者）に満足を与えていると評価することもでき、債権を放棄した保証債権者と全額の弁済を受けることができる固有債権者との間の平等を害することとなる。そのため、保証債権者として弁済計画やその後の債権放棄について同意することが困難になりかねない。

　第２に、反対に、保証人の弁済計画において、基準時において保証人が保有する資産を、残存資産を除いて換価処分するものとし、その換価処分代金の全部を、保証債権者のみに弁済する場合、固有債務の額が多額であるのに、保証人の残存資産や将来の収益等が少ない場合などは、固有債権者は弁済を

受けることができない結果となりかねない。このような場合は、先に弁済を受けた保証債権者とその後に弁済を受けることができなくなった固有債権者の平等を害することにならないか、問題となる。

そして、保証債権者が、固有債権者を害することを知っている場合には、弁済計画に基づく弁済行為が詐害行為となり、詐害行為取消権の対象とならないか、さらに、その後、固有債務の支払ができないために保証人について破産手続が開始したとき、弁済計画に基づく弁済行為が、偏頗行為として否認の対象とならないか、問題となり得る。

第3に、保証人の弁済計画が、資産処分代金からの弁済を予定せずに、資産を残した上で将来の収益等を原資に弁済を予定しているような場合に、多額の固有債務が残存していると、将来の収益等から弁済計画に基づく保証債務の履行と固有債務の支払を行う必要があり、その結果、保証債権者が保証人の弁済計画に同意したのに、その履行が困難になる事態が生じ得る。

第4に、保証債務だけでなく固有債務も対象として整理するとした場合、保証債権者は、主たる債務者からの回収可能額と合算して、保証人の弁済計画に同意するかどうか判断することになるが、固有債権者は、保証人の弁済計画に基づく弁済しか受けることができないので、保証人に本来的自由財産のほかにインセンティブ資産を残すと、固有債権者の弁済額が保証人の清算価値を下回ることとなり、固有債権者の経済的合理性が担保できない事態も生じ得る。

このような問題について、どのように考えればよいのか。

Ⅲ　GLの柔軟で適切な運用

1　保証債権者と固有債権者との間の不平等と保証債権者の経済的合理性

保証債務のみを対象としてGLに基づく整理をする場合、保証債権については、その全部または一部の放棄を求めるのに、固有債権については債権の放棄を求めないことから、固有債権者は、保証人の残存資産と将来収益等から全額の弁済を受けることができることになる。その結果、保証債権者と固有債権者との間で不平等が生じる。そのため、保証債権者にとって、固有債

6 保証人に固有債務が存在する場合の問題点

務がある場合は、固有債務がない場合と比べて、GLに基づく弁済計画に同意することが困難になるといえる（第1の問題）。

　しかし、GLの目的に照らせば、保証債権者としては、以下のように理解すべきものと思われる。

　一般に、保証の対象となる金融債務は多額であり、それと比較して保証人の固有債務は少額であろう。保証人にとって、保証債務を整理することにより、おおむね債務整理の目処がつき、少額の固有債務が残っても、保証人である経営者の再生（事業継続等）の障害とならないことが多いと思われる。他方、保証債権者は、主たる債務者の早期事業再生、早期清算によって、破産清算した場合や、破産が遅延した場合より、主たる債務者に対する金融債権について多額の回収が可能となるのであるから、少額の固有債務が保証人の残存資産や将来収益等から弁済を受け、その結果、保証人からの回収額という点においては保証債権者と固有債権者との間に不平等が生じるとしても、保証債権者にとっては主たる債務者からの回収増加額を考慮すれば経済的合理性は否定されない。つまり、固有債権者との間に不平等が生じるとしても、保証債権者にとっては、経済合理性によって不平等の存在を正当化できよう。それは、私的整理において、金融債権と取引債権との間で不平等な結果が生じるとしても、法的整理に比べて金融債権の回収可能額が増大することによって、その不平等が正当化できることと基本的に同じであるといえる。

　また、固有債務として自宅の住宅ローンが残ることも多いが、その場合、通常自宅には担保権が設定されているから、自宅の担保価値の範囲内で住宅ローンを弁済しても、保証債権者も含めて他の債権者との衡平を害することはない。自宅の価値を超える住宅ローンが残存している場合は、その超過部分の弁済を認める限りにおいて、他の債権者より有利に取り扱うことになるが、保証人である経営者の再生、すなわち、経営者の安定した事業継続や事業清算後の新たな事業の開始等のために「華美でない自宅」を残存資産に含めることは、GLが認めるところであるから（GL7項(3)③参照）、自宅の担保価値を超える超過部分があることを理由に、GLの適用を否定したり消極的に評価したりするのは相当ではないであろう。

　このように、固有債務について全額の弁済が可能になるとしても、それは、

131

GLがもともと予定していることであり、また、保証債務の整理ができるからこそ、経営者は主たる債務者である事業者の早期処理を決断することができ、それによって主たる債務者からの回収額が増加するから、保証債権者にとって経済的合理性が認められる。したがって、固有債権者は将来全額弁済を受けることができ、保証債権者との平等を害する結果となる可能性のあることが、保証債権者にとって、保証人の弁済計画に同意しない合理的な理由とはならない。

なお、REVICが手続機関として行う保証債務の整理手続においては、地域経済活性化支援機構法により、対象債権は主たる債務者に対する金融債権（リース債権を含む）の保証に係るものに限られており、再生支援の場合も特定支援の場合も、固有債務を対象とすることはできない。むしろ、固有債務は、保証人の将来の収益等から弁済されることが予定されている(注1)。

また、再生支援協議会が手続機関として行う保証債務の整理手続においては、原則として、保証債務のみを対象としており、固有債権者が同意した場合にのみ、対象債権者として整理手続を進めている(注2)。

いずれも、保証債務のみを対象として整理しても、保証債権者にとって経済的合理性が確保されていることが正当化理由になっているものと思われる。

2　弁済計画に基づく弁済が偏頗行為となるか

保証債務のみを対象とする弁済計画に基づき、保証債権者に対してのみ弁済を行い、固有債権者に対する弁済をしないまま、その後に保証人が破綻したときに、弁済計画に基づく弁済行為が、詐害行為取消権の対象となり、保証人について破産などの法的倒産手続が開始したときは、偏頗行為否認の対象となることを懸念する意見がある。そして、そのような懸念のあることを理由に、固有債務がある場合には、GLの適用に消極的な意見もあるようである（第2の問題）。

しかし、GLに基づき保証債務の整理を行う目的は、保証人である経営者の再生（事業継続等）のためでもあるから、GLに基づく弁済計画を履行する

(注1)　私的整理の実務Q&A140問290頁［片岡牧］・301頁［三森仁］。
(注2)　支援協整理手順QA【Q15】参照。

6 保証人に固有債務が存在する場合の問題点

ことにより、経営者が、固有債務のために再破綻をすることが想定されるようであれば、そのような弁済計画は、GLの要件を実質的に充足せず、経営者の再生を図ろうとするGLの目的に反しているというべきであろう。

むしろ、保証債務の弁済計画は、固有債務の存在も前提として、支援専門家の意見を踏まえて策定されたものであり、計画内容の合理性と遂行可能性は担保されているはずである。保証債権者は、弁済計画に基づき保証債務の弁済を受けるが、同時に、経営者が再生して事業継続等できるように残存資産を残しつつ、残額の保証債務の免除をしているのであるから、弁済計画の成立により支払不能や支払停止は解消されているといえる。したがって、弁済計画に基づく弁済が、他の債権者を害することはないから、偏頗行為否認に該当するとの評価は受けないと考えられる。

もとより、保証人の資産の全部を換価し、その換価代金の全部を保証債務の弁済に充てることとし、残存する固有債務に対しては、弁済原資となる資産もなく、将来収益等による弁済も見込めないような場合において、それを知りながら弁済を受けると、他の債権者を害することを知っていたと評価できるから、その後に保証人について破産手続等が開始したときは、否認の対象となり得るであろう。それは、たとえ保証債務の債務免除を伴うとしても、固有債権者が弁済を受けることができなくなることを知っている以上、やむを得ないというべきであろう。

そのような場合に、なお、固有債権者を対象債権者に含めることなく、保証債務のみの整理を実行しようとするのであれば、保証人の財産の換価代金から、保証債務と同じように、固有債務に対しても按分弁済することにより平等を確保するなどの工夫が必要であろう。実際、REVICが手続機関として行う保証債務の整理では、前述の通り、固有債務は対象としないが、固有債務が比較的多額であり、対象債権者に対してのみ保証人の財産から弁済することが、固有債権者にとって偏頗行為となる可能性がある場合には、保証人の財産を、当該固有債務と保証債務とでプロラタにて按分し、当該固有債務に対して同時期に弁済することが検討されている[注3]。事実上、固有債務へも弁済することにより、保証債務に対する弁済との実質的衡平を図ろう

(注3) 私的整理の実務Q&A140問290頁［片岡］。

とするものである。

3 固有債務を対象とする場合（固有債務が過大で、保証債務の弁済計画の履行の障害となる場合）

　他方、固有債務が過大で、そのまま債務として残存したために、保証人の弁済計画の履行が困難になる場合には、固有債権者を対象債権者に加えて、保証債務とともに固有債務も整理することもできる。GLにおいても、弁済計画の履行に重大な影響を及ぼすおそれのある固有債権者については、対象債権者に含めることが可能とされている（GL 7 項(3)④ロ、GL・QA 7 -28参照）。実際、固有債務の整理をしなければ、保証債務の整理を実現できないからである。再生支援協議会でも、前述の通り、固有債務を対象として整理する必要性がある場合には、固有債権者の同意を得て対象債権者としている。特定調停を利用する場合にも、固有債権者を対象とすることは否定されない（第 3 の問題に対する対応）。

　固有債権者も対象債権者とした場合に、固有債権者が、GLを理解し、弁済計画に同意してもらえるか、実務上の問題が生じ得る。保証債権者の場合は、主たる債務者である事業者からの回収増加額が見込めるので、保証人に自由財産を超える残存資産を残した弁済計画でも経済的合理性が確保できるが、固有債権者は、保証人から回収するほかないので、保証債権者と同じ割合の弁済では、保証人の清算価値が保障されない可能性もある。かかる場合は、固有債務については基準時の保証人の清算価値を超える弁済計画とし、保証債務については、一定のインセンティブ資産を残すことを認めた弁済計画として、固有債務と保証債務の弁済計画に差を設けることも許容されると解される。もとより、固有債権者と保証債権者に差を設ける弁済計画でも、対象債権者が同意する限りにおいて何ら問題はないからである。このような対応が困難である場合には、保証人に自由財産を超える残存資産を残すと、結局、固有債権者に対して清算価値を保障できなくなるから、保証人にインセンティブ資産を認めず、保証債権者にも固有債権者にも保証人の清算価値を保障する弁済計画を立案して、全対象債権者から同意を得る方法を選択するほかないことになろう（第 4 の問題に対する対応）。保証人にとって

6 保証人に固有債務が存在する場合の問題点

は、残存できる資産の範囲は自由財産に限定されるから、破産する場合と比べて財産的なメリットはないが、破産手続を回避できるというメリットは残る。他方、対象債権者にとっては、保証人の清算価値が保障される以上、特段のデメリットはないし、GLの手続コストが破産手続より安価であるとすれば、その限りにおいて債権者に経済的メリットがある。

　また、固有債務が過大となるのは、一般的には、保証人に対する金融機関からの貸付金で、保証人にとって当該固有債権者は、同時に保証債権者である場合も多いと思われる（主たる債務者に対する貸付銀行が、経営者の住宅ローンの債権者である場合などが想定できる）。このような場合は、当該金融機関は、主たる債務者とその経営者の両方を一体として信用を供与していたと評価することもできるし、一体で整理することにより、主たる債務者からの回収額が増額し、これに保証債務と固有債務に対する弁済額を合算して、経済的合理性が確保されるとすれば、固有債務に対する弁済額が保証人の清算価値を保障されていないとしても、保証人の弁済計画を不同意にする理由に乏しい。

　なお、固有債権者を対象債権者に含める場合にも、すべての固有債権者を対象とする必要はなく、固有債務の性質、金額の多寡、債権者の属性等を総合的に考慮して、個別に対象債権者に含めるかどうかを判断すべきであろう。したがって、固有債権者を対象債権者に含める場合も、固有債務は借入債務で、固有債権者の属性としては金融債権者である場合が多くなると思われる。

　なお、REVICの場合は、対象債権は主たる債務者に対する金融債権の保証にかかるものに限られており、固有債務を対象に整理することはできない。特に特定支援の場合は、その目的が保証人の「再チャレンジ」にあり、保証人に過大な固有債務があるために、保証人の将来の生活が成り立たない場合は、特定支援の目的が達成できないから、特定支援の利用はできない。これを利用しようとすれば、特定支援手続の枠外で固有債務を整理する必要があるが(注4)、手続外で整理できれば利用可能であるから、その可能性につい

(注4)　私的整理の実務Q&A140問301頁［三森］によると、特定支援の場合に関して、資金計画が成り立つ限り、固有債務を約定通りに返済しながら保証債務を整理することが不可能ではないとするが、その反面として、過大な固有債務があるために資金計画が成り立たない場合には、保証債務の整理もできないこととなる。

ては常に検討することが望まれる。

4 小括

　保証債務と固有債務が存在する場合に、保証債務のみを対象として整理をしても、保証債権者の経済的合理性が確保されており、将来の固有債務の弁済が可能であり、かつ、弁済計画に基づく保証債務の弁済に支障が生じないときは、保証債務と固有債務の間に不平等が生じたとしても、それは保証債権者の経済的合理性によって説明が可能であろう。また、そのように合理的に判断された弁済計画に基づく弁済が、後に詐害行為や偏頗行為と評価されることもない。それは、仮に計画段階の合理的予想に反して、固有債務の弁済ができなくなったとしても、その評価が事後的に変わることはないであろう。

　保証債務のみを対象とした場合に、固有債務の弁済に支障が生じたり、弁済計画に基づく弁済に支障が生じたりするおそれがある場合には、固有債務の内容、金額の多寡、債務の性質、固有債権者の属性等を踏まえて、固有債権者を対象債権者に含めるかどうかを判断することになろう。その結果、固有債務も対象とする場合は、固有債務と保証債務との間で弁済計画に差を設けるか、そもそもインセンティブ資産を残さない弁済計画を立案するなど、保証債権者と固有債権者の両方の同意が得られるように実務上の工夫をする必要が生じる。仮に、固有債務を対象としない場合でも、手続外で、固有債権者と任意の整理交渉をすることが望まれよう。

　GLを利用しようとする対象債権者、主たる事業者や保証人ら関係者にとって大切なことは、GLが保証債務の整理手続を定めた目的である、主たる債務者の早期事業再生や早期清算を実現し、保証人である経営者の再生が可能となるように、GLを柔軟かつ適切に運用することであろう。

Ⅳ　一体型と単独型

　以上のことは、主たる債務と保証債務を同じ手続を利用して同時に整理する一体型の場合と、主たる債務の整理については破産や民事再生等の法的倒

産手続を利用し、保証債務の整理についてはGLを利用する単独型の場合で、基本的に違いはない。

しかし、単独型の場合には、一体型の場合と比較して、留意すべき点がある。

なお、REVICが手続機関として行う保証債務の整理では、単独型の整理は予定されていない。

1 リース債権や取引債権に対する保証債務の取扱い

1つは、一体型で再建型の場合、主たる債務と同時に整理を行うが、その際、多くの場合、金融債務（金融機関借入れ）のみを対象とし、リース債権や取引債権は整理の対象とはせずに、全額の弁済が予定されている。したがって、経営者がリース債権や取引債権について保証していたとしても、かかる保証債務は顕在化しないから、通常は保証人の整理手続の対象とはならない。一体型で清算型の場合には、リース債権も金融債権として整理の対象とすることになるから、その保証債務についてはGLに基づく整理の対象となる。

これに対して、単独型の場合は、主たる債務が法的倒産手続によって整理されるので、リース債権や取引債権に対して経営者が保証していた場合は、金融債権に対する保証と同様に、それら保証債務を対象債権とする必要が生じる。そして、リース債権については、GL上も金融債権として取り扱うものとされているが、経営者を保証人とする取引債権については、その利益状況は金融債権やリース債権と同様であるものの、GL上は整理の対象とされていない。しかし、保証債務をGLに基づいて整理することに経済的合理性が認められることは取引債権でも変わらないから、これら債権者の理解を得るように努めて、GLを活用することが期待される。

2 主たる債務者に関する情報不足

単独型の場合は、一体型と比較して、GLを適用する手続機関にとって、主たる債務者に関する情報がどうしても乏しくなりがちである。実際、保証債権者の主たる債務者からの回収見込額の増加額などを的確に把握できない

場合もある。そのために、保証人の残存資産の範囲を適切に定めることができず、保証人の弁済計画の立案も困難となる場合がある。保証人に、保証債務の他に固有債務も存在すると、バランスをとった弁済計画の立案はさらに困難になることは否定できない。

そのような情報不足となる可能性は否定できないが、手続機関と支援専門家の共同作業によって、適切な弁済計画を立案して、対象債権者に対して、その経済的合理性と履行可能性のあることを十分に説明して同意を得るように努めることが必要となろう。

3　主たる債務者に対する整理手続終了後の単独型の場合

単独型でも、主たる債務者に対する整理手続が終了している場合には、保証債務の整理計画において、自由財産のほかにインセンティブ資産を残存させることができない（GL7項(3)③、GL・QA7-20参照）。このような場合でも、保証人の将来収益から固有債務の弁済ができるときは、固有債務を対象債権者とするまでもないし、対象債権者である保証債権者は、保証人の清算価値を下回らない弁済で満足すべきことになろう。他方、保証人に固有債務を弁済できるほどの将来収益等がない場合において、保証債務についてのみ清算価値を下回らない弁済を行うと、偏頗弁済の問題が生じ得る。かかる場合には、固有債務も対象債権とした上、整理開始時の財産でもって、すべての債務を整理するほかない。

固有債権者も対象債権者としたとき、対象債権者すべての同意が得られない場合、法的倒産手続を選択して整理することになるが、このような事態を回避するには、より一層、主たる債務と同時に整理できる一体型の私的整理手続を早期に選択することが推奨されるべきであり、また、主たる債務について法的倒産手続を利用せざるを得ないとしても、それが終了するまでに保証人について債務整理手続を開始する実務となることが望ましい。

7 一体型の問題点

弁護士　大石健太郎

I　総論

　GLでは、主債務者の債務整理と保証人の債務整理を一体として処理する場合（以下、「一体型」という）と、保証債務のみを処理する場合（以下、「単独型」という）とがある（GL 7 項(2)）。
　このうち、一体型は、事業再生ADR、私的整理GL、再生支援協議会による手続、REVICによる手続、特定調停等の準則型私的整理手続を利用して行われる。これに対し、単独型は、主債務者が法的整理手続を利用している場合や、主債務者の債務整理が終結している場合に行われ、準則型私的整理手続を利用する場合(注1)、再生支援協議会による手続や特定調停を利用することとなる。
　一体型は、前述のように各準則型私的整理手続で行われ、その具体的手続は準則型私的整理手続ごとに異なるが、いずれにせよ主債務者と保証人の両債務整理について、1つの手続の中で同時並行的に情報開示や計画立案を進めることから、手続主催者や対象債権者にとって、保証債務処理まで含めた案件全体の処理が見通しやすくなるという利点がある。
　一方で、一体型を選択する場合、主債務者と保証人の両債務整理手続・両弁済計画を矛盾なく整理していくために検討すべき課題も多くある。本稿では、そのような課題のうち、実務上も直面することが多いと思われる、①両手続の対象債権者の範囲の関連性、②両手続の計画内容の関連性、③両手続の計画成立の関連性、④両手続の計画遂行の関連性について、検討を加えるものとする。

(注1)　単独型においては、広義の私的整理（純粋私的整理）による保証債務整理も許容されている（GL・QA 7-2）。

II 対象債権者の範囲の関連性

1 固有債権

　GLは、原則として保証債権者を対象とするものの、弁済計画の履行に重大な影響を及ぼすおそれのある債権者については、対象債権者に含めることができるものとしている（GL7項(3)④ロ）。

　この点、経営者が保証債務以外にも多額の債務を負う場合、これを権利変更の対象としなければ、対象債権者に対する弁済原資が捻出できないので、固有債権を対象債権に取り込むことが必要な事例も多いと思われる（固有債権については、第2章**6**参照）。

　例えば、主債務者自身が与信を得られなくなった結果、やむを得ず経営者が個人として、金融機関から借入れを行い、その資金を会社に貸し付けている事例などでは、形式的には保証債務でないとしても、主債務者の事業のために生じた債務という実質は保証債務に類するものとみることができ、これを対象債権に含めることが相当と考える。

2 主債務者に対する債権を有さない場合

　ただし、固有債権者は、主債務者に対し債権を有しないときは、主債務者の事業再生に利害関係がないので、専ら主債務者の事業再建のための議論を中心に展開する一体型私的整理への参加を嫌うことがある。そのような固有債権者を一体型私的整理の手続に参加させることは、当該債権者にいたずらに負担をかけ不満を生じさせる結果になることもあり、手続進行の支障となりかねない。そこで、実務的には、固有債権者をGLの手続に参加させることまではせず、手続外で、対象債権者らに求める金融支援の内容と実質的な均衡を逸しない範囲で個別の和解を行い、その和解内容を対象債権者らにも報告し、弁済計画にも当該和解事実を記載して、対象債権者らの了解を得るといった対応をとる場合がある。

　さらに、主債務者に対する債権を有しない固有債権者は、主債務者の早期事業再生によって回収見込額が増加するという関係にはないため、主債務者

の早期事業再生による回収見込増加額を勘案してインセンティブ資産を残存させる場合（GL7項(3)③）、そのことで固有債権者の利益が害されないか、慎重に検討する必要がある。

　この問題に対する1つの考え方として、保証人の弁済計画では、①主債務者に対する債権を有しない固有債権者は、主債務者からの回収見込額増加の利益を享受しないのだから、保証人の予想破産配当率以上の弁済を保証し、②その他の対象債権者は、主債務者からの回収見込額増加の利益を享受するのだから、インセンティブ資産の関係で保証人の予想破産配当率を下回る弁済を定めることを許容する、ということが有益ではないかと思われる。すなわち、このような処理の結果、保証人による弁済に形式的不平等が生じるが、一体的私的整理を実現するために固有債権者を対象債権に含める必要性と、主債務者による弁済も含めた回収総額で考えたときには実質的衡平を害するものではないという相当性とをもって、これを許容すべきと考えるものである。

Ⅲ　事業再生計画と弁済計画との内容面での関連性

　一体型における主債務者の事業再生計画と保証人の弁済計画との内容面での関連性については、①保証人提供に係る担保物の取扱い、②保証人の弁済計画における非保全弁済額を主債務者の弁済計画において非保全債権額から控除するか、③主債務の免除により付従性で保証債務も消滅してしまうことに関する手当て、といった問題がある。

1　保証人提供に係る担保物の取扱い

(1)　主債務者の事業再生計画における取扱い

　保証人が、保証債務を被担保債権として、または主債務を被担保債権として（物上保証）、担保提供をしている場合、これを主債務者の事業再生計画との関係でも保全として取り扱うか。

　この点例えば破産手続では、手続開始時に破産財団に属する一定の担保権が別除権となり（破2条9項）、当該別除権行使により弁済を受けることがで

第 2 章　GLの運用上の問題点

きない不足額につき破産債権を行使すべきこととなるが（不足額主義。同法108条 1 項）、債務者以外の第三者の資産は破産財団に属するものでない以上、これを目的とする担保権は別除権に当たらず、担保権行使により弁済を受けた額を控除することなく破産債権を行使することができる。また、数人の全部義務者の数人または 1 人が破産手続開始決定を受けたときは、手続開始時の債権の全額についてそれぞれの手続に参加することができ（同法104条 1 項）、破産手続開始後に他の全部義務者からの弁済等があっても、その債権の全額が消滅した場合を除き、破産開始時に有する債権額をもって手続に参加できる（開始時現存額主義。同条 2 項）。

　仮にこのような法的倒産手続の別除権の取扱い、不足額主義、開始時現存額主義を私的整理手続にそのまま当てはめれば、保証人提供に係る担保提供について、主債務者の事業再生計画ではこれを保全評価しないことになる。

　もっとも、私的整理手続においては、法的倒産手続の擬律を踏まえつつも、事案に応じた実質的衡平に適う適切な処理を行うことも許容されると思料される。

　この点、特にGLの場合は、基本的に中小企業の経営者保証を念頭に置くが、中小企業では、法人と経営者との間で業務、経理、資産所有といった関係が明確に区別されておらず、法人の事業用資産が経営者個人の所有であったり、役員報酬や役員貸付・借入れといった資金のやりとりが錯綜している例も多い（GL 4 項(1)①等参照）。このように法人個人が一体となっている事例では、経営者提供に係る担保物を主債務者との関係でも保全として評価することが実情に適う側面がある。また、経営者提供に係る担保物が主債務者の主たる事業用資産として利用されている場合も、主債務者との関係で保全として評価することが適切であると考えられる。

　したがって、経営者提供に係る担保物について、主債務者の事業再生計画において保全として評価することも許容されると考えられる[注2]。

　さらに、事案によっては、経営者ごとまたは担保物件ごとに事情が異なり得るから、例えば、保証人の提供する担保物件のうち、事業用資産は主債務

(注2)　小林信明「経営者保証ガイドラインの特徴と利用上の問題点」ニューホライズン事業再生と金融71頁。

者の事業再生計画において保全として評価し、非事業用資産は主債務者の事業再生計画において保全として評価しない、などの取扱いも許容され得ると考えられる。

　このように、経営者提供に係る担保物件を主債務者の事業再生計画において保全として評価するかどうかは、事案に応じて個別具体的に判断すべきである。

(2) **他の保証人の弁済計画における取扱い**

　中小企業における保証は、複数人によってなされる例も多く、当該複数人全員についてGLを用いて主債務者との一体整理を図ることがある。そこで、複数の（物上）保証人がいる場合に、ある（物上）保証人の提供に係る担保物を、他の保証人の弁済計画との関係で保全として取り扱うべきか。

　この点、仮に前述した法的倒産手続の諸規定をそのまま適用すれば、この場合も、保証人ごとに考え、当該保証人の提供した担保物は当該保証人との関係でのみ保全として評価し、他の保証人の弁済計画との関係では保全として評価しない、という結論を導きやすい。

　もっとも、前述した通り、私的整理手続においては法的倒産手続を踏まえつつ事案に応じた実質的衡平に適う適切な処理を行うことも許容されると思料される。

　そして、複数の（物上）保証人間でも、（物上）保証人相互間・主債務者との関係やその他諸事情に鑑み、事案の実質的衡平な処理を図るために、ある（物上）保証人の提供に係る担保物を他の保証人の弁済計画との関係で保全と評価することも許容されると考える。

　例えば、複数の保証人がいずれもオーナー一族であったり、複数の保証人が夫婦関係にある場合など、法人個人の一体性に加え個人間にも一定の一体性があるときは、保全評価を共通にすることが適当といえる場合も多いと思われる（なお、このように考える場合、経済合理性の判断も、複数保証人らの予想破産配当もすべて合算して計算することになろう）。

2 保証人の弁済計画に基づき非保全債権に対してなされる弁済額を、主債務者の事業再生計画において非保全債権額から控除するか

　保証人の弁済計画に基づき非保全債権に対してなされる弁済額を、主債務者の事業再生計画において非保全債権額から控除するか。この結論次第で、主債務者の対象債権と保証人の対象債権が一致しない場合に、主債務者の弁済計画における各債権者の非保全債権シェアが変わり得るので、問題となる。

　この点、前述の通り、法的倒産手続では、開始時現存額主義により、数人の全部義務者の数人または1人に関する法的倒産手続開始後に他の全部義務者からの弁済等があっても、その債権の全額が消滅した場合を除き、破産開始時に有する債権額をもって手続に参加できる。かかる開始時現存額主義に従えば、保証人の弁済計画に基づき非保全債権に対してなされる弁済額を、主債務者の事業再生計画において非保全債権額から控除しないという取扱いを導きやすい。

　もちろん、前述の通り、私的整理手続では、法的倒産手続の擬律を踏まえて事案に応じた実質的衡平に適う適切な処理を行うことも許容され、保証人の弁済計画に基づく非保全債権に対する弁済額を、主債務者の事業再生計画において非保全債権額から控除することも行われている[注3]。これは、経営者の保証を得ている対象債権者と得ていない対象債権者との回収見込みの差を少なくして、衡平を図ろうとするものといえる。もっとも、例えば前述した経営者提供に係る担保物の保全評価の場合であれば、担保提供者が主債務者であるか経営者であるかによって担保評価額が変わるわけではなく、担保権があることで換価回収の確実性も一定程度見込まれるから、これを主債務者の事業再生計画で保全評価することも受け入れやすい。これに対し、保証人による弁済は、GLにおいて履行可能性が認められることを前提としても、主債務者による弁済との比較において、まったく同程度の弁済確実性が見込まれるものとして考慮してよいのか、悩ましい事案も多いと思われる。

（注3）　小林・前掲（注2）71頁。

したがって、実務的対処としては、保証人の弁済計画における非保全債権に対する弁済額を、主債務者の弁済計画において非保全債権額から控除しない、という対応をとることが現実的な場合が多いのではないかと考える。

3 主債務の免除により付従性で保証債務も消滅してしまうことに関する手当て

対象債権者が事業再生計画に基づき主債務を免除したときは、当該免除の効力は保証人の保証債務にも及び、保証債務も消滅することとなる（付従性。民448条）。しかし、多くの事例では、このように付従性によって保証債務が消滅することは、当事者の合理的意思と異なることとなる。そこで、付従性による保証債務の消滅を回避すべく、以下のような一定の手当てが必要となる。

まず、主債務の免除にかかわらず保証債務を履行することにつき保証人との合意があれば、付従性による保証債務消滅は回避されることとなる(注4)。例えば、保証人につきGLによる弁済計画が成立したときは、当該弁済計画成立に係る保証人と対象債権者間との合意は、付従性排除の合意を含むと評価し得るであろう（事業再生計画や弁済計画においてかかる付従性排除が明記されていればなお明確である）。逆に、保証人につきGLによる弁済計画が成立しないときは、別途、保証人から、主債務の免除にかかわらず保証債務を履行することについての同意を得る必要がある。

次に、主債務者についていわゆる第二会社方式を用い、主債務者に対する債務免除を特別清算手続において行う場合、特別清算の協定は債権者が清算株式会社の保証人に対して有する権利には影響を及ぼさないから（会社571条2項）、保証債務の消滅を回避することができる。なお、特別清算において、協定ではなく、清算株式会社と協定債権者との個別合意により債務の減額をする場合、会社法571条2項が類推適用されないとすると(注5)、保証人の保証債務も付従性により消滅することになるので、注意が必要である。

(注4) 最判昭和46・10・26民集25巻7号1019頁。ただし、保証人が引き続き負う債務が保証債務なのか、債権者と保証人との合意により生じる新たな別の債務なのかは、評価が分かれ得る。

Ⅳ　事業再生計画と弁済計画の成立における関連性

　主債務者の事業再生計画案と保証人の弁済計画案の成立に関連性はあるか。具体的には、いずれかのみが成立し他方が成立しない、ということが許容されるかという問題である。

1　両計画の内容の関連性が強い場合

　まず、両計画の内容の関連性が強く、両者一体として成立させなければ計画遂行ができず、いずれかの計画のみを成立させても無意味であるという場合がある。

　例えば、経営者が主債務者の事業に必要不可欠な資産を保有しており、主債務者の事業の安定的な継続のために、両計画に基づいて経営者から主債務者に対し当該資産の所有権を移転する必要がある事例などが挙げられる。このような場合に、経営者について計画が成立せず破産することになると、破産手続との時間軸の違いや、破産管財人に管理処分権限が専属することから、主債務者の事業再生計画で予定された資産移転ができず、結局、主債務者の計画も遂行できなくなる。

　また例えば、前述Ⅲの2の論点で、保証人の弁済計画における非保全弁済額を、主債務者の事業再生計画において弁済対象となる非保全債権額から控除する場合、保証人の弁済計画が不成立となれば、主債務者の事業再生計画における弁済額計算の前提が崩れることとなる。

　したがって、このように両計画の内容の関連性が強い場合、両計画をいずれも成立させるか、いずれも成立させないかの判断とならざるを得ない。

2　両計画の内容の関連性が強くない場合

　次に、両計画の内容の関連性が強くない場合、さまざまな考え方があり得る。

（注5）　松下淳一＝山本和彦編『会社法コンメンタール⒀清算⑵』（商事法務、2014）253頁〔中西正〕。

この点、事業再生ADRでも、再生支援協議会の手続でも、主債務者の事業再生計画のみが成立するという事態は許容されている。
　他方で、事業再生ADRでは、保証人の弁済計画のみが成立するという事態は基本的に想定していない[注6]。その理由は、GLに基づく債務整理の経済合理性は主債務の弁済計画と合わせ検討することとされているところ、主債務の弁済計画が不成立となった場合はその前提を欠くことなどにある。確かに、対象債権者の立場に立って考えても、主債務者の事業再生計画が不成立となれば、保証人の弁済計画に対する同意の前提として見込んだ回収額の増加がなくなり、よって保証人にインセンティブ資産を残す経済合理性もなくなる、という考え方は自然である。
　ただし、事業再生ADRでも、対象債権者らが主債務者の事業計画の成否にかかわらず保証債務を解除することについて特に同意している場合は、当該合意成立を否定する必要はないとしている。思うに、私的整理手続では対象債権者らの意思は最大限尊重されるべきであるから、このような考え方が正当と考える。
　したがって、実務上の対処としては、主債務者の事業再生計画のみが成立する場合、これを許容してよいと思われるが、保証人の弁済計画のみが成立する場合、対象債権者らがこれを許容する意思かそうでないかを確認して、許容する意思が確認できた場合にのみ、保証人の弁済計画の成立を許容することになると考えられる。

V　事業再生計画と弁済計画の履行における関連性

　最後に、主債務者の事業再生計画と保証人の弁済計画の履行に関連性はあるか。
　この点、両計画の内容面での関連性が強い場合、一方の不履行が他方の遂行不能を招来することがあり、その意味での関連性があることは、前述Ⅳの1と同様である。

（注6）　事業再生ADRのすべて371頁［中井康之＝小林信明＝大石健太郎］。

第2章　GLの運用上の問題点

　問題は、両計画の内容面での関連性が強くはない場合に、主債務者の事業再生計画が遂行不能となったときに、保証債務の弁済計画に影響を生じるか、という点である。

　この点、主債務者の事業再生計画の不履行により保証債務の弁済計画についての合意が覆され、元の保証債務が復活するとすれば、結局のところ、事業再生計画の遂行完了まで元の保証債務が潜在的に存在し続けることと等しく、GLによる債務整理を行うインセンティブは失われ、経営者をして早期の事業再生に着手させようとするGLの趣旨に反することになる(注7)。

　また、保証人は、事業再生計画において、経営責任明確化のために経営者の地位を退き、株主責任明確化のために株主権も失うなど、事業再生計画の遂行につき権限のない立場に退く例も多く、計画遂行の権限のない者に遂行不能の責任のみ課すことは正当とは思われない。

　さらに、保証人についての経済合理性を検討する際に、主たる債務者の債務整理における弁済額が考慮されることになるが、それは合理的な見込額であり、結果として弁済が履行されなかったとしても、その経済合理性の算定には影響しない(注8)。

　以上から、主債務者の事業再生計画の不履行があっても、保証人の弁済計画には影響はなく、保証人は、その弁済計画を履行すれば、残存する保証債務の免除を受けられると考えるべきである。

（注7）　事業再生ADRのすべて372頁［中井＝小林＝大石］。
（注8）　小林・前掲（注2）73頁。

8 単独型の問題点

弁護士 野村 剛司

I はじめに

　GLは、保証債務の整理を実施する場合において、主たる債務と保証債務の一体整理を図ることにより、すなわち主たる債務者の法人と保証人である法人代表者らを一体として経済合理性を判断することにより、保証人である法人代表者らに破産における自由財産（自由財産の範囲の拡張を含む）の他に一定期間の生計費に相当する額や華美でない自宅等を残存資産に含めることを認め（インセンティブ資産）、保証人単独でみた場合の清算価値を下回ることを容認することで、経営者に早期の決断を促す点に大きな特徴がある。
　この点、いわゆる準則型私的整理手続の場合、その手続の中で、主たる債務者の法人と保証人である法人代表者らを同時並行的に一体整理することが可能である（一体型）。
　ところが、例えば、主たる債務者の法人が再建型の法的整理手続である民事再生を申し立てた場合、保証人である法人代表者らがGLを利用するには、個人について民事再生を申し立てることは想定されていない。法人の再生事件とは別の独立した個人の再生事件として、単独での清算価値保障原則を満たす必要があるとされることから、再生手続が同時並行的に進み、事実上の一体整理が図られるとしても、保証人である法人代表者らにインセンティブ資産を認めることは困難である（債権者全員の同意があれば、清算価値保障原則を下回る再生計画案も可能ではあるが）。
　そこで、保証人である法人代表者らにつき、GLを利用するためには、債権者が無税償却できるよう、特定調停等の準則型私的整理手続を利用することになる。このように、主たる債務について法的債務整理手続が申し立てられ、保証債務のみについて別途整理することから、「単独型」や「のみ型」

と呼ばれる。

　単独型で、主たる債務者の法人と保証人である法人代表者らの整理手続を異にすることは、一体型と比べ問題が生じるのだろうか。対象債権者は基本的に同じだが、手続実施機関が異なることで見通しの善し悪しがあるのだろうか。単独型といっても、インセンティブ資産を認めるためには、主たる債務者の法人の手続における回収見込額の増加額の結果に影響されることになり、実際には切り離して考えることはできない。手続が異なることにより債務者側の情報開示に偏りが生じる可能性もあるのだろうか。また、単独型は、インセンティブ資産が認められないとされる主たる債務の整理手続の終結後の場合であっても利用可能であるが、そのような場合のGLの意義についても検討を要するだろう。

Ⅱ　単独型の利用場面

1　典型例は、主たる債務者の法人が民事再生を申し立てた場合

　主たる債務について法的債務整理手続が申し立てられ、保証債務について、その整理を行う必要がある場合等、主たる債務と保証債務の一体整理が困難なため、保証債務のみを整理する場合（GL7項(2)ロ）の典型例としては、主たる債務者の法人が再建型の法的債務整理手続である民事再生を申し立てた場合が挙げられる。

　そして、保証債務の整理には、基本的に特定調停の利用が想定されている（後述Ⅲ）[注1]・[注2]。

　法的債務整理手続は、破産手続、再生手続、更生手続および特別清算手続の4つがあり、準則型私的整理手続は、利害関係のない中立かつ公正な第三者が関与する私的整理手続およびこれに準ずる手続で、再生支援協議会

（注1）　日本弁護士連合会「経営者保証に関するガイドラインに基づく保証債務整理の手法としての特定調停スキーム利用の手引」（令和2年2月19日改訂）参照。
（注2）　野村剛司「民事再生の申立てを行った法人の代表者につき、『経営者保証に関するガイドライン』を利用した特定調停が成立した事例」事業再生と債権管理156号（2017）116頁参照。

による再生支援スキーム、事業再生ADR、私的整理GL、特定調停等をいう（GL 7 項(1)ロ）。

主たる債務者の法人がどの債務整理手続を利用するか、保証人である法人代表者らがどの時点でGLに基づく保証債務の整理に入るかにより、特にインセンティブ資産との関係で、単独型の利用場面はさまざまある。なお、経済合理性・インセンティブ資産に関する詳細については、**本章3**を参照されたい。

2 再建型の場合

主たる債務者の法人が再建型の法的債務整理手続である再生手続、更生手続の開始申立てを行った場合は、対象債権者の回収見込額の増加額につき、①主たる債務の弁済計画（案）に基づく回収見込額から②現時点において主たる債務者が破産手続を行った場合の回収見込額を控除して算出される（GL・QA 7 -16）。なお、主たる債務者が第 2 会社方式により再生を図る場合、①会社分割（事業譲渡を含む）後の承継会社からの回収見込額および清算会社からの回収見込額の合計金額から②現時点において主たる債務者が破産手続を行った場合の回収見込額を控除して算出する（同）。

この回収見込額の増加額がインセンティブ資産の上限を画することになることから（GL 7 項(3)③）、再建型の場合には単独型の利用が想定されることになる。

3 清算型の場合

主たる債務者の法人が清算型手続の場合、回収見込額の増加額は、①現時点において清算した場合における主たる債務および保証債務の回収見込額の合計金額から②過去の営業成績等を参考としつつ、清算手続が遅延した場合の将来時点（将来見通しが合理的に推計できる期間として最大 3 年程度を想定）における主たる債務および保証債務の回収見込額の合計金額を控除して算出される（GL・QA 7 -16）。

清算型の法的債務整理手続としては、破産手続と特別清算手続が想定されるが、主たる債務者が第 2 会社方式により再生を図る場合は、前記 2 の再建

型として考慮することになる。

　清算型の場合であっても、インセンティブ資産が認められる可能性は十分あり、インセンティブ資産が認められない事案であっても、破産によらずに保証債務の整理が行えることには大きな意義がある。

4　準則型私的整理手続の場合

　主たる債務者の法人が準則型私的整理手続を利用した場合は、基本的に一体型で進むことから（主たる債務者の法人も保証人である法人代表者らも特定調停で処理する場合も一体型といえよう）、単独型の利用は例外的となるが、保証人である法人代表者らにつき別途特定調停等を利用して処理することも想定されるところである。

5　主たる債務の整理手続の終結後の場合

　インセンティブ資産は、早期の事業再生等の着手の決断について、主たる債務者の事業再生の実効性の向上等に資するものとして、対象債権者としても一定の経済合理性が認められる場合に認められることから、主たる債務の整理手続（法的債務整理手続、準則型私的整理手続のいずれも含む）の終結後の場合は認められていないが（GL 7 項(3)③）、インセンティブ資産を求めず、自由財産のみ確保し、保証債務の整理を求める場合には、単独型の利用場面となる。

6　主たる債務者の法人が事実上の倒産の場合

　これまでみたところは、主たる債務者につき法的債務整理手続または準則型私的整理手続（相対で行う広義の私的整理も可能）により債務整理が行われることが想定されているが、法人が事実上の倒産で放置されている中、保証人である法人代表者らのみ、単独型の利用が可能か。この点については、GLの規定からすると、想定されていないように思われる（GL 7 項(1)ロ）。

Ⅲ 単独型の手続、処理方法

1 現状

単独型の手続、処理方法としては、前述の通り、基本的には特定調停を利用することが想定されており、他に再生支援協議会による再生支援スキームを利用することもできる状況にある。

2 特定調停

特定調停は、民事調停法の特別法である特定調停法に基づく民事調停の一類型であり、裁判所における手続であるが、準則型私的整理手続に位置付けられている。簡易裁判所（地方裁判所本庁に併置された簡易裁判所が推奨されている）に申し立てることになるが、地方裁判所に申し立てられた事案もある。

基本的には、対象債権者との間で事前調整を行うことが想定されているが、調停に代わる決定（いわゆる17条決定。民調17条）が利用されることもあり、必ずしも積極的な全員同意が必要というわけでもないところに特徴がある。

3 再生支援協議会

裁判所外の準則型私的整理としては、再生支援協議会による再生支援スキームにおいて、単独型の利用が可能である。

なお、再生支援協議会の場合、特定調停における17条決定の制度はないことから、積極的な全員同意が必要である。

4 相対による広義の私的整理の場合

主たる債務者と対象債権者が相対で行う広義の私的整理は、準則型私的整理手続には含まれないが（GL7項(1)ロ）、保証人が、合理的理由に基づき、支援専門家等の第三者の斡旋による当事者間の協議等に基づき、すべての対象債権者との間で弁済計画について合意に至った場合には、対象債権者が、GLの手続に即して、残存する保証債務の減免・免除を行うことは可能とさ

れている（GL・QA 7 - 2）。

Ⅳ 単独型の諸問題

1 保証人につき、破産を求められる

　主たる債務者の法人が民事再生や破産といった法的整理に入った場合、保証人である法人代表者らが同時に法的整理に入っていないと、債権者からは、必ずといってよいほど、破産しないのかと質問される。連帯保証についての最終処理を求めるものであり、質問としては理解できるところである。ただ、GLを検討していると意向表明した場合、なぜ破産してもらえないのか、と破産を求められることがある。準則型私的整理手続における一体型においてはみられない現象であろう。

　民事再生の場合、裁判所の管理下にあり、結局は再生債務者が提出した再生計画案の決議における同意・不同意しか判断する場面がなく（担保権者の場合、別除権協定の場面もあるが）、私的整理より債権者の関与の度合いが低いと思われていることによるのだろうか。さらにいえば、破産の場合、裁判所が選任する破産管財人が実施する配当を受けるのみで、基本的に判断の場面がない中、GLが利用されると、同意・不同意の判断を要することになる点が影響しているのだろうか。

　ただ、これらは、GLが浸透していくことにより、杞憂となっていくであろうし、そうなってもらいたいと願うところである。

2 一体型における見通しのよさは、単独型では異なるのか

　準則型私的整理手続の場合、同時並行的に、保証人である法人代表者らの資産開示も行われ、弁済計画の立案も含め、基本的に主たる債務者の法人と一体の資料の中で認識することが可能である（準則型私的整理手続に基づき主たる債務者の弁済計画を策定する際に、保証人による弁済もその内容に含めることとされている（GL 7 項(2)イ）。

　これに対し、民事再生の場合、財産評定は再生債務者の財産のみを対象とし、再生計画案の決議の際にも、保証人である法人代表者らの資産や弁済計

画を示すことはない（法的整理は、債務者の法人格単位で行われる）。

　このことは、単独型は見通しが悪いという評価につながるのであろうか。

　GLにおいては、主たる債務と保証債務を一体として経済合理性の判断を行うが（GL 7 項(3)③、GL・QA 7 -13）、その判断に影響するのは、インセンティブ資産の上限を画する主たる債務者の法人における回収見込額の増加額である（GL・QA 7 -16）。この回収見込額の増加額が保証人である法人代表者らの処理に影響するのであって、その意味で基本的には、法人→法人代表者らという一方向的な影響である。そして、民事再生の場合、裁判所や監督委員の監督の下、財産評定により法人の清算価値が、再生計画案により法人の弁済計画による回収見込額が明らかとなることから、主たる債務者の法人における回収見込額の増加額は明確である。

　もちろん、保証人である法人代表者らの資産状況によっては、対象債権者としても、主たる債務者の法人の再生事件における再生計画案の判断の際に影響することもあるかもしれないが、中小企業における法人代表者らは、法人の資金繰りのために個人資産を注入しており、個人にはさほど大きな資産は残っていないことが多いであろう。

　この点、民事再生であっても、再生計画案の決議前に保証人である法人代表者らについてもGLの利用に向けた事前調整が始まっていれば、資産開示や弁済計画が示されることになり、見通しがよくなるだろう。

　もっとも、事実上の問題であろうが、法人と法人代表者らの代理人（支援専門家）が利害相反等の理由から異なる場合（法人と法人代表者らの代理人が同じ場合は、当然情報が一元化されている）、法人代表者らの代理人（支援専門家）としては、法人の再生手続における情報を入手しないと進められないため、代理人間で事実上の連携が必要となろう（対象債権者からすると、法人の代理人と法人代表者らの代理人〔支援専門家〕の二方向から情報が入ってくることになる）。

　なお、一体型の場合、主たる債務者の法人の弁済計画の検討の中で保証人である法人代表者らの債務整理の方針や方向性を併せて考慮でき、さまざまな調整の余地があろうが、単独型で、対象債権者が態度をなかなか明らかにしない場合、保証人である法人代表者らの側からすると見通しが悪くなり、

第2章　GLの運用上の問題点

手続選択にも影響を及ぼしかねないであろう。

3　主たる債務者の法的手続における回収見込額の増加額が影響する

　前述した回収見込額の増加額の点は、主たる債務者の法人の弁済計画の立案を待つ必要がある。

　再生手続の場合、再生手続開始後数か月で再生計画案の提出となり、その時点で判明することになる。清算配当率は、基本的に再生手続開始時を基準とした財産評定で判明している。ただ、多くの場合、対象債権者となる金融機関債権者は、不動産担保等の担保権を有する別除権者であり、別除権協定も関係する。すなわち、担保権者として担保権実行により優先弁済を受ける分を控除した不足額が確定しないと無担保の再生債権に対する再生計画に基づく弁済額が確定しない関係にある（不足額責任主義）。したがって、保証人である法人代表者らがインセンティブ資産をどの程度求めるかにもよるが、主たる債務者の法人の再生事件における再生計画案および別除権協定次第のところがある。準則型私的整理手続の場合、前述した通り、同時並行で全体像を示すことになり、かつ決議も同時に行うことから、内容的にも期間的にも見通しがつけやすいが、単独型の場合、内容的にも期間的にもやや劣る可能性がある。

　また、主たる債務者の法人が破産を申し立てた場合、破産事件において配当が可能か、配当が可能として、配当額がどれだけあるかは、実際に配当段階に至らないとわからないし、早期着手による回収額の増加（逆にいえば、遅延による回収額の減少）のシミュレーションも大切である。事案によっては配当までに時間を要することもあり（結局、配当できずに異時廃止となる可能性もある）、保証人である法人代表者らにつきGLの利用に向け事前調整を重ねていたとしても、事案によってはインセンティブ資産の可否・上限を確定することができないまま時間が経過する可能性がある（この点、時間との関係で、主たる債務についての回収見込額は考慮せず〔ゼロとみて〕、保証債務についての回収見込額の差額をもって回収可能額の増加額を判断することも可能であろう。この点、回収可能額の増加額に関する詳細については、本章❸を参照されたい）。

4　一時停止等の要請のタイミング

(1)　法人代表者らの手続選択の時期

　主たる債務者の法人が法的債務整理手続に入る場合、基本的には資金繰りに窮しており、短期間で申立ての準備をし、申立てを行うことが多い。法人の手続選択の際、保証人である法人代表者らの保証債務の処理についても手続選択の検討を行っているが、法人の手続選択のほうが優先順位としては高い。まず、法人の法的債務整理手続をスタートし、その後落ち着いた段階で法人代表者らの処理を検討することもよくあることである。
　GLの特徴であるインセンティブ資産につき検討するとなると、法人代表者らの資産状況の確認・調査の必要があり、慎重な判断を要する。その作業や手続選択の判断には一定期間を要するのもやむを得ないところである。

(2)　一時停止等の要請は財産評定の基準日となる

　一時停止等の要請（GL 7 項(3)①）は、財産評定の基準日となり、その後の新得財産を弁済原資として考慮しないことにする（破産における固定主義と同視する）ことからも重要である（同項(3)④イ b・ロ）。一時停止等の要請は、実務上、書面を作成し、対象債権者に対しファックスと郵送することで明確にし、この書面を発した日をもって基準日とすることが多い（GL・QA 7-11 においては、対象債権者が応諾した時から開始するとあるが、基準日がまちまちとなることは好ましくない）。

(3)　当面の生活費の確保と有用の資としての費消

　主たる債務者の法人が民事再生（特にDIP型）の場合、法人代表者らは経営を続けられることから、相当な範囲ではあるが役員報酬を受領することができ、生活を維持する原資が見込めるが、主たる債務者の法人が破産の場合、事業停止に伴い、法人代表者らは役員報酬という収入を失うことから、手持ちの資産を取り崩し、当面の生活費を捻出する必要がある。
　さらにいえば、主たる債務者の法人の破産事件で配当見込みがない場合、代表者にはインセンティブ資産が認められにくく、自由財産と自由財産拡張対象の99万円までの資産の保有に限定されることになる。
　この点、保証人である法人代表者らが当面の生活費を確保するために、保

有資産を一部取り崩し、生活費として費消すること自体は、相当な範囲であれば有用の資として、その財産減少行為を責められることはないであろうが、どの時期に一時停止等の要請を行い、財産評定の基準日を設定することにするかは実務上悩ましいところである。

5 基準とする保証債務の額

　単独型の場合、主たる債務については、法的債務整理手続における債権届出、調査、確定手続があり（特別清算の場合はないが）、手続開始時の債権額が確定するが、保証債務については、準則型私的整理のため、適宜の基準日を設けることになる。この点、財産評定の基準日となる一時停止等の要請時を基準日とすることでよいが、主たる債務の法的債務整理手続における確定額（相殺を反映し、別除権については別除権協定等による確定不足額）を用いると明確で合理的であろう。そして、保証債務の弁済計画として、主たる債務の非保全部分につきプロラタとするとわかりやすい。

　なお、倒産法における手続開始時現存額主義（特別清算の場合はない）は、主たる債務者の法人は法的債務整理手続であるから適用があり、保証人である法人代表者らは準則型私的整理であるため適用がない。ただ、経済合理性や回収見込額の増加額を検討する際には、現時点で破産した場合を想定することから、保証人である法人代表者らが破産した場合を想定する際には、手続開始時現存額主義を考慮することになり、法人における一部弁済の時期によってはその一部弁済を控除できなかったり、他にも対象としない他の個人債務の額によっては、若干影響する可能性があろう。この点も考慮の上、前述した主たる債務の法的債務整理手続における確定額を用いることにすることは合理的であると考える。

6　リース債務や取引債務の保証債務、個人債務の取扱い

　保証人である法人代表者らが、①リース債務や②取引債務の連帯保証をしている場合や、③個人債務があった場合、原則としてGLの対象債権者には想定されていない。これらすべてを同列に扱うのかはそれぞれの債権の性質の違いを考慮した上で個別具体的に判断すべきであるが（例えば、リース債

務の保証債務は金融債務に近いといえよう）、弁済計画の履行に重大な影響を及ぼすおそれのある債権者については、対象債権者に含めることができるとされており（GL7項(3)④ロ）、特に単独型の場合、これらを含めて処理したほうがよい事案もあろう（逆に、GLを利用した私的整理の成立の障害となるおそれもあるので、慎重な判断を要する）。なお、破産との比較を行う際には、これらの債務も含めた破産配当の算定となる。

また、特定調停の運用として、債権者が遠方であったり、債権額が少額であったりする場合には、積極的に17条決定を利用することで、消極的同意をもって処理することも必要であろう。

7　インセンティブ資産を求める場合の時的限界

前述した通り、主たる債務の整理手続の終結後は、インセンティブ資産は認められていない（GL7項(3)③）。そのため、保証人である法人代表者らがインセンティブ資産を求める場合は、主たる債務者の法人の法的債務整理手続または準則型私的整理が終結するまでの間に一時停止等の要請を行う必要がある。民事再生の場合であれば、再生計画案を立案し可決・認可されるまでに数か月を要するので、手続選択の検討期間は十分あろう。破産の場合、第1回の債権者集会である財産状況報告集会において異時廃止で終了する事案だと3か月程度の期間となるが、配当可能事案だと半年から1年程度かかることになり、まちまちである。

8　インセンティブ資産が認められない場合の単独型の意義

冒頭で述べた通り、GLは、インセンティブ資産を認める点に特徴があるが、これが認められない事案であっても、①破産しなくとも保証債務の整理ができ、②破産した場合と同様の自由財産（自由財産の範囲の拡張を含む）を確保できるだけでなく、弁済原資を一時停止等の要請時で固定し、その後の新得財産は弁済原資にせずにすみ（この点に大きな意味があろう）、③信用情報登録機関に報告、登録がされないことから、このような単独型の利用にも重要な意義がある。

対象債権者の債権管理の観点からすると、保証人である法人代表者らには

第2章　GLの運用上の問題点

破産してもらったほうが処理として容易かつ公正との指摘はあろうが、法人代表者らの破産を避けたい思いも十分尊重されてよいはずであり、定められたルールの中で実例を重ねていき、よりよき実務慣行が確立されていくことを望むところである。

9　特定調停における印紙問題

　単独型で特定調停を利用する場合、対象債権者が複数であっても１件の申立てとし、経済的利益は算定不能として、訴額を160万円、手数料（印紙額）は6500円とすることが想定され、そのように処理された事例もあるが(注3)、債務免除額を経済的利益として算出する事例もあり、混乱している。

　単独型で特定調停を利用する場合、基本的には対象債権者と十分な事前調整を行った上で、特定調停の場が即決和解的に利用されることも多くあることからしても、即決和解（訴え提起前の和解〔民訴275条〕。手数料は2000円）に準じ、追納を求めずに一律6500円として処理することが妥当であると考える(注4)・(注5)。なお、特定調停における印紙額については、**第４章❷**も参照

(注3)　筆者もそのように処理された経験がある。その際、髙井章光＝犬塚暁比古「清算型スキームの中で主債務を特定調停手続で整理するとともに、保証債務についても『経営者保証ガイドライン』に則り特定調停手続にて一体的に整理した事案」事業再生と債権管理153号（2016）105頁以下を参考資料として上申書を提出した。また、主たる債務者と保証人の特定調停を１通の申立書で申し立て（相手方複数）、まとめて6500円とされた事例として、宮原一東＝水原祥吾「廃業支援型特定調停スキーム及び経営者保証ガイドラインにより、主債務と保証債務の一体整理を図り、経営者保証人の個人破産を回避するとともに、主債務のために担保提供していた経営者の自宅を残した事例」事業再生と債権管理164号（2019）140頁参照。

(注4)　自己破産申立ての場合、法人1000円、自然人1500円（免責許可申立ての500円含む）、民事再生申立ての場合、１万円と、一律の手数料として定められており、債権額や債務免除額に連動するものではない。

(注5)　なお、個人の特定調停では、手数料は、１件500円（訴額が10万円までの手数料）とされているが、裁判所ウェブサイトでは「相手方１人（社）に対する債務額元本が166万6666円を超える場合は、追納の必要が生じることがあります」と説明されている。これは債務額元本の６％（商事法定利率と同じである。１年分の利息相当額とみているのであろうか）で訴額を計算したものであり、債権額や債務免除額そのものを経済的利益とすることは想定されていないのではないかとも思われるところである。野村・前掲（注２）123頁参照。

されたい。

V 最後に

以上、単独型の問題点を検討してきたが、対象債権者となる金融機関債権者の立場からは、一体型であれば全体としてコントロールできるところ、単独型では、主たる債務者である法人が法的債務整理手続で裁判所の管理下にあり、やりにくさを感じるところがあるようにも思われるが、裁判所の管理下で主たる債務者である法人の清算価値や再生計画案が明確になるという利点もあり、積極的な評価もできよう(注6)。また、逆に、保証人である法人代表者らの代理人となる弁護士の立場からは、破産は避けたい依頼者の意向を尊重しつつも、まだまだ事案の少ない中、対象債権者の対応が見通せず、GLの利用に踏み切れない面もあるが、メリットの大きな選択肢ができたわけであり、積極的に利用を検討したほうがよいであろう(注7)。

今後、実例を重ね、裁判所の理解も含め、よりよい実務慣行が確立されることが期待される(注8)。

(注6) 例えば、事案の進行具合にもよるが、主たる債務者の法人が再生手続の場合に、保証人である法人代表者らのGLを利用した特定調停を同じ地方裁判所で受け入れ、再生手続の進行と同時並行で特定調停を進めることで、いわば「一体型」としての利用ができるとよいのではないか(野村剛司編著『実践フォーラム 破産実務』〔青林書院、2017〕460頁〔野村剛司発言〕参照)。

(注7) 野村編著・前掲(注6) 448頁以下において、主たる債務者の法人が破産の場合におけるGLの利用を詳細に検討しており、今後はGLの利用がファーストチョイスとなっていくであろうと指摘する(同457頁〔森智幸発言〕、461頁コラム9参照)。

(注8) この点、主たる債務者の法人が破産の場合における保証人である法人代表者らのGL利用(単独型)につき、支援専門家および金融機関双方の視点から検討し、実践的なマニュアルを提供するものとして、野村剛司編著『実践 経営者保証ガイドライン――個人保証の整理』(青林書院、2020)を参照されたい。

第2章　GLの運用上の問題点

9 複数当事者の場合の問題点

弁護士　西村　　賢

I　複数の会社の経営者保証人を兼ねる保証人の保証債務における問題点

　経営者が、親子会社や兄弟会社の役員を兼務することはしばしば見受けられ、場合によってはまったく事業上の関連性のない複数の会社の役員を兼務するケースも存する。このように保証人が複数の会社の経営者保証人を兼務しているときに、それら主たる債務者たる会社の一部または全部について債務整理手続が開始された場合、当該経営者保証人の保証債務の整理手続をどのように行うべきかについて、GLは特別な規定を置いていない。そのため、兼務する会社のうち、ある会社は破産、別の会社は準則型私的整理手続においてDDSを計画しているなど、主たる債務者の債務整理の方針や内容がそれぞれ異なる場合に、保証人の残存資産に関する経済合理性や弁済計画の衡平性をどのように考えたらよいかなどについては解釈に委ねられることになる。
　そこで、本稿では複数会社の経営者保証人を兼ねる保証人の保証債務における問題点について検討を加える。

1　対象債権者の範囲

　例えば、保証人XがA社とB社の経営者保証人を兼ねていたところ、A社が破産した場合、XはA社の保証債務の整理に迫られることとなるため、その際にB社に対する保証債務の整理も合わせて行い、基準日以降の新得財産については保証債務の引当財産から免れたいというニーズが生じる。
　もっとも、GLにおける「対象債権者」とは、「主たる債務の整理局面において保証債務の整理（保証債務の全部又は一部の免除等をいう。）を行う場合においては、成立した弁済計画により権利を変更されることが予定されている

保証債権の債権者をいう」とされ（GL1項）、GLに基づく保証債務の整理の対象となり得る保証人の要件として、主たる債務者が法的債務整理手続の開始申立てまたは準則型私的整理手続の申立てをGLの利用と同時に現に行い、または、これらの手続が係属し、もしくはすでに終結していること、が必要とされ（GL7項(1)ロ）、当該保証人から保証債務の整理の申出を受けた対象債権者はGLに基づく保証債務の整理の対象となる。

当該「対象債権者」の定義に照らせば、B社が何ら債務整理を行っていない正常な債務者である場合、B社の債権者は「対象債権者」とはならない。

他方、例えば、A社の破産手続係属中に、B社も破産手続や再生手続等の法的債務整理手続が係属している場合や、B社が再生支援協議会などの準則型私的整理手続において債権放棄を内容とする再生計画案を策定している場合のように、主たる債務の全部または一部の減免が予定され保証債務が顕在化する場合には、A社とB社両方の保証債務に係る金融債権者が対象債権者となり得る。

問題は、主たる債務者の1つが準則型私的整理手続における再生計画案においてリスケジュールやDDSを要請する場合、主たる債務の減免が要請されないことから、これらの債権者もGLに基づく保証債務の整理の対象となる対象債権者に該当するか否かである。

この点、GL上は、主たる債務者の準則型私的整理手続における主たる債務の整理の内容による限定は特段設けられていないことから、リスケジュールやDDS等を要請する再生計画案の対象となる金融債権者も対象債権者に該当し得ると解される(注1)。ただし、対象債権者の該当性については、GLの趣旨に照らして「保証債務の整理（保証債務の全部又は一部の免除等をいう。）」が必要となる場面か否かを個別に検討するべきである。

例えば、A社で破産手続が係属中であり、B社は準則型私的整理手続係属中であっても単なるリスケジュールを要請するにとどまる場合には、B社の

（注1） 認定支援機関によるリスケジュール計画を策定する主たる債務者に対する金融債権者を対象債権者とした事例として、宮原一東「第三者保証債務を含む2社の保証債務について、経営者保証ガイドラインを活用し、特定調停手続により、保証債務の整理を行った事例」事業再生と債権管理154号（2016）112頁。

第2章　GLの運用上の問題点

金融債権者に対して経営者保証の減免を要請する必要性が通常は認められないことから、B社の債権者は保証債務の整理の対象となる対象債権者には基本的には該当しないものと解される。ただし、この場合であっても、GL6項の既存の保証契約の適切な見直しの一環として保証債務の解除を求めることは可能である。

　もっとも、B社の要請するリスケジュールが、将来の抜本的な再生計画案を策定する準備のための、いわゆる暫定リスケを要請するケースにおいて、保証人が多額の財産を保有しているにもかかわらず、A社の保証債権者のみを対象としてGLに基づき多額の弁済を行った後、間を置かずにB社が破産手続や再生手続の申立てを行った場合、A社の債権者に対する弁済が偏頗弁済として否認の対象となる可能性が生じる（破162条）。このような場合には、B社の保証債権者も対象債権者として保証債務の弁済計画の策定を検討するべきといえる。また、B社が準則型私的整理手続においてDDSを要請するケースにおいて、その実質がDESや債権放棄に準ずるものと評することができ、当該DDS相当部分について保証債務の負担を負わせ続けることが過大な保証債務負担を要請することにつながり相当でない場合などにも、B社の保証債権者を対象債権者として保証債務の整理を行うべき場合はあるものと解される。このように対象債権者の範囲の確定に当たっては、B社の主たる債務の整理計画の内容に加え、事業環境や主たる債務の弁済計画の実現可能性等をも注視して判断する必要がある。

　また、B社が準則型私的整理手続等は行っていないものの休眠状態の場合、「対象債権者」の定義における「主たる債務の整理局面」ではないため基本的にはB社の債権者は対象債権者には該当しない。

　しかし、A社がB社の債務の全部または一部を重畳的債務引受けするなどによりA社の債務がB社と連帯債務となっている場合、これらの債務を保証している保証人Xの主たる債務は、A社の債務であるとともにB社の債務でもあるため、当該保証債務の整理を行おうとする場合には、当該保証債務に係る債権者からB社についても債務の整理を行うことを求められる可能性が高く、その場合にはB社における対象債務の整理を行うべきものと解する。

2 残存資産の範囲と保証債務の弁済計画における衡平性

　GL活用のメリットの1つとして、保証人に自由財産を超える一定の残存資産を残す余地を与えている点が挙げられる。この残存資産の範囲については、対象債権者は保証債務の履行請求額の経済合理性について、主たる債務と保証債務とを一体として判断することとされ、回収見込額の増加額を上限として、その範囲を決定するものとしている（GL7項(3)③）。

　ところが、主たる債務者が複数いる場合、主たる債務者ごとに財産状況や弁済計画が異なり得るため、対象債権者からみた経済合理性の内容が異なり得る。このような場合に、保証人の残存資産の範囲や弁済計画についても、主たる債務者または対象債権者ごとに差異を設けることが許容されるのか否かが問題となる。

　例えば、A社の破産手続が終結した後に、B社について再生支援協議会手続において債権放棄を要請する再生計画を策定する場合で、A社の債権者aは保証人Xに対して1億円の保証債権を有し、B社の債権者bは保証人Xに対して9億円の保証債権を有し、保証人の自由財産を超える保有資産が1000万円あるとした場合、保証人Xが自由財産を超える財産を残すことができるか否か、できるとしたらどの範囲までかが問題となる。

(1) 残存資産の範囲に関する経済合理性

　この点、保証人XはA社の保証人としての立場とB社の保証人としての立場が併存する。A社の保証人としては自由財産を超える財産を残存資産として残すことが認められていないが（GL7項(3)③）、B社との関係ではB社の再生計画に基づく弁済と破産配当との回収見込額の差の範囲内で残存資産を残す余地が認められる。具体的には、A社の債権者aに対しては、保証人Xは自由財産を超える資産1000万円全額を弁済として拠出することが求められるが、B社の債権者bとの関係では、B社の弁済計画における回収見込額が5000万円、破産した場合の回収見込額が0円であれば、回収見込額の差である5000万円を上限として保証人Xは自由財産を超える残存資産を残す余地が認められる。

　このようなケースにおいて、残存資産ならびに債権者aおよびbに対する

第2章　GLの運用上の問題点

弁済額について、おおむね以下のような考え方があり得る。

　まず、①インセンティブ資産については、当該債権者と保証人との間での経済合理性の中で整理がまずなされるべきであり、aはインセンティブ資産がないものとして回収期待を有しており、bはインセンティブ資産を前提とするため、bとの関係でXの保有する自由財産を超える資産すべてを残存資産とすることができるのであれば、Xについて残存資産が認められない前提の下、aに1000万円を弁済し、bには一切弁済を行わないという見解がある。これに対し、②①の見解のように、bがインセンティブ資産を許容してもaが自由財産を超える財産のすべてを自らの回収に充ててしまい、結局は保証人の手許に何も残らないという結果となってしまうのであれば、bがインセンティブ資産を許容する理由はなく、債権者平等から按分弁済を行うべきであるとして、Xについて残存資産が認められない前提の下、aに100万円を弁済し、bに900万円を弁済するべきであるとする見解もある。また、③経営者たる保証人に対して主たる債務者の事業再生等に早期に着手することのインセンティブを与えるというGLの趣旨からすると、aがGLの趣旨を理解し、bを含めすべて一体として保証債務の整理をすることに同意した場合には、インセンティブ資産を残す（回収見込額の増加額がある場合には、その部分については按分弁済を行う）という見解もある。③の見解については、例えば相当なインセンティブ資産の範囲が300万円だとすると700万円が弁済原資となり、これをaとbの債権額按分で、aに70万円、bに630万円それぞれ弁済すべきこととなる。

　筆者としては、保証人Xは少なくともB社の事業再生の早期着手の決断により、B社の債権者bの回収見込額の増加に寄与したということはできるのであるから、インセンティブ資産を認める③の見解が基本的には妥当であると解する。ただし、主たる債務者の整理手続が再生型であるか清算型であるかによって経済合理性の考え方自体が異なることなどからすると（GL7項(3)③、GL・QA7-4等）、仮にaが一体整理に同意したとしても、保証人の残存資産の範囲に関する経済合理性の判断については主たる債務者ごとに分けて債権の回収見込額を検討することも可能であると解する。例えば、前記のケースにおいて、A社の債権者aからすると、保証人Xに自由財産を超える

残存資産を残すことは許容されないため、自由財産を超える1000万円を弁済原資としてaとbとの債権額按分で弁済することとすると、aは100万円の弁済を受けることができる。他方、B社の債権者bとの関係では、保証人Xに自由財産を超える残存資産を残す余地が認められ、相当なインセンティブ資産の範囲が300万円だとすると700万円が弁済原資となり、これをaとbとで債権額按分で弁済するとbは630万円の弁済を受けることができる。これらの結果、保証人は自由財産を超える資産として270万円を残存資産とすることができる。

(2) 保証債務の弁済計画における衡平性

前記のような見解に立った弁済計画は、保証債務の整理の衡平性（GL2項(4)）に抵触しないかが問題となる。すなわち、保証人が、対象債権者に対して保証債務の減免を要請する場合の弁済計画においては、当該保証人が財産評定の基準時において保有するすべての資産を処分・換価して得られた金銭をもって、担保権者その他の優先権を有する債権者に対する優先弁済の後に、すべての対象債権者に対して、それぞれの債権の額の割合に応じて弁済を行い、その余の保証債務について免除を受ける内容を記載するものとされていることから（GL7項(3)④ロ）、前記の通り対象債権者の債権額に応じたプロラタ弁済ではない弁済計画は許容されないようにみえる。

しかしながら、私的整理手続における衡平性は、個別の事実関係の下での実質的平等を許容するものと解され、前記ケースでは主たる債務者の置かれている状況および保証人の主たる債務者の債務整理に向けた姿勢が異なること、GL7項(3)④ロの規定は、「基準時において保有する全ての資産」から残存資産を控除することを認めており、前述の通り残存資産の範囲を主たる債務者ごとに個別に考え得ることからすると、主たる債務者の異なる債権者間で弁済額や弁済率に一定の差異が生じることとなったとしても、それのみをもって衡平性を害するものとはいえないものと解する。

(3) 残存資産の相当性

残存資産の範囲に関する経済合理性や保証債務の弁済計画における衡平性について、主たる債務者ごとの事情を考慮し、主たる債務に係る債権ごとに異なる判断が許容される見解に立つとしても、保証人の残存資産の相当性に

ついては、保証人ごとに別途の検討を要する。すなわち、残存資産として保証人が残すことのできる財産の上限は、主たる債務者ごとの個別的事情を勘案して対象債権者ごとに異なり得るとしても、その範囲内でどこまでどのような財産を残すことができるかについては、保証人自身の年齢や生活状況等に応じて検討されるべきものと解される。

(4) 残存資産の切分けの可否

以上は、保証人の保有資産全体をもとに、残存資産の量的範囲について、主たる債務者ごとに残存資産の範囲を変えることが対象債権者の経済合理性や衡平性を損なわないか否かについて検討してきたが、保証人の保有資産の質的範囲を主たる債務者ごとに切り分けることが可能であるか否かも問題となる。

例えば、保証人Xは、A社とB社の保証人を兼ねるも、Xの家業はA社であるため主にA社の事業に注力し、また、Xは、A社の株式の大半を所有するとともに、A社に対する多額の貸付金を有しており、Xの所有資産はこれらA社の株式およびA社に対する貸付金がほぼすべてで、その他の資産はわずかしかなかったとする。このようなケースにおいて、B社について準則型私的整理手続が開始し、B社に関して保証債務が顕在化したためGLに基づく保証債務の整理を行う場合、財産の評定の基準時において保有するすべての資産を処分・換価して保証債権者の債権額に応じて弁済をすべきこととされていることから（GL7項(3)④ロ）、Xの所有するA社の株式やA社に対する貸付金についてもすべて処分・換価してB社に関する対象債権者に対して弁済をしなければならないのであろうか。Xの保証債務の整理に当たりこれらの換価処分を余儀なくされると、A社の経営ひいては事業価値に重大な悪影響を及ぼすおそれがある。

これに関し、「GL」の活用に係る参考事例集（金融庁〔2019年8月改訂版〕）において、個人事業（商店）を営む保証人について、保証人の保有資産を「個人事業（商店）に関わる資産」と「その他の資産」とに分類し、「その他の資産」は自由財産の範囲内であったため、保証債務全額について保証免除を実施し、「個人事業（商店）に係る資産」については、当該事業に係る負債があり、債務超過であったこと、また、当該資産が事業継続に不可欠な

資産である点を考慮し、全額を残存資産とした事例が紹介されている（事例66）。当該事例においては、保証人の事業用資産に配慮した残存資産の切分けを行った上、整理対象外の保証人の債務をも加味して残存資産の範囲を決している点で参考になる。

前記設例においてA社に係る保証債務が顕在化していないとしても、Xの所有するA社に関する資産の不可欠性を前提に、Xが所有するA社に関する資産の価値とXが負担するA社に関する保証債務その他の債務との差額をB社の債権者との関係で残存資産とする取扱いも可能であると解される。

3　手続の選択

複数の会社の経営者保証人が保証債務の整理を行う場合、いかなる手続を選択するのかも問題となる。

(1)　主たる債務者のいずれもが法的債務整理手続の場合

主たる債務者であるA社とB社のいずれも準則型私的整理手続を行っていない場合には、保証債務のみを整理する場合に該当するため、当該整理にとって適切な準則型私的整理手続（特定調停または再生支援協議会手続）を選択することとなる。

(2)　主たる債務者の双方が準則型私的整理手続の場合

次に、A社とB社とが親子会社または兄弟会社であり、両者が密接な関係を有するために同じ準則型私的整理手続において一体として再生計画を策定する場合には、原則として保証人の債務整理も一体として同じ準則型私的整理手続を利用するべきである。なお、一体整理の場合、保証人の残存資産の範囲ひいては債権者への弁済原資は全債権者との関係で差を設けず、弁済率も一律とすることが多いが、この場合であっても、A社の破産配当率とB社の破産配当率は通常異なるのであるから、残存資産の範囲について、A社の債権者とB社の債権者とでは認められる経済合理性の範囲が異なる点に留意が必要である。

(3)　主たる債務者の一方のみが準則型私的整理手続の場合

主たる債務者の一方のみが準則型私的整理手続を行う場合、例えば、A社が準則型私的整理手続を行い、B社については何の債務整理手続も行わない

第2章　GLの運用上の問題点

場合、あるいはB社についてはリスケジュールのみを行っていて保証債務が顕在化していない場合には、保証人の債務整理はA社に係る保証債務の整理が中心となることが多いので、A社の準則型私的整理手続の中で一体として行うことが原則である。ただし、B社が法的債務整理手続を行った場合でB社に係る保証債務が僅少でない場合には、残存資産の範囲等において複雑な調整を要する可能性があるため、主たる債務者の準則型私的整理手続と切り離し、裁判所の関与する特定調停手続など、保証債務のみを整理する準則型私的整理手続の利用を検討すべきケースが少なくないものと解される。

II　複数の保証人がいる場合の問題点

ある会社について、会長と社長、社長とその配偶者など、主たる債務について複数の者が保証をしているケースは少なくない。このように複数の保証人がいる場合の問題点について検討を加える。

1　残存資産の範囲に関する経済合理性

GL上、保証人が残すことのできる残存資産の範囲の上限を画する基準として、対象債権者にとって経済合理性が認められることが必要であり、この経済合理性については、主たる債務と保証債務とを一体として判断することとしている。すなわち、経営者たる保証人が、主たる債務について早期の事業再生・清算に着手したことにより、主たる債務の回収見込額が増加した範囲内で、保証人に自由財産を超える残存資産を残すことを許容することとし、主たる債務者の債務整理が再生型手続の場合には計画弁済額と破産配当額との差額を、清算型手続の場合には当該清算手続上の配当額と清算が遅延した場合における配当見込額との差額をそれぞれ上限として、保証人の残存資産を残すことを許容している（GL 7 項(3)③）。

この残存資産における経済合理性の上限の基準は、保証人の人数に関係がないものと解されるため、保証人が複数いる場合で、かつ、主たる債務の回収見込額の増加額が多額でない場合には、保証人間で残存資産の範囲についての調整が必要となる。例えば、準則型私的整理手続により再生を図ろうと

するA社の保証人XとYがともにA社の金融債務全額について保証をしており、当該保証債務の整理を行おうとする場合において、A社の再生計画における保証債務に係る主債務に対する弁済原資が500万円しかない場合、A社の破産配当見込額がゼロだとしても、保証人の自由財産を超える残存資産は500万円の範囲内でしか許容されないこととなる。そのため、保証人XおよびYのいずれも自由財産を超える資産としておのおの250万円を超える資産を保有し、それが一般的な生計費相当額の範囲内といえるとしても、全額を残存資産として残すことはできず、いずれかまたは双方の資産から合計500万円を超過する部分については保証債務の弁済をすることが必要になる。

　これに関し、主たる債務と保証債務の一体整理を図ることが可能な場合には保証債務の整理の手続は主たる債務と一体として行うことが原則とされているため（GL7項(2)）、A社が準則型私的整理手続を行う場合において、保証人XおよびYがともに保証債務の整理を行おうとする場合には、一体型としてXとYもA社と同じ手続の中で保証債務の整理が行われるので、残存資産の範囲の調整を行うこともそれほど困難ではない。

　しかし、一体型ではない場合、保証人XとYが同じ手続により保証債務の整理を行うことが義務付けられていないため、XとYとの間で残存資産の範囲について調整することが困難となる。しかも、XとYとが別々に保証債務の整理を行おうとする場合には、それぞれの支援専門家も異なることが通常であるため、主たる債務の回収見込額の増加額の試算自体がXとYとで変わってくる可能性がある。

　このような場合、対象債権者にとっては、保証債務の弁済計画を同意することが困難となるケースが想定されるが、円滑な同意形成を図るため、対象債権者の側からXとYとの間で残存資産の範囲および保証債務の弁済計画の調整を行うよう働きかけることが望ましいといえる。

　なお、このような残存資産の範囲の調整は、保証人が自由財産を超えるインセンティブ資産を残そうとする場合が前提であり、残存資産が自由財産の範囲内にとどまり、保証人の対象債権全額の免除を要請する場合には、他の保証人との残存資産の調整は問題とならない。また、前記設例は、XとYとがA社の金融債務全額を保証するとともに、対象債権者に対して主たる債務

者がプロラタ弁済することを前提としているが、実際の経済合理性の判断は対象債権者ごとにみるため、債権者間の弁済率が異なる場合や保証人の保証している債務の範囲が異なる場合には、それぞれの事情に応じて個別に判断する必要がある。

2　一部の保証人の弁済および免除における他の保証人への影響

　複数の連帯保証人がいる場合、保証人の一部がその負担部分を超えて保証債務の履行を行ったときには、主たる債務者に対して弁済額全額の求償権を取得するとともに（民459条・462条）、他の保証人に対しても各自の負担部分について求償権を取得する（同法465条1項・442条）。

　主たる債務者について準則型私的整理手続による債務整理がなされ、保証人すべての保証債務整理も主たる債務と一体として行う場合には、主たる債務者も保証人も債務の履行を行う前の債務額を前提に弁済計画および債務免除計画が策定される上、求償権の取扱いについても計画上で定められることが一般的なため（通常は経営責任の一環として主たる債務者に対する求償権は放棄することとされる）、保証人の保証債務の額や免除額、求償権の取扱いについて重大な問題は通常生じない。

　しかし、複数の保証人の保証債務の整理が別々に行われる場合、その時間の先後によって保証債務の額に変動が生じるとともに、保証人間の求償権の取扱いが問題となることがある。例えば、A社の金融債務1000万円についてXとYとがそれぞれ全額の連帯保証をしていた場合において、XのみがA社の債務整理とともに一体としてGLに基づく保証債務の整理を行い、対象債権者に対して700万円の保証履行を行ったとする。この場合、Yの保証債務はXの保証履行により300万円に縮減される一方、負担部分が平等であればXに対して200万円の求償債務を負担することとなる。ところが、Yの保証債務の整理において、求償権を有するXはYのGL上の「対象債権者」には該当しないため（GL・QA1-1）、Yは、原則としてXとの間はGLとは別に求償権の取扱いについて合意する必要がある。そのため、求償権者であるXがYに対して強硬に求償債務全額の履行を求めた場合には、対象債権者に対する保証債務の弁済よりもXに対する求償債務の履行が優先され、YのGL

に基づく対象債権者への弁済に支障が生じる事態も想定し得る。このように、XとYとが一体で保証債務の整理を行っていれば、XとYの弁済財源の調整も同時に行って原則としてプロラタで対象債権者に弁済することができるのに、XとYの保証債務整理手続を別々に行うことにより、遅れて整理しようとする保証人Yの保証債務整理が円滑に進まない可能性が生じ得る。

したがって、複数の保証人がいる場合で、特にその一部の保証人に相応の資力が認められる場合には、可能な限り保証人全員を一体として保証債務の整理を行うほうが望ましく、保証人の一部のみについて保証債務の整理を行う場合には、他の保証人との間の求償権の取扱いについても留意する必要がある。

3　手続の選択

保証人の債務整理手続の選択について、保証人が1名である場合と保証人が複数である場合とで基本的な違いはない。

ただし、保証人が複数いる場合、保証人ごとに主たる債務者との関係には濃淡があり、主たる債務者が準則型私的整理手続を行う場合であっても、保証人の一部については一体型で保証債務の整理が行われない場合、あるいは行わないほうが望ましい場合もある。例えば、主たる債務者について再生支援協議会手続による私的整理が行われている場合に、保証人である前々代表者については一体型で保証債務の整理を行ったが、前代表者および現代表者については、再生支援協議会が関与しない関連会社に係る保証債務も負っていたこと、金融債権者が多数であったことから、特定調停により保証債務の整理を行った事案が紹介されている（金融庁「経営者保証に関するガイドライン」の活用に係る参考事例集〔2019年8月改訂版〕事例63）。

10 税務上の問題点

公認会計士　須賀　一也

I　GLに関連する税務の概要

1　GLと課税関係

GL・QA7-32に、GLと課税関係について次のような記載がある。

> ガイドラインに沿って保証債務の減免・免除が行われた場合の保証人及び対象債権者の課税関係はどのようになるのでしょうか。
>
> A．対象債権者が、ガイドラインに沿って準則型私的整理手続等を利用し対象債権者としても一定の経済合理性が認められる範囲で残存保証債務を減免・免除する場合、保証人に対する利益供与はないことから、保証人及び対象債権者ともに課税関係は生じないこととなります。（中小企業庁及び金融庁から国税庁に確認済）

すなわち、GLに沿って保証債務の減免・免除が行われる場合、結論的には保証人・対象債権者とも課税関係は生じない。

ところで、GL自体は経営者たる保証人の減免・免除に関する準則を定めるものであるが、事業再生等における債務整理手続の目的は主たる債務者に係る債務の減免等を通じて事業の再生や清算を図るところにあり、保証債務の整理はこれに伴って必要となる手続である。そのため、保証債務の減免・免除に係る税務の前提として、最初に債務整理手続における主たる債務者や債権者に係る課税関係の概要について説明する。

2　債務整理手続における主たる債務者・債権者および保証人たる個人の税務

(1)　主たる債務者の税務

債務整理手続は、再生型と清算型とに分けられる。このうち清算型は特別

清算や破産の法的手続が利用されるが、破産は債務免除の手続がないので以下の説明では除外する。再生型は、会社更生や民事再生の法的手続と私的整理手続とに分かれる。私的整理手続には、事業再生ADR、再生支援協議会による再生支援スキーム、私的整理GL等の準則型私的整理手続とこれら以外の私的整理手続がある。

債務整理手続では、債権者から債務の減免を受けるのに伴って、主たる債務者には債務免除益が計上される。当該事業年度開始の日前10年以内に開始した事業年度から繰り越されている青色欠損金がある場合にはこれを控除することができる（法税57条1項本文）が、欠損金控除制限制度により、欠損金の控除額は原則として欠損金控除前の所得の50%が限度とされる（法税57条1項ただし書）ため、控除限度を超える部分には課税が生ずる（中小法人〔法税57条11項1号、期末の資本金の額が1億円以下の法人で、資本金の額が5億円以上の法人等による完全支配関係がある子法人等でない法人〕等は欠損金控除制限制度の適用がない）ことになる。

債務免除益は多額に上ることが多いため、以上の欠損金控除制限制度では多額の法人税等負担が生じる。また、多額の資産の含み損を有するような場合には、更生会社に認められている財産評定損益の特例に準じ、資産の含み損の処理を行って十分な債務免除を受け、抜本的な事業の再生を図ることも必要となる。

以上述べた事情を踏まえてさまざまな税制上の特例が設けられており、その概要は次の通りである。

(i) **更生会社の財産評定損益等**

法人税法では資産の評価損益は原則として税務上損金・益金の額に算入されない（法税25条1項・33条1項）。

更生手続では更生手続開始決定の日を基準としてすべての資産について時価による財産評定が行われ（会更83条）、帳簿の付替えが行われる。この財産評定損益は更生計画の認可決定で終わる事業年度の損金・益金の額に算入される（法税25条2項・33条3項）。

また、再生手続では、民事再生法の規定による再生手続開始の決定があったことにより、同法の評定が行われること（法税基通9-1-3の3）という

法的整理の事実が生じた場合において、資産の評価換えをして損金経理によりその帳簿価額を減額したときは、その減額した部分の金額のうち、その評価換え直前の帳簿価額とその評価換えをした日の属する事業年度終了の時における価額との差額に達するまでの金額は、損金の額に算入される（法税33条2項。以下、「民再損金経理方式」という）。

以上のほか、更生手続以外の法的手続や私的整理手続についても更生手続に準じて資産の評価損益処理を認める制度が設けられている。すなわち、再生計画認可の決定があったことその他これに準ずる政令で定める事実が生じた場合において、資産の評定を行っているときは、その資産の評価損益について、これらの事実が生じた日の属する事業年度の所得の金額の計算上、損金・益金の額に算入するものであり（法税25条3項・33条4項・59条2項3号。以下、「評価損益税制」という）、民事再生（前記民再損金経理方式を利用しない場合）および準則型私的整理において適用が可能である。準則型私的整理は、法人税法が定めている本税制の利用が可能な債務処理に関する計画の要件を満たすものという意味である。

債務処理に関する計画の要件は、一般に公表された債務処理を行うための手続についての準則に従って作成されているもので、債務者の有する資産および負債の価額の評定（「資産評定」という）が行われ、資産評定に基づいて貸借対照表が作成され、当該貸借対照表における資産および負債の価額や損益の見込等に基づいて債務免除等の金額が定められていること、これらに関する第三者による確認の手続が定められていること等（法税令24条の2第1項）である。

(ii) **欠損金控除制限の除外特例**

債務整理手続を行っている法人については、欠損金控除制限の対象から除外する特例が適用される（法税57条11項2号イ～ハ）。ただし、この特例が適用される期間であっても、特例除外事業年度についてはこの特例が適用されない（同号本文括弧書）。

特例が適用される対象と期間の概要は、更生会社は更生手続開始決定の日から更生計画認可決定の日以後7年経過する日までの期間（民事再生についても同様）、特別清算の開始決定・事業再生ADR等の準則型私的整理手続等

は当該事実が生じた日からその翌日以後7年経過する日までが属する事業年度、等である。

また、除外特例が適用されない特例除外事業年度を生じさせる事由の概要は、金融商品取引所等への上場（再上場）、店頭登録（再店頭登録）、再生計画等で定められた弁済期間の満了、債務整理手続の対象債権のすべてが債務の免除、弁済その他の事由により消滅したこと（ただし、再生計画に明示されている再生支援スポンサー等が事業の再生のために債務を負担した場合には、当該スポンサー等の債権および再生債権等のすべてが債務の免除、弁済等により消滅したこと）等である。

(iii) 債務免除益の特例（期限切れ欠損金の使用）

債務整理手続において発生した債務免除益（役員等から受けた私財提供益等を含む）による益金については、青色欠損金の利用可能期間を経過した期限切れの欠損金を控除することが認められているが、更生手続と再生手続とで適用の仕方が異なる。

更生手続では、債務免除益が計上された事業年度の所得の計算上、前事業年度以前の事業年度から繰り越された欠損金額の合計額のうち債務免除益の合計額に達するまでの金額（「更生欠損金」という）を損金の額に算入する（法税59条1項）。前事業年度以前の事業年度から繰り越された欠損金額の合計額は、本特例を適用する事業年度における法人税申告書別表5（一）の期首利益積立金額の合計額がマイナスの場合のその金額（絶対値）を指すが、その金額が当該事業年度における青色欠損金の控除未済欠損金額に満たない場合には、控除未済欠損金額となる（法税基通12-3-2ただし書）。なお、更生欠損金は控除未済欠損金の額をいわば内包する結果となるため、特例適用後には控除未済欠損金のうちないものとする金額の定義が設けられている（法税57条5項）。

これに対して、再生手続のうち前記した民再損金経理方式に係る税制では、更生手続と異なり、控除未済欠損金額を先に控除し、控除後の所得までの金額について期限切れ欠損金の控除を認める制度となっている。すなわち、前事業年度以前の事業年度から繰り越された欠損金額の合計額から青色欠損金の損金算入額を控除した金額（法税令117条の2）のうち、債務免除益の合計

額と、青色欠損金控除後の所得のいずれか少ない金額が、債務免除益が計上された事業年度の所得の計算において損金の額に算入される（法税59条2項）。したがって、更生手続と比べて、青色欠損金が残りにくい結果となる。特別清算における債務免除益の特例は本民事再生の場合と同様である。

また、前記した民事再生および準則型私的整理での評価損益税制における債務免除益の特例は、更生手続の場合に準じた内容となっている。

なお、債務免除益の特例（民再損金経理方式と同様な適用方式）は、前記の手続以外であって、例えば親会社が子会社に対する債権を単に免除するとか、債権者等との私的な協議に基づく債務免除等でなく、債務の免除等が多数の債権者によって協議の上決められる等その決定について恣意性がなく、かつ、その内容に合理性があると認められる資産の整理があった場合等においても利用が可能である（法税基通12-3-1）が、要件の適合性の判定については個別に検討することが必要となる。

(2) 債権者の税務

金融機関債権者にとっては、事業再生等の債務整理手続において債務を免除する額が、課税当局への照会等の手続を要することなく、税務上貸倒損失として損金の額に算入されるかどうかが問題となる。

(i) 法的整理等における債権の切捨て

金銭債権について次のような事実が発生した場合に該当する金額は貸倒損失として損金の額に算入される（法税基通9-6-1）。

① 更生計画・再生計画認可の決定により切り捨てられる金額
② 特別清算の協定認可の決定により切り捨てられる金額
③ 法令の規定による整理手続によらない次のような関係者の協議決定で切り捨てられる金額
　ⅰ 債権者集会の協議決定で合理的な基準により債務者の負債整理を定めているもの
　ⅱ 行政機関または金融機関その他の第三者の斡旋による当事者間の協議により締結された契約でその内容がⅰに準ずるもの
④ 債務者の債務超過の状態が相当期間継続し、その金銭債権の弁済を受けることができないと認められる場合において、その債務者に対し書面

により明らかにされた債務免除額

　前記の①・②の法的整理では貸倒損失の取扱いは明確であるが、法的整理以外の場合には貸倒損失の額が③または④の要件に該当するかどうかの検討が必要となり、該当しない場合には寄付金となるおそれがある。

(ii) 事業再生における債権放棄

　子会社等に対する債権放棄等が、合理的な再建計画に基づくものである等、相当な理由があると認められるときは、その経済的利益の額は寄付金に該当しない（法税基通9-4-2）、すなわち貸倒損失として扱われる。「子会社等」には、資本関係における子会社の他、取引関係、人的関係、資金関係等において事業関連性を有する者が含まれる（法税基通9-4-1注）ので、金融機関の貸出先も含まれる。

　事業再生ADR、再生支援協議会による再生支援スキーム、私的整理GL等の準則型私的整理手続では、それぞれの手続に基づく債権者による債権放棄等による損失の損金算入が可能であることが国税庁への文書照会により確認されている。

(iii) 保証人がいる場合の貸倒損失

　保証人がいる場合には、主たる債務者に対して債権放棄を行ったとしても、債権者は保証人から回収することが可能なため、そのままでは貸倒損失とはならない。したがって、保証人の資力を調査して回収の検討を行うことが必要となる。

　この場合、保証人が生活保護と同程度の収入しかなく、その有する資産も破産手続における自由財産程度しかないため、保証人からも回収することができないと見込まれる場合には、保証債務の履行を求めるまでもなく、貸倒損失として損金の額に算入することができる（国税庁ホームページ質疑応答事例〔法人税〕保証人がいる場合の貸倒れ）。

(3) 保証人たる個人の保証債務に係る免除益

　一般論として、債務の免除を受けたことによる経済的利益は原則として所得の計算上収入金額とされる（所税36条1項、所税基通36-15(5)）。主たる債務者が債権放棄を受けるような場合は保証人による保証履行が期待される状況なので、このような状況における保証債務の減免・免除は原則として経済的

利益を構成すると考えられる。

また、資力を喪失して債務を弁済することが著しく困難である場合にその有する債務の免除を受けたときは、当該免除により受ける経済的利益の価額については、所得の計算上、総収入金額に算入しない（所税44条の2第1項）とされるので、保証債務の減免・免除による経済的利益についても同様である。「資力を喪失して債務を弁済することが著しく困難」である場合とは、破産における免責許可の決定や民事再生における再生計画認可の決定がなされると認められるような場合をいう（所税基通44の2-1）。

Ⅱ GLに沿った保証債務の減免・免除と税務

1 一体型・のみ型と税務

(1) 主たる債務と保証債務整理手続の類型

GLでは、保証債務の整理手続について、主たる債務と保証債務の一体整理を図るときは、主たる債務の整理について準則型私的整理手続を利用するとともに、保証債務の整理についても原則として準則型私的整理手続を利用することとし、主たる債務について法的債務整理手続が申し立てられ、主たる債務と保証債務の一体整理が困難な場合には、保証債務の整理に当たって適切な準則型私的整理手続を利用することとされている。

以上から、保証債務の整理は次のように一体型と単独型（のみ型）に分けられる。

類型	主たる債務	保証債務
一体型	準則型私的整理手続	準則型私的整理手続
のみ型	法的債務整理手続	準則型私的整理手続

(2) 一体型

主たる債務者の弁済計画を策定する際に保証人による弁済もその内容に含めることとし、対象債権者は、保証人の資力に関する情報の提供を受けた上で、保証債務の履行請求額の経済合理性について、主たる債務と保証債務とを一体として判断することになる。

10 税務上の問題点

　この場合の経営者たる保証人に残す残存資産の考え方については、経営者による早期の事業再生等の着手の決断について、主たる債務者の事業再生の実効性の向上等に資するものとして、対象債権者としても一定の経済合理性が認められる場合には、対象債権者は、破産手続における自由財産の考え方を踏まえつつ、一定期間の生計費に相当する額や華美でない自宅等を残存資産に含めることを検討することになる。

　また、対象債権者の経済合理性の判断に当たっては、再生型手続の場合には、破産等の清算型手続に至らなかったことによる回収見込額の増加額、清算型手続の場合には、当該手続に早期に着手したことによる保有資産等の劣化防止に伴う回収見込額の増加額の合理的な見積額を上限とするとされている（GL7項(3)③）。

　以上によって保証債務の減免・免除を行う場合には、経営者たる保証人に対する利益供与がないことから、経営者たる保証人および対象債権者ともに課税関係は生じないことになる。

　これらについて図を使って整理すると【図表2-10-1】のようになる。準則型私的整理手続を利用して次のような一体型の主たる債務および保証債務の整理が行われると仮定する。

　保証債務の履行額はGLにより履行請求時の保証人の資産の範囲内とされるから、弁済計画における主たる債務の弁済額と保証人の資産を超える部分の金額（20＝主たる債務計100－〔主たる債務50＋保証人の資産30〕）は、対象債権者にとっては回収することが期待できない部分であり、経営者たる保証人にとっても保証履行の対象にならない。対象債権者が主たる債務についてこの部分の免除を行った場合には保証債務の附従性（民448条1項）により保証債務も減縮されるところ、対象債権者からの経済的利益はないと考えられる。

　主たる債務の免除額（保証債務の減免・免除の減免等ａ）(41)は、この20と保証履行の対象としない保証人の残存資産（21）に対応するが、保証人の残存資産については、前記した経営者たる保証人に残す残存資産の考え方に基づき、回収見込額の増加額の合理的な見積額（40）を上限として残存資産を残す（21）場合には、対象債権者として回収見込額の最大化を図ったものであるから寄付金に該当せず、経営者たる保証人に対する経済的利益の供与はない。

181

【図表2-10-1】回収見込額の増加額と残存資産および保証債務の減免・免除

保証人の資産	弁済計画（合理的な再建計画）	回収見込額の増加額（破産との比較）	保証人の残存資産	保証債務の減免・免除
保証人の資産 30	主たる債務計 100			
	主たる債務の免除額 41			減免等a 41
保証履行 9	保証履行 9			
残存資産 21		回収見込額の増加額 40	残存資産 21	
	主たる債務 50	主たる債務 10		減免等b 50

（注）図中の保証人の資産は自由財産を除くもの。

また、主たる債務の弁済が見込まれる額（50）に付された保証債務（保証債務の減免・免除の減免等b）を免除したとしても、偶発債務の免除にすぎず、経営者たる保証人に対する経済的利益の供与はないことになる。

(3) のみ型

主たる債務者の法的債務整理手続申立後、その係属中に保証債務の整理手続を開始している場合には、残存資産に関する考え方は前記(2)に準ずる。

一方、債務者の法的債務整理手続による再生計画等が認可された後に保証債務の整理手続を開始する場合には、対象債権者は保証人からの回収を期待し得る状況にある（保証債務の附従性の切断）ため、破産における自由財産の範囲を超えて経営者たる保証人に資産を残す経済合理性が認められないことになる。このため、保証債務の整理手続は、主たる債務者の法的債務整理手続が認可により終結する前に着手する必要がある。

2　GLに基づく保証債務の整理に係る課税関係（公表設例）

　GL制定後に、「『経営者保証に関するガイドライン』に基づく保証債務の整理に係る課税関係の整理」（2014年1月16日。以下、「課税関係の設例」という）（巻末【資料4】）が公表されている。

　課税関係の設例は、GLに基づく保証債務の整理手続を4つの類型に分けて、対象債権者・経営者たる保証人とも課税関係が生じないケースを例示したもので、残存資産が破産手続における自由財産となるケースが明らかにされている。

　課税関係の設例の概要をまとめると【図表2-10-2】の通りである。設例、A（結論）、理由とも詳細な記述となっているので、課税関係の設例本文を参照されたい。

3　経営者による併存的債務引受けである場合

　巻末【資料4】の課税関係の設例のQ1の後段の（注）に、保証契約でなく、実質的に経営者保証と同等の効果が期待される併存的債務引受けがなされた場合について記載されている。

　すなわち、併存的債務引受けは保証と異なるため、金融債権者から返済の免除がされたときは、当該経営者は債務免除益を受けたことになり、これによる経済的利益の額は所得の計算上収入金額とされ、この場合には、資力を喪失して債務を弁済することが著しく困難であると認められる場合に受けた債務免除益である場合には課税関係が生じないこととなるとされている。

　以上の通り実質的には保証と同等の効果であっても法形式が異なることで税務上の取扱いが異なるおそれがある点については留意が必要である。

Ⅲ　保証債務履行のための資産譲渡に係る課税の特例

1　資産譲渡の税務

(1)　譲渡所得課税の概要

　不動産等譲渡所得の基因となる資産を譲渡した場合には、譲渡所得に対し

第2章　GLの運用上の問題点

【図表 2-10-2】GL に基づく保証債務の整理の課税関係例の概要

設例	主たる債務と保証債務の整理手続			経営者たる保証人の整理申立時保有資産	
	主たる債務	保証債務	保証債務整理手続着手時期	保証履行	残存資産
Q1【主たる債務と保証債務の一体整理を既存の私的整理手続により行った場合】	再生支援協議会による再生スキーム	主たる債務者の再生計画に含めて一体整理	同時	現金の一部	現金の一部 主たる債務者事業継続に必要な自宅兼店舗
Q2【主たる債務についてすでに法的整理（再生型）が終結した保証債務の免除を、既存の私的整理手続により行った場合（法的整理からのタイムラグなし）】	民事再生	特定調停	同時 保証債務の履行請求額の経済合理性について、主たる債務と保証債務を一体判断	なし	現金 主たる債務者事業継続に必要な自宅兼店舗
Q3【過去に主たる債務について法的整理（再生型）により整理がなされた保証債務の免除を、既存の私的整理手続により行った場合（法的整理からのタイムラグあり）】	会社更生（過去に認可）	特定調停	更生計画認可の後に保証債務の整理開始	右記を除く残りの資産	破産手続における自由財産の範囲内の資産
Q4【主たる債務についてすでに法的整理（清算型）が終結した保証債務の免除を、既存の私的整理手続により行った場合（法的整理からのタイムラグなし）】	特別清算	特定調停	同時 保証債務の履行請求額の経済合理性について、主たる債務と保証債務を一体判断	右記を除く残りの資産	破産手続における自由財産 一定期間の生計費に相当する金額

【図表2-10-3】 土地・建物等の譲渡所得・税率

区分	内容	税率（原則）	
短期譲渡所得	譲渡した年の1月1日において所有期間が5年以下	所得税 住民税 計	30.630％ 9.000％ 39.630％
長期譲渡所得	短期譲渡所得以外	所得税 住民税 計	15.315％ 5.000％ 20.315％

て、他の所得と分離して所得税が課される（租特31条・32条1項・2項）。

$$譲渡所得の金額＝（譲渡益）－（譲渡所得の特別控除額）$$

$$譲渡益 = \left\{ \begin{bmatrix} 短期譲渡所得\\の総収入金額 \end{bmatrix} - \begin{bmatrix} \begin{bmatrix} 譲渡資産\\の取得費 \end{bmatrix} + \begin{bmatrix} 譲渡\\費用 \end{bmatrix} \end{bmatrix} \right\} + \left\{ \begin{bmatrix} 長期譲渡所得\\の総収入金額 \end{bmatrix} - \begin{bmatrix} \begin{bmatrix} 譲渡資産\\の取得費 \end{bmatrix} + \begin{bmatrix} 譲渡\\費用 \end{bmatrix} \end{bmatrix} \right\}$$

　前表の「譲渡所得の特別控除額」は、収用換地等による譲渡、居住用財産の譲渡等の各種特例を受ける場合に適用される。
　土地・建物等の不動産に係る短期譲渡所得・長期譲渡所得の区分および所得税・住民税の税率（原則）は【図表2-10-3】の通りである。

(2) 非課税所得

　資力を喪失して債務を弁済することが著しく困難である場合における競売等の強制換価手続による資産の譲渡による所得は非課税所得とされる（所税9条1項10号）。また、資力を喪失して債務を弁済することが著しく困難であり、かつ、競売等の強制換価手続の執行が避けられないと認められる場合における資産の譲渡による所得で、その譲渡に係る対価が当該債務の弁済に充てられたものも同様である（所税令26条）。
　本規定の「資力を喪失して債務を弁済することが著しく困難」である場合とは、債務者の債務超過の状態が著しく、その者の信用、才能等を活用しても、現にその債務の全部を弁済するための資金を調達することができないのみならず、近い将来においても調達することができないと認められる場合をいい、これに該当するかどうかは資産を譲渡した時の現況により判定する（所税基通9-12の2）こととされる。

非課税所得であるから申告義務はないが、非課税所得に該当する事実を疎明できる資料の用意が必要であろう。

2　保証債務履行のための資産譲渡の特例

(1)　保証債務履行のための資産譲渡の特例の概要

保証人がその保証債務を履行するために保有する不動産等を譲渡した場合において、求償権の全部または一部の行使が不能になる等、一定の要件に該当する場合には、その所得がなかったものとして計算することができる（所税64条2項）。本特例の適用を受けるためには申告書に記載することが必要である（同条3項）。

主たる債務者の事業再生等債務整理に当たって、経営者たる保証人がその所有する不動産等を譲渡して保証債務の履行に充てるとともに再建のため求償権を放棄するような場合が該当する。

なお、主たる債務者が債務超過により弁済不能の状態において借り入れた借入金に係る保証債務の履行である場合は本特例の適用はなく、履行の対象となった借入金が借換えによるものである場合は、借換前の旧借入金に係る保証契約時を基準として判断された例がある（さいたま地判平成16・4・14判タ1204号299頁）。

(2)　対象となる資産の譲渡

対象となる資産の譲渡は不動産等譲渡所得の基因となるものに限られ、棚卸資産に該当するような場合は含まれない。

また、資産の譲渡には、保証債務の履行を借入金で行い、その借入金を返済するために資産の譲渡があった場合であっても、実質的に保証債務を履行するためのものであると認められる場合も含まれる（所税基通64-5）。

(3)　求償権行使不能

求償権の行使不能の判定は、貸倒損失に係る取扱い（所税基通51-11等）を準用するものとされている（所税基通64-1）が、次のすべての状況に該当する場合には行使不能に該当する（保証債務の特例における求償権の行使不能に係る税務上の取扱いについて〔2002年12月25日付け国税庁課税部長回答〕）。

　① 保証人たる代表者等の求償権は、代表者等と金融機関等他の債権者と

の関係からみて放棄せざるを得ない状況にあること
② 求償権の放棄を受ける法人は、放棄によってもなお債務超過の状況にあること（債務超過の判定に当たっては土地等の評価は時価による）

(4) 所得がなかったものとされる金額

資産の譲渡について所得がなかったものとされる金額は、求償権の行使不能額、保証債務を履行した者のその年の総所得金額等の合計額、資産の譲渡に係る譲渡所得の金額のうち最も小さい金額である（所税基通64-2の2）。

Ⅳ 保証人たる経営者による事業用不動産等の贈与に係る課税の特例

1 不動産等の私財提供とみなし譲渡

主たる債務者が事業再生のための債務整理を行うときに、経営者が私財を提供する場合がある。私財が不動産等の資産である場合には経営者個人の課税関係に留意が必要となる。すなわち、居住者が法人に対して不動産等譲渡所得の基因となる資産を贈与（私財提供）した場合には、その時の価額（時価）に相当する金額によって当該資産の譲渡があったものとみなす（みなし譲渡課税。所税59条1項）。したがって、不動産等に含み益があると課税を受けることになる。

2 保証人たる経営者による事業用不動産等の贈与に係る課税の特例

主たる債務者である中小企業について策定された債務処理計画に基づいて、主たる債務者の保証人たる取締役等の不動産等（有価証券を除く）の私財でその中小企業の事業の用に供されているものを贈与した場合には、その贈与の際のみなし譲渡課税を非課税とする（租特40条の3の2）。ただし、この特例は次のような要件を満たすものに限られており、時限措置で2013年4月1日から2019年3月31日までの間に行われた該当する贈与について適用され、その後改正されている(注)。

① 対象となる取締役等・主たる債務者たる法人の範囲
　ⅰ 対象となる取締役等は、主たる債務者の債務に保証している取締役または業務執行者たる社員である個人

第 2 章　GLの運用上の問題点

　ⅱ　主たる債務者たる法人は、次のいずれかの中小企業
　　ⓐ　資本金 1 億円以下の法人で、発行済株式総数の 2 分の 1 以上が同一の大規模法人（資本金が 1 億円超または資本を有しない法人のうち常時使用する従業員の数が1000人超、中小企業投資育成株式会社を除く）によって、または 3 分の 2 以上が大規模法人によって所有されている法人を除く
　　ⓑ　資本を有しない法人のうち常時使用する従業員の数が1000人以下の法人

（注）　本特例は、中小企業者等に対する金融の円滑化を図るための臨時措置に関する法律（以下、「中小企業金融円滑化法」という）の期限（2013年 3 月31日）終了による影響の緩和を図る観点から措置されたものであることを踏まえ、贈与を受ける法人が金融機関から受けた事業資金の貸付についてその貸付に係る債務の弁済の負担を軽減するため中小企業金融円滑化法の施行の日（2009年12月 4 日）から2016年 3 月31日までの間に条件の変更が行われていることを加えた上で、適用期限が 3 年延長された。
　その後、近年頻発する災害に被災した等の理由で新たに支援を必要とする中小企業の企業再生について本特例の適用が受けられない場合があったことから、2019年度税制改正において、債務処理計画が2016年 4 月 1 日以後に策定されたものである場合においても、本特例の適用を受けることができるように改正された（措法40条の 3 の 2 第 1 項 4 号、措規18条の19の 2 第 1 項）。すなわち、贈与を受ける法人の貸付の条件変更に係る要件が次に掲げる要件のいずれかを満たす場合に緩和され、この特例の適用期限が2022年 3 月31日まで 3 年延長された（措法40条の 3 の 2 第 1 項）。
　イ　贈与を受ける法人が受けた貸付につき、中小企業金融円滑化法の施行の日から2016年 3 月31日までの間に条件の変更が行われていること。
　ロ　その債務処理計画が2016年 4 月 1 日以後に策定されたものである場合においては、その法人が同日前に次のいずれにも該当しないこと。
　　イ　株式会社地域経済活性化支援機構法25条 4 項に規定する再生支援決定の対象となった法人
　　ロ　株式会社東日本大震災事業者再生支援機構法19条 4 項に規定する支援決定の対象となった法人
　　ハ　イおよびロに掲げる法人のほか、銀行法施行規則17条の 2 第 7 項 8 号に規定する合理的な経営改善のための計画（同号イに掲げる措置を実施することを内容とするものに限る）を実施している会社（ハの会社は、具体的には、中小企業再生支援協議会等が定める準則または特定認証紛争解決手続に基づく経営改善のための計画〔金融機関による債務免除をその内容としているもの〕を実施している会社となる〔財務省『令和元年度税制改正の解説　租税特別措置法等（所得税関係）の改正』228頁参照〕）。

② 対象となる債務処理計画
　ⅰ　準則型私的整理（法税令24条の2第1項）に該当する債務処理計画（民事再生法・会社更生法の法的債務整理手続を含まない）
③ 債務処理計画と保証債務・対象資産の利用に係る要件
　ⅰ　取締役等が債務処理計画に基づき、保証債務の一部を履行していること
　ⅱ　債務処理計画に基づく資産の贈与およびⅰの保証債務の一部履行の後においても取締役等の保証債務が残ることが債務処理計画において見込まれていること
　ⅲ　資産の贈与を受けた後、主たる債務者がその資産を事業の用に供することが債務処理計画において定められていること
④ 主たる債務者の適用対象者の限定
　ⅰ　主たる債務者が中小企業者等に対する金融の円滑化を図るための臨時措置に関する法律2条1項に規定する金融機関から受けた事業資金の貸付につき、債務の弁済の負担を軽減するため、同法の施行日（2009年12月4日）から2016年3月31日までの間に条件の変更が行われていること

　本特例の要件の詳細については、租税特別措置法（所得税関係）通達の措法40条の3の2（債務処理計画に基づき資産を贈与した場合の課税の特例）の項を参照されたい。

〈参考文献〉
事業再生ADRのすべて274頁～281頁、契約税務研究会編集『事例式契約書作成時の税務チェック』（新日本法規出版、2012）「第9章　倒産に関する文書」、小原一博編著『法人税基本通達逐条解説〔9訂版〕』（税務研究会出版局、2020）

第3章

GLの特則と事業承継

1　GL特則の概要と新たな融資慣行の確立に向けた取組み

全国銀行協会　岡島　弘展

Ⅰ　はじめに

　2014年2月におけるGLの運用開始以降、新規融資に占める無保証融資割合の上昇や、事業承継時に前経営者および後継者の双方から二重に保証を求める（以下、「二重徴求」という）(注1)割合の低下等、経営者保証に依存しない融資の拡大に向けた取組みは着実に進展している。

　もっとも、経営者の高齢化が一段と進む状況において、GLが対象とする中小企業・小規模事業者（以下、「中小企業」という）の休廃業・解散件数は年々増加傾向にあり、また、その予備軍である後継者未定企業も多数存在する等、中小企業を取り巻く経営環境は、混迷の度合いを一層深めている。

　その原因の1つとして、経営者への規律付けや信用補完のため、対象債権者が後継者に徴求する経営者保証の存在が指摘(注2)されている。

　このような状況に鑑み、政府は、円滑な事業承継は喫緊の政策課題との認識のもと、「成長戦略実行計画」および「成長戦略フォローアップ」（ともに2019年6月21日閣議決定）(注3)において、中小企業の生産性向上および地域経

（注1）　GL特則における二重徴求とは、同一の金融債権に対して前経営者と後継者の双方から経営者保証を徴求している場合のみをいい、例えば、代表者交代前の既存の金融債権については前経営者から、代表者交代後の新規の金融債権については後継者からのみ保証を徴求している場合は、二重徴求に該当しない。

（注2）　GL特則の検討着手前の段階における経営者保証に関する客観的事実として、中小企業基盤整備機構「平成30年度『経営者保証に関するガイドライン』認知度調査結果」（2019年7月公表）では、事業承継を検討する際における延期・断念の理由として、「後継者に経営者保証を負わせたくない」との回答が56.0％と最も高い結果となったほか、後継者が見つからない理由として、「後継者候補はいるが、経営者保証を理由に拒否している」との回答が11.9％とされており、前経営者および後継者の双方にとって、経営者保証が円滑な事業承継の阻害要因と考えられていることがうかがえる。

済への貢献促進に係る施策として、二重徴求の原則禁止を明記したGLの特則を年内（2019年中）を目途に策定し、その後の速やかな運用開始を目指す旨が盛り込まれた。

こうした政府の方針は、後継者不在に起因する中小企業の休廃業やそれに伴う雇用の消失が地域経済の再生・持続的発展にとって看過できない重大な問題であることの証左であり、金融機関にとっても、中小企業の後継者問題は経営基盤の継続的な確保・安定を図る上で、極めて重要な経営課題の1つといえる。

以上を踏まえ、「経営者保証に関するガイドライン研究会」（以下、「GL研究会」という）は、その下部組織として、GL研究会座長および金融団体・事業者団体(注4)で構成されるワーキンググループ（以下、「GLWG」という）を組成（2019年10月15日設置）した。

GLWGでは、①例外的に二重徴求が許容される事例、②事業承継時に乗じた安易な保全強化や拡大解釈による二重徴求を防止するための対応、③後継者への対応等、実務的な観点を中心に検討が進められ、GL研究会での討議を経て、2019年12月24日、「事業承継時に焦点を当てた『経営者保証に関するガイドライン』の特則」（以下、「GL特則」という）が策定された。

Ⅱ　GL特則の目的・構成と位置付け等

GL特則は、円滑な事業承継の阻害要因となり得る経営者保証の取扱いについて、具体的な着眼点や対応手法等を明確化することにより、①対象債権者、②主たる債務者および保証人のそれぞれに対し、事業承継に際して求め、期待される取扱いを定め、現行のGLを補完することを目的としている。このため、GL特則に定めのない事項については、GLおよびGL・QAが適用

(注3)　詳細は、〈https://www.kantei.go.jp/jp/singi/keizaisaisei/kettei.html#seicho2019〉を参照。
(注4)　前者は、全国銀行協会、全国信用金庫協会、全国信用組合中央協会、後者は、日本商工会議所、全国商工会連合会、全国中小企業団体中央会がメンバーとして、GL特則の検討に参画した。

されるほか、用語の定義についても、特に断りのない限り、GLおよびGL・QAと同様である。

　GL特則は、【表１】の通り、４つのパートで構成されるが、その最大の意義は、対象債権者における事業承継時の経営者保証の取扱いについて、二重徴求を原則禁止とした上で、後継者および前経営者の負担軽減の観点から、GL特則の策定後に生じる新規取引のみならず、既往取引を含め、保証契約について考慮・検討すべき事項等を改めて明確化したことにある。

　なお、GL特則は、GLと同様、自主的・自律的な準則であり、法的拘束力はないが、高い公共性を有することから、自発的に尊重・遵守されることが強く期待される(注5)。

【表１】GL特則の構成・概要

構　成（章立て）	概　要
１．はじめに	○　GL特則策定の趣旨・目的 ○　GL特則の位置付け
２．対象債権者における対応	(1)　前経営者、後継者の双方との保証契約 (2)　後継者との保証契約 (3)　前経営者との保証契約 (4)　債務者への説明内容 (5)　内部規程等による手続の整備
３．主たる債務者および保証人における対応	(1)　法人と経営者との関係の明確な区分・分離 (2)　財務基盤の強化 (3)　財務状況の正確な把握、適時適切な情報開示等による経営の透明性確保
４．その他	○　適用開始日 ○　態勢整備の必要性等

Ⅲ　対象債権者における対応

　対象債権者における対応は、前経営者、後継者の双方またはそのいずれか

（注５）　以上、小林信明＝岡島弘展「事業承継時に焦点を当てた『経営者保証に関するガイドライン』の特則」の概要」金法2131号（2020）11頁以下参照。

一方との保証契約の取扱いのほか、債務者への説明や態勢整備の５項目で構成される。

　GL特則は、事業承継時の保証の取扱いについては、①二重徴求の原則禁止を明確化した上で、②後継者との保証契約については、経営者保証が事業承継の阻害要因となり得る点を十分に考慮し、保証の必要性に係る慎重かつ柔軟な判断が、③前経営者との保証契約については、前経営者がいわゆる第三者となる可能性があることを踏まえ、保証解除に向けた適切な見直しが、それぞれ必要であることに加え、こうした判断を行うに当たっては、GL特則の策定背景を踏まえ、経営者保証の意味、すなわち規律付けの意義、実効性、保全価値を十分に考慮した合理的かつ納得性のある対応が求められることを明確化した（GL特則２項前文）。

1　前経営者、後継者の双方との保証契約（二重徴求が許容される例外事例）

　二重徴求が許容される例外事例は、【表２】の通り[注6]であるが、二重徴求の原則禁止が前提である以上、対象債権者は、事業承継時に乗じた安易な保全強化や例外事例の拡大解釈による二重徴求を行わないよう留意する必要がある。

　このため、例えば、事業承継を機に単に単独代表から複数代表になったことや、代表権は後継者に移転したものの、株式の大半は前経営者が保有しているといったことのみで二重徴求を判断することのないよう留意する必要がある。

　なお、GL特則の策定以降、新たに二重徴求する場合やすでに二重徴求となっている場合には、その個別の背景を考慮し、一定期間ごと、またはその背景に応じたタイミングで、安易に二重徴求が継続しないよう適切に管理・

（注６）　小林＝岡島・前掲（注５）12頁参照。GLWGでは、例外事例について、個別具体的な事象をすべて列挙すべきとの意見があった一方、すべてのケースを想定して網羅的に具体的な例外事象を示すことは困難との意見もあり、最終的に、二重徴求の原則禁止（例外事例の拡大解釈禁止を含む）というコンセンサス醸成に資する必要最低限の具体的な事象を示すにとどめることとした。

見直しを行うことが求められる（以上GL特則2項(1)）。

【表2】二重徴求が許容される例外事例

①　前経営者が死亡し、相続確定までの間、亡くなった前経営者の保証を解除せずに後継者から保証を求める場合など、事務手続完了後に前経営者等の保証解除が予定されている中で、一時的に二重徴求となる場合
②　前経営者が引退等により経営権・支配権を有しなくなり、GL特則2項(2)に基づいて後継者に経営者保証を求めることがやむを得ないと判断された場合において、法人から前経営者に対する多額の貸付金等の債権が残存しており、当該債権が返済されない場合に法人の債務返済能力を著しく毀損するなど、前経営者に対する保証を解除することが著しく公平性を欠くことを理由として、後継者が前経営者の保証を解除しないことを求めている場合
③　金融支援（主たる債務者にとって有利な条件変更を伴うもの）を実施している先、または元金等の返済が事実上延滞している先であって、前経営者から後継者への多額の資産等の移転が行われている、または法人から前経営者と後継者の双方に対し多額の貸付金等の債権が残存しているなどの特段の理由により、当初見込んでいた経営者保証の効果が大きく損なわれるために、前経営者と後継者の双方から保証を求めなければ、金融支援を継続することが困難となる場合
④　前経営者、後継者の双方から、専ら自らの事情により保証提供の申し出があり、GL特則上の二重徴求の取扱いを十分説明したものの、申し出の意向が変わらない場合（自署・押印された書面の提出を受けるなどにより、対象債権者から要求されたものではないことが必要）

2　後継者との保証契約

　対象債権者は、GL特則の策定背景等を踏まえ、後継者に対し経営者保証を求めることは事業承継の阻害要因となり得ることから、後継者に経営者保証を当然に引き継がせるのではなく、必要な情報開示を得た上で、GL4項(2)に即して、保証の必要性を改めて検討するとともに、事業承継に与える影響も十分考慮し、慎重に判断することが求められる。

　具体的には、経営者保証を求めることにより事業承継が頓挫する可能性や、これによる地域経済の持続的な発展、対象債権者自身の経営基盤への影響等を考慮し、GL4項(2)の要件の多くを満たしていない場合であっても、総合

1 GL特則の概要と新たな融資慣行の確立に向けた取組み

的な判断として経営者保証を求めない対応ができないか真摯かつ柔軟に検討する必要がある。

このため、対象債権者は、【表3】の通り、後継者からの保証徴求の必要性を判断するに当たっては、いわば2段階での対応が求められ、まず、【表3】(1)に基づく事項を踏まえて検討（第1段階対応）し、この検討の結果、後継者に経営者保証を求めることがやむを得ないと判断した場合には、次いで、【表3】(2)に基づく対応を検討（第2段階対応）することとなる。

なお、【表3】(1)②および同(2)⑥では、代替的な融資手法の具体例として、それぞれ停止条件付保証契約または解除条件付保証契約（以下、併せて「条件付保証契約」という）の活用を掲げているが(注7)、保証を徴求する理由が経営の規律付けであることが多いところ、条件付保証契約は後継者に規律付けを促す有効な手法であり、より多くの利用が期待されるところである。条件付保証契約における、条件に係る特約条項（以下、「コベナンツ」という）としては、規律付けを促す観点から、ⓐ役員や株主の変更等の対象債権者への報告義務、ⓑ試算表等の財務状況に関する書類の対象債権者への提出義務、ⓒ担保の提供等の行為を行う際に対象債権者の承諾を必要とする制限条項等、ⓓ外部を含めた監査体制の確立等による社内管理体制の報告義務等、中小企業から対象債権者に対する報告義務等を条件とすることが想定される。

ただし、解除条件付保証契約の場合には、上記ⓐ～ⓓに加え、対象債権者と後継者との間で事前に取り決めた自己資本比率や経常利益を上回る等、財務状況の改善をコベナンツとすることも考えられる（以上GL特則2項(2)）。

上記コベナンツに関しては、少なくとも中小企業が財務要件に抵触したことのみをもって、後継者からの保証債務を成立させる、すなわち停止条件付保証の条件が成就するとの取扱いは厳に慎むべきである。これは、もともと保証債務の履行が求められるのは、財務条件が悪化した場合であるから、それ自体を条件とすることは、条件付保証の意味はないことになるためである。したがって、例えば、後継者による財産、経営、業況等に係る報告義務の不履行や虚偽報告等、後継者が信義則に悖る行為を行った場合に限り、後継者

（注7）　停止条件付保証契約を第1段階対応、解除条件付保証契約を第2段階対応と分類しているのは、主に保証債務の発生のタイミングの違いを重視したものである。

【表3】保証の必要性に係る判断に当たって対象債権者に求められる対応

(1) **保証の必要性に係る判断時の対応（第1段階対応）**
① 主たる債務者との継続的なリレーションとそれに基づく事業性評価や、事業承継に向けて主たる債務者が作成する事業承継計画や事業計画の内容、成長可能性を考慮すること
② 規律付けの観点から対象債権者に対する報告義務等を条件とする停止条件付保証契約等の代替的な融資手法を活用すること
③ 外部専門家や公的支援機関による検証や支援を受け、GL4項(2)の要件充足に向けて改善に取り組んでいる主たる債務者については、検証結果や改善計画の内容と実現見通しを考慮すること
④ 「経営者保証コーディネーター」(※1)によるGL4項(2)を踏まえた確認を受けた中小企業については、その確認結果を十分に踏まえること

(2) **後継者からの保証徴求がやむを得ないと判断した場合の対応（第2段階対応）**
⑤ 資金使途に応じて保証の必要性や適切な保証金額の設定を検討すること（例えば、正常運転資金や保全が効いた設備投資資金を除いた資金に限定した保証金額の設定等）
⑥ 規律付けの観点や財務状況が改善した場合に保証債務の効力を失うこと等を条件とする解除条件付保証契約等の代替的な融資手法を活用すること
⑦ 主たる債務者の意向を踏まえ、事業承継の段階において、一定の要件を満たす中小企業については、その経営者を含めて保証人を徴求しない信用保証制度(※2)を活用すること
⑧ 主たる債務者が事業承継時に経営者保証を不要とする政府系金融機関の融資制度の利用を要望する場合には、その意向を尊重して、真摯に対応すること

(※1) 事業承継時の経営者保証解除に向けた専門家支援スキーム（2020年4月開始、中小企業庁委託事業）において、経営者保証がネックとなり、事業承継に課題を抱える中小企業を対象として、①経営者からの相談受付や周知、②GL4項(2)およびGL特則の要件を踏まえた「事業承継時判断材料チェックシート」に基づく経営状況の確認（見える化）、③前記②のチェックシートをクリアできない先の経営の磨き上げに向けた公的支援制度の活用、④保証解除に向けて取引金融機関と交渉・目線合わせを行う際の専門家（主に中小企業診断士や税理士、弁護士等を想定）の派遣等を行う者をいい、47都道府県に設置されている事業承継ネットワーク事務局に配置されている。

(※2) 事業承継特別保証制度（2020年4月開始）では、保証申込受付日から3年以内に事業承継を予定する具体的な計画を有し、資産超過である等の財務要件を満たす中小企業に対し、経営者保証が提供されている借入（事業承継前のものに限る）を借り換えて無保証とする等、事業承継時に障害となる経営者保証を解除し、事業承継を促進することを企図している。借換えについては、信用保証付借入れのみならず、いわゆるプロパー借入れ（他金融機関からの借入分も含む）も対象とされている。

からの保証債務の成立が認められるべきものと考えられる。

また、これとは逆に、後継者から保証徴求していた場合において、中小企業の財務状況の改善がみられれば、直ちに保証解除に向けた検討を行う必要があろう(注8)。

3　前経営者との保証契約

2020年4月1日に施行された改正民法（465条の6・465条の8・465条の9）では、事業のための貸金債務について、経営者以外の第三者による個人保証契約は、契約前1か月以内に保証の意思が公正証書で確認されていなければ無効となるほか、経営者以外の第三者保証を求めないことを原則とする融資慣行の確立が求められていること等を踏まえ、対象債権者は、前経営者との保証契約（根保証契約を含む）を適切に見直す必要がある。

前経営者に対し、引き続き保証契約を求める場合には、①前経営者の株式保有状況（議決権の過半数を保有しているか等）、②代表権の有無や実質的な経営権・支配権の有無、③既存債権の保全状況、④法人の資産・収益力による借入返済能力等、を勘案し、保証の必要性を慎重に検討することが必要である。

特に、取締役等の役員ではなく、議決権の過半数を有する株主等でもない前経営者に対し、やむを得ず保証の継続を求める場合には、より慎重な検討が求められる。

また、保証契約の継続に当たっては、その必要性等について具体的に説明することが必要であるほか、前経営者の経営関与の状況等、個別の背景等を考慮し、一定期間ごと、またはその背景等に応じた必要なタイミングで、保証契約の見直しを行うことが求められる（以上GL特則2項(3)）。

前経営者に対し、やむを得ず保証の継続を求める場合としては、【表2】で示した二重徴求が許容される例外事例の②および③が実務上参考になると思われる(注9)。

(注8)　以上、小林＝岡島・前掲（注5）13頁参照。
(注9)　小林＝岡島・前掲（注5）14頁参照。

4 債務者への説明内容

対象債権者は、主たる債務者に対する保証の必要性に係る説明に当たっては、社内規程で定める基準等を踏まえ、①GL4項(2)の各要件に掲げられている要素（外部専門家や経営者保証コーディネーターの検証・確認結果を得ている場合はその内容を含む）のどの部分が未充足であるため、保証契約が必要なのか、②どのような改善を図れば保証契約の変更・解除の可能性が高まるか等、事業承継を契機とする保証解除に向けた必要な取組みについて、主たる債務者の状況に応じて個別具体的に説明することが求められ、特に、法人の資産・収益力については、可能な限り定量的な目線を示すことが望ましい。

また、金融仲介機能の発揮の観点から、事業承継を控えた主たる債務者に対して、早期に経営者保証の提供有無を含めた対応を検討するよう促すことにより、円滑な事業承継を支援することが望ましい。

さらに、保証債務を整理する場合であっても、GLに基づくと、一定期間の生計費に相当する額や華美ではない自宅等について、保証債務履行時の残存資産に含めることが可能であることについても説明することが求められる（以上GL特則2項(4)）。

5 内部規程等による手続の整備

対象債権者は、前記1〜4に沿った対応ができるよう社内規程やマニュアル等を整備し、職員に対して周知することが求められる。

なお、社内規程等の整備に当たっては、事業承継時における二重徴求の原則禁止および経営者保証に依存しない融資の一層の推進というGL特則の策定背景や目的を踏まえ、経営者保証の徴求を真に必要な場合に限るための対応を担保するため、具体的な判断基準や手続を定める等、工夫した取組みを行うことが望ましい（以上GL特則2項(5)）。

Ⅳ 主たる債務者および保証人における対応

主たる債務者および保証人が経営者保証を提供することなく、事業承継を

実現する場合には、基本的にGL4項(1)に掲げる経営状態であることが求められ、特に、この要件が未充足である場合には、後継者の負担を軽減させるために、事業承継に先立って要件を充足するよう主体的に経営改善に取り組むことが必要である。

このため、「事業承継ガイドライン」(注10)に記載の事業承継に向けた5つのステップも参照しつつ、事業承継後の取組みも含めて、以下のような対応が求められる。

また、次の1～3の対応を行うに際しては、GL4項(1)①に掲げる外部専門家の検証や公的支援機関の支援を活用することも推奨される（以上GL特則3項前文）。

1　法人と経営者との関係の明確な区分・分離

経営者は、事業承継の実行、すなわち代表者の交代(注11)に先立ち、あるいは経営権・支配権の移行方法・スケジュールを定めた事業承継計画や事業承継前後の事業計画を策定・実行する中で、法人と経営者との関係の明確な区分・分離を確認した上で、その結果を後継者や対象債権者と共有し、必要に応じて改善に努めることが望ましい（GL特則3項(1)）。

2　財務基盤の強化

事業承継に向けて事業承継計画や事業計画を策定する際に、現経営者と後継者が対象債権者とも対話しつつ、将来の財務基盤の強化に向けた具体的な取組みや目標を検討し、計画に盛り込むことで、対象債権者と認識を共有することが必要である。

また、その際、事業引継ぎ支援センター等(注12)をはじめとする公的支援

(注10)　中小企業庁「事業承継ガイドライン」（2016年12月5日公表）は、①事業承継に向けた準備の必要性に係る認識、②経営状況・課題等の把握（見える化）、③経営改善（磨き上げ）、④事業承継計画の策定（親族内・従業員承継）／M&A等のマッチング実施（社外への引継ぎ）、⑤事業承継の実行、という5つのステップも参照しつつ、事業承継後の取組みも含めた計画的な対応を求めている。詳細は、〈https://www.chusho.meti.go.jp/zaimu/shoukei/2016/161205shoukei.htm〉を参照。

(注11)　GL特則における事業承継とは、経営者が後継者に交代するタイミングをいう。

第3章　GLの特則と事業承継

機関が提供する支援制度を活用し、公認会計士、税理士等の外部専門家のアドバイスを受ける等、計画の実現可能性を高めることも推奨される（GL特則3項(2)）。

3　財務状況の正確な把握、適時適切な情報開示等による経営の透明性確保

　自社の財務状況、事業計画、業績見通し等について、決算書を含めた法人税等確定申告書一式や試算表、資金繰り表等により、現経営者と後継者が認識を共有することが必要である。

　対象債権者との間では、望ましい情報開示の内容・頻度について認識を共有するとともに、代表者交代の見通しやそれに伴う経営への影響、GLの要件充足に向けた取組み等を含めた事業承継計画等について、対象債権者からの情報開示の要請に対して正確かつ丁寧に信頼性の高い情報を可能な限り早期に開示・説明することが望ましい。

　また、外部専門家による情報の検証も活用し、開示した情報の信頼性を高める取組みも推奨される（以上GL特則3項(3)）。

　例えば、中小企業の計算書類について、日本税理士会連合会が策定・公表した「『中小企業の会計に関する指針』の適用に関するチェックリスト」や「『中小企業の会計に関する基本要領』の適用に関するチェックリスト」に加え、税理士法33条の2に定める書面添付制度[注13]等の活用も考えられる。

　なお、GLに基づき保証債務の整理を行うと、一定期間の生計費に相当する額や華美ではない自宅等について、保証債務履行時の残存資産に含めることが可能であり、普段から対象債権者と良好な関係を構築することが重要である。

（注12）　具体的には、事業引継ぎに係る課題解決に向けた助言、情報提供およびマッチング支援を行うため、47都道府県に設置されている事業引継ぎ支援センター（商工会議所等が運営）および同センター登録機関（地域金融機関や仲介業者等の全496機関〔2020年7月末現在〕）ならびに同センターのサポート行う中小企業事業引継ぎ支援全国本部（中小企業基盤整備機構が運営）をいう。
（注13）　申告書の作成に関して計算・整理し、または相談に応じた事項を記載した書面を当該申告書に添付する制度をいう。

V 事業再生局面における事業承継への適用

特則には、特段の記載はないが、事業承継は、事業再生局面、すなわち企業の事業再生のため、金融債権について、返済額の減額や返済期間の延長、据置期間の設置等のリスケジュール（以下、「リスケジュール」という）や債権放棄を求め、その弁済計画が定められる局面で実行されることもある。例えば、中小企業再生支援協議会スキームや事業再生ADR等の事業再生手続において、事業承継（代表者の交代）がなされる場合が想定される。

対象債権者である金融機関は、このような事業再生局面における事業承継についても、当然にこの特則が適用されると考えられることを踏まえ、保証徴求に当たっては慎重な判断が求められよう(注14)。

ただし、保証債務の整理については、GL7項によることとなる(注15)。

1 リスケジュール型

中小企業において、金融機関にリスケジュールを求める場合、経営者が引き続きその地位にとどまることもあるが、これを機に退任し、親族や使用者等の後継者が経営者となって（GL特則上の事業承継）、事業の再生を図るとともに、金融債権の弁済計画を履行することがある。

この場合、金融機関として、後継者に対し金融債権について新たに保証を徴求するかどうかが問題になる。これについては、GL特則2項(2)の考え方（前記Ⅲ2参照）に基づき、保証を徴求した場合には後継者が見出せず、事業承継が頓挫する可能性等を十分に考慮した慎重な判断が求められる。

前経営者の保証債務を存続させるかどうかについては、GL特則2項(3)の考え方（前記Ⅲ3参照）に基づき、前経営者の株式保有状況や経営関与の具体的状況等を勘案し、保証継続の必要性を慎重に検討すべきである。そして、検討の結果、前経営者の保証を存続させつつ、後継者から保証を徴求する場

(注14) 小林信明＝岡島弘展「『事業承継時に焦点を当てた「経営者保証に関するガイドライン」の特則』の概要と今後の展望」NBL1165号（2020）21頁参照。
(注15) 以上、小林＝岡島・前掲（注5）12頁および小林＝岡島・前掲（注14）21頁参照。

合には、二重徴求となることから、GL特則2項(1)の考え方（前記Ⅲ1参照）に基づき、例外的な場合（【表2】参照）に該当すると認められる事情が必要である(注16)。

2　債権放棄型

　中小企業において、金融機関に債権放棄を求める場合、経営者が経営責任をとる観点から退任し、親族や使用者等の後継者が経営者となって（GL特則上の事業承継）、事業の再生を図るとともに、放棄後の残存する債権の弁済計画を履行することがある。

　この場合は、基本的にリスケジュール型と同様であり、金融機関として、後継者に対し金融債権について新たに保証を徴求するかどうかが問題になる。もっとも、当該中小企業は、債務放棄により、資産や将来の収益力の観点から適切な債務状況になっており、かつ法人と経営者個人の資産・経理が明確に分離され、適時適切な情報開示もなされていると思われることから、金融機関としてあえて後継者に保証を徴求する必要はないと考えられる（GL4項(2)参照）。

　ただし、実務上はそのような場合でも後継者から保証を徴求する場合があるようだが、保証徴求により、後継者が見出せず、事業承継、ひいては事業再生も頓挫し、当該企業が清算・廃業に至る可能性等もあることから、GL特則2項(2)の考え方（前記Ⅲ2参照）に基づき、慎重な判断が求められる。

　なお、前経営者の保証債務については、GL7項に基づいて整理がなされ、一定の財産を残した上で保証債務を弁済し、残存する保証債務全部について免除（保証解除）を受けることも考えられる。もっとも、例外的に、前経営者の保証債務を整理せず、放棄後の金融債権に対する前経営者の保証債務を存続させることが検討される場合もあり得る。この場合は、GL特則2項(3)の考え方（前記Ⅲ3参照）に基づき、前経営者の株式保有状況や経営関与の具体的状況等を勘案し、保証継続の必要性を慎重に検討すべきである。

　そして、前経営者について、残存する対象債権の保証を存続させる場合に

（注16）　以上、小林＝岡島・前掲（注14）22頁参照。

は、後継者に対する新たな保証徴求は、二重徴求となることから、GL特則２項(1)の考え方（前記Ⅲ１参照）に基づき、原則禁止されることを踏まえた慎重な判断が求められよう(注17)。

Ⅵ　GL特則を契機とする新たな融資慣行の確立への期待

　2020年４月１日から適用が開始されたGL特則は、事業承継時における経営者保証の取扱いについて、現行のGLを補完することを目的としており、GLの考え方を変更するものではない。このため、対象債権者の大宗を占める金融機関に対して新たな負担等を課すものではないと思われる。

　他方、GL特則の策定背景、すなわち経営者保証が円滑な事業承継の阻害要因となりかねず、それが中小企業の休廃業による地域経済、ひいては金融機関における経営基盤の継続的な確保等に与える影響を踏まえると、事業承継時における経営者保証のあり方に係る抜本的な見直しは、金融機関自らが主体的かつ積極的に取り組むべき課題といえよう(注18)。

　GL特則の策定以降、政府は、「第三者承継支援総合パッケージ」(注19)に基づき、2020年３月31日、「事業引継ぎガイドライン」の全面改訂により、新たに「中小M&Aガイドライン」(注20)を策定し、経営者不在の中小企業がM&Aを検討するための手引き等を示したほか、2020年６月19日、経営者保

(注17)　以上、小林＝岡島・前掲（注14）22頁参照。
(注18)　佐々木宏之「経営者保証再考――ガイドライン適用開始後の実務の積み上げと事業承継特則の適用」金法2142号（2020）５頁は、GL特則は、事業承継時における経営者保証のあり方を抜本的に見直すことにより、中小企業の休廃業による地域経済、ひいては金融機関における経営基盤の継続的な確保に与える影響を極小化することに資するものとして極めて有用と指摘しつつ、現場感覚から導いた現状把握に基づき、「有事対応型解除条件付保証契約」の活用を提言している。
(注19)　経済産業省は、2019年12月20日、黒字廃業の可能性がある中小企業の技術・雇用等の経営資源を次世代の意欲ある経営者に承継・集約することを目的として、「第三者承継支援総合パッケージ」を取りまとめ、このパッケージの下で、官民の支援機関が一体となって、今後年間６万者・10年間で60万者の第三者承継の実現を目指すとしている。詳細は、〈https://www.meti.go.jp/press/2019/12/20191220012/20191220012.html〉を参照。
(注20)　詳細は、〈https://www.meti.go.jp/press/2019/03/20200331001/20200331001.html〉参照。

第3章　GLの特則と事業承継

証に起因する中小企業の廃業防止や、中小企業の積極的な事業展開・成長に向けた環境整備の観点から、事業承継時の経営者保証解除や第三者承継の促進等を柱とする中小企業成長促進法を公布する等、中小企業の事業承継の円滑化に向けた施策を矢継ぎ早に打ち出している。

　こうした政府の取組みに呼応する形で、GL特則が金融機関による中小企業向けの融資取引において広く活用され、経営者保証に依存しない新たな融資慣行の確立、すなわち事業承継時における二重徴求の原則禁止の徹底や後継者への適切な対応のほか、既往取引における保証解除（無保証化）に係る予見可能性の向上等を通じ、金融機関と中小企業、ひいては地域社会との共存共栄による持続的発展を実現するビジネスモデル確立の一助となることを期待したい。

2 事業承継問題解決における特定調停の利用

弁護士 髙井 章光

I はじめに

　2019年12月に「事業承継時に焦点を当てた『経営者保証に関するガイドライン』の特則」（以下、「GL特則」という）が公表され、2020年4月に運用が開始した。中小企業の事業承継が問題とされてからすでに10年以上が経過し、その課題の中心は、当初の親族内での経営者交代（親族内承継）から、従業員による承継（従業員承継）や、社内に後継者がいないことによるM&Aを通じての事業の承継（第三者承継）へと移っている。経営者が高齢化している状況下において、親族が後を継がず、後継者候補がなかなか見つからないことが大問題となっている。

　経営者が高齢化してなかなか次の後継者に経営を移譲できないことは、中小企業の廃業の原因になり、また、経営力が弱まり慢性的な赤字体質となって倒産の原因にもなっている。すなわち、「事業承継問題が解決されないことによって、中小企業は廃業や倒産に至ってしまう」、というような関係ができあがってしまっている。この関係を断ち切るには、事業承継の問題を解決しながら、同時に、状況に応じた事業再生の手続を実施することが必要であり、そのための手法として特定調停の利用を提案したい。

II 事業承継問題により廃業となったケースの特定調停での処理

1 廃業型特定調停の事例

　第3章2（特定調停）においては、廃業型特定調停の事例として、淡水魚養殖業を営む会社を紹介している。この事案は、高齢の父親が社長となり、妻と息子の3人で経営していたが、高齢の父親がいまだ息子に養殖の技術を

完全には承継しない状態において、突然に病気で倒れる事態となり、養殖技術を承継していない息子では事業運営ができないことから廃業に至ってしまった事案である[注1]。廃業に至ったことによって取引先に迷惑がかかる事態となっただけでなく、当該地域の地場産業である淡水魚養殖の中心となっている漁業組合において、組合員減少となり存続の危機が生ずることになった。小さい会社であったが、その廃業が地域に与える影響は小さくはなかった。

最終的には、メインバンクと協力して事業設備を他の地域の同業者に売却し、その代金を弁済原資として、会社と保証人を一体として簡易裁判所の特定調停にて整理した。本特定調停にて開催された期日は2回であった。

多くの中小企業は、その事業規模に比べて過大な債務を負いながら経営を継続しており、一度、事業が何らかの原因でつまづけば簡単に廃業の危機に至ってしまう状況にある。上記案件では、そのつまづきの原因は技術をもっていた父親が高齢のため突然に病に倒れたことであるが、日本の中小企業の経営者の多くが平均引退年齢とされている70歳を超えようとしており、どの企業においても、前記養殖業の案件と同様のことが生じかねないリスクを負っている。

したがって、前記養殖業の案件のように突然に廃業に追い込まれないようにするためには、事業承継の問題を早期に解決することが重要である。

2 本事例において想定される事業承継問題の解決方法

(1) 事業承継における課題

それでは、前記養殖業の事例において、もし時を戻すことができたとして、高齢の父親が病に倒れる前に、どのような改善策を講じればよかったのであろうか。

当該事例では、息子が会社内にいるため、早期に息子に養殖技術を伝え、また経営立直しを行うために経営権を承継することが考えられる。息子が養

（注1） 事案の詳細は、髙井章光＝犬塚暁比古「清算型スキームの中で主債務を特定調停手続で整理するとともに、保証債務についても『経営者保証ガイドライン』に則り特定調停手続にて一体的に整理した事案」事業再生と債権管理153号（2016）99頁を参照されたい。

2 事業承継問題解決における特定調停の利用

殖技術を習得し経営に慣れるまでには少なくとも2、3年は必要であろうから、それだけの時間的余裕があるかが問題となり得るし、さらには利益が出ていない当該会社の金融負債約8700万円の連帯保証を、息子が引き受ける覚悟があるかも重要になってくる。

息子において会社経営を継ぐことを拒み、またはその時間的余裕がない場合には、息子以外には従業員はいないため、地域内の同業者に支援を求めることが考えられるが、本事例では、地域内の同業者に支援を求めたが、いずれも当該企業と同様に経営状態はそれほどよくなく、支援をする余裕はなかった。したがって、他の地域の同業者等に支援を求めることになる。

このように息子が後を継ぐことができるかが第1選択肢となり、この方法が難しい場合には、第2選択肢として、広く事業譲渡先を探してM&Aを実施することになる。この場合、中小企業の経営者にとって、息子が経営をうまく承継できるか、さらに経営者保証の承継問題に対応できるか、息子が事業を承継する方法とM&Aを実施する方法とどちらがよいのかなどを判断することは難しい。弁護士等の専門家のアドバイスが必要な状況である。

(2) **事業承継における課題の解決方法**

前述の通り、本事例では知人や地域内の同業者においてM&Aができる先は存在しなかったわけであり、事業承継を検討するにはやはり息子に承継させることができるか否かが極めて重要となる。息子において家業を継ぐことができるかを検討する場合には、①事業の立直しの問題のほか、②過大な金融負債をこのまま承継するのか（承継することができるか）、③息子自身においてその過大な負債の経営者保証を承継しなければならないのか否か（承継する覚悟があるか否か）が大きな問題となる。

過大な金融負債をこのまま承継することが困難との判断に至れば、私的整理において第2会社方式により過大債務を整理し、新しい会社にて事業を承継することが考えられる。この場合、父親が負担している経営者保証については、GLによって整理することを検討することになる。

他方、経営者保証の承継の問題について、従前においては、後継者は経営者保証を承継することが当たり前とされていたため、有効な解決方法がなく、後継者において経営者保証をやむなく承継するか、または会社が過大な金融

第3章　GLの特則と事業承継

負債を抱えている経営リスクがあることと併せ、経営者保証の承継を嫌って、経営を継がない旨の選択がなされていた。

　GLにおいて、事業承継における経営者保証の取扱いについての規定があり（6項）、特に、後継者に対しては当然には経営者保証を引き継がせない旨が明記されていたが、この部分はあまり金融機関においても、経営者においても意識されてこなかったと思われる。このような状況下において、新たにGL特則が成立したことから、今後においてはGL特則をうまく利用することで、経営者保証の承継問題を解決できる途ができたと考えられる。

(3)　**GL特則の利用方法**

　GL特則は、①金融機関との経営者保証問題についての対話の切り口、②その後の金融機関との協議、③経営者保証問題解決策の決定のどの場面においても利用が可能である。すなわち、これまで経営者保証の承継について、経営者やその後継者と対話したことがない金融機関に対しては、対話の切り口すら見つけることが困難であったことから、GL特則を対話の切り口に利用することは有効と考えられる。

　筆者の経験において、GLはあったがまだGL特則はなかったころに、中小企業の経営者の事業承継問題の対応と過大金融負債の処理について検討を行っていたところ、高齢の経営者が突然に亡くなってしまい、会社の営業は継続しているが経営者が不在の状態になってしまったことがある。経営の空白が長期化する危険を回避するため、取り急ぎ、亡くなった社長の親族が形だけの社長となる方法を選択し、金融機関に対してその旨を説明したところ、当該金融機関担当者からは、形だけの次期社長に対しても、「次の社長となる方は必ず保証を承継してもらうことになります」と言って譲らないことがあった。筆者において、GL6項部分とその内容を説明した書面を作成して、当該金融機関担当者に送付し、電話で説明したところ、銀行内で確認するということになり、確認した結果、本件においては次期社長からは経営者保証はとらないという回答を得ることができた。

　このように金融機関担当者に対して経営者保証について協議を申し入れようとする場合には、GLやGL特則を資料として問題提起をすれば、金融機関担当者の対応は早くなるものと思われる。そして、単なる対話の切り口だけ

でなく、協議においても、GLに比べてGL特則は詳細にケースや対応策が記載されているため、本件においてどのようにするのが適切であるのか、協議の場における具体的な指針としてGL特則を利用することが期待できる。また、最終的に金融機関が方針を決定する場合にも、GL特則に従ってなされるべきであるため、重要なガイドラインとなる。

III 事業承継問題の解決における特定調停の利用

1 経営者保証の承継問題の解決における特定調停の利用

(1) 複数の取引金融機関に対してまとめて協議する場合の利用

中小企業の事業承継において経営者保証の承継が問題となる場合のほとんどが、会社が負担する金融債務が事業規模に比して過大となっている場合である。したがって、過大な金融負債の経営者保証の承継の問題なのか、それとも、過大な金融負債が問題なのか、判断がつかない場合も少なくない。会社が負っている金融債務が事業継続に支障が生じるほどに過大であれば、債務整理を実施し、その場合に特定調停を活用することが考えられる。

他方、会社の金融負債についての整理は行わないが（整理が必要なほどではないが）、経営者保証についてのみ対応を検討する場合においても、GL特則を利用した金融債権者との任意の交渉だけでなく、特定調停を利用した対応も有効な場合があり得る。すなわち、経営者保証の問題は、1つの金融機関との対応の問題にとどまらず、取引金融機関すべてに共通する問題であることから、ケースによっては、個々の交渉ではなくまとめて一体として協議するほうがまとまる場合もある。そのようなケースにおいては、①旧経営者の既存の保証債務の解除についてのみの場合（旧経営者単独型）、または、②後継者の経営者保証の問題も含めて一体として解決するため後継者も利害関係人として含める場合（新旧経営者一体型）、さらには③潜在的な債権債務が存在し得るとして、後継者のみの経営者保証の問題を取り上げる場合（新経営者単独型）に特定調停を利用することが考えられる。

(2) 複数の取引金融機関に対して公平に対応する必要がある場合の利用

さらに、経営者保証の承継について、状況によっては取引金融機関相互間

においての取扱いが公平であるかが問題となることがある。

　すなわち、後継者交代時において、ある金融機関は後継者の意向を受けて経営者保証を承継させなかったところ、他の金融機関は後継者の意向を拒み経営者保証を承継させたような場合に、過大な負債がそのまま放置されていたことから、会社について整理手続に入ることとなった場合には、保証人に対して金融機関が保証履行を請求することになり、その場合、経営者保証を承継させていなかった金融機関は保証人に請求できないが、経営者保証を承継させた金融機関は保証人に請求することができるという取扱いの違いが生じてしまう。

　この問題は、旧経営陣の経営者保証を外すか否かという問題において、より顕著に金融機関相互間において公平さを害する事態と認識され得る状況となる。旧経営陣において経営者保証を負っていたところ、ある金融機関はこれを解除したが、他の金融機関が解除していない場合に、当該旧経営陣において保証履行が生じれば、当然に金融機関相互間において回収額に差が生じ、特に当初はすべての金融機関が旧経営陣に対して保証をとっていたということであれば、なおさら取扱いの差が大きな問題となり得る。

　そこで、一部の金融機関は経営者保証の解除に応じ、または新経営陣に対する経営者保証を承継させない取扱いを決めている状況において、他の一部の金融機関がこれらに応じない対応をしている場合には、これらの対応に応じない金融機関のみに対して特定調停を申し立て、協議の場を設定してGL特則に基づき説得することが考えられる。

(3) 小括

　特定調停は、過大負債が生じている状況であれば、債権者・債務者間における調整の内容には限定はないため、経営者保証のみを取り扱うということも可能となる。GL特則は、「2．対象債権者における対応」「(2)後継者との保証契約」において、GL4項(2)の要件の多くを満たしていない場合でも、総合的な判断として経営者保証を求めない対応ができないか真摯かつ柔軟に検討することが求められるとし、主債務者たる会社の資産や収益力にて借入返済が可能と判断できないケースも新たに対象とすることを認めているため、特定調停による調整がより認められやすくなった。

GL特則の運用開始によって、今後はGL特則が示す基準に沿って協議することが可能となるため、GL特則を利用しながら、事業承継の場面における経営者保証に関する協議を特定調停にて実施することが、これからの現実的対応策の1つとなる。いまだ、事業承継の場面における経営者保証の処理について、なかなか協議に乗ってこない金融機関が多い状況にあるが、これらの金融機関に対して協議の場を設定するだけでも、特定調停を利用する意義があるものと考える。

2 事業承継を契機とした事業再生を実施する場合の対応

(1) 事業承継を実施した場合としない場合の比較

旧経営陣においては、過大な金融負債であっても、自らの経営の中で生じたものであり、事業の継続ができている限りにおいては、容易に過大な金融負債の整理には着手ができない状況がある。他方、経営陣が交代する場合には、新しい経営を実施していくに当たって、過大な金融負債が障害となることから、その整理を行う必要性が強く生じ得る。

まだ事業継続は可能ではあるが、明らかに金融負債が過大となっているときに、このまま事業承継ができなければ、現経営者引退時に事業を停止するに至り、倒産処理に入る可能性が高いような場合には、当該会社にとっても、その利害関係人にとっても、過大な金融負債の整理を実施した上で、新しい経営者がその事業を承継するほうが好ましい。

このような場合において、これまでの金融機関の実務では、従前の経営陣によって少なくとも2、3年は経営が継続し得るのであれば、即時の債務免除には容易には応じられないとする姿勢であったと思われる。その結果、早期事業承継は実現せず、2、3年後には経営破綻に至りかねない。

(2) 事業承継の成否を要素に含めた経済合理性判断

しかしながら、当該企業の取引先や顧客、さらに地域経済を考えた場合、廃業に至らない状態で円滑に事業承継できるのであれば、金融機関において、一定範囲の債務免除を受け入れることについて経済合理性を認めることも十分に可能ではないかと考える。金融機関において、当該企業が廃業した場合の会社およびその利害関係人に与える影響を含めた損失と、一定範囲の債務

免除を受け入れる場合の損失を比較した場合に、前者のほうの損失が大きいと判断し、債務免除を受けることについて経済的合理性を認めることができる場合があるのではないかと考える(注2)。

この点、GL特則2「(2)後継者の保証契約」においては、後継者に対する保証契約の承継について、債権者に対して「事業承継に与える影響も十分考慮し、慎重に判断することが求められる」とし、さらに、「具体的には、経営者保証を求めることにより事業承継が頓挫する可能性や、これによる地域経済の持続的な発展、金融機関自身の経営基盤への影響などを考慮し、ガイドライン第4項(2)の要件の多くを満たしていない場合でも、総合的な判断として経営者保証を求めない対応ができないか真摯かつ柔軟に検討することが求められる」としている。経営者保証の承継についての記述ではあるが、債務整理を実施するか否かにおいての判断においても、事業承継の成否を十分に考慮し慎重に判断すると読み替えることができるものと考えられる。

そうした場合には、事業承継を契機として、会社の過大金融負債を整理し、さらに負債整理後において後継者が事業を承継する場合の対応について、現経営者・後継者と金融機関が経営者保証の承継問題を含め協議し、①現経営者の保証債務の整理を行う、②後継候補者が経営者保証を負担することになれば、後継者となることができず、その結果事業承継が頓挫することを回避するために、上記GL特則に基づき、整理後の負債について経営者保証をとらないこと（または適切な極度額を設定することや条件付き経営者保証にすること）にする、という形での私的整理を実施することが考えられる。いわば事業承継が原因にて、廃業や倒産に至る前において、事業承継を実施する条件を整えるための会社の私的整理を実施することになる。その手続において特定調停を活用することが考えられる。

(3) **小括**

過大金融負債を整理することが事業承継のために必要とされる場合に、事業承継を円滑に進めることを考慮して、債務免除に応じるのか、現経営者に経営者保証の履行を求めるのか、後継候補者に新たな経営者保証を求めるの

(注2) 同様の考え方を示した内容として、事業再生研究機構編『中小企業の事業承継と事業再生』(商事法務、2018) 128頁［髙井章光発言］参照。

かを総合的に検討するのか、それとも事業承継の成否とは無関係に、債務免除に応じるのか、現経営者に経営者保証の履行を求めるのかを従来と同様の基準で検討するのか、金融機関の対応方法によって結論が異なる事案が多くなるものと考えられる。

　今後、多くの中小企業において、事業承継できるか否かが企業存続の鍵となると考えられることからすれば、金融機関において、事業承継の成否を含めて経済合理性を長期的、総合的に判断することを提言したい。

3 事業承継に当たっての経営者保証の問題点と特則について

株式会社UNO&パートナーズ　宇野　俊英

I　はじめに

1　事業承継の現状と対応の重要性について

　GL特則の位置付けはGLを補完するものとして、「主たる債務者、保証人および対象債権者がそれぞれに対して、事業承継に際して求め、期待される具体的な取り扱いを定めたもの」である。GL特則の策定の背景には経営者保証の取扱いが円滑な事業承継の阻害要因となり得る点が挙げられる。そこで本稿では実務上の観点から説明する。まず事業承継の現状について説明する。

　昨今、国内の企業数が激減している。経済産業省の試算ではこのままの状態が進行すれば2025年までに経営者が70歳以上となる企業は245万者、うち125万人が後継者不在で、この状況が進行すれば22兆円のGDPと650万人の雇用が失われると試算されている。具体的には中小企業白書によれば企業数は1999年から2016年までに485万者から359万者と126万者（26％）純減、直近でも2014年から2016年の2年間でも23万者（6％）純減となっている（【図1】）。減少の主因を見てみると、倒産件数は減少傾向を続けている一方で経営者の高齢化や後継者不足を背景に休廃業・解散企業は年々増加傾向にある（【図2】【図3】）。ここ数年、全国ベースでは休廃業・解散企業が倒産の4～5倍程度の水準となっている。つまり、企業数の減少の主因が休廃業・解散企業の増加によるものであることは自明といえる。一方、休廃業・解散企業の業績は直前期の業績データが判明している企業についての集計によると、約6割の企業で当期純利益が黒字であることがわかる（【図4】）。その中でも都道府県によってはではさらにその10倍近くまで倍率が高くなっているところもある。そのため地域経済の活力維持のためにも事業承継は喫緊かつ重要な政策課題となっている。

3 事業承継に当たっての経営者保証の問題点と特則について

【図1】 企業規模別企業数の推移

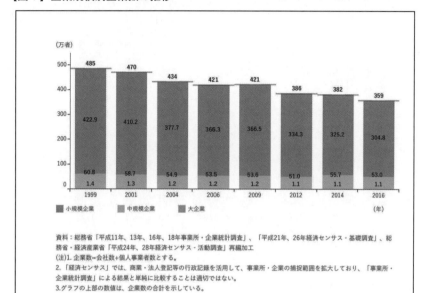

＊出所：2020年中小企業白書

【図2】 休廃業・解散件数の推移

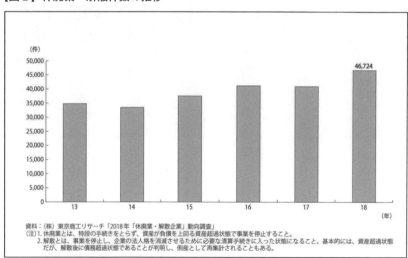

＊出所：2019年中小企業白書

第3章　GLの特則と事業承継

【図3】企業規模別倒産件数の推移

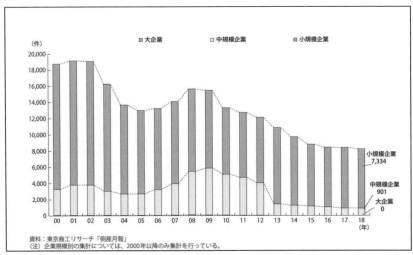

＊出所：2019年中小企業白書

【図4】休廃業・解散企業の損益別構成比

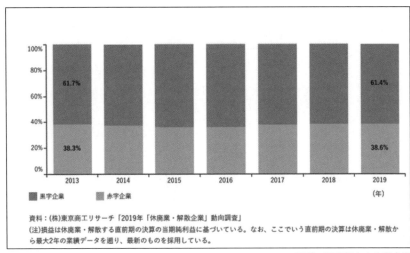

＊出所：2020年中小企業白書

2　事業承継と経営者保証

　上記の環境下、事業承継時における後継者確保の阻害要因の1つとして経営者保証が挙げられている。独立行政法人中小企業基盤整備機構（以下、「中小機構」という）の調査によれば、そもそも後継者が確保できていない企業のうち、後継者がいるが承継を拒否している割合が2割以上ある。またその承継を拒否した理由は約6割が経営者保証を理由としている（【図5】）。

　同調査によると後継者が経営者保証を理由に事業承継を拒否している具体的な背景としては「自身が多額の弁済をしなければならなくなることが不安である」が4分の3近くを占めている。また、「経営者保証についてよくわかっておらず漠然とした不安がある」が4割近くや「自社の財務状況等を正しく理解できていない」が2割近くあるなど、経営者保証や自社の経営内容についての理解不足も拒否している背景となっている。

　Ⅰでも述べた通り休廃業・解散企業が増加することに加え、GL特則1項にも「後継者未定企業が多数存在する中、このまま後継者不在により事業承継を断念し、廃業する企業が一段と増加すれば、地域経済の持続的な発展にとって支障をきたすことになりかねない点が懸念されている」としている。

　加えて、GLでも事業承継時の経営者保証にも6項(2)②イで「対象債権者は前経営者が負担する保証債務について、後継者に当然に引き継がせるのではなく、必要な情報開示を得たうえで、第4項(2)に即して、保証契約の必要性等について改めて検討する」ことが定められている。しかしながら前経営者、後継者の双方から二重に保証を求める（以下、「二重徴求」という）割合の低下しつつある（【図6】）ものの、その効果については必ずしも十分とはいえないという指摘がある。そのためGL特則では原則として前経営者、後継者の双方からの二重徴求を行わないことが明記された。

【図5】 後継者確保の阻害要因としての経営者保証

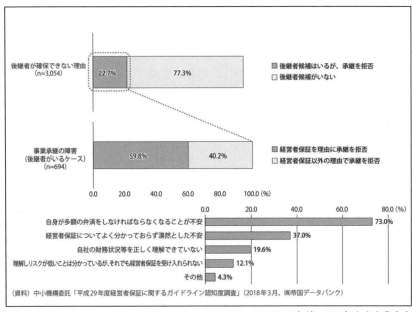

＊出所：2019年中小企業白書

【図6】 民間金融機関における「経営者保証に関するガイドライン」の活用実績

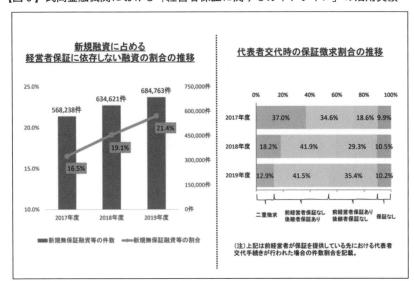

＊出所：金融庁ホームページ

Ⅱ　GL特則に対する施策

まずはこれまでのGLの取組みに対する中小企業経営者の反応からみていく。その上で今般実施される施策について説明をする。

1　これまでのGL取組みに対する中小企業経営者からの反応

前出の中小機構の調査で中小企業の声として主として以下の2点の問題点が指摘されている。まずは①GLの要件明確化となっていない点と②金融機関の現場の対応への不満である。例としては以下の2点が示されている。

第1にGLの要件が明確化となっていない点としては、①どのような条件が成就すれば、保証解除となるといった客観的で明確な基準がほしい（不動産業、従業員11～20名）といった声や、②詳細な内容が書いてあるガイドブックがあれば、良い判断材料になる（サービス業、従業員5名以下）といった声がある。

第2に金融機関の現場の対応への不満としては、①GLができても、各金融機関の現場には届いていない。取引行（民間）4行のうち、保証なしは1行のみで、銀行によっては、話も受け付けないところもある（不動産業、従業員11～20名）といった声や、②専門家と経営者とが一緒に金融機関に申出・相談しないと、金融機関は具体的に検討してくれないと感じる（製造業、従業員6～10名）という声が寄せられている。

2　経営者保証解除に向けた主たる施策

上記の状況を受け2020年4月8日に中小企業庁より「事業承継時の経営者保証解除に向けた総合的な対策」（以下、「経営者保証の総合対策」という）が発出された。その中で以下の施策が示された。

(1) 政府関係機関が関わる融資の無保証化拡大

商工中金は、「経営者保証ガイドライン」の徹底により、一定の条件を満たす企業に対して「原則無保証化」する。

事業承継特別保証制度（以下、5で説明する）については、事業承継時に

一定の要件の下で、経営者保証を不要とする新たな信用保証制度（「事業承継特別保証制度」）を創設。また、専門家による確認を受けた場合、保証料を大幅に軽減（2020年4月開始）される。

(2)　金融機関の取組みを「見える化」し、融資慣行改革へ

「経営者保証ガイドライン」の特則を策定・施行（以下、3で説明する）する。

経営者保証解除に向けた専門家による中小企業の磨き上げ支援（経理透明性確保や財務内容の改善等）やガイドライン充足状況の確認（以下、4で詳述する）をする。

金融機関の経営者保証なし融資の実績等（KPI）を公表（民間銀行：2019年度下期分から公表予定、政府系金融機関：2018年度分から公表済み）する。

(3)　「経営者保証GL」の特則策定・施行

経営者保証の総合対策でGL特則については以下3点が骨子とされた。

① 2019年12月策定・公表、2020年4月運用開始する。
② 年間約1万件の二重徴求、年間2万件の後継者からの保証徴求案件を対象とする。
③ 旧経営者と後継傾斜の二重徴求の原則禁止や保証設定時の事業承継への影響を考慮する。

3　経営者保証コーディネーターと専門家派遣

⑴　経営者保証コーディネーター（以下、「経営者保証CO」という）の定義

2019年度プッシュ型事業承継支援高度化事業（補正予算）で経営者保証プロジェクトマネージャーが2020年4月に新設された。同事業の公募要領によれば「経営者保証プロジェクトマネージャー及びサブマネージャーは、経営者保証ガイドラインの業務経験や知見を有する者とし、経営者保証業務として、事業承継プロジェクトマネージャー及びサブマネージャーと連携のもと、経営者保証の解除に係る各地域事務局の支援内容の把握や、支援ノウハウの実務サポート等のアドバイスを行うとともに、経営者保証業務の総合的なマネジメントや各地域事務局に対して適宜必要なサポートを行う」こととしている。

3 事業承継に当たっての経営者保証の問題点と特則について

(2) 経営者保証COの役割
経営者保証COの役割として以下の6点が規定されている。
① 事務局に常駐し、本事業遂行の統括的な役割、案件の進捗管理を担う。
② 金融機関、信用保証協会、他の支援制度（支援機関）との連携の窓口機能を担う。
③ 県内各地での説明会開催などにより、案件の掘り起こしや本スキームを利用しようとする中小企業からの相談受付を担当する。
④ 「チェックシート」に基づき、経営者保証ガイドラインの要件の充足状況の確認や、経営状況の見える化を行う。
⑤ 「チェックシート」に基づく確認の結果、確認ポイントに×が付き、改善が必要と判断される企業に対して（当該企業の要望に応じて）既存制度を活用した 経営の磨き上げ支援を斡旋する。
⑥ 「チェックシート」の全項目が○となった企業が経営者保証解除に向けて、取引先金融機関と目線合わせ（交渉）を行う際に（当該企業の要望に応じて）目線合わせの打ち合わせに同席し、支援する本事業で登録する専門家（派遣費用は本事業で負担、利用者負担なし）を派遣する。

(3) 派遣専門家の役割
派遣専門家の役割として以下の2点が規定されている。
① 経営者保証COが、「チェックシート」に基づき確認した後、企業が取引先金融機関と経営者保証解除に向けて目線合わせ（交渉）を行う際に、経営者保証COから引き継いだ確認結果（経営者保証CO記入済みの「チェックシート」および添付書類〈決算書等〉）を用いて専門家の立場からその交渉を支援する。
② 目線合わせの結果を事業者経由で金融機関から聴取し、経営者保証COに報告するとともに、事業者、コーディネーターと今後の方針について相談する。

(4) 経営者保証業務における具体的支援
前出の公募要領では具体的には以下の通り規定されている。
① 経営者保証COは、経営者保証業務の責任者として、案件全体の工程管理、中小企業からの支援申請の窓口業務、経営者保証ガイドラインの

充足状況の確認、事業者の希望に応じて専門家を派遣する調整、金融機関の回答に基づく手続の結果の確認等を行う。

② 派遣された専門家は、経営者保証COからの指示に基づき、支援希望の中小企業と金融機関との目線合わせに同席し、必要な情報提供のサポート等を行う。また、その目線合わせを踏まえた金融機関からの回答の確認等を行う。

③ 今後事業承継を予定しているが、経営者保証が後継者を選定する際の課題となっている中小企業者を対象とする。支援申請件数は、全国で年間1万2000件を想定。

④ 企業の決算書や試算表等の内容を確認の上、経営者保証ガイドラインの要件充足状況を事業承継時判断材料チェックシート（以下、「チェックシート」という）に基づいて確認を行う。チェックシートを充足している中小企業に対しては、希望に応じて専門家を派遣し、金融機関との目線合わせの支援を行う。専門家による目線合わせの支援は、1企業当たり最大5回とする。全国で年間5000件を想定。

(5) **経営者保証業務における支援スキーム**

経営者保証がネックで事業承継に課題を抱える中小企業がGL特則を活用した場合の支援スキームは【図7】の通りである。

① 中小企業者が47都道府県にある、事業承継ネットワーク事務局[注1]に相談の上経営者保証COが中小企業者と面談。「チェックシート[注2]」に基づく確認を実施し、その結果に基づく今後の取組みをアドバイスする（チェックシートの目的は経営者保証の解除の可否の判断に資する情報の整理・見える化をすることである）。

② チェックシートをクリアした場合
　　ⅰ 本事業の派遣専門家が支援の下、チェック結果、提出書類等を共有し金融機関と目線合わせに同席し支援するとともにその後の対応についてアドバイスを行う。加えて、目線合わせを踏まえた金融機関からの回答の確認等を行う。

(注1) 令和元年度補正予算 プッシュ型事業承継高度化事業委託先。
(注2) 全国一律のチェックシート（資料参照）。

【図7】 事業承継時の経営者保証解除に向けた支援スキーム

＊出所：2020年中小企業白書

ⅱ アドバイスの結果保証解除となった場合にも、必要に応じて事業承継特別保証の活用もしくはコベナンツ付き融資等を活用できるよう支援する。

ⅲ アドバイスの結果、保証解除が不可となった場合でも、①代替的な手法の検討（事業承継特別保証の活用もしくはコベナンツ付き融資等を活用）や②金融機関、事業者等が連携して改善計画策定し、経営者保証解除の向けた取組みを支援する。

（留意事項）

経営者保証COの役割はあくまでも外形的な条件をチェック、確認することに限定される。また、派遣専門家は金融機関との事業者との目線合わせに同席し、専門的な観点からの助言をすることにとどまることに留意する必要がある。目線合わせの結果、解除の可否の決定する主体はあくまでも金融機関である。派遣専門家は金融機関の交渉

役ではないことを留意する必要がある。
③　チェックシートをクリアできない場合
　　経営者保証COの確認の結果、チェックシートをクリアできない場合にはその時点では支援スキームの直接の支援は受けることができない。しかし、事業者が希望する場合にはよろず支援拠点やミラサポ、商工会議所、等の公的支援機関等既存支援機関での磨き上げ支援の活用によりチェックリスト充足に向けた改善計画策定支援を受けることができる。その改善計画に基づき改取組の上、再度経営者保証COのチェックを受けることができる。

(6)　チェックシートの主要確認項目
各項目の確認項目とポイントは以下の通りである。
①　事業承継計画書(注3)
　　事業承継に取り組む中小企業・小規模事業者であること
②　決算書
　　ⅰ　税務署に申告した財務情報と同一の情報が金融機関に適切に開示されていること
　　ⅱ　経営者が法人の事業活動に必要な本社・工場・営業車等の資産を所有していないこと
　　ⅲ　法人から経営者等への資金流用がないこと
　　ⅳ　法人と経営者の間の資金のやりとりが社会通念上適切な範囲を超えていないこと
　　ⅴ　法人のみの資産・収益力で借入返済が可能と説明できること
③　試算表
　　金融機関からの求めに応じて財務情報を適時適切に提供できる体制が整っており、継続的に提供する意思があること
④　資金繰り表
　　試算表とともに資金繰り表を提出し、金融機関に財務情報を提供する体制が整っていることに加え、資金繰り表より、当面の資金繰りに資金

(注3)　書式は任意。

不足が生じていないこと

4 新しい信用補完制度

(1) 事業承継特別保証（2020年4月1日開始）と経営承継借換関連保証（同年10月1日開始）（【図8】【図9】参照）

(i) 根拠法

事業承継特別保証（以下、「特別保証」という）については、中小企業信用保険法（法改正なし、運用による）であり、経営承継借換関連保証（「借換保証」という）は経営承継円滑化法（法改正）となっている。

(ii) 設立の背景

事業承継時に金融機関が自ら経営者保証を解除している割合は約10％といわれており、よりいっそうの経営者保証に依存しない融資を推進するために2020年4月より新設された。

(2) 信用保証制度の主たる内容

(i) 対象者

対象者は以下の条件をすべて満たす必要がある。

特別保証については、保証申込受付日から3年以内に事業承継[注4]を予定する事業承継計画[注5]を有する法人または2020年1月1日～2028年3月31日までに事業承継を実施した法人であって、事業承継日から3年を経過していないもの。

一方、借換保証については、3年以内に事業承継を予定する法人に限定となっており、すでに事業承継を実施済みな法人については対象とならないことに留意が必要である。

(ii) 資格要件

2制度とも資産超過であること、返済緩和中の借入金がないこと、EBITDA有利子負債倍率が10倍以内であること、法人と経営者の分離がなされていることが資格要件になっている。

(iii) 申込方法

(注4) 代表者交代等。
(注5) 信用保証協会所定の書式による計画書が必要。

申込方法は与信取引のある金融機関経由のみであることが2制度とも共通している。

　(iv)　**保証限度額**

特別保証は2億8000万円（組合等の場合は4億8000万円）で責任共有制度（8割保証）の対象（一般枠）となっている。

一方、借換保証は2億8000万円（組合等の場合は4億8000万円）で責任共有制度（8割保証）の対象（特別枠）となっている。

　(v)　**対象資金**

特別保証は事業承継時までに必要な事業資金が該当する。既存のプロパー借入金（個人保証あり）の本制度による借換えも可能（ただし、一定期間内に事業承継を実施した法人に対しては、事業承継前の借入金に係る借換資金に限る）事業承継前の真水資金も対応可能としている。

一方、借換保証は事業承継時までに必要な事業資金（事業承継前の経営者保証付き融資の借換資金）に限定されている。

　(vi)　**保証料率**

保証料率は2制度共通で0.45％～1.90％（経営者保証COの確認を受けた場合、0.20％～1.15％）となっている。

　(vii)　**添付書類（2制度共通）**

信用保証協会所定の申込資料のほか、以下の書類が必要である。

① 事業承継計画書（信用保証協会所定の書式）
② 財務要件等確認書
③ 借換債務等確認書（既往借入金を借換する場合）
④ 他行借換依頼書兼確認書
⑤ チェックシート（上記保証料率0.20％～1.15％の優遇を受ける場合、経営者保証COによる確認要）

(3)　**金融機関側のメリット**

金融機関としてのメリットとしてはリスク分担がある。金融機関によりさらなる経営者保証の解除を後押しするため一定の要件[注6]を満たす企業に

（注6）　①資産超過、②返済緩和債権なし、③一定の返済能力（EBITDA有利子負債倍率10倍以内）、④社外流出等なし。

ついて経営者保証を解除することを前提に、金融機関として使いやすい新たな信用保証制度を創設した。具体的には、原則として禁止している既往のプロパー融資の信用保証への借換を例外的に認めた。これにより、金融機関はプロパー貸出に対する貸倒リスクの軽減が図られることを可能とした。加えて、自取引先の対他金融機関防衛戦略商品や既取引先へのシェアアップの提案ができる商品とすることができる。

(4) **中小企業のメリット**

中小企業の利用メリットとしては企業が「経営者保証ガイドライン」の充足状況についての各都道府県に置く専門家の確認を得た場合、保証料も大幅に引き下げることができることとした。経営者保証COによる確認を受けた場合、通常0.45％～1.90％である保証料率が0.20％～1.15％に大幅軽減することを可能である。

【図8】経営者保証解除スキーム（事業承継特別保証 現行法制下での対応 ・経営承継借換関連保証 今回の法改正による措置 ）の概要

＊出所：2020年中小企業白書

第3章　GLの特則と事業承継

【図9】事業承継特別保証と経営承継借換関連保証の概要

	事業承継特別保証	経営承継借換関連保証
開始時期	令和2年4月1日	令和2年10月1日
根拠法	中小企業信用保険法（法改正なし、運用によるもの）	経営承継円滑化法（法改正後）
認定要否	不要	必要 （経営承継円滑化法第12条で規定する経済産業大臣の認定）
対象者	（ⅰ）3年以内に事業承継を予定する法人 （ⅱ）事業承継日から3年を経過していない法人（※1）	3年以内に事業承継を予定する法人
資格要件	次の①から④の全ての要件を満たすこと ①資産超過であること ②返済緩和中ではないこと（※2） ③EBITDA有利子負債倍率10倍以内 ④法人と経営者の分離がなされていること ①～④：信用保証協会の審査時に確認	次の①から④の全ての要件を満たすこと ①資産超過であること ②返済緩和中ではないこと（※2） ③EBITDA有利子負債倍率10倍以内 ④法人と経営者の分離がなされていること ③：大臣認定時に確認（省令で規定）、①～④：信用保証協会の審査時に確認
対象資金	（対象者（ⅰ）の場合）事業承継時までに必要な事業資金 ・事業承継前の真水資金 ・事業承継前の経営者保証付き融資の借換資金 （対象者（ⅱ）の場合） ・事業承継前の経営者保証付き融資の借換資金	事業承継時に必要な事業資金 ・事業承継前の経営者保証付き融資の借換資金
プロパー融資の借換	可（既に無保証人の融資は除く）	
保証限度額	【一般枠】2億8千万円（うち無担保8千万円）	【特別枠】2億8千万円（うち無担保8千万円）
保証人	徴求しない	
保証期間	10年以内	
責任共有	対象（8割保証）	
保証料率	0.45％～1.90％（リスク区分に応じた弾力化料率） ⇒経営者保証コーディネーターによる確認を受けた場合、0.20％～1.15％に大幅軽減（※3）	

※1：令和2年1月1日から令和7年3月31日までに事業承継を実施した法人であって、承継日から3年を経過していないもの。
事業承継時点で認定要件を充足していなくとも、承継後3年以内に充足する法人に対しては、一部利用の利便性向上に繋がる。事業承継借換関連保証は、要件の充足の認定により別枠を付与するものであるため、措置は適用不可。
※2：新型コロナウイルス感染症の影響により条件変更を行った事業者に限り、「返済緩和中ではないこと」の要件を特別に除外。
※3：「保険料率の軽減」及び「損失補償の対象」により実現。予算事業の継続期間に紐付く時限措置。

＊出所：経済産業省ホームページ

5　関係団体等への要請と関連施策

(1)　令和元年12月24日関係機関宛GL特則の積極的な活用について要請

金融庁から全国銀行協会会長等、金融機関関係団体等(注7)へ中小企業庁から金融機関関係団体等(注8)へ要請を行った。

要請内容は下記の通りである。

① 営業現場の第一線まで本特則の趣旨や内容の周知徹底を図るとともに、顧客に対する幅広い周知・広報の実施、社内規定や契約書の整備等、所要の態勢整備に取り組むこと

（注7）㈳全国銀行協会会長、㈳全国地方銀行協会会長、㈳第二地方銀行協会会長、㈳信託協会会長、㈳全国信用金庫協会会長、㈳全国信用組合中央協会会長、㈱商工組合中央金庫代表取締役社長、農林中央金庫代表理事理事長、日本貸金業協会会長。
（注8）㈳全国信用保証協会連合会会長、㈱日本政策金融公庫総裁、㈱商工組合中央金庫社長。

② 本特則の適用に関する準備が整った場合は、運用開始日を待たず、先行した対応を開始すること
③ 中小企業等からの相談には、その実情に応じてきめ細かく対応し、必要に応じ外部機関や外部専門家とも連携しつつ、本特則の積極的な活用に努めること

(2) 第三者承継支援総合パッケージ

2019年12月に策定された「第三者承継支援総合パッケージ」にGLおよびGL特則について「個人保証脱却・政策パッケージ」を含めて、金融機関と中小企業者の双方の取組みを促す、総合的な対策を実施することが明記されている。

(3) 中小M&Aガイドライン

2020年3月に「事業引継ぎガイドライン」を全面改訂した「中小M&Aガイドライン」の中にもGLおよびGL特則について金融機関、士業専門家等支援者に対して遵守を求めている。

6 今後の運用の見込み

2020年度の取組みと2021年度以降の経営者保証COによる支援方法について執筆時点での想定は以下の通りである。

(1) **2020年度**

新型コロナ禍影響によりGL特則に関しての施策について執筆中時点では第一四半期は活動が制限されていたこともありスロースタートとなっているようである。しかしながら、経営者保証COの相談も金融機関からの持込みを端緒として徐々に増えることが期待される。一方、経営者自体からの相談について経営者保証解除に向けた経営者保証COによる支援制度については、十分に周知されたとはいえず、幅広い周知ならびに活用が望まれる。また、派遣専門家の役割についても一部で経営者、派遣専門家双方とも認識にズレがある声もあることから一層の徹底も求められる。

(2) **2021年度以降**

経営者保証COによる支援制度に関しては、今年度はプッシュ型事業承継支援高度化事業で実施されている。しかし、中小企業成長促進法（令和2年

第 3 章　GL の特則と事業承継

6月19日法律第58号）5条により、産業競争力強化法134条（認定支援機関）に同条2項1号ハ^{（注9）}において、経営者保証支援業務、親族内承継支援業務が加わった。法改正に伴い、現在補正予算で実施されたプッシュ型事業承継支援高度化事業（事業承継ネットワーク事業）が事業引継ぎ支援センター業務と統合される。事業承継ネットワーク事務局で実施していた経営者保証支援事業も統合され、GL特則に基づき事業承継支援のワンストップ支援と一部として運用される見込みである。

Ⅲ　まとめ

　上記法改正に伴い、2021年度以降は法定業務となり安定的に事業が推進されることから、事業承継の局面においてGLならびにGL特則の普及が期待される。

（注9）　過大な債務を負っている中小企業者またはすでに債務の整理を行った中小企業者の債務の保証をしている者が有する当該保証債務の整理（破産手続または再生手続によりその債務の整理を図ることを除く）。

3 事業承継に当たっての経営者保証の問題点と特則について

資料1

事業承継時判断材料チェックシート

		No.	/
住所		作成日	
企業名		(例)○○事業承継ネットワーク事務局	
代表者名		経営者保証コーディネーター	
			印

	必須書類		説明ポイント	経営者保証Co 使用欄	
				個別	総合
①	事業承継計画書	a	事業承継に取り組む中小企業・小規模事業者である ※書式は任意。信用保証協会が定める事業承継計画書様式も可		
②	決算書	b	税務署に申告した財務情報と同一の情報が金融機関に適切に開示されている (税務署受付印が押印されている、または電子申告の確認資料(受付結果(受信通知)等)が添付されていること)		
		c	経営者が法人の事業活動に必要な本社・工場・営業車等の資産を有していない なお、事業資産の所有者が決算書で説明できない場合、所有資産明細書等を添付すること ⇒【追加書類】所有資産明細書等 ◆ 経営者が有している場合、適切な賃料が支払われているか賃貸借契約書等を添付すること ⇒【追加書類】賃貸借契約書等(写しでも可)		
		d	法人から経営者等への資金流用(貸付金、未収入金、仮払金等)がない 貸付金等がある場合、一定期間での解消意向を説明するため、契約書類等を添付すること ⇒【追加書類】金銭消費貸借契約書、信用書等(写しでも可)		
		e	法人と経営者の間の資金のやり取りが社会通念上適切な範囲を超えていない 具体的には、①役員報酬や配当、交際費等が法人の規模、収益力に照らして過大ではないこと ②経営者やオーナー一族への資金流出・意図的な資産のシフトはしていないこと		
		f	法人のみの資産・収益力で借入返済が可能と説明できる <参考1>EBITDA有利子負債倍率 [計算式](借入金・社債−現預金)÷(営業利益+減価償却費) 　期　　倍　　　　期　　倍　　　　期　　倍 <参考2>フリーキャッシュフローの実績 [計算式]税引後当期利益+減価償却費 　期　　千円　　　期　　千円　　　期　　千円 <参考3>純資産額の実績 　期　　千円　　　期　　千円　　　期　　千円		
③	試算表 (決算後3カ月以内の場合には提出不要)	g	金融機関からの求めに応じて財務情報を適時適切に提供できる体制が整っており、継続的に提供する意思があること		
④	資金繰り表	h	試算表と合わせて資金繰り表を提出し、金融機関に財務情報を提供する体制が整っている		
		i	当面の資金繰りに資金不足が生じていないことが、資金繰り表により確認できること		

	任意書類		説明ポイント	経営者保証Co 使用欄
⑤	税理士法第33条の2に基づく添付書面	j	決算書を確認する際の補強材料として使用	
⑥	「中小企業の会計に関する基本要領」チェックリスト	k	決算書を確認する際の補強材料として使用	
⑦	事業計画書等	l	事業承継後の事業方針や業績見通しが明確になっているか (ローカルベンチマーク等の財務分析資料を含む)	
⑧	社内管理体制図	m	取締役会の適切な開催や、会計参与の設置、監査体制の確立等による社内管理体制の整備状況を説明できるか	
⑨	監査報告書	n	公認会計士による会計監査、適正意見の確認	

<留意事項> 本チェックシートの確認とは別に、金融機関及び信用保証協会による審査があります。
　　　　　　チェックシートの有効期限は、作成日から3カ月以内。
　　　　　　信用保証協会の事業承継特別保証を申込む場合は、信用保証協会の受付日が有効期限内である必要があります。

＊出所：横浜市信用保証協会ホームページ（https://www.sinpo-yokohama.or.jp/guide/download/download-seidobetu/）。

第3章　GLの特則と事業承継

資料2

令和元年12月24日
金融庁

「経営者保証に関するガイドライン」の特則の積極的な活用について

　令和元年12月24日に「経営者保証に関するガイドライン研究会」から、「経営者保証に関するガイドライン」（以下、「ガイドライン」という。）の特則が公表されました。
　本特則は、「ガイドライン」を補完するものとして、事業承継時に際して求め、期待される具体的な取扱いを定めたものとなっております。当庁としては、金融機関等による積極的な活用を通じて、本特則が融資慣行として浸透・定着していくことが重要であると考えております。
　本特則が広く活用され、事業承継時には原則二重徴求は求めないこととするなどの経営者保証に依存しない融資の一層の実現に向けた取組みが進むことで、円滑な事業承継が行われることが期待されます。
　つきましては、貴協会傘下機関に対し、下記を周知徹底方宜しくお願いいたします。

記

（1）営業現場の第一線まで本特則の趣旨や内容の周知徹底を図るとともに、顧客に対する幅広い周知・広報の実施、社内規定や契約書の整備等、所要の態勢整備に取り組むこと。

（2）本特則の適用に関する準備が整った場合は、運用開始日を待たず、先行した対応を開始すること。

（3）中小企業等からの相談には、その実情に応じてきめ細かく対応し、必要に応じ外部機関や外部専門家とも連携しつつ、本特則の積極的な活用に努めること。

（以　上）

第4章

各実施手続における実際と問題点、事例報告

第4章　各実施手続における実際と問題点、事例報告

1　再生支援協議会スキーム

弁護士　加藤　寛史
弁護士　堀口　真

I　再生支援協議会等の支援によるGLに基づく保証債務の整理手順

　GLが公表されたことを受けて、2014年5月、再生支援協議会による私的整理手続（以下、「協議会スキーム」という）において、GLに基づく保証債務の整理を行う場合の支援業務の内容、手続、基準等を定めた「中小企業再生支援協議会等の支援による経営者保証に関するガイドラインに基づく保証債務の整理手順」（以下、「整理手順」という）が策定・公表され、2015年4月、整理手順について実務上留意すべき事項をとりまとめた「中小企業再生支援協議会等の支援による経営者保証に関するガイドラインに基づく保証債務の整理手順Q&A」（以下、「整理手順QA」という）が公表された。

　整理手順には、主債務の整理について協議会スキームを利用し、同スキームと並行して保証債務の整理について整理手順に準拠して行う「一体型」と、主債務の整理について法的整理手続（破産手続、再生手続、更生手続、特別清算手続）もしくは協議会スキーム以外の準則型私的整理手続（事業再生ADR、私的整理GL、特定調停等）を利用し、保証債務の整理について整理手順に準拠して行う、または主債務の整理について協議会スキームが終結した後に保証債務の整理について整理手順に準拠して行う「単独型」の2つの手続が定められている（GL7項(2)イ・ロ、整理手順QA4）。

　2019年6月に、整理手順と整理手順QAが改訂公表され、「単独型」の手続の見直しがなされた。これにより、再生支援協議会では「単独型」の普及に向けた取組みを強化している（資料編【資料5】【資料6】参照）。

　再生支援協議会では、2020年3月時点で、整理手順に基づき一体型で837名、単独型で123名の保証人の保証債務の整理を実施している。

Ⅱ　整理手順の手続フロー

1　「一体型」

　主債務の整理について、協議会スキームを利用し、同スキームと並行して保証債務の整理を整理手順に準拠して行う「一体型」は、次のような手続で進められる。

(1)　窓口相談（第1次対応）（整理手順3）

　整理手順に基づいて保証債務の整理を希望する保証人は、保証人の資産調査等を行う支援専門家（原則として弁護士）と連名で（以下、保証人と支援専門家を総称して「保証人ら」という）、再生支援協議会に対して「相談申込書」（整理手順書式1）を提出して窓口相談を申し込む。窓口相談では、再生支援協議会の常駐専門家である統括責任者または統括責任者補佐が応対する。常駐専門家は、保証人らから保証債務の整理に向けた取組みの相談を受け、以下の事項を把握し、課題の解決に向けた適切な助言、支援機関等の紹介を行うこととされている。

① 保証契約の概要
② 主債務者である中小企業者の法的整理手続または準則型私的整理手続（GL7項(1)ロに規定する法的整理手続または準則型私的整理手続）の状況
③ 保証人の資産および債務の状況
④ 主債務者の資産および債務の状況
⑤ 保証人の破産法252条1項（同10号を除く）に規定する免責不許可事由に関する状況
⑥ 取引金融機関との関係
⑦ 主債務者の窮境原因、経営責任の内容
⑧ 残存資産（GL7項(3)③に規定する保証人の手元に残すことのできる資産）の範囲に関する意向
⑨ 弁済計画の方針

　保証人らは、窓口相談に当たり、これらの事項の確認に必要となる資料、例えば、保証契約書、主債務者に関する資料、主債務者の手続に関する資料、

第4章　各実施手続における実際と問題点、事例報告

【図表3-1-1】一体型の手続フロー

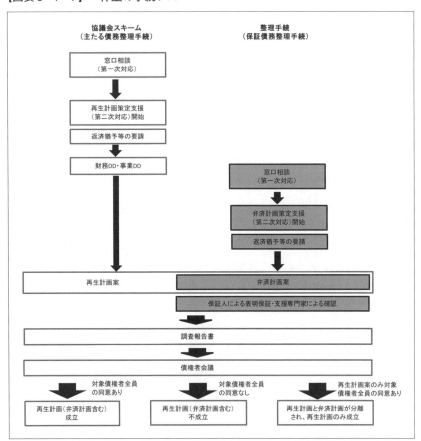

保証人の資産や債務の概要がわかる資料、残存資産に関する書類（不動産であれば、登記簿、固定資産税評価書等）などを持参する必要がある。

一体型の場合、再生支援協議会は主債務者に関する資料を保有しているため、主債務者に関する資料は適宜省略することができる（整理手順QA18）。

(2)　**弁済計画策定支援（第2次対応）（整理手順4(1)・(2)）**

統括責任者は、窓口相談（第1次対応）で把握した保証人および主債務者に関する状況を基に、弁済計画策定支援が適当であると判断した場合、保証人らの連名で、保証人の資産に関する状況、インセンティブ資産に関する意向、

免責不許可事由（そのおそれ）の有無を示した「利用申請書」（一体型の場合、整理手順書式2−1、単独型の場合、整理手順書式2−2）の提出を受ける。その上で、常駐専門家は、対象債権者の意向を確認し、その意向を踏まえ、認定支援機関の長と協議の上、弁済計画策定支援の可否を決定することになる。

対象債権者の意向確認とは、弁済計画策定支援を開始するに当たり、弁済計画の成立が見込めるか否かを判断するためのもので、弁済計画策定支援が開始されると個別支援チームの外部専門家の費用について保証人本人に費用負担が発生することなどを踏まえ、対象債権者が、利用申請書の内容に基づいた弁済計画案の方針に対して合理的な不同意事由がなく弁済計画の成立の見込みがあることを確認すれば足りるとされている（整理手順QA26）。

次に、弁済計画策定支援が開始されると、統括責任者は対象債権者に対してその旨を通知するとともに、原則として、保証人らと再生支援協議会の連名で、返済猶予等の要請（元本または元利金の返済の停止や猶予、対象債権者の個別的権利行使や債権保全措置等の差控えの要請）を書面（一体型の場合、整理手順書式3−1、単独型の場合、整理手順書式3−2）で通知する。

なお、主債務に係る協議会スキームの再生計画策定支援（第2次対応）の開始と同時に、整理手順（一体型）に係る弁済計画策定支援（第2次対応）を開始するときは、主たる債務に関する返済猶予等の要請と保証債務に関する返済猶予等の要請を同時に行うことができる（整理手順QA27）。

(3) **個別支援チームの編成（整理手順4(3)）**

弁済計画策定支援の開始を決定すると、統括責任者は、弁済計画策定支援を実施するため、個別支援チームを編成する。個別支援チームは、再生支援協議会の常駐専門家である統括責任者や統括責任者補佐のほか、弁護士の参画が必須とされている。この点、再生支援協議会の常駐専門家は必ずしも債務整理や破産手続の知見を有していないため、弁護士の参画が必須とされたものである。

なお、一体型の場合、主債務者の再生計画策定支援の個別支援チームのメンバーが整理手順に係る個別支援チームのメンバーを兼ねることができ、主債務と保証債務の一体整理を円滑に進める観点からはそれが望ましいとされている（整理手順QA31）。

第4章　各実施手続における実際と問題点、事例報告

(4) **弁済計画案の作成（整理手順4(4)・(5)）**
　保証人は、開示した情報の内容の正確性について表明保証（整理手順QA参考書式「資産に関する表明保証書」）を行い、表明保証で開示した資産に関する状況を前提に、個別支援チームによる支援の下、GL7項(3)②ないし⑤に定めた内容の弁済計画案を作成する。なお、整理手順では、この表明保証の基準日を弁済計画策定支援（第2次対応）開始決定日としている。
　一体型の場合、主債務者の再生計画案の中に保証人の弁済計画案を記載することを原則としている（整理手順QA33）。

(5) **弁済計画案の調査報告（整理手順4(6)）**
　個別支援チームに参画した弁護士は、弁済計画案の内容の相当性および実行可能性を調査し、以下の内容を記載した調査報告書を作成の上、対象債権者に提出する。
　① 弁済計画案の内容
　② 弁済計画案の実行可能性
　③ 経済合理性
　④ 破産手続における自由財産および担保提供資産に加えてその余の資産を残存資産に含める場合には、その相当性
　一体型の場合、原則として、主債務者の再生計画案の中に弁済計画案が記載されるため、通常は当該再生計画案に対する調査報告書の中で弁済計画案に対する調査内容も合わせて記載される（整理手順QA42）。

(6) **債権者会議の開催（整理手順4(7)①）**
　弁済計画案が作成され、弁護士による調査報告書が作成された後、弁済計画案の説明、弁済計画案の調査結果の報告、質疑応答および意見交換を行うための債権者会議が開催される（債権者会議を開催せず、弁済計画案の説明等を持ち回りにより実施することも許容されている）。この債権者会議で、対象債権者に対し、同意不同意の意見を表明する期限が定められることになる。なお、一体型の場合、通常は、主債務者の再生計画案に係る債権者会議において、再生計画案の説明等と合わせて弁済計画案の説明等が行われている。

(7) **弁済計画の成立・完了（整理手順4(7)②・(8)）**
　弁済計画案に対する対象債権者全員からの同意が文書等で確認できた時点

で弁済計画は成立する。対象債権者の同意不同意を確認する方法としては、同意書面を徴求する方法や決議のための債権者会議を開催して口頭で同意不同意を確認し議事録に残す方法などによっている。

　一体型で主債務者の再生計画案の中に保証人の弁済計画案が記載されている場合、再生計画案に対する同意をもって、弁済計画案に対する同意があったものとみなすことができるため（整理手順QA46）、対象債権者が両案について同意の意向を有するときは、再生計画案に対する同意書のみで足りるとしている（別途弁済計画案に対する同意書は徴求していない）。

(8) **弁済計画の不成立・終了（整理手順4(9)）**

　弁済計画策定支援を開始した後、弁済計画案の作成を断念した場合、弁済計画についてすべての対象債権者の同意を得られる見込みがない場合、弁済計画について対象債権者全員の同意が得られなかった場合など、弁済計画策定支援が完了しないことが明らかになったときは、弁済計画策定支援は終了する。

　一体型で主債務者の再生計画案の中に保証人の弁済計画案が記載されている場合、対象債権者から再生計画案に対する同意を得られる見込みであるものの、弁済計画案に対する同意を得られる見込みがないときは、再生計画案と弁済計画案を分離して主債務者の再生計画案は成立させ、保証人の弁済計画策定支援は終了させることになる（整理手順QA45）。なお、再生計画案に対する同意形成は図れているものの、弁済計画案については対象債権者と協議中である場合、両案を分離した上で再生計画案をまず成立させ、弁済計画案については協議を継続し、その後に弁済計画案を成立させることもできる（この場合、再生計画案と弁済計画案に対する同意書を対象債権者にそれぞれ徴求することになる）。

(9) **その他の留意点**

　整理手順に基づいて「一体型」で保証債務の整理を行うためには、主債務の整理に関する協議会スキームが終結（再生計画策定支援が完了）するときまでに、整理手順に基づく保証債務の整理を開始しておく必要がある。

　具体的には、①協議会スキームにおける主債務者の窓口相談（第1次対応）と同時に整理手順による窓口相談（第1次対応）を実施し、再生計画策

定支援（第2次対応）の開始に合わせて弁済計画策定支援（第2次対応）を開始するか、または②主債務者の再生計画策定支援（第2次対応）開始後、完了までに、弁済計画策定支援を開始する必要がある。いずれの場合も、原則として主債務者の再生計画案に保証債務の弁済計画案を含めることになるため、主債務者に係る協議会スキームの進捗に合わせ、適切なタイミングで、整理手順に基づく弁済計画策定支援（第2次対応）の開始および返済猶予等の要請を行うことができるように窓口相談や利用申請を行う必要がある点に留意が必要である。

　なお、一体型において、保証債務の整理が必要となるのは、原則として主債務の整理において債権放棄の要請を含む再生計画を策定する場合であるが、協議会スキームでは、再生計画策定支援（第2次対応）の開始後に、財務および事業デューデリジェンスを実施することが通常であるため、再生計画策定支援の開始時には対象債権者に対して要請する金融支援の内容が明らかではない。したがって、一般的には、主債務者の再生計画策定支援（第2次対応）と同時に整理手順に基づく保証債務の整理を開始するのではなく、主債務者の再生計画策定支援手続の過程で債権放棄を要請する方針となった後に保証人について整理手順に基づく保証債務の整理を開始する（前記②）ことになる（整理手順QA6）。

2　「単独型」

　主債務の整理について法的債務整理手続もしくは協議会スキーム以外の準則型私的整理手続を利用して保証債務の整理を整理手順に準拠して行う、または主債務の整理について協議会スキームが終結した後に保証債務の整理を整理手順に準拠して行う単独型は、次のような手続で進められる。

　なお、単独型の手続は、一体型と同様であるため、以下では単独型の手続の留意点について述べる。

(1)　窓口相談（第1次対応）（整理手順3）

　窓口相談では、主債務者の整理状況等を把握する必要があるが、単独型は一体型と異なり、主債務者の整理手続が再生支援協議会の外で行われているか、またはすでに終結しているため、主債務者の整理手続の進捗やその内

容を確認しながら手続を進める必要がある。例えば、主債務者の整理手続が再生手続の場合には、財産評定の内容や再生計画の内容を確認しなければ経済合理性を判断できず、インセンティブ資産を残存資産に含めることを検討することができないため、インセンティブ資産を残す場合には通常再生計画の認可決定が出た後に弁済計画案に対する調査報告書が作成されることになると考えられる。また、主債務者の整理手続が破産手続である場合には、同様に破産債権者に対する配当額が確定した後に弁済計画案に対する調

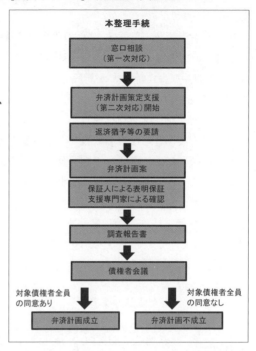

【図表3-1-2】単独型の手続フロー

査報告書が作成されることになると考えられる。なお、主債務者の整理手続の進捗やその内容を確認するためには、民事再生申立代理人や監督委員、破産管財人等の関係者の協力を得る必要がある点にも留意が必要である（整理手順QA8）。

(2) **弁済計画策定支援（第2次対応）（整理手順4(2)）**

対象債権者は主債務者の整理手続が終結した時点で保証人からの回収を期待し得る状況にあるため、主債務の整理手続が終結した後に保証債務の整理を行う場合、自由財産の範囲を超えて保証人に資産を残すことについて、対象債権者にとっての経済合理性が認められないことから、残存資産の範囲は自由財産の範囲に限定されることになる（GL7項(3)③、GL・QA7-20、整理手順QA9）。したがって、単独型において、保証人がインセンティブ資産を残存資産に含めることを要請する場合、主債務の整理手続が終結する前に弁

済計画策定支援（第2次対応）を開始する必要があることに留意すべきである。

(3) 利用申請書（書式2-2）の作成（整理手順4(2)⑤）

2019年6月の整理手順と整理手順QAの改訂により、単独型向けの利用申請書（整理手順書式2-2）が新設された。一体型の場合、主たる債務者の私的整理手続が再生支援協議会に係属しているため、再生支援協議会は、財務デューデリジェンス等を通じて、主たる債務者の状況とあわせて保証人の状況や対象債権者となる金融機関の意向等を把握することができる。しかし、単独型の場合には、再生支援協議会は、保証人はもとより主たる債務者および対象債権者となる金融機関に関する情報をまったく受領していない。そこで、単独型の場合には、利用申請書に、主たる債務者と保証人に関する状況や対象債権者リスト等の記載が求められている。以下、「利用申請書（単独型用）」（書式2-2）の記載内容を解説する。

【ガイドラインの適用対象となる保証人の適格性（ガイドライン第7項(1)イ】
① 主たる債務者が、ガイドライン第3項(1)、GL・QA【総論】Q.3に規定される「中小企業・小規模事業者等」に該当するか。

中小企業基本法に定める「中小企業者・小規模事業者」に該当しない場合であっても、ガイドラインの適用対象となり得ることに留意する必要がある（GL・QA3）。

【ガイドラインの適用対象となる保証人の適格性（ガイドライン第7項(1)イ】
② 保証人が個人であり、主たる債務者である中小企業の経営者等に該当するか（ガイドライン第3項(2)、GL・QA【総論】Q.4）。

「経営者」に該当しない場合であっても、「いわゆる第三者による保証について除外するものではない」（ガイドライン脚注5）とされており、第三者保証人もガイドラインの適用が認められている点に留意する必要がある（整理手順QA14）。

【ガイドラインの適用対象となる保証人の適格性（ガイドライン第7項(1)イ】
③ 主たる債務者および保証人の双方が弁済について誠実であり、財務情況等を適時適切に開示しているか（ガイドライン第3項(3)、GL・QA【各論】Q.3-3、3-4）。

記載に当たっては、「主たる債務者及び保証人の双方が、弁済について誠実であること、財産状況等について適時適切に開示していることという要件は、債務整理着手後や一時停止後の行為に限定されるものでは」ないものの、「主たる債務者又は保証人による債務不履行や財産状況等の不正確な開示があったことなどをもって直ちにガイドラインの適用が否定されるものではなく、債務不履行や財産の状況等の不正確な開示の金額及びその態様、私的流用の有無等を踏まえた動機の悪質性といった点を総合的に勘案して判断すべきと考えられ」るとされている点に留意する必要がある（GL・QA3-3）。

【主たる債務者の債務整理の状況】
主たる債務者の法的債務整理手続又は準則型私的整理手続が係属若しくは終結しているか（ガイドライン第7項(1)ロ）。

　主たる債務者について法的債務整理手続または準則型私的整理手続が係属もしくは終結していることが要件である。したがって、主たる債務者が休眠状態であるなど破産等の申立てがなされていない場合には本要件を充足しない。また、主たる債務者の法的債務整理手続等が終結している場合は、自由財産の範囲を超えて保証人に資産を残すことができないことに留意する必要がある（GL・QA7-20）。

【免責不許可事由に関する確認（ガイドライン第7項(1)ニ）】
破産法第252条第1項（第10号を除く。）に規定される免責不許可事由（別紙3記載の事由）が生じておらず、そのおそれもないことの有無

　「免責不許可事由が生じておらず」とは、保証債務の整理の申出前において、免責不許可事由が生じていないことを指し、「そのおそれもないこと」とは、保証債務の整理の申出から弁済計画の成立までの間において、免責不許可事由に該当する行為をするおそれのないことを意味する（GL・QA7-4-2）。
　なお、免責不許可事由やそのおそれがある場合であっても、例えば、無償または廉価で資産を譲渡した事実があった場合に、当該事実を対象債権者に報告するとともに、譲渡した資産自体を戻したり、相当価格の支払を受けるなどにより資産状況を回復した上で弁済計画を作成する等の対応により、対象債権者の理解が得られ、弁済計画が成立する見込みがあれば、GLの適用は否定されないと考えられる点に留意する必要がある（整理手順QA24）。

第4章　各実施手続における実際と問題点、事例報告

　この利用申請書は、弁済計画策定支援（第2次対応）を開始するに当たり提出を受けることとされているが（整理手順4(2)⑤）、再生支援協議会が単独型の要件充足性と事案の概要を把握できる情報がまとまった書式であるため、窓口相談や再生支援協議会への事前相談時にドラフトを持参して相談するとよいであろう。

(4)　その他の留意点
　(i)　支援専門家
　単独型、一体型ともに、支援専門家には弁護士が就任しているケースがほとんどである。また、一体型では、主たる債務者に代理人弁護士が就いている場合には、当該代理人弁護士が支援専門家に就任することが多い。ただし、この場合は、主たる債務者と保証人間の利益相反の顕在化等に留意する必要がある（整理手順QA20）。実際、協議会の案件でも、保証人の支援専門家が多くのインセンティブ資産を求めるあまり対象債権者から不信をかい、主たる債務者である企業の再生に支障を来す事例も生じており、留意が必要である。

　(ii)　保証人および支援専門家による事前の金融調整
　単独型は、主債務および保証債務を協議会スキームで一体整理を図る一体型とは異なり、原則として協議会スキーム以外の手続で主債務の整理を行うため、一体型と比べて対象債権者の理解を得ることが困難となる。特に主債務の整理が法的整理手続による場合、債権者は保証人から回収を図る意向が強くなるため、弁済計画案を成立させることは容易ではない。そこで、保証人が整理手順において負担する費用（個別支援チームに参画する弁護士費用等）や要する時間が弁済計画不成立によって無に帰することを避けるため、単独型で保証債務を整理する場合、原則として保証人および支援専門家においてあらかじめ対象債権者との間で金融調整を図った上、事前に全対象債権者の同意の見込みを得ることとされている。

　もっとも、再生支援協議会では、2019年6月の整理手順と整理手順QAの改訂により、単独型の普及に向けて積極的に取り組む方針に転換した。そこで、従前は、単独型の場合には、特定調停と同様に、支援専門家において事前に対象債権者の同意の見込みを得ておく「事前調整」を一律に求めてきたが、改定後は、保証人の保有資産の状況や保証人が求める残存資産の範囲に

応じ、支援専門家に求める事前調整の程度を柔軟に対応する方針とされた。事前調整の程度は、個別事案ごとの判断とはなるものの、基本的には、下表のように、類型ごとに事前調整の程度が整理されている。

【保証人の保有資産・残存資産の範囲と事前調整の程度（イメージ）】

類型	保証人の保有財産	保証人が求める残存資産	支援専門家に求める事前調整の程度
甲	自由財産の範囲内	自由財産の範囲内	低い ↕ 高い
乙	自由財産の範囲超	自由財産の範囲内（インセンティブ資産無し）	
丙	自由財産の範囲超	自由財産の範囲超（インセンティブ資産有り）	

甲類型では、保証人の保有資産が自由財産の範囲内であり、破産においても配当が望めないため、支援専門家による事前調整の程度は低く、再生支援協議会において幅広くサポートができるものとされている。他方で、保証人の保有資産が自由財産の範囲を超え、かつ、自由財産を超えるインセンティブ資産の残存を希望する丙類型の場合には、支援専門家において、対象債権者に対して経済合理性やインセンティブ資産を残すことの必要性等を十分に説明し理解を得る必要があることから、事前調整の程度は高いものとされている。なお、再生支援協議会では、保証人の保有資産が自由財産の範囲内であり破産においても配当が見込まれない場合には、原則として、保証人に対して保証履行を求めない扱いで調整することとされている［89頁参照］。

(ⅲ) 対象債権者の範囲

主債務者が負う金融債務以外のリース債務や商取引債務の保証債務を保証人が負う場合、主債務の整理を法的整理手続で行い、保証債務を単独型で整理するときは、これらの保証債務が顕在化しているため、弁済計画の内容として保証履行（弁済）を行う見込みであれば、偏頗弁済のリスクを回避するため、これらの保証債務に係る債権者を対象債権者に含めることの要否について検討が必要となる。

第4章　各実施手続における実際と問題点、事例報告

Ⅲ　整理手順の実務的な運用と課題

　GLでは、明確な基準を定めずに抽象的な記載にとどまるものが少なくなく、これらについては実務の集積によって導かれる運用が期待されていると思料されるところ、「経済合理性」や「インセンティブ資産」の考え方などについて、再生支援協議会における実務的な運用の状況について紹介する。

1　インセンティブ資産

(1)　経済合理性

　GLでは、後記(2)以下で述べるように、破産手続における自由財産に加え、「経済合理性」が認められる場合には、いわゆるインセンティブ資産とされる「一定期間の生計費」や「華美でない自宅」などを保証人の残存資産に含める余地を認めている（GL 7 項(3)③、GL・QA 7 -14・7 -23、整理手順QA 9 ）。したがって、経済合理性はインセンティブ資産の上限を画するものであるところ、この経済合理性の有無の判断基準について、整理手順における再生支援協議会の考え方は以下の通りである。なお、整理手順による保証債務整理の大半は一体型であることから、一体型（主債務の整理手続が再生型手続である協議会スキーム）を前提とした経済合理性の有無の判断基準について述べる。

　主債務者の整理手続が再生型手続である場合、GLでは、①主債務および保証債務の弁済計画案に基づく回収見込額の合計金額が、②現時点において主債務者および保証人が破産手続を行った場合の回収見込額の合計金額を上回る場合に経済合理性が認められるとされており（GL・QA 7 -13）、したがって、（保証人が一部の対象債権者の債権のみに保証する場合を除き）主債務の弁済計画案の回収見込額から破産手続の回収見込額を控除した金額の範囲内に保証人のインセンティブ資産がとどまる限り、経済合理性は認められることになる。整理手順においても同様であり、例えば、主債務に係る協議会スキームにおける再生計画案の弁済予定額（金融機関の回収見込額）が5000万円、破産配当見込額（清算配当額）が500万円である場合、その差額4500万

248

円がインセンティブ資産の上限となり、その範囲内である限り、経済合理性が認められる（なお、後記2の通り、経済合理性はあくまでインセンティブ資産の上限を画するものにすぎず、上限の範囲内であれば当然にインセンティブ資産が認められるわけではない）。

なお、単独型のケースで、主債務が無税償却できたことにより得られる税務メリットや軽減できた管理コスト、保証人の表明保証により債権者（金融機関）が知るに至った保証人の資産を金銭評価し、これらを前述した経済合理性の金額（インセンティブ資産の上限）に加算するとの考え方が一部で主張されているが、再生支援協議会はこのような考え方はとっていない。

(2) 一定期間の生計費

GLでは、前述の通りインセンティブ資産として「一定期間の生計費」を保証人の残存資産に含める余地を認めており、雇用保険の給付期間の考え方を参考に算出される金額（年齢に応じて99万円から363万円）が一定期間の生計費の「目安」として示されている（GL・QA 7 -14）。このようにGLでは「目安」と表現されているが、整理手順における再生支援協議会の実務的な運用ではこれを「基準」としており、保証人が一定期間の生計費を残存資産に含めることを対象債権者に対して要請する場合、この基準に基づいて算出される金額を一定期間の生計費としている（なお、この基準を超える資産を残存資産に含めることを要請する場合については後記(4)の通りである）。

なお、雇用保険の給付期間は、例えば保証人の年齢が50歳であれば「90日～330日」と幅があるが、整理手順の実務では、その長期の日数（330日）を基準に一定期間の生計費を算出するのが一般的であり、個別の事情によるものの、この「基準」に基づいて算出された「一定期間の生計費」を残存資産とすることについて、金融機関の理解はおおむね得られてきているようである。また、65歳以上について雇用保険の給付期間は定められていないが、整理手順では、保証人の年齢が65歳以上である場合、「60歳以上65歳未満」の給付期間である「90日～240日」を基準に、その長期の日数（240日）を基準に一定期間の生計費を算出する運用をしている。

(3) 華美でない自宅

インセンティブ資産とされる「華美でない自宅」については、「一定期間

【図表 3 - 1 - 3】整理手順運用上の再生支援協議会の考え方

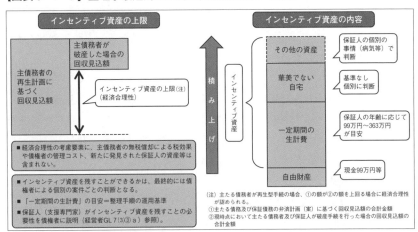

の生計費」と異なり、GLにおいて目安は示されていない。整理手順においても明確な判断基準はなく、一般的には当該自宅の近隣の住宅の地積や床面積との比較、当該自宅の時価等を勘案して「華美」であるかどうかを総合的に判断しているが、これに加え、経済合理性の程度や対象債権者として保証人（通常は経営者である）に自宅を残してあげてもよいと思えるかどうか、言い換えれば、これまで保証人が対象債権者に対して「誠実」であったかどうかが重要なポイントになっているように見受けられる。

なお、保証人の自宅は、物上保証に供されていたり、住宅ローンが設定されていることが多く、これらの場合、当該自宅の評価額を超える担保権が設定されていることが大半であるため、再生支援協議会の事例において、保証人の自宅を「華美でない自宅」として残存資産に含めることを要請する事案はそれほど多くはない。そのような場合には、親族等の第三者に買い取ってもらう方法によることも多い。その場合の買取価格は、個別事情によるものの、GLに従い(注1)、早期売却価格（いわゆる特定価格）によることが多い。

（注1） GL・QA7-25では、資産の価額について「具体的には、法的倒産手続における財産の評定の運用に従うことが考えられます」とされているところ、再生手続における財産評定では「財産を処分するものとしてしなければならない」（民再規56条1項）とされている。

(4) その他の資産

　GLでは、「一定期間の生計費」に加え、生命保険等の解約返戻金や自家用車その他の資産について、個別事情を考慮して残存資産に含める余地を認めている（GL・QA 7-14）。前記(2)の通り、再生支援協議会では雇用保険の給付期間の考え方を参考に算出される金額を「一定期間の生計費」として残存資産としているが、再生支援協議会においても個別事情を考慮して、この基準を超えた資産を残存資産とした実例がある。例えば、保証人が高齢であったり病気療養中であるなどして、一定期間の生計費に加えて保険契約を残存資産としたものや、介護施設への入所に要する費用等を残存資産とした例がある。なお、このように保証人が雇用保険の給付期間の考え方を参考に算出される金額である「一定期間の生計費」を超えた資産を残存資産として要請する場合、再生支援協議会の実務の運用では、対象債権者の理解を得るために、保証人（支援専門家）に対し、特にその必要性や相当性を説明するように求めている。

2　支援専門家に期待される役割

　支援専門家の役割は、保証人の資産や免責不許可事由の有無を調査し、表明保証書を保証人と連名で作成したり、保証人の弁済計画案の策定支援等を行うことである。

　ところで、一定期間の生計費などを残存資産として対象債権者に要請する場合、保証人（支援専門家）が対象債権者に対し、その必要性を説明することが求められている（GL 7項(3)③ a）。整理手順の一体型においては、前述の通り、破産法上の自由財産に加え、雇用保険の給付期間の考え方を参考に算出される金額を「一定期間の生計費」として残存資産とすることについては金融機関から一定の理解が得られている実状ではあるものの、それを超えて「華美でない自宅」や「その他の資産」を残存資産として要請する場合には、その必要性と相当性を積極的に説明することが必要である。この点、経済合理性の範囲内で当然にインセンティブ資産が認められるべきであるとの意見も耳にするが、GLおよび整理手順がすべての対象債権者の同意が必要となる私的整理手続であることからすれば、対象債権者の納得感を得るべく

保証人および支援専門家が同意を取り付けるべく努めなけらばならない。保証人や支援専門家が、インセンティブ資産を保証人の権利のごとく過度に主張してしまえば、特に一体型の場合には、対象債権者からの反発を受け主債務者たる企業の再生に重大な支障を来すことにもなりかねず、支援専門家の役割がより重要であると考えられる。

3　第三者保証人の取扱い

　GLは、経営者保証人だけでなく、経営者以外の保証人（第三者保証人）もその対象としている。もっとも、「早期の事業再生等の着手の決断」に寄与した保証人に対するインセンティブとして、一定期間の生計費等を保証人の残存資産に含めることが検討できるとされているため（GL 7 項(3)③）、通常、第三者保証人はこの決断に寄与していないことから、GLではインセンティブ資産を残存資産に含めることは一般的に困難であるとされている（GL・QA 7 -18）。

　しかしながら、再生支援協議会の実務では、経営に関与していない第三者保証人は主債務者の窮境原因に責任がなく、また、第三者保証を徴求すべきでないとする現在の金融実務もあることから、窮境原因に直接の責任を負う経営者保証人に比べて、インセンティブ資産を残存資産とすることについては、対象債権者の理解が得られやすいのが実状である。

4　単独型の普及に向けて

　経営者が、赤字が継続する中でも会社清算を躊躇する要因として、破産への抵抗感がある。経営者が、個人でカードローン等により資金を調達したり、家族親族からの借入れにより資金を調達しながら事業を継続しているケースは珍しくない。GLは、「早期の事業再生や事業清算への着手」が目的の 1 つとされている。しかし、事業再生の局面である一体型ではGLの活用は定着しているが、事業清算の局面である単独型ではGLの活用は普及していないと思われる。鶏と卵のようではあるが、事業清算の局面においても、経営者がGLを活用し自己破産せずに再チャレンジが可能となる実務慣行が定着してはじめて、「早期の事業再生や事業清算」の阻害要因が除去され、経営者

の早期決断が促されるものと考える。

　また、GLでは、自由財産に加えていわゆるインセンティブ資産を残す余地を認めているが、主たる債務者が準則型私的整理手続により再生する一体型と比べ、主たる債務者が法的債務整理手続を行っている単独型では、対象債権者である金融機関としては自由財産に加えてインセンティブ資産を残すことへの抵抗感が強い現実は否定できない。しかし、単独型の場合、そもそも、主たる債務者の債務整理手続が終了している場合であったり、主たる債務者の破産手続において配当がなく回収額の増加が認められない場合であったり、保証人の保有資産が自由財産の範囲内である場合など、そもそもインセンティブ資産を残すことができないケースが多いように思われる。また、たとえ保証人に残すことができる資産が自由財産の範囲のみであっても、保証人は、GLの適用を受けることにより、信用情報機関への事故情報の登録がなされない（GL 8(5)）という大きなメリットを享受できる。これにより、保証人は、クレジットカードが継続利用でき、奨学金等の借入れや住宅ローンへの悪影響を回避できる。また、自宅についても、オーバーローンの場合には、住宅ローンを継続して支払うことで自宅を処分することなく居住し続けることも可能となる。このようにインセンティブ資産を残さなくても、単独型におけるGLの活用は保証人にとって大きなメリットがある。

　繰り返しとなるが、再生支援協議会では、2019年6月の整理手順と整理手順QAの改訂により、単独型の普及に向けて積極的に取り組む方針に転換した。単独型の普及の鍵を握るのは、法人の法的債務整理を申し立てる弁護士であることは間違いない。再生支援協議会では、対象債権者との事前調整前の段階で、保証人または支援専門家から幅広く事前相談を受け付けており、代理人弁護士として保証人から相談を受け単独型によるGLの活用を検討する場合には、「利用申請書（単独型）」（書式2-2）のドラフトを持参し、各再生支援協議会または中小企業再生支援全国本部に相談するとよいであろう(注2)。

(注2)　2020年8月時点で、全国の再生支援協議会に10名の弁護士資格を有するサブマネージャーと中小企業再生支援全国本部にも3名の弁護士資格を有するプロジェクトマネージャー就任している。

第4章　各実施手続における実際と問題点、事例報告

Ⅳ　具体的事例の紹介

　整理手順に基づき保証債務の整理が完了した保証人は960名（2020年3月末日時点。一体型837名、単独型123名）に及び、再生支援協議会による整理手順の実務が着実に積み上げられてきた。以下では、再生支援協議会による整理手順の事例について紹介するが、主たる債務者や保証人等の特定を避けるため、一部の内容を抽象化していることに留意いただきたい。

1　一体型の事例

(1)　事案の概要
　主たる債務者は食品卸売事業を営む株式会社であり、負債総額は約9億円、対象債権者となる取引金融機関は地方銀行3行、信用金庫、政府系金融機関である（なお、一部債務について信用保証協会の保証が付いており、再生計画策定支援の途中で代弁実行がなされている）。主たる債務者は、従前から営業赤字が継続していたため、再生支援協議会関与の下、いわゆる「暫定リスケ」を内容とする経営改善計画を策定し、対象債権者より元本返済猶予の支援を受けてきていた。しかし、同計画による事業改善施策の実行によって3年の暫定計画期間内での黒字化を達成できなかったため、「暫定リスケ」の出口として、スポンサー型による事業再生を企図し、スポンサー探索を進めることとした。いくつかのスポンサー候補への打診を行ったところ、地元の中小企業再生ファンドが提案する支援内容が最も好条件であったことから、同ファンドの支援を受け、債権放棄を伴う抜本的な再生計画を策定するべく、あらためて、再生支援協議会へ再生計画策定支援の利用を申請し、同支援の開始を受けた。

(2)　主たる債務者の再生スキーム
　主たる債務者の再生スキームは、対象債権者が保有する債権を中小企業再生ファンドへ債権売却し、債権買取後に同ファンドが直接債権放棄することを内容とするものである。対象債権者のファンドへの債権売却価格は、保全債権の保全額と非保全債権の約12％相当額であり、実質的な弁済率は約12％

である。なお、清算配当率は約9％と算定されている。

(3) 保証債務の整理

保証人は、社長（代表取締役）と常務（取締役）の2名であり、社長は金融債権全額に、常務は金融債権の一部に保証を差し入れていた。本件では、主たる債務者の再生計画策定支援が先行して開始しており、具体的な再生計画案の立案のタイミングで、両保証人について、整理手順に基づき、窓口相談（第1次対応）の申込み、弁済計画策定支援（第2次対応）の利用申請書の提出を行い、一体型の手続により保証債務の整理を行った。なお、主たる債務者の代理人弁護士が支援専門家として関与している。

支援専門家は、再生支援協議会による弁済計画策定支援開始決定日を基準日とする資産に関する表明保証書を作成し、保証人の弁済計画案を組み込んだ一体の再生計画案とともに対象債権者に提出し、一体として全対象債権者の同意を得た。主たる債務者の再生計画策定支援の開始から同意取得までの期間は約5か月、保証人の弁済計画策定支援の開始から同意取得までの期間は約4か月であった。

(4) 弁済計画案の内容

(i) 社長

前提として、本件での主たる債務の再生計画に基づく「回収見込額の増加額」は約2000万円であった。社長は、自宅および自宅以外の不動産、有価証券、生命保険解約返戻金等総額2600万円の資産を保有していた。そこで、破産手続における自由財産に相当する99万円と、一定期間の生計費に相当する金額として、GL・QAの目安に従い、保証人の年齢（62歳）の雇用保険の最大給付期間である240日を基準に算出した264万円（8か月×33万円）の合計363万円相当の資産を残存資産とすることを要請し、当該金額に満つるまでの資産として、継続を希望する生命保険契約の一部と現預金を残存資産とし、その余の資産および資産を換価した代金を保証履行する弁済計画案を提示した。なお、自宅については、親族が特定価格相当額で購入するものとした。

(ii) 常務

常務は、現預金、有価証券、生命保険解約返戻金等総額1300万円の資産を保有していた。そこで、社長と同様に、破産手続における自由財産に相当す

る99万円と、一定期間の生計費に相当する金額として保証人の年齢（63歳）の雇用保険の最大給付期間である240日を基準に算出した264万円（8か月×33万円）の合計363万円相当の資産を残存資産とすることを要請し、当該金額に満つるまでの資産として、現預金と生命保険の解約返戻金の一部を残存資産とし、その余の資産および資産を換価した代金を保証履行する弁済計画案を提示した。

2 単独型の事例

(1) 事案の概要、主たる債務者の再生スキーム

主たる債務者は、小売業等を営む株式会社であり、売上減少等の理由から債務超過に陥り、協議会スキームを利用して抜本的な事業再生を目指したが、取引債務の支払が困難になるなどの事態が生じたため、同手続を断念し、再生手続による再生を目指すこととし、同手続を申し立てるに至った。同手続開始決定後、主たる債務者が策定した再生計画案は認可・確定している。

(2) 保証債務の整理

保証人は、主たる債務者の取締役（専務）であり、主たる債務者が負う金融債務の一部について連帯保証債務を負っていた。その総額は約4億円であり、対象債権者となる取引金融機関は信用保証協会、地方銀行、政府系金融機関の3行である。

なお、主たる債務者の社長（代表取締役）は、すべての金融債務について連帯保証債務を負っていたが、整理手順に基づいて保証債務が整理することなく、破産手続により保証債務を整理している。

(3) 整理手順（単独型）の手続

本件は、主たる債務の整理を再生手続、保証債務の整理を整理手順に準拠して行う、いわゆる単独型であり、単独型の手続は以下の通り進行した。

(i) 第1次対応の申込等

保証人は、保証人の資産調査等を行う支援専門家（主たる債務者の代理人弁護士が支援専門家となった）と連名で再生支援協議会に対して相談申込書を提出して窓口相談（第1次対応）を申し込み、窓口相談において保証契約の概要や主たる債務の状況等を報告した。また、保証人は、窓口相談後、再生

1 再生支援協議会スキーム

支援協議会に対して利用申請書を提出し、保証人は、支援専門家の確認を得て具体的な資産状況や免責不許可事由の有無等についても報告した。

(ⅱ) 弁済計画策定支援（第2次対応）の決定

再生支援協議会は、窓口相談や利用申請書により把握した保証人の状況を基に、弁済計画策定支援（第2次対応）が適当であると判断したことから、これを決定し、再生支援協議会、保証人および支援専門家の連名で、弁済計画策定支援を開始したことや返済猶予等の要請を対象債権者に対して通知した。

(ⅲ) 弁済計画案の策定、債権者会議の開催等

弁済計画策定支援決定から約1か月後、保証人は、開示した資産状況の正確性について表明保証書を作成し（基準日は弁済計画策定支援決定日）、その資産状況を前提に支援専門家の協力を得て弁済計画案を策定し、再生支援協議会が主宰する債権者会議において当該弁済計画案を提出した。再生支援協議会は、対象債権者に対し、1か月を期限として同弁済計画案に対する賛否を諮った。

その後、期限までにすべての対象債権者から同意が得られたことから、弁済計画案は成立した。

(4) 保証人の弁済計画の概要

本件は、主たる債務の整理手続（再生手続）が終結した後に整理手順に準拠した保証債務の整理が開始されたため、いわゆるインセンティブ資産を残存資産に含める余地はないが、保証人が保有する資産は自由財産の範囲内であり（現預金合計約40万円）、そもそもインセンティブ資産に相当する資産を有していなかったことから、保有資産の全額を残存資産とし、対象債権者に対する弁済なくして保証債務全額の免除を要請する内容であった。

対象債権者としては、何らの弁済を受けることなく保証債務の全額を免除することになるため、一部の対象債権者は弁済計画案に対して難色を示したが、GLや整理手順の趣旨、保証人の経済的再生に対する理解を求めた結果、最終的にすべての対象債権者の同意を得ることができ、保証人は保証履行することなく保証債務全額の免除を受けるに至ったものである。

2 特定調停

弁護士　髙井　章光
弁護士　犬塚暁比古

Ⅰ　はじめに

　特定調停は、主債務者と保証人の債務処理を別個の手続で行う、いわゆる単独型において、GLが比較的多く利用されている手続である。特に主債務者において再生手続等の法的手続が実施された場合の多くが、特定調停による単独型を利用している。これは、全国の簡易裁判所で手続が可能であること、手続が簡便で負担が少ないこと、いわゆる（民事調停法）17条決定を利用することによって出頭や社内稟議取得のための債権者の負担を少なくすることができることによるものと思われる。
　以下では、特定調停の意義、特徴、その手順および事例などについて説明する。

Ⅱ　GLを用いた特定調停の意義

1　特定調停とは

　特定調停は、法人か個人かを問わず、債務者が経済的に破綻するおそれがある場合に、法的倒産手続の一歩手前の段階において、金銭債権を有する債権者との間で、金銭債務の支払条件の変更、担保関係の変更等の利害関係の調整を行うことにより債務者の経済的再生を図るものである（特定調停法1条）。
　なお、特定調停は、民事調停手続の特例であるため、特定調停法および同手続規則に定めのない事項については、民事調停法、民事調停規則の適用がある（特定調停法22条、特定調停手続規則9条）。

2　GLを用いた特定調停の意義

GLを用いた特定調停については、①主債務者が法的手続による債務整理を行った場合であっても、保証人個人のみの、いわゆる単独型での債務整理が可能であること、②他の準則型私的整理と異なり、手続上の制約が多くなく、いわゆる17条決定による解決も含めて柔軟な債務整理が実行できること、③簡便ながらも、裁判所の監督の下、調停委員会における専門家の調整が行われることで公正性が確保され、税務上も債権放棄における無税償却処理等が認められていること、④調停が成立し、調停調書が作成された場合、またはいわゆる17条決定に対し法定期間内に異議がなされない場合は、同調書および決定は債務名義となる（民事調停法16条・18条5項）ことから、履行確保についての信頼性が確保できることといった特徴があり、いわば、法的手続における予測可能性と準則型私的整理手続における柔軟性を兼ね備えた制度といえる。

3　特定調停の運用

日本弁護士連合会（以下、「日弁連」という）では、主に中規模以下の中小企業の事業再生を支援するため、最高裁判所、経済産業省中小企業庁と協議し、特定調停を活用するためのスキームを策定し、2013年12月から同スキームの運用が開始されている。このスキームに基づいて裁判所内において体制整備が行われ、また、日弁連により同スキームに基づいて申立てを行う弁護士の運用マニュアル「特定調停利用の手引」[注1]が策定されている。かかる

（注1）　「特定調停利用の手引」は2020年2月に改訂され、日本弁護士連合会のホームページ（http://www.nichibenren.or.jp/activity/resolution/chusho/tokutei_chotei.html）にて公開されている。また、同ホームページには特定調停手続の申立書などの書式が公開されており、参考になる。その内容の説明については、日本弁護士連合会＝日弁連中小企業法律支援センター編『中小企業再生のための特定調停手続の新運用の実務』（商事法務、2015）、髙井章光「特定調停を活用した新しい中小企業再生手続の運用」事業再生と債権管理143号（2014）145頁参照。
　2020年2月の改訂内容については、渡邉敦子ほか「日弁連特定調停の手引の改訂・新設と運用上の留意点」事業再生と債権管理168号（2020）111頁参照。

手引きは、主たる債務者を債務整理する場合に保証人も一体で債務整理を進める一体型の特定調停の運用を定めたものである。

その後、2013年12月に公表されたGLに対応するため、日弁連は「特定調停利用の手引（保証債務）」(注2)を策定し、保証債務のみを特定調停で処理する単独型の運用を定めた。

さらに、2017年1月には、事業者の早期の任意の廃業を支援するスキームとして「特定調停利用の手引（廃業）」(注3)が策定され、事業を廃業する場合の一体型の特定調停の運用を定めた。

上記3つの手引については、「特定調停利用の手引」が事業再生（事業継続）の場合の一体型および事業者のみの債務整理を行う事業者単独型、「特定調停利用の手引（保証債務）」が事業再生（事業継続）の場合の保証人単独型および事業清算・廃業の場合の保証人単独型、「特定調停利用の手引（廃業）」が事業清算・廃業の場合の一体型および事業者単独型においてそれぞれ適用されることとなっている。

これらの特定調停スキームは、GLに基づく保証債務の整理に関し、保証人から委任を受けた弁護士が、金融機関である債権者と申立前段階において十分な事前調整を行った上で、簡易裁判所（各地方裁判所本庁に併置されている簡易裁判所が推奨されている）に申立てを行うことにより、多数の事件を円滑に処理できる運用方法を確立したものである。手続においては、①申立前段階において、申立代理人が主体的に金融債権者と調整を十分に実施することを前提とし、②簡易裁判所にて実施され、③原則として、特定調停内における財務デューデリジェンスや事業デューデリジェンスを実施せず、2回程度での期日によって調停成立を目指すという点に特徴がある。

現在、GLを用いた特定調停においては、前記スキームを原則とした運用が行われることが前提とされており、以下における特定調停については、前

（注2）　「特定調停利用の手引（保証債務）」についても前記ホームページにて、書式とともに公開されている。その内容の説明については、髙井章光「経営者保証ガイドラインと特定調停」事業再生と債権管理148号（2015）123頁参照。

（注3）　「特定調停利用の手引（廃業）」についても前記ホームページにて、書式とともに公開されている。その内容の説明については、髙井章光ほか「経営者保証ガイドラインと廃業支援型特定調停」事業再生と債権管理156号（2017）100頁参照。

記スキームを前提とする。

Ⅲ　GLを用いた特定調停の特徴
1　対象債権者にとって経済合理性が期待できること

GL7項(1)では、「対象債権者にとっても経済的な合理性が期待できること」を保証債務整理の要件の1つとしているところ、特定調停が成立した場合に作成される調停条項は、公正かつ妥当で経済合理性を有するものでなくてはならないとされている（特定調停法15条・17条2項等）。

2　和解型の手続であること

特定調停は、あくまで調停手続であるから、成立には全債権者の合意が必要である。したがって、例えば、非常に多数の債権者との意見調整が必要である場合など、債権者と話し合いによって合意に至る可能性が乏しい場合には、特定調停を用いることは困難であることが多い。

他の準則型私的整理との比較において特徴的といえるのは、裁判所により民事調停法17条の決定がなされた場合、債権者から異議がなされなければ調停成立の効果を生じさせることができるため、積極的に債務者が提出する調停条項に賛意を示すことができないが、裁判所の決定には異議を述べることはないという場合等に、多く活用されている点である。他方で、特定調停においては、REVICや再生支援協議会を用いた手続のように、メイン銀行の同意の下で、第三者が積極的に他の債権者の説得活動を行うという期待はできず（裁判所の調停委員会による説得活動も重要ではあるが、他の手続と比べると限定的な点は否めない）、申立代理人による各債権者への働きかけが重要になる。したがって、金融債権者同士の利害対立が激しい場合など、申立代理人による各債権者の意見調整が難しい場合には、他の準則型私的整理を検討するか、法的整理を検討することになる。

3　裁判所、調停委員会による関与

調停の申立てがなされると、裁判所は弁護士等の専門家からなる調停委員

会を組織する（特定調停法8条）。この調停委員会の関与により公正性が担保され、債権者としても調停条項案に賛成しやすい。また、調停調書は、債務名義となり（民事調停法16条）、他の準則型私的整理における和解契約と比較して、実行性のある履行確保が可能であり、債権者の信頼性を確保することができることも大きな特徴である。

4　手続が簡便であること

　特定調停においては、申立後の手続を円滑に進め、もって調停成立の実現性を高め、また、特定調停費用を低く抑える必要性から、申立代理人となる弁護士や補助者の公認会計士、税理士により保証人の資産調査が申立前に行われ、当該資産調査に基づいて、金融機関などの対象債権者との協議が事前に行われた上で申し立てることとしている。

　資産規模の小さい主債務者や保証人については、申立代理人による資産調査が行われ、債権者に対して資料を開示されることで足り、詳細な資産調査までは不要な場合もあるし、第三者による資産調査等の費用を削減することで各債権者への配当原資が極大化するというメリットがある。また、事前の調整手続において、債権者側の要望に応じて、資産調査を公認会計士等の専門家に依頼するという方法を用いることも可能である。このように特定調停においては、資産調査について、主債務者および保証人の資産規模、調査に係る費用の多少および債権者の意向等により柔軟な対応がなされている。

　なお、2020年の新型コロナウイルス禍により裁判所にて審理期日を容易には開催できない状況において、保証人のみの単独型の場合に、17条決定での成立となり、申立代理人ですら裁判所に一度も出頭せずに終了した事例を複数の簡易裁判所で経験している。

5　無税償却等が認められていること

　債権者の損金処理については、日弁連と日本税理士会連合会が共同で国税局に対し「特定調停スキームに基づき策定された再建計画により債権放棄が行われた場合の税務上の取扱いについて」との照会が行われ[注4]、かかる照会に対する回答により、特定調停において放棄した債権については、法人

税基本通達9－4－2における「合理的な再建計画に基づくもので……相当の理由がある場合」に該当し、債権放棄等により供与される経済的利益の額は寄附金の額に該当せず、損金の額に算入できることが明らかにされた。

また、債務免除益課税について、前記国税局の回答によれば、所定の手順に従って策定された再建計画が特定調停を経て成立し債務免除を受けた場合、債務者は法人税基本通達12－3－1(3)に定められている、「債務の免除等が多数の債権者によって協議の上決められる等その決定について恣意性がなく、かつ、その内容に合理性があると認められる資産の整理があったこと」に該当するため、法人税法59条2項の期限切れ欠損金の損金算入の適用が認められることも明らかにされている。

さらに、日弁連と日本税理士会連合会が共同で行った「特定調停スキーム（廃業支援型）に基づき債権放棄が行われた場合の税務上の取扱いについて」との照会に対する国税局の回答(注5)によれば、主債務者が廃業する場合の債権者の損金処理については上記と同様に損金の額に算入できること、個人事業主における債務免除益について各種所得の計算上、総収入金額に算入しないこと、保証人が保証債務を履行するために資産を譲渡した場合に所得税法64条2項の特例の適用が認められることも明らかとされている。

以上の通り、特定調停においては税務面の処理も可能であり、税務当局の取扱いが明確となっている(注6)。

Ⅳ　特定調停の手順

1　債権者との事前協議の実施まで

(1)　手続選択の決定

申立代理人は、税理士等の協力を得ながら、一体型の場合には主債務者お

(注4)　照会および回答については国税庁のホームページに掲載されている（https://www.nta.go.jp/shiraberu/zeiho-kaishaku/bunshokaito/hojin/140630/index.htm）。

(注5)　照会および回答については国税庁のホームページに掲載されている（https://www.nta.go.jp/law/bunshokaito/hojin/1805xx/index.htm）。

(注6)　特定調停手続における税務については、日本弁護士連合会＝日弁連中小企業法律支援センター編・前掲（注1）110頁以下に詳しい記載があり参考になる。

よび保証人の資産等について、また保証人単独型の場合には保証人の資産等について調査・検討を行い、さらに主債務者については、公租公課、商取引債権者および労働債権の支払計画や資金繰りを確認して、金融債権者のみを対象とするか、大口の取引債権者を含める対応まで必要か否か等を検討し、その上で手続選択を行うことになる。また、保証人については、前記主債務者の手続選択、弁済見込額を前提に、保証人の資産を勘案して、GLを用いることができる「経済合理性」を満たすことができるかの検討を行うことになる。保証人の今後の生活等の状況に鑑み、いわゆるインセンティブ資産を残すことができるのか、残す場合に何を残すかの検討も不可欠である。

(2) 対象債権者への通知

(i) 受任通知

　手続選択を行った前後において、遅くとも対象債権者への支払を停止する時点で速やかに対象債権者に対して受任通知を発送することになる。しかしながら、事前の説明なく受任通知のみを送った場合には、債権者側がいきなり期限の利益を喪失して債権回収行為に及ぶことも少なくないため、事前に面談するなどして手続選択に至った原因、財産状況等の説明を行う機会を作りながら、受任通知の発送のタイミングを図ることになる。

(ii) 一時停止等の要請

　一時停止等の要請については、主たる債務者、保証人、支援専門家（申立代理人弁護士を含む）が連名した書面により、すべての対象債権者に対して同時に行う（GL7項(3)①）。

(a) 一時停止等の要請の時期

　GLに基づく弁済計画には、保証人の財産の状況を記載しなければならないところ（GL7項(3)④）、この財産の評定の基準時は、保証人がGLに基づく保証債務の整理を対象債権者に申し出た時点、または、保証人等による一時停止等の要請が行われた場合にあっては、一時停止等の効力が発生した時点である（GL7項(3)④ロ）。このように一時停止等の要請は財産評定の時点を画することから、どの時点で一時停止等の要請を行うかは非常に重要である。

　この一時停止等の要請は、すべての対象債権者に対して同時に行うこととなっているが、現実的には、債権者の把握漏れや債権の有無が争いになって

いる場合など、対象債権者全員に同時に一時停止等の要請を送付できないこともある(注7)。このように対象債権者全員に送付していない一時停止等の要請の効力をどのように考えるべきであろうか。一時停止等の要請が、弁済計画の基礎となる財産評定の時点を画するものであることから、対象債権者に対する財産評定の時期を揃える必要が生じる。したがって、後から判明した一部の債権者に対しても、財産評定の時期についてその他の多数の債権者と平仄を併せる方向で、対象債権者と調整を行うことになる。この場合において、同時に要請を行わなかったことについて合理的な理由があり、当初の要請がほとんど多数の対象債権者に送付され、残り一部の対象債権者についても財産評定の時期を揃える場合には、対象債権者全員に同時に一時停止等の要請を行わないことも許容されるべきである。実務においても、対象債権者間において不平等が生じなければ、合理的な説明がつく対応を行うことで特に大きな問題に至ることは少ないと思われる。

(b) 一時停止等の要請後の支出

一時停止等の要請から特定調停申立てまでの間に、生活費等の支出を行う場合や資産の換価を行う必要性が生じる場合は多い。この点について、GL・QAでは、一時停止等の要請後に無断で財産を処分した場合には、対象債権者の「合理的な不同意事由」に該当すると例示しており（GL・QA7-7）、一時停止等の要請後の資産処分においては、その必要性・相当性について債権者に説明をしておく必要がある。もっとも、新たな収入によって生活費をまかなうことができない場合には、既存の資産から通常の範囲内の生活費をまかなうことについては、最終的な弁済計画案策定・提案時に生活費による資産減少であることを説明した上で、弁済額についてはあくまで一時停止等がなされた基準時の財産評価とするのであれば、許容されると考える。

(c) 対象債権者との協議

金融債権者との間における事前協議については個別に行うことも多いと思われるが、バンクミーティングを行うこともある。

(注7) 宮原一東「第三者保証債務を含む2社の保証債務について、経営者保証ガイドラインを活用し、特定調停手続により、保証債務の整理を行った事例」事業再生と債権管理154号（2016）112頁。

対象債権者との協議においては、保証人の資産の状況、弁済計画の方向性等について早期に資料をもって説明することが望ましい。信用保証協会など債権者に代位弁済を行うことが予定されている者については、代位弁済前の債権者を通じて、債務整理の方針について事前に意見を聴取し、協議した上で、利害関係人として特定調停の相手方とする場合もあり、この点、留意が必要である（なお、代位弁済前に申立代理人が信用保証協会と意見交換ができるケースもある）。

その上で、ある程度の合意が形成され、第三者である裁判所の仲介により、詳細についての調整が期待できるという状況で特定調停の申立てを行う。この時点で、主債務についての合意の形成が難しい場合には、合意を得られる債権者数および債権額を把握し、主債務者についてのみ、再生手続、特別清算手続や破産手続等の法的手続の選択に切り替えることもある。また、保証債務についての合意形成が難しい場合、特定調停における調停委員会による説得が可能かどうか、積極的な同意は得られないもののいわゆる17条決定に異議を出さないという見込みがあるかどうかを検討し、特定調停の申立てを行うかどうか判断することになる。ごく一部の債権者が同意しない場合において、これらの債権者を対象債権者から除外したとしても弁済計画に与える影響が軽微な場合には同意しない債権者を除外することにより債務整理を成立させることもできる（GL・QA7-8）。

なお、GLに基づく特定調停においては、対象債権者との間で事前に十分な協議を行うことが前提とされているが、主債務者が破産等の法的手続をとっており、その終結が迫っている場合など、主債務の債務整理が終結するまでに保証債務の整理の申立てを行わなければインセンティブ資産を残すことができないこと（GL7項(3)③）の関係から、対象債権者との調整が不十分な状態での特定調停の申立てを行わなければならないことも想定され、対象債権者とどの程度の事前協議を行うべきかについては、事案の内容によって柔軟な対応が求められる。

2 申立て

(1) 特定調停の相手方

特定調停の相手方は金銭債権を有する者その他の利害関係人であり、具体的には特定債務者に対して財産上の請求権を有する者および特定債務者の財産の上に担保権を有する者である（特定調停法2条4項）。

GLにおける対象債権者は、「中小企業に対する金融債権を有する金融機関等であって、現に経営者に対して保証債権を有するもの、あるいは、将来これを有する可能性のあるもの」であり（GL1項）、この対象債権者は、特定調停における「金銭債権を有する者」または「利害関係人」として特定調停の相手方となる。信用保証協会など債権者に代位弁済を行うことが予定されている者については、利害関係人として特定調停の相手方とする場合もある。

なお、GLの対象債権者ではない者であっても特定調停において併せて債務整理を行うことは可能であるから、保証人自身が借入れを行っていた場合の債権者を取り込んで特定調停を行うことも可能である。もっとも、その場合は、GLの対象債権者との間の衡平性を害しないよう、保証人の資産の配分について、当該債権者を対象債権者に含めて調整を行うことになる（GL・QA7-28）。

また、一部の債権者のみを対象として申立てをすることも可能であるが、調停条項案は公正かつ妥当で経済合理性を有するものでなければならず、申立ての対象とならなかった債権者と比べて著しく有利なまたは不利な内容での調停条項は許されない。

(2) 特定調停の管轄

日弁連の特定調停スキームにおいては、専門性のある調停委員を速やかに選任してもらう必要性があることから、地方裁判所本庁に併置された簡易裁判所に申し立てることが推奨されている。

特に事業再生を図る中小企業を申立人とする特定調停の場合、再生計画案の内容等の調査が必要になることから専門委員の専門性が高く求められるところであるが、事前調整を尽くした清算型の企業の特定調停の場合には必ずしも事業性評価等の専門性に優れた調停委員を求める必要性は高くはないこ

とから、債権者の出席のしやすさを考慮して支部に併置されている簡易裁判所での対応も可能と思われる[注8]。

(3) 印紙額

印紙代については、各裁判所の取扱いによって算定方法が異なるため注意が必要である。申立時においては経済的利益を算出不能として訴額を160万円として申立て1件当たりの印紙代を6500円とする取扱い[注9]や免除額相当額を経済的利益としてこれに応じた金額を印紙代とする場合、申立て1件当たりの印紙代を6500円としつつ、調停が成立（または17条決定が成立）後に免除額を経済的利益としてこれに応じた金額の追納を求められる場合[注10]、債権額に約定利率（通常は法定利率）を乗じた金額を経済的利益とする場合[注11]などがあり得る。しかしながら、近年は印紙額は高額とならない傾向に運用が改善されてきているように感じる。

特定調停は、経済的困窮にある債務者の利害関係調整の手続であり、このような経済状況にある債務者に対して、貸金請求事件等の通常訴訟手続と同じような手数料負担を強いることは、特定調停法1条の精神に反する結果になりかねないし、印紙代が法人1000円、個人1500円とされている破産手続、

(注8) 髙井章光＝犬塚暁比古「清算型スキームの中で主債務を特定調停手続で整理するとともに、保証債務についても『経営者保証ガイドライン』に則り特定調停手続にて一体的に整理した事案」事業再生と債権管理153号（2016）99頁。

(注9) 髙井＝犬塚・前掲（注8）99頁、堂野達之＝桑先佑介「特定調停手続に基づき、事業を承継した新会社が債務の一部を引き受けて旧会社は債務免除を受け、経営者保証人は『経営者保証ガイドライン』により所有不動産を残しつつ保証債務の免除を受け、主債務と保証債務を一体的に整理した事例」事業再生と債権管理154号（2016）103頁、宮原・前掲（注7）112頁など。

(注10) 山田尚武＝尾田知亜記「特別清算を用いて主債務の整理を行うと同時に、早期に事業停止をし、資産価値の劣化を防ぐことによりインセンティブ資産を確保しながら『経営者保証ガイドライン』を用いて代表者の保証債務を一体的に整理した事例」事業再生と債権管理150号（2015）126頁、伊藤明日佳「クレジットカードの発行や事業資金の貸付を目的として設立された協同組合の理事について『経営者保証に関するガイドライン』を活用して債務整理を行った事例」事業再生と債権管理154号（2016）96頁。

(注11) 黒崎隆宏＝村松遼「債務超過会社の事業を事業譲渡により第三者に承継し、事業譲渡後の会社を破産手続によらず『廃業支援型特定調停スキーム』に基づき、保証人を『経営者保証ガイドライン』に基づき、いずれも特定調停で一体整理した事例」事業再生と債権管理165号（2019）173頁。

1万円とされている個人再生手続と比較して高額の印紙代を求めることに合理性はないと思われる。実際、弁済原資が少なければ少ないほど（つまり債権者からの同意を得ることに困難を生じる場合であればあるほど）免除額が多額となって印紙代が高額となり、債権者への弁済原資が減少するという結論となれば、特定調停を選択することが困難となる。

　また、GLを用いた特定調停においては、特定調停申立前の時点で各債権者はGLの利用およびGLを根拠として資産を残し保証債務を免除することを了解していることが大前提となっている。そうすると、特定調停において中心となる作業は、保証債務の免除を改めて債権者との間で合意するのではなく、GLの要件や残存資産等の確認にすぎないのであるから、保証債務免除額を特定調停における経済的利益とすることは妥当ではない。

　したがって、経済的利益を算出不能として訴額を160万円として申立1件当たり6500円とするのが相当であると思われる。そこで、印紙代の算定方法について免除額相当額を経済的利益としてこれに応じた金額を印紙代にするとの裁判所の主張に対しては、申立1件当たり6500円とするのが相当である旨の説得を行うことになる。

　実際に、後述する単独型の事例においては、申立直後において、申立代理人より東京簡易裁判所に対し、経済的利益を160万円とした上で印紙額を6500円として追納なく調停が成立した事例があることを紹介しつつ、経済的利益を算定不能として、債権者数や負債総額にかかわらず、一律6500円とすることが相当である旨の上申を行った。その結果、印紙代としては6500円となり、追納も要求されなかった。

　また、後述の一体型の事例においては、裁判所に印紙代の取扱いを確認したものの明確な回答が得られなかったことから、免除予定額に基づいて印紙代を計算して弁済計画を策定して各債権者からの合意を得ておいた。その上で特定調停申立後に裁判所と協議して、法人および保証人それぞれ1案件6500円ずつを収めその後追納はしないという取扱いとした後、印紙代と見込んでいた金額を弁済原資に加えて最終の弁済額を各債権者に提示している。

　印紙代については、各裁判所において取扱いを統一している場合もあり、裁判所に対する説得も功を奏しないこともあり得るから、債務整理の方針決

定後、具体的に各債権者に弁済額の提示を行う前の時点で、管轄裁判所に問合せをして、その取扱いを確認しておく必要があろう。その上で、弁済計画の策定を行い、債権者から同意を得ることが必要になると思われる。

3　調停機関による調停

　調停の申立てがなされると、裁判所は専門家から成る調停委員会を組織し（特定調停法8条）、調停委員会による調査、意見調整がなされることになる。進行日程については、事案の内容や各裁判所の運用によって異なるが、一般的には、まず、申立直後に裁判所と申立人との間で準備期日が開かれ、この準備期日において申立人が求める調停内容や問題点の確認、今後のスケジュールの決定などが行われる。この準備期日を設けていない場合や、この準備期日を第1回調停期日としている場合など運用はさまざまであり、事前に裁判所に確認しておくとよいと思われる。申立てから1か月程度で第1回調停期日が開催され、それ以降は1、2か月ごとに調停期日が開催される。

　申立人（求められれば相手方も）は、調停委員会に対し、債権または債務の発生原因および内容、弁済等による債権または債務の内容の変更および担保関係の変更等に関する事実を明らかにしなければならず（特定調停法10条）、調停委員会が求める事件に関係のある文書または物件の提出を行う（同法12条）。そして、申立人から調停条項案が提出されると、調停委員会において、当該調停条項案が公正かつ妥当で経済合理性を有するものかどうかの確認が行われ、また、債権者や利害関係人との意見調整が行われる。

　なお、裁判所の運用によっては、調停期日に債権者側の担当者は必ず出頭しなければならないとはされず、電話での意見調整も可能としている場合がある。調停の成立においては出頭が必要であるが、出頭することが難しい場合に、特に調停条項に異議がなければ、裁判所による17条決定を受け、これに対して異議を述べないという運用も広く行われている。なお、出頭が難しい債権者が存在する場合の措置として、特定調停法は、あらかじめ調停委員会提出の調停条項案を受諾する書面を提出させることで、他の債権者が当該調停条項案を受諾した場合に合意が成立するとみなす措置（特定調停法16条）や、当事者双方からの書面の申立てによって、調停委員会からの調停条

項で合意が成立したとみなす措置（同法17条）がある。しかし、民事調停法17条決定のほうが裁判所は利用し慣れており、特定調停法16条、17条の措置はあまり利用されていない。

4 調停の成立

　申立人の提出した調停条項案について、調停委員会の調査の結果、公正かつ妥当で経済合理性を有するものと認められ、当事者が同意する場合には、調停が成立し、裁判所は裁判上の和解と同一の効力を有する調停調書を作成する（民事調停法16条）。

　また、申立人の提出した調停条項案では合意に至らないような場合には、調停委員会が調停条項案を示す場合もある（特定調停法15条）。

　さらに、裁判所が解決案を決定において示し（民事調停法17条）、その告知日から2週間以内に異議が出されなければ、当該解決案は裁判上の和解と同一の効力を生じる（同法18条5項）ことから、17条決定による解決が図られる場合も少なくない。調停条項案について当事者の合意が成立しなかったり、17条決定に異議がなされたりした場合には事件が終了する。なお、その後に法的倒産手続を申し立てることは必須とはされていない。

　特定調停については、事前に当事者間での協議がなされ、調停条項案について十分に協議がなされている状況での申立てがなされ、その後に改めて資産調査を行うことは予定されていないため、調停期日は2回程度で終了することが想定されている。

V 事例からみる手順等

1 単独型の事例

　特定調停は、一体型・単独型のどちらでの利用も可能であるが、単独型が多く、実際に報告されている事例も単独型が多い[注12]。以下では、単独型の実例に沿って、特定調停の実際の手順等を確認しつつ、問題点等にふれたい。

(1) **主債務者と保証人**

　主債務者は、主に賃貸借物件の管理等を行っている会社であり（資本金

1000万円、売上げ約1500万円)、その代表取締役が急逝したことから、保証人が代表取締役に就任し、保証債務を承継した。保証人は主債務者の経理に従事していたこともあるが実際の経営にはほとんど関わったことがなかった。主な負債は金融債権者3社（合計約5000万円）、リース債権者4名（合計約600万円）、また、一般の取引債権者が30名（合計約740万円）であり、資産は土地建物、預貯金および売掛金である。主債務者においては、売上げが低下し、従業員の離職も相次ぎ、事業の毀損が著しいため、早期に事業停止を行うことが望ましい会社であった。

保証人においては、負債は保証債務（前記金融債権およびリース債権）のみ

（注12）　三村藤明＝大宅達郎「特定調停を用いた経営者保証ガイドラインの成立事例報告」NBL1030号（2014）4頁、神戸俊昭＝塚田学「法人の代表者およびその配偶者について特定調停手続を利用し『経営者保証ガイドライン』に基づく保証債務の整理を行った事案」事業再生と債権管理146号（2014）118頁、山田＝尾田・前掲（注10）126頁、山形康郎＝加藤明俊「スポンサー企業への事業譲渡後、破産手続を回避することを目的として、経営者保証ガイドラインに即して特定調停手続により保証債務整理をした事例」事業再生と債権管理150号（2015）136頁、大西雄太「破産会社の代表者について、『経営者保証ガイドライン』に基づき、特定調停手続により、自由財産のほかに一定期間の生計費相当額を残しつつ、保証人の個人債務を含めて債務整理を行った事案」事業再生と債権管理151号（2016）165頁、山田尚武＝尾田知亜記「代表者を同じくする2社の金融債務である主債務を、特別清算により整理を行うと同時に、早期に事業停止をし、事業価値の劣化を防ぐことによりインセンティブ資産300万円を確保しながら『経営者保証ガイドライン』を用いてリース債務の保証債務を含む代表者の保証債務を整理した事例」事業再生と債権管理152号（2016）117頁、佐藤敦＝小川里美「回収見込額の増加額を上回る資産を残存資産とした事例」事業再生と債権管理154号（2016）88頁、伊藤・前掲（注10）96頁、宮原・前掲（注7）112頁、宮原一東「主債務者を事業譲渡後、破産手続により整理し、保証人は、特定調停を申し立て、『経営者保証ガイドライン』に基づき、保証債務に加え、個人的借入金債務も取り込んで、いわゆる17条決定により同時に整理した事例」事業再生と債権管理155号（2017）118頁、野村剛司「民事再生の申立てを行った法人の代表者につき、『経営者保証に関するガイドライン』を利用した特定調停が成立した事例」事業再生と債権管理156号（2017）116頁、山田尚武＝尾田知亜記「事業を全部第三者に譲渡することによって第二会社方式による再生を図り、主債務者は特別清算により債務整理を行うと同時に、経営者保証人はインセンティブ資産を確保しながら『経営者保証に関するガイドライン』を用いて保証債務を同時に整理した事例」事業再生と債権管理157号（2017）94頁、堂野達之ほか「特定調停スキームを利用して、破産した事業会社の前経営者について、債権者間の実質的衡平を図りつつ、『経営者保証に関するガイドライン』に基づいて保証債務の整理を行った事例」事業再生と債権管理160号（2018）150頁などが報告されている。

であり、資産としてはわずかな預貯金と自宅、保険が資産として残っていたが、70歳を超え、また、持病もあったことからできるだけ多くの資産を残すことが望まれた。

(2) **手続選択等の方針決定と債権者との交渉**
　(i) **事業停止時点における協議**
　主債務者については、資産を換価すれば、一定額の弁済原資が確保できる見込みがあったことから、事業停止をした後、商取引債権者などの少額債権者には一定額の弁済を行い、金融債権者のみを残して特定調停もしくは特別清算での債務処理を行うこととし、保証人においても並行して特定調停にて処理する方針とした。そして、このような方針確定の後、直ちに金融機関およびリース会社には当該方針の説明を行った上で、2014年9月に事業のすべてを停止した。ただし、事業停止時点では、主債務者および保証人の所有する不動産の換価が未了であり、また、保証人においては、自宅不動産を換価するか、インセンティブ資産として残余財産とするかの方針は決まっていなかったこと、売掛金を含む資産調査も正確に行っていなかったことから、資産目録等の開示、具体的な弁済計画については資産調査を行った後に改めて説明するものとした。

　また、不動産の換価も含め、特定調停申立てまでは一定の期間が必要と思われたことから、事業停止の時点においては、正式な一時停止等の要請を行っていない。

　(ii) **事業停止後における協議**
　　(a) **主債務についての協議**
　事業停止後、2014年12月から翌2015年2月にかけて、主債務者においては水道光熱費などの少額債権および商取引債権の処理、不動産の換価などを行ったが、いずれも金融債権者の了解を得て行っている。そして、かかる換価等を行った後に具体的な弁済原資を計算し、各債権者への説明を行った。なお、主債務者における少額債権者については、金融債権者の同意を得た上で、一定額を弁済することで残額は免除を受ける内容の和解契約を締結するという、純粋私的整理による債務処理を行い、金融債権者のみを残して特定調停を申し立てる予定であったが、一部の少額債権者はこれに応じなかった

ため、主債務者については債権者全員の合意を必要とする特定調停は諦め、特別清算で処理することとなった。

　(b)　インセンティブ資産についての協議

　保証人においては、前記主債務者における弁済原資を前提としてインセンティブ資産を計算し、主に現金および保険を残存資産として認めてもらうよう金融機関等には詳細な説明を行った。具体的には、保証人においては、不動産を換価した代金を含む現金約1400万円および約200万円の解約返戻金のある保険が主な資産であるところ、このうち、一定期間の生活費として約600万円のほか、自宅売却に伴う引越費用と引越先のリフォーム費用および保険について残存資産として認めるよう求めた。

　GLにおいては、残存資産について、同GL7項(3)③イないしホの点を総合的に勘案して決定するとされているところ、その一要素である回収見込額の増加額について、GL・QA7-16を参考に、直近3年の売上げの推移等に基づいて算出し、回収見込額の増加額が主債務者だけでも約1300万円であることなどを示した。また、本件においては、保証人所有の不動産（自宅）について、「華美でない自宅」としてインセンティブ資産に含まれるものとして評価額を算出し、金融機関とも協議を行っていたところ、当該物件を特に必要とする購入者が見つかり、通常の評価額以上で売却することができた。そのため現金資産が当初より多くなってしまったが、当初はインセンティブ資産とされてものが高額換価できたという事情を説得材料とし、一定額を生活費として手元に残す要請を行った。その上で、保証人が高齢であり今後の収入が年金程度であることおよび持病を抱えていること（GL7項(3)③イ）、もともとの代表取締役が急逝したことが原因で代表取締役に就任し保証債務を承継したのであって、主たる債務が不履行に至った経緯に対する帰責性は少ないこと（同項(3)③ロ）などについて、資料を開示し、「一定期間の生計費」の必要性（同項(3)③ａ）についても繰り返し説明を行った。

　さらに、残存資産の中で、保険については、前記保証人の状況から、仮に個人破産に至ったとしても、自由財産の拡張として認められるという点についても強調して説得を行った。GL7項(3)③ホは、「破産手続における自由財産（破産法第34条第3項及び第4項その他の法令により破産財団に属しないとさ

れる財産をいう。以下同じ。）の考え方」との整合性を残存資産の考慮要素の1つとし、自由財産の拡張（破34条4項）を明示されていることからすれば、自由財産の拡張が認められる資産については残存資産として残す必要性が認められているものといえよう。

本件では、金融機関の当初の対応が、残存資産の考え方、特に「一定期間の生計費」について、雇用保険の給付期間の考え方（GL・QA7-14）に破産手続における自由財産を加えた金額以上の残存資産を認めないという対応であったため（給付期間240日1月当たり33万の合計264万円）、交渉が長期化したものの、最終的には希望額全額を残存資産として認めてもらうことができた。

(iii) 特定調停の申立てと協議、成立

本事例においては、保証人の残存資産についての協議がまとまった後、改めて正式に一時停止等の要請を行い、2015年9月、主債務者においては特別清算手続の申立てを、保証人については特定調停の申立てを行った。特定調停では、同年11月初旬に調停委員と申立代理人との事前協議期日が開かれ、その約1か月後に第2回調停期日（実質的には第1回調停期日）が開かれた（対象債権者のうちで実際に出席したのは半数であり、残りは電話での参加となった）。本事例では、保証人についてはすべての債権者から特定調停申立てまでに、調停条項案についての同意を得ていたこともあり、この第2回の調停期日ですべての債権者が調停条項案に同意を示したものの、金融機関の一部が、主債務者の特別清算手続における債権者集会が終了するまでは最終的な調停条項についての同意ができない旨を述べたため、調停の成立自体は2016年2月となった。

なお、調停成立時においても、担当者の勤務地が遠方であり交通費が多額であるとの理由で出席が困難な金融機関においては、調停委員が電話で意向を確認した上で、調停条項案と同内容で17条決定を行い、かかる決定に異議を出さないという方法で調停を成立させている(注13)。

(注13) このような17条決定についても、債権額・配当額が小さく交通費が多額であるような場合には積極的に認められると思われる。神戸＝塚田・前掲（注12）118頁においても同様の理由で17条決定を用いている。

(iv)　**本事案における問題点――回収見込額の増加額の算定**

　残存資産については、対象債権者が得る経済的合理性を上限に、回収見込額の増加額など（GL 7 項(3)③イないしホ）の点を総合的に勘案して決定すると解されている(注14)。回収見込額の増加額については、あくまで残存資産画定の一要素にすぎないが、対象債権者にとっては重要な要素であることから、本事案においても、清算型における回収見込額の増加額（現時点での回収見込額と最大 3 年程度の将来時点における回収見込額の差額　GL・QA 7 -16）について対象債権者に対し詳細な説明を行っている。

　本事案のように、長期にわたって売上げが低迷しているものの大きな営業損失までは生じていないような主債務者においては、過去の売上げや販管費の数字をそのまま算定の基礎とするのではなく、当該売上げや販管費の内容を具体的に検証し、将来においてどのような変化をするか（またはしないか）について合理的な検討を加えることで回収見込額の増加額を算出することが相当である場合もある。

　なお、特定調停の申立前に、金融機関の一担当者から、残存資産を考慮した場合、保証人単独で経済合理性（破産よりも多くの回収見込額があること）を満たしていないとの主張がなされ、協議が長期化したという経緯があった。GLに対する理解は、担当者ごとにいまだに差があると思われることから、担当者の変更等が生じた場合には、つど、GLの内容について確認をしておく必要があると思われる。

2　一体型の事例（廃業）

　特定調停における一体型の事例は、その報告数は多くない。これは、一体型の場合はREVICや再生支援協議会が用いられることが多いことに加えて、REVICや再生支援協議会の利用があまり想定できない小規模の会社につい

（注14）　佐々木宏之「経営者保証ガイドラインにおける『残存資産』、『インセンティブ資産』の考え方」事業再生と債権管理154号（2016）80頁以下参照。なお、佐藤＝小川・前掲（注12）88頁においては、回収見込額を超える残存資産が認められており、回収見込額の増加額が残存資産を考慮する上での一要素にすぎないことについての先例として参考になる。

て、一定の弁済原資があるにもかかわらず事業再生の途を断念し、清算手続として破産手続を選択する場合が多いからではないかと推測される。また、金融機関からは、主債務者について特定調停ではなく、特別清算による債務処理を求められることもある。

しかしながら、一体型においては、主債務者と保証人の債務処理が1つの手続で可能になることの簡便さもあり、また、保証人においては主債務者との一体的な解決をより強調しやすいというメリットがあるため、さらに積極的な利用が望まれる(注15)。

(1) 主債務者と保証人(注16)

主債務者は、淡水魚の養殖を行う会社であり（資本金1000万円、売上げ約3000万円）、その代表取締役、代表取締役およびその子が保証債務を負っていた。主な負債は金融債権者2社（合計約8700万円）、取引債権者2社合計約

(注15) 一体型の事案としては、髙井・前掲（注8）99頁、堂野＝桑先・前掲（注9）103頁、若槻良宏ほか「地域の金融機関が主導し、特定調停手続を利用して、地方の老舗旅館を第二会社方式により再生させ、代表者の保証債務を『経営者保証に関するガイドライン』に基づき整理した事例」事業再生と債権管理154号（2016）119頁、若槻良宏＝吉川恵理子「廃業支援型特定調停スキームを利用して、地方の建設会社を破産手続によらずに廃業・清算させ、代表者の保証債務を「経営者保証に関するガイドライン」に基づき整理した事例の紹介」事業再生と債権管理158号（2017）160頁、宮原一東「事業譲渡後の会社を『廃業支援型特定調停スキーム』に基づき、保証人2名を『経営者保証ガイドライン』に基づき、いずれも特定調停手続で一体的に整理した事例」事業再生と債権管理159号（2018）168頁、桝田裕之「金融機関がその有する債権を公的ファンドに売却、公的ファンドから当該債権を新オーナーに売却する方式を特定調停で定めることにより主債務者は再生を図り、経営者保証人はインセンティブ資産を保持しながら『経営者保証に関するガイドライン』を用いて保証債務を特定調停で同時に整理した事例」事業再生と債権管理160号（2018）158頁、山田尚武ほか「小規模の株式会社について、廃業支援型特定調停スキームを利用して主債務者を廃業・清算するとともに、保証債務についても経営者保証に関するガイドラインにより特定調停で一体的に整理した事例」事業再生と債権管理161号（2018）122頁、宮原一東＝水原祥吾「廃業支援型特定調停スキーム及び経営者保証ガイドラインにより、主債務と保証債務の一体整理を図り、経営者保証人の個人破産を回避するとともに、主債務のために担保提供していた経営者の自宅を残した事例」事業再生と債権管理164号（2019）134頁、黒崎＝村松・前掲（注11）173頁、山口明ほか「特定調停スキーム（一体型・債務免除方式）を利用して事業再生を図った事例」事業再生と債権管理169号（2020）146頁などがある。

(注16) 詳細な事案については、髙井・前掲（注8）99頁を参照されたい。

1300万円であり、資産は土地建物、預貯金および売掛金である。主債務者においては、景気の減退等による売上げの減少を受け、資金繰りに窮するようになり、2014年7月期になると、大手取引先の廃業および魚卵・稚魚の管理不足による死滅という事態が生じて、多額の経常損失を計上しており、早期に第三者に事業譲渡を行うか、それが困難な場合には早期に事業停止を行うことが望ましい会社であった。

保証人のうち代表者は高齢で不動産以外の資産は、百数十万円の解約返戻金が見込まれる生命保険や数十万円の預貯金しかなく、預貯金および生命保険は今後の生活のために必要不可欠のものであった。また、代表者の子も預貯金以外にみるべき資産がなく、廃業後には仕事を失い収入がなくなることが予想されていた。

(2) **手続選択等の方針決定と債権者との交渉**

本事案では、保証人らが弁済原資を捻出することは困難なため、会社との一体型で解決することとし、そのため会社の資産の売却等によって清算配当率を上回る弁済原資を確保することが至上命題であった。そこで、弁済原資を確保するために、事業譲渡先を探したが斜陽産業のため営業権を評価して購入する希望者は現れず、やむを得ず、事業を行っている土地建物と事業設備をセットで同業者に売却することで事業設備についても一定の価値を生じさせ、当該事業設備の売買代金をもって一般債権者や金融債権の無担保部分に対する弁済原資とすることとした。

(i) **事業停止時点における協議**

事業停止を決めた後、直ちに金融機関には当該方針の説明を行った上で、2014年8月に事業のすべてを停止した。ただし、事業停止時点では、主債務者の所有する不動産の換価が未了であり、弁済原資が確保できるかどうかも不明であったことから、金融機関には、今後は事業譲渡もしくは不動産売却によって弁済原資を確保すること、保証債務については主債務者の方針決定の後に、GLを用いた処理を行う予定であることなどを伝え、資産目録等の開示、具体的な弁済計画については資産調査を行い、不動産売却の目処が立った後に改めて説明するものとした。

(ii) **事業停止後における協議**

事業停止後は、不動産および事業設備の売却を行い、一般債権について約10％程度の弁済が可能な一定程度の原資を確保することができた。本事案における主債務者においては、比較的高額な債権を有する一般債権者がおり、支払停止前に弁済することができなかったことから、当該一般債権者も含めて債務整理を行う必要があった。この一般債権者については、金融機関と異なり、特定調停等の手続について十分な知識等がないこと、単純な経済合理性のみで理解を得られるか不明であることなどから、十分な説明を行った。大手金融債権者については、通知を送った事業停止時以降において、支店および本店の担当者との面談を行い、債務整理の方針と個人についてのGLの適用等についての説明を行った。当時はGL施行後まもないこともあり、金融機関であっても内容について十分に理解していたわけではなく、また参考とすべき事例もなかったことから、GLについて詳細な説明を行い、その後も参考事例等について情報共有を行った。

代表者の資産は、売却した不動産のほかには、解約返戻金が約120万円程度の生命保険と99万円以下の現預金のみであり、今後得られる収入は年金のみで、持病を抱えていたこと、高齢のため破産手続においても生命保険等は自由財産を拡張して認められる可能性が高かったことから、弁済額がゼロであり、すべての資産を残存資産とすることについて、金融機関から異論はなかった。代表者の子についても、資産は99万円以下であり、また、生活状況（2か月程度の家計の状況）等について資料を提出し、弁済額ゼロ円での調停条項に理解してもらった。分割での弁済を計画している場合には「月次収支表」作成が求められる場合もあるが、保証人について弁済額をゼロ円とする調停条項を希望する場合、債権者に保証人の資産状況を伝え、弁済が難しい旨を説明するためにも、申立書への添付はともかくとして、月次収支表を作成しておくことは有効である。

(3) **特定調停の申立てと協議、成立**

特定調停での一体的な処理については、法人と保証人の債権者がすべてにおいて同一の場合には1通の申立書での申立てが可能となるが（ただし、裁判所によっては運用が異なる）、本件では、一般債権者を含んでいたことから、主債務者と各保証人のそれぞれについて申立書を準備することとなった。な

お、金融機関の債権について信用保証協会等の機関による保証がなされている場合、同機関も利害関係人として手続に加える必要があるが、本件は、主要金融機関とその保証会社はグループ会社の関係にあり、当該主要金融機関からも手続に加える必要はないとの説明を受けたことから、保証機関を利害関係人には加えていない。

　また、本件においては、各債権者から決算期末までに弁済を得たいとの要望があったことから、早期に手続終了となるよう、申立前の段階で具体的な調停条項について各債権者の同意を得ておき、当該調停条項を申立書に添付した。また、裁判所にも債権者の要望を伝えてスケジュールについて調整をいただいた。実際には、申立てから約１か月後に第１回期日が開催され、当日においてはまだ正式な決済が未了の債権者がいたことから、約３週間後に第２回期日が指定されて、同期日においてすべての債権者との調停が成立した。

(4) **本事案における問題点──特定調停におけるゼロ配当**

　本事案は、特定調停において一体型で処理を行い、主債務者から一定程度の弁済を行い、保証人らからの弁済は行わなかった。主債務者においてまとまった金額の弁済を行うことができ、かつ、主債務者と保証人らを一体型により解決したことから、保証人らからの弁済がゼロであっても、債権者からの理解を得やすかったものと思われる。

　GLでは、「主たる債務及び保証債務の破産手続による配当よりも多くの回収を得られる見込みがあるなど、対象債権者にとっても経済的な合理性が期待できること」を保証債務整理の要件としている（GL７項(1)ハ）。そして、この経済的合理性については、一体型であるか単独型であるかにかかわらず、主債務者と保証人の回収見込額を併せて考慮することから（GL・QA７-４）、単独型の場合であっても、主債務者および保証人の弁済額の合計額が、破産手続を行った場合の回収見込額の合計額を上回ってさえいれば、保証人からの弁済がゼロ円でも、保証人は債務免除を受けられる。ただ、金融機関としては、保証人においてゼロ円の弁済計画の場合は、単独型よりも一体型のほうが社内稟議をとりやすいと思われる。

3　一体型の事例（再生）

　廃業型特定調停においては、なかなか処分できない不動産等の資産処分に時間がかかるケースが多いが、再生型特定調停においては、資金ショートの危険が現実化しており短時間にて金融機関の同意を得なければならないような場合に利用されることがある[注17]。負債総額約30億円を抱えて資金ショートの危機にあった地域中核総合病院について、「特定調停利用の手引」により簡易裁判所の特定調停にて、金融機関調整を開始してからスポンサーによる支援実施まで約4か月程度で完了した事案を紹介する。

(1)　債務者の概要

　当該医療法人は約30年間、総合病院として地域においてはなくてはならない存在であったが、介護福祉施設を併設するなどの設備投資資金により借入れが多くなり、他方、業務の効率化がうまくできずに赤字体質となっていた。2019年4月に相談を受けたときには、同年8月には資金ショートの危機が現実化しており、スポンサー候補者がいたものの、短期間にて過大な金融負債の債務免除を実施する必要があった。

(2)　金融機関交渉

　中小企業再生支援協議会からはこれほどの短期間での対応は困難といわれたことから、迅速処理を標準スケジュールとする特定調停スキームによって対応するしか方法がなかった。財務・事業デューデリを公認会計士事務所に依頼し、不動産については鑑定をとった上で、地域金融機関2行と信用保証協会に対して個別説明を実施したほか、債務者代理人弁護士主催のバンクミーティングを実施した。

　金融機関に対する交渉を実質的に開始してから約1か月半の時点で、債務者が提案している弁済条件を前提とした特定調停による私的整理を進めるか否かを金融機関に図り、1行においてはぎりぎりの時点まで法的整理を要望するか判断が決まらなかったが、最終的には全金融債権者において特定調停

(注17)　再生型の特定調停手続において迅速に調停が成立した事案について、本書で紹介した医療機関を含め髙井章光「特定調停を用いた再生・清算事例」松下淳一＝相澤光江編集代表『事業再生・倒産実務全書』（金融財政事情研究会、2020）631頁参照。

による私的整理を実施することに賛同を得ることができた。なお、当該医療法人の理事長が連帯保証をしており、経営者保証ガイドラインにより特定調停手続によって一体整理をすることになった。

(3) **簡裁における特定調停手続**

2019年7月に地元の簡易裁判所に特定調停を申し立てたところ、事前の調整を行う債権調査期日のほかは、「特定調停利用の手引」記載の標準スケジュールとおり、可能であれば審理のための調停期日は1回で成立させる運用を行っているということであり、実際にも裁判官の夏休み明けの8月の第1回期日にて調停は成立し、その後、スポンサー支援が実施された。

スポンサーの支援スキームは、病院であるため第二会社方式はとらず、信用保証協会の求償権を含め金融機関の債権についての不等価譲渡スキームであった。保証人については経営者保証ガイドラインに則り、インセンティブ資産として将来の生計費を残し、自宅については親族が購入する形となった。

(4) **迅速手続としての特定調停スキーム**

このように、再生型においては、事件の規模や内容に応じた資料を債務者側の専門家（弁護士、公認会計士、税理士、不動産鑑定士など）が作成し、積極的に債務者代理人において金融機関に対する説明・説得作業を実施すれば、短期間にて特定調停にてまとめる準備が整うこともあり、特定調停手続において1、2回の期日によって調停を成立させることも可能となる。

Ⅵ 最後に

GLを用いた特定調停は、保証人にとって破産手続を回避し、残存資産を確保するためには積極的に検討されるべきである。この場合、申立代理人の役割は重要であり、事前調整の段階から説明を丹念に行うことで債権者との信頼関係を醸成することが重要である。

3 REVIC

弁護士 萩原 佳孝

I REVIC手続における保証人の取扱い

　REVICの業務における保証人の私的整理の局面としては、「特定支援手続」と「事業再生支援手続」の2つの手続(注1)（以下、「REVIC手続」と総称する）があり、いずれにおいても、主債務者である特定支援対象事業者または再生支援対象事業者（以下、「対象事業者」と総称する）と一体の手続で、GLに沿った保証人の保証債務の整理を行っている。

　「特定支援手続」は、2014年5月9日に成立した株式会社地域経済活性化支援機構法（以下、「機構法」という）改正法に基づき、同年10月からREVICに追加された機能の1つである。具体的には、過大な債務を負う事業者の金融債務に係る代表者等保証人の保証債務をGLに沿って整理することで、事業の継続が困難な事業者の円滑な退出を促すとともに、経営者である保証人による新たな事業の創出その他の地域経済の活性化に資する事業活動の実施に寄与すること（再チャレンジ）を可能とすることを目的としている。

　他方、「事業再生支援手続」とは、有用な経営資源を有しながら過大な債務を負っている中小企業者その他の事業者について、事業再生計画に基づき、過大な債務の削減等を通じた財務の再構築や事業内容の見直しによる十分な事業利益の確保により、競争力の回復と事業再生を支援する手続である。

　したがって、特定支援手続は、事業再生支援手続と比較すると、保証人の存在が必須であるとともに、転廃業予定の事業者の整理との親和性が高い手続といえる。

（注1）　再生支援決定および特定支援決定ができる期限は、2026年3月31日まで（ただし、主務大臣の認可で同年9月30日まで延長可）と法律上で制限されている（機構法25条8項・32条の2第7項。2020年9月時点）。

第4章　各実施手続における実際と問題点、事例報告

　REVIC手続は機構法に基づいて実施されることから、本項においては、まず、各手続の要件と具体的な手続の流れ等を説明した上で、両手続に共通する実際の運用や問題点等に言及し、最後に、各手続における具体的類型・事例を取り扱う。

Ⅱ　要件・手続等

1　特定支援手続

(1)　要件

　特定支援手続において、保証人の処理は法定されているため、REVICが特定支援決定を行うに際しては、対象事業者が満たすべき要件のほかに、保証人が満たすべき要件（特定支援決定基準）(注2)がある。主な留意点は以下の通りである。

　　(i)　主体

　特定支援手続で保証債務の整理を行う保証人は、法令上以下のいずれかに該当する必要がある（機構法32条の2、同法施行規則14条の2）。

　① 　対象事業者の代表取締役
　② 　対象事業者の事業従事者であり代表者の配偶者であるもの
　③ 　対象事業者の事業従事者で取締役であるもの
　④ 　対象事業者の事業の方針の決定に関して、②および③と同等以上の職権または支配力を有すると認められる者

　　(ii)　保証人の再チャレンジ要件

　特定支援手続は、対象事業者の代表者等である保証人が、関係金融機関等（REVIC手続における金融支援依頼の対象となる債権者(注3)をいう）と協力して新たな事業の創出その他の地域経済の活性化に資する事業活動の実施に寄与するために行う整理であることが必要である。すなわち、保証人が、特定支

（注2）　REVICのホームページ（http://www.revic.co.jp/pdf/publication/chiiki_shienkijun.pdf）を参照。
（注3）　関係金融機関等に指定することができる「金融機関等」の範囲は、機構法2条、同法施行規則2条・3条で定められている。

援手続による債務整理の実行後、新ビジネスの創業のほか、対象事業者の事業を承継した新会社や他社への就業など、再チャレンジが見込まれることが必要となる。もっとも、保証人が高齢である等の事情により再就職先等が決定していない場合であっても、就業意思があることやボランティア活動に従事するといった事情があれば再チャレンジ要件を充足するものとして取り扱っている。

(iii) **誠実性**

対象事業者および保証人が弁済について誠実であり、関係金融機関等およびREVICに対してそれぞれの財産状況（負債の状況を含む）に関して、適時に、かつ、適切な開示を行っていることが必要である。

ただし、対象事業者において過去に粉飾や詐害行為等があったというだけで誠実性の要件を満たさないと取り扱うものではなく、特定支援手続が新陳代謝や保証人の再チャレンジといった政策目的を実現するための制度であること等も踏まえ、情報開示や弁済等の特定支援手続に対する誠実性を考慮して判断される。

(iv) **関係金融機関等の経済合理性**

特定支援手続は、GLと同様（→第2章3参照）、対象事業者の弁済額と保証人の弁済額を一体として捉えた上で、対象事業者および保証人が破産した場合よりも、特定支援手続に基づく弁済計画が関係金融機関等にとって経済合理性があることが前提となる。

(v) **保証人の免責不許可事由要件**

保証人について、破産法上の免責不許可事由が生じておらず、またはそのおそれもないことが必要である。ただし、裁判所の破産実務においては、仮に免責不許可事由があっても、破産者の破産手続への協力等を勘案して免責（裁量免責）を行うことが少なくないことから、特定支援手続においても、対象事業者の新陳代謝および保証人の再チャレンジの趣旨に照らし、同様の対応がとられている。

(2) **手続**

特定支援手続による保証人の保証債務の整理については、GLを踏まえて以下の手続で進められる。

(i) 事前相談

REVICは、特定支援手続について、対象事業者、保証人、金融機関からの相談を随時受け付けている。

REVICは、関係者との面談内容や初期資料に基づいて特定支援手続の要件の充足可能性について初期的検討を行うとともに、保証人に対し、特定支援手続の利用や私財調査への協力、私財提供の意思について初期的な確認を行う。

(ii) 私財調査の実施

REVICは、対象事業者の財務状況等の確認と並行して、保証人の私財調査を実施する。具体的には、保証人から預金通帳の写しや保険の解約返戻金計算書、所有不動産の登記簿謄本、直近2か月分の家計収支表といった法的整理申立時の必要書類に準じた資料の提出を受けるとともに、保証人に対するヒアリングを実施することで、保証人の資産負債の状況や過去の資産処分の有無・経緯等について網羅的な調査を行う。

また、保証人に破産法252条1項各号（10号を除く）の免責不許可事由がないこと等についても並行して調査を行う。

(iii) 表明保証

保証人は、自己の資産および資力に関する情報を誠実に開示し、開示した情報の内容の正確性について、REVICおよび関係金融機関等に対し、表明保証を行う。また、REVICは、私財調査の結果等も踏まえて当該表明保証の適正性を確認する。

(iv) 弁済計画の策定

REVICは、私財調査の結果を受け、保証人の弁済計画の策定支援を行う。弁済計画の策定方針や内容等に関しては、Ⅲ3で後述する。なお、弁済計画策定に当たっては、保証履行により生じる対象事業者に対する求償権を放棄する旨の同意書を保証人から取得する。

(v) 保証債務整理の申込み

対象事業者による特定支援手続の申込みと同時に、保証人は、REVICに対し、対象事業者および保証債権者である一以上の金融機関と連名で、保証人の弁済計画を添付して保証債務の整理の申込みを行う（機構法32条の2）。

3 REVIC

(vi) 特定支援決定および回収等停止要請

REVICは、申込みを受け、特定支援決定基準に基づいて特定支援決定の可否を決定する。

特定支援決定がなされた場合、REVICは、関係金融機関等に対し、当該決定の通知と併せて、対象事業者の弁済計画および保証人の弁済計画を提示して債権買取等の申込要請(注4)を行うとともに、保証債務について回収等の停止要請を行う。なお、関係金融機関等による弁済計画に対する回答期限は、特定支援決定後3か月が上限とされているが（機構法32条の3）、通常は1～2か月程度で期限を設定している。

また、関係金融機関等への依頼事項として、保証人について信用情報登録機関に報告、登録しないことを依頼する。

(vii) 弁済計画等の説明と同意要請

REVICは、特定支援決定後速やかに、関係金融機関等に対し、説明会（必要に応じて開催）、個別訪問、メール等による質疑応答等の方法を通じて保証人の弁済計画の説明を行い、理解を求める。

(viii) 買取決定

REVICは、すべての関係金融機関等から、弁済計画に対する同意または債権買取りの申込みを得られた場合には、買取決定を行う。なお、特定支援手続においては最低一以上の関係金融機関等から債権買取りをすることが必須とされている（機構法32条の5）。また、対象事業者の弁済計画と保証人の弁済計画の関係についてはⅢ1で後述する通りである。

(ix) 弁済計画の履行と保証解除の合意

買取決定後、REVICは、保証人の弁済計画の履行に向けて資産換価等の支援を行う。

資産の換価処分が完了した後、保証人は、関係金融機関等から同意を得た

（注4） 関係金融機関等に対する債権買取等の申込要請は、次の①の申込みをする旨の回答をするように求める方法、次の②の同意をする旨の回答をするように求める方法または当該申込みもしくは当該同意のいずれかをする旨回答をするように求める方法のいずれかにより行う。
① 債権の買取りの申込み
② 弁済計画に従って債権の管理または処分することの同意

弁済計画に基づき、保証債務の一部履行を行う。保証履行に当たっては、保証人と各関係金融機関等との間で、弁済計画に従い、保証履行と引換えにまたは無償で、保証債務を免除する旨の合意書を締結する。保証債務免除合意書では、弁済計画に基づく保証債務の履行の内容、当該保証債務の履行完了時の保証解除を定めるとともに、GLに則り、表明保証の内容が事実と異なることが判明し、これにより関係金融機関等が損害を被った場合には、免除の効力が遡って無効になり、免除した保証債務および免除期間分の延滞利息も付した上で、追加弁済を行うことを定めている。

(3) 費用

特定支援手続におけるREVICに対する手数料は、買取決定を条件として、非保全債権への弁済総額の10％相当額または20万円のいずれか高い金額（ただし、経済合理性の50％を上限とする）（消費税別）である。その他、不動産鑑定等外部専門家への業務委託費用は全額対象事業者の負担となる。保証人分も含めて対象事業者が負担することが通常である。

2　事業再生支援手続

(1) 要件

事業再生支援手続で保証人の整理を行う場合、機構法に保証人特有の要件は特段定められていないので、対象事業者の債務の保証人はすべて整理の対象となる。また、特定支援手続のように再チャレンジの要件も求められていない。もっとも、特定支援手続で保証人に求められる要件のうち、③誠実性、④経済合理性および⑤免責不許可事由要件についてはGLでも求められる要件であることから、事業再生支援手続においても当然に要求される。

(2) 手続

事業再生支援手続における保証人の整理も、原則として、特定支援手続と同様の手続で進められるため、以下では異なる点にのみ言及する。

① 事前相談
② 私財調査の実施
③ 表明保証
④ 弁済計画の策定：事業再生支援手続においては、特定支援手続と異な

り、保証人の弁済計画の提出は法定されていないため、私財調査等の結果、保証債務の弁済の原資とすべき資産がない場合には、保証人の弁済計画は策定せず、対象事業者の事業再生計画において保証債務の無償解除を依頼する場合もある。
⑤ 保証債務整理の申込み：特定支援手続においては保証人による申込みが法定されているが、事業再生支援手続では法律上の定めは存在しない。もっとも、保証人その他関係者の保証債務整理に関する意思確認等の観点から、保証人・対象事業者・金融機関の連名での申込みを受ける運用を行っている。
⑥ 再生支援決定および回収等停止要請
⑦ 弁済計画等の説明と同意要請
⑧ 買取決定等：事業再生支援手続では、特定支援手続と異なり、機構法上、関係金融機関等からの債権買取りは求められていない。そのため、債権買取りの申込みがなくとも、すべての関係金融機関等から事業再生計画および弁済計画に従って債権の管理または処分することの同意が得られれば、REVICは買取決定等（機構法31条1項）を行う。
⑨ 弁済計画の履行と保証解除の合意

(3) 費用

事業再生支援手続においては以下の費用が生じるが、保証人分も含めて対象事業者が負担することが通常である。

(i) デューデリジェンス費用

保証人の私財調査の外部委託費用も含むデューデリジェンス費用については、以下の区分により対象事業者の規模に応じてREVICが一部を負担している。

① 中小企業（中小企業基本法による）：費用の10分の1を対象事業者が負担
② 中堅企業（中小企業・大企業以外、資本金がない場合は別途相談）：費用の2分の1または1億円のいずれか低い価額を対象事業者が負担
③ 大企業（負債総額200億円超の企業）：費用の全額を対象事業者が負担

(ii) REVICの手数料

　REVICに対する手数料は買取決定等を条件として発生する。手数料の額は、基本的には有利子負債の金額を基準として算定されるが、案件の内容等に応じて異なる。

III　REVIC手続における実際と問題点

1　主債務者の計画と保証人の弁済計画との関係

　REVIC手続においては、Iで前述した通り、主債務者である対象事業者の債務と保証人の保証債務とを一体の手続で整理する。すなわち、主債務者の特定支援手続における弁済計画または事業再生支援手続における事業再生計画（以下、「事業再生計画等」と総称する）の策定においては必ず保証人責任についての言及が必要となる。また、事業再生計画等と保証人の弁済計画とは、おのおの個別に作成するものの一体として取り扱われ、対象事業者の特定支援手続または事業再生支援手続を通じて、保証人の保証債務の整理（保証債務の免除）を関係金融機関等に依頼している。

　したがって、対象事業者の主債務が法的整理等ですでに清算済みで保証債務だけが残っているケースのような保証債務のみの整理は、REVIC手続では対象外となる。なお、特定支援手続では、機構法上、対象事業者について法的整理の申立てを内容とする弁済計画を策定することも可能であるが、この場合もREVICによる最低一以上の関係金融機関等からの債権買取りは必須となる。

　また、関係金融機関等は、対象事業者の事業再生計画等のみに同意し、保証人の弁済計画に不同意することはできず、関係金融機関等から保証人の弁済計画について不同意という意見が出た場合には、同時に事業再生計画等への不同意となり、REVICは再生支援決定または特定支援決定の撤回（機構法32条・32条の8）を行うこととなる。

　なお、保証人の債務整理の対象は対象事業者を主債務者とする保証債務のみであるため、保証人の住宅ローン等、保証人固有の債務は対象外である。このような保証人固有の債務の取扱等については3(3)で後述する。

2　代表者等に該当しない保証人の取扱い

　GLでは、対象となる保証人は、主たる債務者である中小企業の経営者のほかそれに準じる者とされており、機構法上も特定支援手続に関しては前記Ⅱ1(1)(i)の通り対象事業者の代表者等であることが要件とされている。もっとも、REVICでは、代表者等以外の第三者保証人であっても対象事業者の再生や債務整理等の観点から一体で処理する必要があるため、事業再生支援手続および特定支援手続のいずれにおいても、対象事業者の保証人であれば、原則としてすべての保証人を対象として運用している。

　すなわち、第三者保証人は、保証履行により対象事業者および他の保証人に対して求償権を取得するところ、当該求償権は、対象事業者の再生や債務整理等の支障となる可能性があることから放棄を受けることが必要である。

　そこで、第三者保証人についても対象事業者および代表者等保証人と一体で保証債務の整理を行い、代表者等保証人と同様に一定の資産を残す余地を与えることで、対象事業者および代表者等保証人の債務整理への協力を求めることが必要となる。

　以上から、REVIC手続では、金融機関の経済合理性が成立する範囲内で、主たる債務者と保証人の関係、保証による利益・利得を得たか否か等を考慮した保証人の責任の度合いや、保証人の収入、資産等を考慮した保証人の生活実態といった個別事情を考慮して、代表者等保証人と同等またはそれ以上の資産を残すことや、無償解除の可能性を含めて総合的な検討を行っている(注5)。

3　弁済計画の内容

(1)　弁済計画の概要

　REVICが策定を支援する保証人の弁済計画は、おおむね、①保証人の概要（生活の状況や資産負債の状況等、弁済計画の前提となる情報の記載）、②弁済計画（残存資産の内容とその必要性、資産の換価処分の方針および保証解除の

(注5)　私的整理の実務Q&A140問307頁［三森仁］。

依頼等）および③法的整理との比較（経済合理性）で構成される。

なお、特定支援手続については、特定支援決定基準で、保証人の弁済計画に以下の内容を定めることが求められている。

① 債務の整理を行うことによって、新たな事業の創出その他の地域経済の活性化に資する事業活動の実施に寄与する見込み（新たな事業の創出、事業の再生または他の事業者の経営に参加もしくは当該事業者に雇用され当該事業者の成長発展等に寄与すること等の見込み）
② 財産の状況
③ 保証債務の弁済計画
④ 資産の換価処分の方針
⑤ 関係金融機関等に対して要請する保証債務の減免、期限の猶予その他の権利変更の内容

(2) 残存資産の範囲

保証人の弁済計画における残存資産の範囲については、GLを踏まえて検討し、保証人ごとに、①保証人の資産負債の内容、②窮境原因に対する保証人の帰責性、③対象事業者の事業再生計画等と一体で考慮した場合の経済合理性、④保証人およびその家族等の収入、年齢その他の生活状況等を考慮して決定している。

具体的には、破産手続における自由財産相当額に加え、民事執行法に定める標準的な世帯の必要生計費や、生活に必要な自動車、医療保険、華美でない自宅等を残存資産とすることができるかを検討し、保証人の資産が自由財産と必要生計費の合計額に満たない場合には、無償で保証解除を依頼するケースもある。

このように個々の保証人の状況等に応じた検討を行う結果、具体的な残存資産の範囲にはさまざまなケースが存在する。以下、資産の種類ごとにREVIC手続における原則的な取扱いや具体的事例を説明する。

(i) 自宅不動産

GLに則り、華美でないと判断でき、かつ担保設定がなされていない自宅については原則として残存資産とすることを検討する。他方、対象事業者を債務者とする担保設定（物上保証）がなされている不動産については、原則

として換価処分が必要となるが、実際の換価処分の要否や方法は関係者の意向等も聴取しながら個別の案件ごとに決定している。なお、「華美でない自宅」の該当性については、不動産鑑定等による評価額に主眼を置いて検討するが、評価額の上限等の明確な基準を設けているわけではなく、近隣相場との比較や保証人の家族構成その他生活状況等、当該保証人の個別事情にも照らして判断している。

その結果、自宅の取扱いについてはさまざまなケースが存在する。例えば、無担保の華美でないと判断できる自宅について、関係金融機関等の経済合理性が成り立つことを前提として保証人の資産として残し、自宅に継続して居住し続けるケース、住宅ローンの担保設定により余剰価値のない（オーバーローン）自宅について、保証人の残存資産とした上で、保証人は住宅ローンの返済を継続して自宅に居住し続けるケース、対象事業者の債務の物上保証等、関係金融機関等への担保設定済みの自宅について、近親者が適正価格にて購入してその代金を弁済に充て、保証人は自宅に継続して居住し続けるケース等がある。また、華美でない自宅と判断できるものの、その他の資産からの弁済のみでは関係金融機関等の経済合理性の確保が困難なケースでは、自宅を残存資産とした場合に経済合理性の範囲を超える金額について、保証人が親族等から支援を受けて保証履行額を増額することにより関係金融機関等の経済合理性を確保し、自宅を残存資産とする処理を行うこともある。

(ⅱ) 現預金

残存資産とする現預金の金額は、破産手続における自由財産相当額に、民事執行法に定める標準的な世帯の必要生計費を加えた金額を参考に、個々の保証人の生活状況等（例えば、近い将来に介護費用や医療費を多額に負担することが見込まれている等）を踏まえた増減を検討している。

具体的には、持病等により継続的に発生している医療費と保証人の年齢を前提とした平均余命等を考慮して、前記の必要生計費とは別途、具体的に見込まれる医療費相当額を現預金の残存資産として考慮したケースや、保証人が高齢である場合には近い将来において医療費等の負担が生じる蓋然性が相対的に高いことから、国が発表している平均医療費と平均余命等を考慮して将来の医療費相当額の現預金を残存資産としたケースもある。

また、保証人固有の金融債務があり、かつ当該借入先の金融機関への預貯金があるケースにおいては、保証人の法的整理を仮定した場合、当該預貯金については相殺が見込まれ、他の債権者の弁済原資となる資産にはならないこと等を理由に、当該固有の債務の弁済資金として、当該債務額に見合う範囲で当該預貯金を残存資産とすることもある。

なお、弁済計画の策定時には、支援決定前の一時点（私財調査の基準日）の現預金を前提に残存資産とする金額を決定することから、最終的な保証履行金額の確定に当たっては、原則として、支援決定日を基準日とした現預金残高の確認手続を実施している（当該残高から残存資産とする現預金の金額を控除した金額が最終的な現預金からの保証履行原資となる）。

(iii) その他の資産

その他の資産についても、前述の考え方をベースに、破産手続における自由財産の拡張基準や取扱等も参考にしながら個々に残存資産の範囲や換価の要否を決定している。

例えば、現預金以外の資産についても、その評価額が現預金と合計して残存資産として考慮できる必要生計費の範囲に収まっている場合には、将来的に換価して必要生計費に充てることも考慮し、必要生計費の一部として残存資産とすることもある。

また、解約返戻金が比較的多額なために残存資産とすることができない保険であっても、解約返戻金相当額を近親者からの借入等により調達して弁済に充て、保険契約自体は継続することもある。

なお、不動産の売却に係る仲介手数料や司法書士報酬、ゴルフ会員権の売却手数料等、換価処分に費用を要する資産については換価代金から当該費用相当額を控除した金額を弁済するケースが多い。

(3) **保証人固有の債務がある場合**

私財調査の結果、保証人に対象事業者に関する保証債務以外の固有の債務（住宅ローンやカードローン等）がある場合、当該固有の負債はREVIC手続における債務整理の対象には含まれないため、将来の収入からこれらを返済することを前提に弁済計画を策定して、保証債務のみの整理を行うことが可能かどうかを検討している。したがって、保証人の将来の収入等から返済可能

な限り、住宅ローン等を従前通りの約定で返済しながら、保証債務を整理することも不可能ではない。また、固有の負債が比較的多額で、対象事業者の関係金融機関等に対してのみ弁済計画に基づく保証履行を行うことが保証人固有の債務の債権者にとって偏頗行為となる可能性がある場合には、残存資産を除いた資産相当額を、当該保証人固有の債務と対象事業者を主債務者とする保証債務とで按分し、当該保証人固有の債務についても同時期に弁済することも検討する。

(4) 否認対象行為がある場合

私財調査の結果、主債務者である対象事業者が危機時期に陥った後に保証人が自宅等の資産を処分していた等、過去の資産処分等が破産法上の否認対象行為に該当するおそれがあることが判明する場合もある。

このような資産処分がなされていた場合、資産処分の経緯や時期等を踏まえ、破産時における破産管財人による否認権の行使の可能性を否定できないときは、当該資産処分を無効、すなわち処分された資産が保証人の資産として残存しているとみなした上で、GLに則り、当該資産を保証人の残存資産とできるかどうかを検討している。その結果、当該資産が残存資産の範囲内と評価できる場合には、保証人の残存資産とみなして当該資産処分を実質的に許容する弁済計画を策定するケースもある。

他方、残存資産として取り扱うことができない場合には、保証人が親族等から支援を受ける等により当該資産の適正価格を弁済原資として拠出する等の措置を検討する。

4 課税関係(注6)

REVIC手続に基づく弁済計画に従って保証人の保証債務が免除された場合、偶発債務の免除にすぎず、保証人に対する利益供与はないことから、所得税法36条に規定する収入の実現はなく、原則として保証人に所得税の課税関係は生じない。この場合、保証人に対する利益供与がないことから、原則としてREVICや関係金融機関等に寄付金課税も生じないこととなる(法税37条)。

(注6) 国税庁文書回答(https://www.nta.go.jp/shiraberu/zeiho-kaishaku/bunshokaito/hojin/160601_01/index.htm) を参照。

また、保証人が、弁済計画に従って、個人資産を譲渡し、その対価で保証債務を履行して求償権を放棄した場合には、当該資産の譲渡所得に課税は生じない（所税64条2項）。

Ⅳ　特定支援手続における具体的事例

REVICの特定支援手続の事例については、保証人の整理内容も含めて、その一部が、REVICのホームページ（http://www.revic.co.jp/pdf/publication/examples_revic_sp.pdf）に掲載されている。主な類型としては以下の通りである。

1　単純廃業型

特定支援手続で最も多い事例は、対象事業者を単純に事業停止して廃業するというケースである。事業性（収益性）がすでになく、金融債務の弁済見込みのない対象事業者について、弁済計画の履行までの間に事業を停止した上で（REVICへの相談時や弁済計画策定時点ですでに事業停止しているケースもある）、残余資産の換価処分代金を原資として、通常清算手続または特別清算手続の中で関係金融機関等への一部弁済を行うと同時に、保証人の保証債務について、GLに沿った弁済計画に基づく弁済および残額の免除を行うことで一体整理を図る。

この類型においては、対象事業者の弁済原資が少額となるケースが多いため、関係金融機関等における経済合理性や保証人の残存資産（インセンティブ資産）を確保する観点から、事業停止までの資金推移や清算時における資産の換価見込み、清算費用・一般債務の弁済見通し等を慎重に検討するとともに、対象事業者の在庫商品や売掛金等の資産をできる限り破産時よりも高く換価処分する努力を行うことが重要となる。

2　事業承継型

その他の主要な類型として、対象事業者がスポンサー等に対する事業承継を行って雇用を維持しつつ、事業承継後の対象事業者の清算と保証人の保証

債務の整理を一体で行うというケースがある。

対象事業者のいわゆるgood部門をスポンサーに事業譲渡や会社分割等の手法により承継させて事業の存続を図った上で、事業承継後の対象事業者は事業承継の対価と残存資産の換価処分代金を原資として関係金融機関等への弁済を行う。保証人についても、GLに沿った弁済計画に基づく弁済を行って残余の保証債務の免除を受けるが、残存資産の範囲については早期の事業承継の決断をすることによって事業承継対価に与えた影響等も考慮して決定することになる。

この類型においては、スポンサーの探索や条件が重要となるが、REVICへの相談時には、金融機関の紹介や代理人の探索等によりスポンサーが選定され、基本的な条件等について合意されているケースも多い。また、保証人が事業承継後のスポンサーの下で従事することで再チャレンジを図ることもある。

なお、保証人の親族が後継者となって別会社を設立し事業を承継するケースも事業承継型の1類型として挙げられる。

V 事業再生手続における具体的事例

1 一般的な事例

事業再生支援手続における対象事業者の一般的な再生スキームと各スキームにおけるREVICの保証人整理に関する取扱等は以下の通りである。

(1) 直接債権放棄を実行するスキーム

対象事業者に対して関係金融機関等が直接債権放棄を行う方法による再生スキームの場合、関係金融機関等による債権放棄の実行に伴い附従性により保証債務も消滅することになるため、債権放棄の実行までに資産換価および弁済計画に基づく保証履行を実施する必要がある。

さらに、保証履行額が確定しない限り債権放棄額も決定しないことから、関係金融機関等における稟議期間等も考慮すると、実質的には資産換価の完了(保証履行額の確定)から債権放棄の実行まで一定の期間を設ける必要があるともいえる。そのため、当該スキームにおいては、このような債権放棄

第4章　各実施手続における実際と問題点、事例報告

までのスケジュールを念頭に置いて、事業再生計画および弁済計画の策定支援や資産換価の支援等を行っている。

(2) 第2会社スキーム

いわゆる第2会社方式による再生スキームの場合、①事業譲渡または会社分割の対価を原資として旧会社が金融債務の一部を弁済して新会社には金融債務を承継しないケースと、②会社分割または事業譲渡の手法を用いて金融債務の一部を新会社に承継し、新会社の将来収益等により弁済するケースが考えられる。

いずれのケースにおいても、対象事業者に対する債権放棄は原則として特別清算手続を通じて実施されるが、関係金融機関等による主債務の放棄を定めた特別清算手続における協定の効力は保証債務には及ばない（会社571条2項）。そのため、第2会社スキームにおける保証債務の整理手続については、直接債権放棄を実行するスキームとは異なり、原則として対象事業者の債権放棄までのスケジュールとは独立して進めることが可能である。

ただし、②のケースでは、主債務がすべて旧会社に残る①のケースと異なり、新会社に承継する債務を主債務とする保証債務（以下、「新会社保証債務」という）について別途の処理を行っている。すなわち、新会社保証債務は事業譲渡や会社分割の効果として当然に移転するものではないため、必ずしも保証解除合意書を締結しなくても保証人はその負担から免れることになるが、保証解除合意書を締結しないと新会社保証債務にはGLに基づく表明保証違反のサンクションの効果が及ばないことになる。そこで、REVIC手続においては、保証人が新会社保証債務の負担から免れることを明確化するとともに、新会社保証債務にも表明保証違反のサンクションの効果を及ぼすため、会社分割の効力発生や事業譲渡の実行と同時に、新会社保証債務に関する保証解除合意書を締結する運用を行っている。この場合、旧会社に残る債務を主債務とする保証債務の一部弁済とその余の保証解除の時期については、保証人の資産換価の状況に応じて決定している。すなわち、資産換価が会社分割の効力発生や事業譲渡の実行時点までに完了していれば新会社保証債務に係る保証解除合意書の締結と同時に実施するのに対し、当該時点で資産換価が未了であれば新会社保証債務とは切り離して資産換価の完了後に実

施することになる。

2　特殊な事例

　REVICではさまざまな法人形態・業種の対象事業者を取り扱っているが、保証債務の整理との関係で特殊な案件の一例として、対象事業者が協同組合であり、地方公共団体からの借入れについて過去からREVIC手続に至るまでの歴代組合員またはその相続人のほぼ全員が保証債務を負担しており、多数の保証人の整理が必要となった事例が挙げられる。

　REVIC手続では、対象事業者との一体整理や対象事業者の再生に向けた求償権の放棄の必要性等も考慮し、原則として保証人全員を対象とした整理を図り、対象事業者のみまたは一部の保証人のみに限った整理は行っていないため、保証人全員から私財調査等への協力等について意思確認を行った上で、各保証人について個別にGLに則った手続を実施した。

　また、当該事例における地方公共団体の実務では、自ら能動的に債権放棄や保証解除を行うことは困難であったことから、REVICの債権買取機能を利用した処理を実施した。具体的には、連帯保証が付されたまま主債務について時価による債権買取りを実行し、REVICにおいて保証人の弁済計画に基づく弁済を受領した上で保証解除を実行している。

　なお、地方公共団体が元本に満たない金額での債権譲渡を行うに際しては各地方公共団体の議会による承認を得る必要があることから、保証債務の整理に当たっても、当該議会承認を得るまでのスケジュール等も考慮した調整が必要となる。

第4章　各実施手続における実際と問題点、事例報告

④ 事業再生ADR

弁護士　木村　真也

I　はじめに

　事業再生ADRは、裁判外紛争解決手続（ADR手続）の一種であり、過剰債務に悩む企業の問題を解決するため、2007年度に産業活力再生特別措置法の改正により創設され、2013年度に産業競争力強化法（51条ないし60条）により引き継がれた制度である。

　事業再生ADRにより事業者の事業再生が図られるに際し、その事業者の経営者の保証債務を整理する場面で、GLが活用される場合がある。

　以下では、まず事業再生ADR手続の概要とその手続下でのGLの手続の流れにふれた上で、事業再生ADR手続下でGLによる保証債務の整理が図られた事例を報告するとともに、その事例に関連した問題点を紹介したい。

II　事業再生ADR手続の概要

1　はじめに

　わが国では、JATPが、ADR認証（法務大臣）第21号、事業再生認定（経産大臣）第1号を受け、事業再生ADRの手続の実施に当たっている。事業再生ADRの手続は、JATPという中立公正な第三者の関与により、法的整理に準じた透明性、公平性、信頼性が認められる点に特徴がある[注1]。

2　事業再生ADR手続の流れ

　事業再生ADRの手続は、経済産業省関係産業競争力強化法施行規則（経

（注1）　2014年6月までに50社以上が事業再生ADRを利用している。事業再生ADR手続の利用状況と詳細については、『事業再生ADRのすべて』等を参照されたい。

産省令)および特定認証ADR手続に基づく事業再生手続規則(以下、「JATP規則」という)等により規律されている。その手続の概要は、以下の通りである。

(1) 事前相談、正式申込み（JATP規則22条・32条1項）

債務者が、JATPに事前相談をし、再生計画案（概要）の調査がなされ、事業再生ADR手続の利用可能性があるかどうかについてチェックがなされる。

(2) 一時停止の通知（経産省令20条、JATP規則25条）

事業再生ADRの正式利用申請がなされると、事業再生ADRの手続が開始され、JATPと債務者が連名で、対象債権者に対して、「一時停止」の通知を発する。

(3) 事業再生計画の概要説明のための債権者会議（概要説明会議、経産省令22条、JATP規則26条）

この会議において、議長および手続実施者が選任される。また、一時停止の具体的内容と期間、協議会議および決議会議の日時場所が決議される。そして、債務者は、事業再生計画案の概要を債権者に説明をする。

(4) 事業再生計画の協議のための債権者会議（協議会議、JATP規則28条・29条）

概要説明会議の後、手続実施者は、債務者の事業再生計画案を調査して報告書を作成し、協議会議において、その調査の結果を報告する。

(5) 事業再生計画の決議のための債権者会議（決議会議、JATP規則30条）

対象債権者が、事業再生計画案に対して賛否の意見を述べる。全対象債権者の賛成が得られることにより、事業再生計画が成立する。

Ⅲ　事業再生ADR手続におけるGLの一体整理の手続の進行

1　一体整理の意義

主たる債務の整理に準則型私的整理手続が利用される場合には、法的整理に伴う事業毀損を防止し、保証債務の整理についての合理性、客観性および対象債権者間の衡平性を確保する観点から、保証債務の整理も、当該準則型私的整理手続を利用し主たる債務と保証債務を一体整理するよう努めることとされている（GL7項(2)イ）。

そのほかにも、保証債務の弁済も含めた案件全体における弁済の額、時期が明確なので、全体像が把握しやすくなることにより、債権者や準則型私的整理手続を行う機関の関係者（事業再生ADRにおける手続実施者等）の検討が容易になるともに、関係者の手続的負担も軽減される。

なお、事業再生ADRの手続において、保証債務の整理を行う場合には、主たる債務の整理と一体整理をすることが想定されており、保証債務の整理のみを行う、いわゆる「単独型（のみ型）」による利用は予定されていない。

2　一体整理の手続

GLは、保証債務の整理の手続について、GLに記載のない事項は準則型私的整理手続に即して対応するとのみ定めているが（GL7項(3)）、産業競争力強化法や同法施行規則、JATPの特定認証ADR手続に基づく事業再生手続規則にも一体整理に関する具体的な規定はなく、GLの精神を尊重しながら、事業再生ADRの手続準則に従って手続が進められることとなる。

『事業再生ADRのすべて』（JATP・前掲（注1））366頁以下において、事業再生ADRにおける保証債務の整理の手続が具体的に明らかにされている。

一体整理の手続の流れは、概要、以下の通りである。

(1)　利用申請および正式申込み

一体整理を図る場合、利用申請および正式申込みは、主たる債務者と保証人についてそれぞれ同時に行うのが原則であるが、保証債務の整理手続の申込みが遅れた場合でも、決議会議までの間で、手続遂行の上で問題ないとJATPが特に認める場合には、JATPがこれを受理する場合があるとされている(注2)。

(2)　連名による一時停止の要請

事業再生ADRの申込みがJATPに正式に受理されると、対象債権者に対し、一時停止の通知が発出される（JATP規則25条1項）。一時停止の通知は、GLに基づく保証債務の整理手続が、主たる債務についての事業再生ADRと一体のものとして行われることを明示の上、原則としてJATP、保証人、主た

（注2）　事業再生ADRのすべて366頁以下。

る債務者、保証人の支援専門家の連名で行われる(注3)。

(3) 概要説明会議

債権者会議は主債務者に関するものと一体として行われる。すなわち、まず、概要説明会議において、事業再生ADRにおける決議事項である、議長選任、手続実施者選任、一時停止期間、協議会議および決議会議の日時については、「GLに基づく債務整理手続についても同様」である旨明示して前記決議がなされた上で、保証人の資産負債状態、弁済計画概要についての説明がなされる。

(4) 弁済計画案の策定、提出

一体整理を図る場合、保証債務弁済計画案は、主たる債務者の事業再生計画案と同時に提出する（GL・QA7-22）。したがって、主たる債務者および保証人は、速やかに事業再生計画案ないし保証債務弁済計画案を策定し、協議会議の開催日前の手続実施者と合意した日までに（JATP規則27条5項）、これらを手続実施者に提出しなければならない。

(5) 協議会議

協議会議においては、GLに基づく保証債務の弁済計画案について、保証人による説明、支援専門家による確認結果の報告がなされた上で、手続実施者による調査結果の報告等が行われる。

(6) 決議会議

一体整理を図る場合、決議会議において、事業再生計画案と保証債務弁済計画案の両方について、対象債権者による決議を行うこととなる。

Ⅳ 保証債務の整理事例1(注4)

1 保証人および保証債務

(1) 保証人等

本件の主たる債務者である事業再生ADRの対象事業者は、地方百貨店を経営する株式会社であり、本件の保証人は、その代表取締役会長（当時70歳

(注3) 事業再生ADRのすべて368頁。

程度）であった。

(2) 対象債権者等

対象債権者たる保証債務履行請求権者は10行であり、対象債権総額は約64億円であった。

ところで、本件では主たる債務者の子会社の銀行借入れに対する連帯保証債務、同借入金の共同保証人である信用保証協会の求償債務は対象債権としなかった。これは、以下のような事情から、事業再生ADR手続自体の対象債権から外されたことを前提とするものであった。すなわち、当該信用保証協会は求償権を有する公的金融機関であり、貸出金融機関および信用保証協会は事前求償権者として対象債権者（JATP規則1条・25条参照）とすることが公平性の観点から相当とも考えられたが、そもそも求償権は百貨店にとって相当間接的なものである上、子会社は事業を継続し約定弁済を行っていたこと、求償権の額が僅少であったこと（対象債権額約65億円に対して求償権額は約1700万円であった）から、保証協会を対象債権者から外しても実質的に公平性を阻害することはないと考えられた。そこで本件では、迅速かつ確実な事業再生計画の成立を期すため、前記の求償権は対象債権とせず、保証協会は対象債権者としなかった。

さらに、当該百貨店「友の会」が保証会社と締結する前受金業務保証金供託契約によって「友の会」が保証協会に対して負担する一切の債務についても保証人が連帯保証していたがこれも対象債権とはしなかった。これは、この保証に係る主債務は、GL1項の定める「対象債権」に該当せず、当該債権者は、GL1項の定める「対象債権者」に該当しないとの理由によるものであった。そして、実質的には、主たる債務者のスポンサーにおいて友の会の事業が引き継がれ、それに伴って保証人も差し替えられることが想定されていた。

2　利用手続と進行の概要

本件では、主たる債務者が、事業再生ADR手続を利用することと一体と

（注4）　本件については、野上昌樹ほか「事業再生ADR手続と経営者保証ガイドラインを用いて一体整理を図った事例」銀法797号（2016）20頁参照。

して、保証債務の整理手続を進める、いわゆる一体型の手続によった。その具体的な進行の概要は、以下の通りであった[注5]。

(1) 利用申請および正式申込み

本件では、主たる債務者の申請準備が先行していたため、保証債務の整理の利用申請および正式申込みは、主たる債務者の正式申込みと同時に行うことはできなかった。しかし、保証債務の整理の利用申請の準備を至急進めた上で、主たる債務者の正式申込みおよび一時停止の通知後、概要説明会議前に、その利用申請を行った。

(2) 連名による一時停止の要請

本件では、前記の通り、保証債務の整理手続を事業再生ADR手続の利用申請と同時にすることができなかったため、一時停止通知は、主たる債務者について選考して行われ、その後、保証債務についての一時停止の通知が発信された。そして、その保証債務の一時停止の通知については、JATP、保証人、主たる債務者、保証人の支援専門家の四者の連名で行われた。

(3) 債権者会議

債権者会議については、主たる債務者に関する債権者会議と同一時刻および同一場所において、概要説明会議から決議会議まですべて一体的に実施された。

(4) 弁済計画案の策定、提出

概要説明会議の後、主たる債務者の事業再生計画案と保証債務弁済計画案をそれぞれ策定し、それぞれを提出された。

(5) 弁済計画案の決議

前記(4)で提出した事業再生計画案と保証債務弁済計画案のそれぞれについて同意書を配布し、会議前に手続実施者に提出するか、当日に同意書を持参する方法で決議を行った。

(注5) 進行スケジュールも主たる債務者の手続に従った。各債権者会議の間隔が1月程度であり、協議会議が1回続行された関係で、全部で4回の債権者会議が開催されたことから、利用申請から、弁済計画の成立までに、おおむね5か月を要した。

3 主たる債務者の弁済計画の概要

主たる債務者の事業再生計画の概要は、以下の通りであった。

すなわち、主債務の自己株式（300万株のうち持株会社保有の285万株）を無償取得の上で償却する。その後第三者割当てによりスポンサーに同数の株式を発行して出資金の払込みを受けて対象債権者に弁済するものである。

主たる債務者の清算配当率は約6％であったのに対して、事業再生計画に基づく非保全債権弁済率は約10％であった。その弁済原資の上積額は、約2億円であった。

4 保証人の弁済計画の概要

保証人の保有資産と、これに基づく保証債務弁済計画の概要は、以下の通りである。

科目	評価額	弁済額	残存額	備考
現預金	1255万円	1075万円	180万円	
保険	530万円	130万円	400万円	生命保険1本を残存
株式	195万円	195万円	―	非上場会社株式
不動産	4100万円	4100万円	―	自宅建物共有持分、担保物件
その他	17万円	17万円	―	積立金
合計	6097万円	5517万円	580万円	

注）一定期間の必要生計費＋拡張適格財産＝363万円。

すなわち、保証人の保有資産の評価額の合計は、6097万円であった。このうち、580万円を残存資産として確保し、その他の資産を換価するなどし、保証債務の弁済原資に充てた。残存資産の内訳は、現預金180万円および生命保険1件400万円相当額であった。

5 問題点および事案の特殊性

(1) 自宅不動産

自宅不動産については、鑑定評価額8300万円の邸宅であり、保証人のほか

親族数名で共有していた。そして、これについては、主たる債務者に対する貸付金債権を被担保債権とする根抵当権が設定されていた。保証人としては、自宅不動産について、不動産鑑定評価額を親族から調達することにより、自宅不動産上の根抵当権の開放を受けることを希望して、根抵当権者らと繰り返し協議をしたが、根抵当権者らは、自宅物件について、入札手続により売却することを強く求めた。そこで、根抵当権者らの要請を受け入れつつ、自宅を確保することの可能性を可及的に図るためのぎりぎりの調整として、概要、以下のような入札要領によることとした。

① 当該不動産の全体【A方式】および西側部分【B方式】(注6)について、同時に入札を行う。
② 保証人の親族は、A方式について、不動産鑑定評価額である8300万円以上の金額により入札を行う。
③ 保証人の親族は、A方式の最高入札価額に50万円を加算することにより、自宅物件全体を買い受けることができる（ラストルック）(注7)。
④ 保証人の親族が自宅物件全体を買い受けることができない場合においても、A方式の最高入札価額とB方式の最高入札価額の差額に50万円を加算した額を提示することにより、保証人の親族は、自宅物件の東側部分を買い受けることができる。この場合、西側部分はB方式の最高入札者が買い受けることとなる。

以上の方式により、広く入札要綱が配布されて入札が行われたが、最終的には、保証人の親族が自宅物件全体（A方式）を最高価格で落札して確保した。

なお、その際、保証人の親族等の資金調達方法が適正であることについても、調査を行った上で根抵当権者等に対して報告を行った。

(2) **株式**

保証人の名義にて相当程度評価額が高い非上場株式存していた。これは保証人の妻側の親族が経営している会社に係るものであり、保証人の親族側か

(注6) 自宅物件は東西2物件に区分して利用可能であり、かつ、西側部分は接道状況がよいため、自宅物件全体よりも坪単価が高くなることが考えられた。
(注7) ただし、入札要綱には、この旨は明示されなかった。

ら過去に名義を保証人として贈与がなされて、その後保証人の妻が管理してきたなどの経緯があり、保証人の妻が、実質的な株主であると主張していた。この点については、手続実施者の意見も聴きつつ検討に努めたが、株式の帰属自体を争うならば、事業再生ADRの手続の円滑な遂行が容易ではないということなどを説明し、最終的には保証人の妻には当該株式を保証人の資産として扱うことにて協力を得た。

次に、当該株式の評価額と換価方法についても議論があった。すなわち、非上場株式であり、株式の譲渡制限も存したため、広く買受希望者を募って売却をすることが容易ではない上、純資産方式による評価と類似業種批准方式による評価額に相当乖離があるなどして評価方法も一義的に明確ではなかったことによる。そこで、保証債務弁済計画において、概要、以下のような内容の条項を設け、現実的に可能かつ適正な売却方法を試みつつ、金融債権者の理解を得る方法を模索した。すなわち、①保証人は、当該株式の適正な売却に努め、その経過、売却先と売却金額を事前に金融債権者に報告するものとし、②金融債権者は、所定の期間内に、それを超える金額での買受希望者を提案することができるものとし、③そのような手続を経た上で、最高買受申出人に売却をするものとした。

(3) 財産の基準時

保証人の保有資金が手続下でも相当額増減していたこともあり、保証債務の弁済計画案の作成の対象とする財産の基準時をどのようにするかについて検討した。そして、結論として、一時停止時点での保証人の財産を基準とした。

この取扱いは、GL5項(2)イおよびロ、7項(3)④イbの趣旨に適合するものであるとともに、破産手続において破産手続開始決定時点の破産者の財産が破産財団を構成するものとされていること（破34条）に準ずる取扱いであり、本保証債務弁済計画の対象となる債権の基準時が同じく保証人らが一時停止の要請を行った時点とされることとも整合する。さらに、この取扱いにより保証債務弁済計画における弁済原資の変動を原則として回避できるという意味で、保証債務弁済計画の対象となる債権者にとっても審議の対象を固定させることができるとの点で合理性を有するものである。

(4) GLの目安を超える残存資産

GLの目安としての残存資産は、①破産法上の自由財産99万円、②一定期間の生活費として240日分264万円の合計363万円程度であったが、前記の通り、それを上回る580万円を残存資産として留保することとした。

これについては、保証人は、持病のための多額の医療費が必要であること、自宅不動産の入札につき親族である共有者の協力を取り付けて弁済原資を確保したこと、前記の通り株式につき配偶者を説得して弁済原資の形成に努めたこと等を説明し、最終的に金融債権者の理解を得た。

(5) 付従性の排除

本件では、主債務の弁済および残債務の免除が、保証人の弁済に先行することが想定された。そのため、保証債務弁済計画案に、保証債務の付従性を排除し、主たる債務の消滅にもかかわらず、保証債務が直ちには消滅しない旨の条項を設けた。

(6) 表明保証違反の処理

本件では、保証人の資産が多岐にわたっていたことや、保証人が高齢であったこともあり、保証人の財産全体の調査と把握に時間を要した。ところで、GLにおいては、表明保証の違反が後日発覚した場合には、その内容の正確性について表明保証を行った資力の状況が事実と異なることが判明した場合（保証人らの資産の隠匿を目的とした贈与等が判明した場合を含む）には、当該判明した事実に係る保証人は、免除した保証債務および免除期間分の利息も付した上で、追加弁済を行う旨の定めを置くことが求められている（GL 7 項(3)⑤ニ）。しかるに、故意による財産隠匿ではなく、過失により財産を把握していない可能性を払拭することが容易ではなかったため、表明保証を行った資力の状況が事実と異なることが当該判明した事実に係る保証人の故意または重過失によるものでないときは、新たに判明した財産等により弁済可能な範囲に限り前記の規定を適用する旨の条項を盛り込んだ。これについても、対象債権者からの理解を得た。

なお、その後、GL・QA 7 -31において、「当該過失の程度を踏まえ、当事者の合意により、当該資産を追加的に弁済することにより、免除の効果は失効しない取扱いとすることも可能」である旨の解説が加えられた。

V 保証債務の整理事例2

1 保証人および保証債務

　本事例の保証人は、事例1の共同保証人であり、主たる債務者は、Ⅳと同じ地方百貨店であり、保証人はその代表取締役社長（当時40歳程度）であった。

　対象債権者は9行であり、対象債権総額は約62億円であった。

2 利用手続と進行の概要

　前記Ⅳ記載と同様に、主たる債務者が事業再生ADRの手続を利用し、保証人の債務の整理もこれと一体として進行した（一体整理型）(注8)。

3 主たる債務者の弁済計画の概要

　前記Ⅳ記載の通りである。

4 保証人の弁済計画の概要

　保証人の保有資産と、これに基づく保証債務弁済計画案の概要は、以下の通りである。

科目	評価額	弁済額	残存額	備考
現預金	800万円	500万円	300万円	
保険	500万円	300万円	200万円	生命保険、医療保険等3本を残存
株式	1600万円	1600万円	―	非上場株式
自動車	20万円	―	20万円	2007年外国車、査定額
不動産	2100万円	―	2100万円	華美でない自宅
その他	15万円	15万円	―	積立金
合計	5035万円	2415万円	2620万円	華美でない自宅を除くと残存額は520万円

注）一定期間の必要生計費＋拡張適格財産＝297万円。

すなわち、保証人の保有資産の評価額は、総額5035万円であったが、このうち、華美でない自宅として2100万円の不動産１件、ならびに、その他の残存資産として、現預金300万円および生命保険３件200万円、自動車１台20万円の合計520万円相当を確保した。

5 問題点および事案の特殊性

(1) 自宅不動産
（ⅰ）配偶者への名義移転

自宅不動産については、保証人が代表取締役に就任して金融債権者との間で保証債務を負担することとなる直前の時期に配偶者に売買名目で名義移転していた。この点は、金融機関から疑義が述べられる可能性も想定して、債務者代理人側で先行して調査を進めた。そのような趣旨で、その代金の動きを調査したところ、親族間で資金が循環しており、実質的には資金移転が認められなかった。そのため、この売買契約は実体のない取引と評価し、自宅不動産は保証人の資産として取り扱った。金融機関に対しても、そのような調査内容を開示して説明した。なお、保証債務の負担前の行為であるなどの事情もあり、免責不許可事由には該当しないと考えられた。

（ⅱ）華美でない自宅

自宅不動産は、床面積は４LDKで約100㎡、家族４名が居住する住居として不必要に広大とはいえないこと、不動産業者査定価格は約2100万円ではあるがハイクラスとまではいえないとの評価がされたこと、築10年を超えていること、最寄り駅からの交通の便がよいわけではないこと等の事情があり、それを踏まえて「華美でない自宅」に該当するものとして取り扱った。なお、「華美でない自宅」への該当性については、必ずしも基準が明確ではないことや、その当時公表事例も少なかったことなどから、金融債権者からは再三説明を求められたが、前記の趣旨の説明を繰り返すなどして、最終的には金融債権者の理解を得ることができた。

（注８）　進行スケジュールについても、前記Ⅳと同じである。

(2) GLの目安を超える残存資産

　GLの目安としての残存資産は、①破産法上の自由財産99万円、②一定期間の生活費として270日分198万円の合計297万円程度であったが、前記の通り、それを上回る520万円を残存資産として確保することとした。

　この点については、主たる債務者の経営再建中に代表者に就任したために経営責任は比較的軽微であること、保証人名義の資産の一部につき自己の資産であると主張していた保証人の母親を説得して同資産を弁済原資としたことを理由として説明し、最終的に金融債権者の理解を得た。

(3) 付従性の排除

　付従性の排除について、Ⅳと同様の条項を盛り込んだ。

(4) 表明保証違反の処理

　表明保証違反の際の処理については、Ⅳと同様の条項を盛り込んだ。

Ⅵ　保証債務の整理事例3

1　保証人および保証債務

　主たる債務者は警備会社であり、事業再生ADRの手続を利用した。保証人はその代表取締役1名（当時90歳程度）であった。

　保証人が、主たる債務者の代表取締役となった経緯は、実質的経営責任のある前代表取締役が主たる債務者が過大な債務を負担した後の時期に病気により退任したために、その後に代表取締役に就任したものであった。

　GL手続の対象債権者は12行であり、対象債権額は総額約30億円であった。

2　利用手続と進行の概要

　前記の通り、主たる債務者は、事業再生ADRを利用した。そして、保証債務の整理についても、主たる債務者の事業再生ADR手続と一体整として審議された（一体整理）。

（注9）　進行スケジュールも主たる債務者の手続に従った。各債権者会議の間隔が1月程度であったが、主たる債務者の事情により利用申請から概要説明会議まで若干期間を要したことなどから、利用申請から弁済計画の成立までおおむね6か月を要した。

その進行の概要は以下の通りであった(注9)。

(1) 利用申請および正式申込み

主たる債務者が事業再生ADRの手続利用の申請をするのと同時に、保証債務の整理についての手続利用申請を行った。

(2) 連名による一時停止の要請

主たる債務者と同時に一時停止の通知が発信された。

(3) 債権者会議等

債権者会議については、主たる債務者に関する債権者会議と同一時刻および同一場所において、概要説明会議から決議会議まですべて一体的に実施された。

すなわち、まず、概要説明会議において、保証人の資産の概要を開示し、保証債務の整理に関する計画の概要を説明した。さらに、協議会議前に保証債務弁済計画案を確定して提出した上で、協議会議においてこれを説明し、手続実施者からも計画の内容は相当である旨の意見が報告された。そして、決議会議において、保証債務弁済計画案について決議がなされた。

3 主たる債務者の弁済計画の概要

主たる債務者の事業再生ADRにおける弁済計画の概要は、以下の通りであった。すなわち、主たる債務者が設立した100％子会社へ承継対象事業を吸収分割し、スポンサーに当該子会社の株式を譲渡する。そして、その譲渡代金および非承継資産の換価金により金融債権者に対して弁済をするというものである。

主たる債務者の清算配当率は約1％であったのに対して、事業再生計画に基づく非保全債権弁済率は約40％であった。主たる債務者を清算する場合と比較して、弁済原資は約10億円程度増額される内容となっていた。

4 保証人の弁済計画の概要

保証人の保有資産と、これに基づく保証債務弁済計画案の概要は、以下の通りである。

第4章　各実施手続における実際と問題点、事例報告

科目	評価額	弁済額	残存額	備考
現預金	430万円	350万円	80万円	
貸付金	46万円	―	46万円	自然人に対する貸付金で回収可能性が不明であったため、あえて残存資産とした。
保険	20万円	―	20万円	自賠責保険、任意保険、火災保険全部を残存資産とした。
株式	1万円	1万円	―	主たる債務者の関係会社の株式
出資証券	1万円	―	1万円	
自動車	0	―	0	2006年式外国車、査定額
不動産	70万円	70万円	―	実家の共有持分権、売却不可能のため公正な価額として弁済額に組み入れた。
未分割相続財産	900万円	600万円	300万円	計画成立後に遺産分割協議を成立させた。
合計	1468万円	1021万円	447万円	

注）一定期間の必要生計費＋拡張適格財産＝363万円。

　すなわち、保証人の保有資産の評価額は、総額1468万円であったが、このうち、残存資産として、現預金80万円、貸付金46万円、自賠責保険、任意保険、火災保険20万円、出資証券1万円、相続財産のうち300万円の合計447万円を確保した。

5　問題点および事案の特殊性

(1)　主債務保証後の自宅不動産の配偶者への贈与および名義移転

　保証人は、比較的近接した時期に自宅不動産を配偶者に贈与していた。しかし、その経緯については、当該不動産の購入資金を配偶者が負担していたことを確認できた。さらに、当該贈与がなされた時期には、保証人は一部の債務の保証をしていたにとどまる上、主債務者の経営上の問題点（不適切な会計処理）も発覚しておらず、主たる債務者による支払も特に問題なくなされていた。そして、贈与税の申告も適切になされていた。

これらの事情から、当該贈与は真正な贈与であって、自宅不動産は配偶者の資産であると整理した。また、否認対象行為にも免責不許可事由にも当たらないものと解され、その旨を金融債権者に説明した。

なお、念のため、予備的な説明として、自宅不動産は、評価額が約1600万円であり、築10年以上を経過しており、間取りも3LDK（70㎡程度）のマンションであり、華美でない自宅に該当するため、仮に保証人の資産としてみても残存可能であることを対象債権者に対して説明し、それらについて理解を得た。

(2) 換価困難な貸付金の残存資産への留保

保証人は、自然人に対する貸付金46万円を有しており、少額の分割弁済を受けていた。これについては、回収可能性、換価可能性を判断することが容易ではなかった。1つの方法として、Ⅳで紹介した非上場株式に関する条項のような取扱いも検討したが、金額も少額であり、計画の条項を単純化するために、手続実施者の意見を受けて、これをすべて残存資産に組み入れることとした。

(3) 基準額を上回る残存資産

GLの目安としての残存資産は、①破産法上の自由財産99万円、②一定期間の生活費として240日分264万円の合計363万円程度であったが、前記の通り、それを上回る447万円を残存資産として確保することとした。

これについては、実質的な経営責任がないこと、事業再生ADRにより破産の場合と比較して約10億円の弁済原資を確保したこと、持病のための多額の医療費が必要であること、遺産分割にも尽力して弁済原資を確保したこと等を金融債権者に説明し、最終的にその理解を得た。

(4) 表明保証違反の処理

表明保証違反の際の処理については、Ⅳと同様の条項を盛り込んだ。

第4章　各実施手続における実際と問題点、事例報告

5　純粋私的整理

弁護士　網野　精一

I　はじめに

　GLを用いて経営者の保証債務の整理を行うに際して、いわゆる一体型の場合、主たる債務の整理に準則型私的整理手続が利用されるときには、法的整理に伴う事業毀損を防止し、保証債務の整理についての合理性、客観性および対象債権者間の衡平性を確保する観点から、保証債務の整理も、当該準則型私的整理手続を利用し主たる債務と保証債務を一体整理するよう努めることとされている（GL 7項(2)イ）。また、いわゆる単独型の場合には、原則として、保証債務の整理に当たっては、当該整理にとって適切な準則型私的整理手続を利用することとされている（GL 7項(2)ロ）。

　準則型私的整理手続とは、「利害関係のない中立かつ公正な第三者が関与する私的整理手続及びこれに準ずる手続（中小企業再生支援協議会による再生支援スキーム、事業再生ADR、私的整理ガイドライン、特定調停等をいう。）」（GL 7項(1)ロ）と定義されている。実際に、多くの事案において、本書でも紹介されているように中小企業協議会スキーム、特定調停、REVICおよび事業再生ADRといった手続が用いられているようである。

　前記のような手続を用いないで対象債権者と相対で行う広義の私的整理（純粋私的整理）は、準則型私的整理手続には含まれないが、GLでは、「保証人が、……合理的理由に基づき、……支援専門家等の第三者の斡旋による当事者間の協議等に基づき、全ての対象債権者との間で（弁済計画について）合意に至った場合には、かかる弁済計画に基づき、（対象債権者が、ガイドラインの）手続に即して、対象金融機関が残存する保証債務の減免・免除を行うことを妨げない」（GL 7項(3)④ロ、GL・QA 7 - 2）とされており、広義の私的整理（純粋私的整理）により保証債務を整理することも許容している。

5 純粋私的整理

　本稿では、準則型私的整理手続を用いずに対象債権者と相対で行う広義の私的整理（純粋私的整理）により保証債務の免除が認められた事例を紹介する。いずれの事例も、主たる債務は法的整理手続（再生手続、特別清算手続）により再生または清算し、純粋私的整理により保証債務のみを整理する、いわゆる単独型の事例である。

II　事例①

【本事例の概要】

① 主債務者の概要

業種	製造業
事業状況（直近期）	売上高3000百万円／営業利益▲20百万円／経常利益▲150百万円
従業員数	100名
財務状況（直近期・簿価）	資産5000百万円／負債5200百万円

② 対象債務者（保証人）
　代表取締役、取締役の2名

③ 対象債権者

	対象債権者	対象債権額（百万円）
1	ファンド	2700百万円
2	政府系金融機関	700百万円
3	信用金庫	260百万円
4	政府系金融機関	200百万円
5	信用保証協会	140百万円
6	地方銀行	70百万円
	合　計	4070百万円

④ 本事例の経緯
　　2013年5月　主債務者について再生手続開始申立て
　　　　　12月　再生計画認可決定
　　2014年2月　保証人2名（代表取締役、取締役）について一時停止の通知
　　　　　3月　GLによる保証債務整理の申入れ、弁済計画案提示
　　　　　4月　すべての金融機関から同意を得て弁済計画成立

1　手続の流れ

　本事例では主債務者である会社について再生手続により主債務の整理が行われた。対象債務者である保証人2名は、いずれも70代と高齢であり、自宅での生活の継続を希望しており、破産手続を避けたいとの意向を有していた。主債務者の再生手続の開始時にはGLが施行されていなかったが、翌2014年2月にGLの施行が予定されていたことから、主債務者の再生手続における別除権協定等の交渉の際等に、対象債権者となる金融機関へは、保証人についてはGLの施行後速やかにGLに基づいて保証債務の整理を申し入れたい旨をあらかじめ説明していた。

　金融債権者からは、GLの手続の経験がないことから、GLの内容や手続の流れなどについて詳細な説明を求められたため、個別に訪問してGLに関する資料を提供するとともに説明を実施した。地元の複数の金融機関から、保証人の生活が破綻しないよう破産手続を回避することが望ましいとの意見があるなど、GLの手続により保証債務を整理することに対し肯定的意見が多くみられた。

　そこで、GL施行後の2014年2月初旬に対象債権者に対して一時停止の通知を行い、基準時点を確定させた上で、不動産について査定をとるなど保有する資産の評価を行い、同年3月に、弁済計画案とともに保証債務整理を申し入れた。

2 弁済計画の内容

　GLでは、「主たる債務の整理手続の終結後に保証債務の整理を開始したときにおける残存資産の範囲の決定については、この限りでない」（GL 7項(3)③）と規定されており、「主たる債務に関する再生計画等が認可された時点又はこれに準じる時点」（GL・QA 7-21）以降に保証債務の整理を開始した場合には、破産手続における自由財産を超えて残存資産とすることはできないこととされている。本事例は、主債務者の再生手続の認可決定の時点においてはGLが施行されておらず、再生手続における再生計画認可後に保証債務の整理の申込みとなったため、GL上、破産手続における自由財産を超える資産を残存資産とすることを要請することが困難であった。そこで、破産手続における自由財産を超える資産については一括弁済する内容の弁済計画案を策定した（前述の通り、弁済率に差を設けた）。なお、事前に最大債権者であるファンドと協議し、対象債権者の債権額に応じたプロラタによる弁済ではなく、ファンドへの弁済率を低率とし、相対的に他の対象債権者への弁済率を高率に設定することについて了承を得られたことから、対象債権者への具体的な弁済額については、ファンドとその他の対象債権者の弁済率に差を設ける内容とした。

3 本事例の特徴

　最大債権者であるファンドとの事前の個別交渉により、対象債権者間で異なる弁済率となる弁済計画を作成し、他の金融債権者に対する弁済率を増加させることにより、他の金融債権者の経済合理性をもたせたことが、本事例の特徴である。

　また、GL施行直後の案件でもあり、GLの内容を含め、事前に十分な期間をとって対象債権者に対して説明をしたことが、広義の私的整理（純粋私的整理）により保証債務の免除が認められた背景ではないかと思われる。

Ⅲ 事例②

【本事例の概要】

① 主債務者の概要

業種	縫製品の卸売業
事業状況（直近期）	売上高60百万円／営業利益21百万円／経常利益14百万円
従業員数	3名（外国法人の子会社3社に合計500名）
財務状況（直近期・簿価）	資産310百万円／負債250百万円

② 対象債務者（保証人）

代表取締役、取締役（元代表取締役）

③ 対象債権者

	対象債権者	対象債権額（百万円）
1	地方銀行	172百万円
2	政府系金融機関	25百万円
3	サービサー	11百万円
	合　計	208百万円

④ 本事例の経緯

2009年	中小企業再生支援協議会スキームにより第2会社方式による実質的な債権放棄を内容とする再生計画が成立
2013年8月	業況の悪化により事業廃止を決断
9月	海外子会社3社についてスポンサー選定を開始するとともに事業価値を算定して金融機関へ説明
11月	スポンサー決定、海外子会社3社の持分譲渡
2014年5月	特別清算申立て（保証人について一時停止の通知、GLに基づく保証債務整理の申入れ）

2015年1月　特別清算終結 　　　6月　すべての金融機関から同意を得て弁済計画成立

1　手続の流れ

　本事例は、主債務者が過去に中小企業協議会スキームによる再生計画に基づき実質的な債権放棄を受けていた。その後、金融機関債権者に対して再生計画に基づく弁済を継続していたが、業況の悪化により事業の廃止を決断したものである。主債務者は、海外子会社3社（それぞれ現地に製造工場を保有）を保有しており、事業廃止に当たっては、現地での混乱を回避するため当該子会社の持分をスポンサーに譲渡するとともに、特別清算手続においてその譲渡対価をもって金融機関債権の一部を弁済することを計画したものである。

　代理人弁護士は、主債務者において事業廃止を決断した後、海外子会社の持分をスポンサーに譲渡し、譲渡後に主債務者において解散し、特別清算手続により金融債務を整理する方針を金融機関債権者に説明するとともに、保証人である代表取締役および前代表取締役については、GLを活用し保証債務の整理を申し入れる方針も合わせて説明をした。

　その後、スポンサーとの間で協議がまとまり、子会社の持分譲渡が完了したことから、主債務者について特別清算を申し立てると同時に、保証人らについて対象債権者への一時停止の通知を行い、弁済計画案を提示して保証債務の整理の申入れを行った。対象債権者である保証人らは過去の中小企業協議会スキームにおいてすでに私財提供を行っており、破産手続における自由財産の範囲内の資産しか保有していなかったことから資産の評価などの必要がなかったため、一時停止の通知と保証債務免除の申入れはほぼ同時に行った。

2　弁済計画の内容

　保証人については、過去に中小企業協議会スキームにおいて、私財提供を行っており、破産手続における自由財産の範囲内の預貯金と現金しか資産を

保有していなかったことから、保有資産の全額を残存資産とし、金融機関債権者に対する弁済を行わない計画を策定した。

3　本事例の特徴

本事案では、保証人らが早期に廃業を決意し、海外子会社3社の持分の譲受先を探してその譲渡に尽力したことにより、一定額の譲渡対価を確保することができたことにより主債務者における弁済額が増加したことなどを説明し、弁済計画への理解を得た。

また、本事例が広義の私的整理（純粋私的整理）により保証債務の免除が認められた背景としては、過去に中小企業協議会スキームを経ていたため金融機関債権者と主債務者および対象債務者（保証人）との間で協議ができる雰囲気が醸成されていたことや、過去の中小企業協議会スキームにおいて対象者債務者が資産を開示して私財提供をしていたことから資産の透明性について疑義が生じなかったことなどが挙げられる。

Ⅳ　事例③

【本事例の概要】

① 主債務者および関連会社の概要

（主債務者）

業種	ソフトウェアの開発・販売
事業状況（直近期）	売上高5百万円／営業利益▲21百万円／経常利益▲22百万円
従業員数	2名
財務状況（直近期・簿価）	資産2百万円／負債270百万円

（関連会社）

業種	ソフトウェアの開発
従業員数	40名

5 純粋私的整理

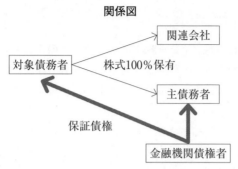

関係図

② 対象債務者（保証人）
代表取締役

③ 対象債権者

	対象債権者	対象債権額（百万円）
1	保証協会	110百万円
2	サービサー	60百万円
3	信用金庫	35百万円
4	信用金庫	30百万円
5	都市銀行	20百万円
6	政府系金融機関	10百万円
7	政府系金融機関	5百万円
	合　　計	270百万円

④ 本事例の経緯

2015年2月　金融機関債権者への説明、スポンサー選定の開始
　　　　4月　スポンサー決定（保証人について一時停止の通知）
　　　　6月　スポンサーに対する株式譲渡
　　　　7月　GLに基づく保証債務整理の申入れ、弁済計画案提示
　　　　8月　特別清算手続申立て
　　　　9月　金融機関から同意を得て弁済計画成立
　　　12月　特別清算終結

第4章　各実施手続における実際と問題点、事例報告

1　手続の流れ

　本事例は、対象債務者である保証人が関連会社の株式をスポンサーに譲渡し、当該譲渡対価をもって対象債務者が主債務者の保証債務を一部弁済し、主債務者は特別清算により残債務の免除を受けた事案である。主債務者と関連会社は、関連会社がソフトウェアを開発し、主債務者が当該ソフトウェアの販売を行うという関係で事業を営み、金融債務は主債務者が借り入れており、関連会社には金融債務は存在せず、取引債務のみ存在していた。こうした場合、通常は主債務者の金融債務について関連会社が保証をしていることが多いが、本事例では主債務者と関連会社の間で保証関係は存在しなかった。いずれの会社も対象債務者が株式を100％保有していたことから、開発能力を保有し事業性のある関連会社の株式をスポンサーに譲渡し、その譲渡対価をもって対象債務者が保証債務の履行という形で主債務者の金融債務の一部を弁済したものである。

　前記の計画を進めるべく、スポンサーの選定を開始するに当たり、すべての金融機関債権者に再生計画の全体像を説明するとともに、その後のスポンサーの選定手続の進捗状況や選定されたスポンサーとの交渉状況などを逐一報告することにより、透明性をもって手続を進めた。

　保証債務の処理方針についても、再生計画の全体像を説明した2015年4月の時点において、金融機関債権者に対し、GLにより保証債務整理の申入れをする予定であることをあらかじめ伝え、GL手続の経験のない金融機関債権者に対しては、過去の事例で使用した手続書面（一時停止通知、保証債務整理の申入書面、同意書等）を参考資料として提供するなど丁寧な説明を心掛けた。

2　弁済計画の内容

　保証人は、関連会社の株式を除き、一定の現預金等の資産を保有していたことから、破産手続における自由財産相当である99万円にGLに規定された保証人の年齢（50歳）による雇用保険の給付期間を参考とした一定期間の生計費（363万円）の合計462万円を加算した金額を残存資産とする方針とした。

ただ、対象債務者は、金融機関債権者に対して保証債務整理の申入れを行う数か月前に、親族に対して養育費として一定額の支払を行っていた。当該養育費の支払自体は必ずしも破産手続上の免責不許可事由に該当するものではないものの、当該支払額には基準日以降の期間に相当する養育費も含まれていることから、基準日以降の期間に相当する支払分を日割計算し、当該金額については前記方針による残存資産から控除し、残存資産以外の資産について一括して弁済する内容の弁済計画を策定した。

3 本事案の特徴

本事例が広義の私的整理（純粋私的整理）により保証債務の免除が認められた背景としては、前記の通り、再生手続の当初から、金融機関債権者に対して保証債務履行を含む再生計画の全体像を説明し、頻繁に個別訪問するなどして逐次スポンサー選定手続の進捗状況について十分な説明を行うことにより、手続の透明性と公正性を確保するように努めたことなどが挙げられる。

V 事例④

【本事例の概要】

① 主債務者の概要	
業種	宿泊業
事業状況（直近期）	売上高360百万円／営業利益▲20百万円／経常利益▲25百万円
従業員数	35名
財務状況（直近期・簿価）	資産189百万円／負債1550百万円

② 対象債務者（保証人）
　代表取締役、取締役（代表取締役の配偶者）、監査役（代表取締役の父）、第三者保証人3名の6名

③ 対象債権者

	対象債権者	対象債権額（百万円）
1	地方銀行	490百万円
2	信用金庫	700百万円
3	信用保証協会	260百万円
	合　　計	1450百万円

　代表取締役についてはリース会社 3 社（総額11百万円）、取締役については リース会社 1 社（ 1 百万円）も連帯保証していた。
④　本事例の経緯
　2016年 1 月　主債務者について再生手続開始申立て
　　　　 7 月　保証人らについて一時停止の通知
　　　　 8 月　GLに基づく保証債務整理の申入れ
　　　　 9 月　再生計画認可決定
　2017年 2 月　全対象債権者から同意を得て弁済計画成立

1　手続の流れ

　本事例では主債務者である会社について再生手続により主債務の整理が行われた。主債務者の再生計画は、スポンサーに対してその事業の全部を譲渡し、その譲渡対価をもって再生債権の弁済を行うという内容であった。
　対象債務者である保証人は、代表取締役と取締役は経営に関与しているものの、その他の保証人は経営に一切関与していない親族や法的には親族ではない遠縁の親戚も含まれていた。とりわけ、第三者保証人の一部は、別の事業を営んでいたことから、破産手続を避けたいとの強い意向を有していた。
　主債務者は、再生手続の申立前より、主要な金融機関債権者へは再生手続による再建の方針を説明しており、保証人についてもGLにより保証債務の整理を申し入れる予定であることをあらかじめ説明していた。
　対象債務者のうち代表取締役および取締役の 2 名は、金融機関債権者の他にリース債権への保証も差し入れていた（取締役については一部のリース

債権）ため、当該リース債権者も対象債権者に含め保証債務整理の申込みを行った。しかしながら、リース債権者のほとんどがGLに基づく保証債務整理に応じられないとの姿勢であった。そこで、リース債権者3社を対象債権者に含める必要があった代表取締役については、保証債務以外に個人の借入債務も相当額存在していたことも踏まえ、GLによる保証債務整理の申込みを取り下げ、破産手続による債務整理を選択することとした。他方、リース債権者1社を対象債権者としていた取締役については、当該リース債権者はGLによる保証債務整理に消極的であったものの、その後サービサーへ債権が売却され、当該サービサーがGLによる保証債務整理に理解を示し、最終的には同意を得られた。

2 弁済計画の内容

本事例では、対象債務者5名のうち2名の保証人については、保有資産が破産手続における自由財産相当額である99万円以内の預貯金および現金のみであり、2名の保証人については、保有資産が破産手続における自由財産に年齢に応じた雇用保険の給付期間を基準とする一定期間の生計費相当額を加えた金額の範囲内であったため、保有資産の全額を残存資産とし、対象債権者に対する弁済を行わない弁済計画を策定した。なお、1名の保証人は、自ら経営する会社の株式を保有していたものの、当該会社が債務超過であったため、株式の評価額をゼロとした。

第三者保証人であった1名は、一定の現預金等の資産を保有していた。加えて、保証債務整理の申入れの2年以内に、子に対して2000万円近くを支出していた。なお、当該贈与にかかる金銭は、自身およびその子の運営する会社の設備投資資金に用いる予定であった。そこで、破産手続における自由財産相当額である99万円と年齢に応じた雇用保険の給付期間を基準とする一定期間の生計費相当額264万円を残存資産とし、その余の資産と子に支出した金銭のうち設備投資に必要な1000万円を超える1000万円を保証履行する弁済計画を策定した。

3 本事例の特徴

　本事例は、再生手続においてスポンサーによる支援を得て、財産評定における清算配当率０％のところ、6.5％の弁済を実施できており経済合理性が十分に認められる事案である。保証人のうち、破産手続における自由財産と年齢に応じた雇用保険の給付期間を基準とする一定期間の生計費相当額の範囲内の資産しか有しない保証人については、弁済額なしの弁済計画案で比較的スムーズに了承を得られており、GLの考え方が金融機関債権者に浸透しているものと感じられた。なお、リース債権者については、GLによる保証債務整理に消極的であったものの、結果としてリース債権者から債権を買い取ったサービサーから弁済額ゼロの弁済計画に同意を得られた点も特記される。

　また、唯一資産を有していた第三者保証人については、保証債務整理の申込前２年間に2000万円近くの贈与を行っていたが、当該第三者保証人が主債務者の経営に関与をしておらず必ずしも再生債務者の窮境や再生手続申立ての事実を知らなかったことに加え、法的には親族に該当しない遠縁の親戚であり「完全な」第三者保証人であったことなどの事情があったことなどの保証人の属性も踏まえ最終的な同意を得られたものと思われる。

　なお、本事例においても、特段、対償債権者から準則型私的整理手続の活用を求められることはなかった。広義の私的整理（純粋私的整理）により保証債務の免除が認められた背景としては、主債務者の再生手続を申し立てる前のスポンサー選定手続の段階から、主要な金融機関債権者に対して、主たる債務者の再生に向けた取組みについて説明するなど、透明性をもって手続を進めてきたことが挙げられる。

Ⅵ　最後に

　広義の私的整理（純粋私的整理）によりGLによる保証債務整理を行った事例を紹介したが、現在も純粋私的整理により保証債務整理を申し込んでいる複数の案件があり、いずれも対償債権者から準則型私的整理（特定調停や協

議会)の活用を求められておらず、弁済計画も成立する見通しである。

　どのような事案であれば純粋私的整理により保証債務整理が認められるのかは、各事案の経緯や金融機関債権者の事情などにより異なると考えられ一概に述べることはできない。ただ、紹介したいずれの事案においても共通している点は、準則型私的整理手続と同等に、金融機関債権者に対して、主債務者の再生や事業廃止に取り組む早い段階からあらかじめ保証人の保証債務整理の方針も含めて十分な説明を行うとともに、スポンサー選定などの主債務者の再生に向けた取組みについて適時の情報開示と緊密な協議を行うなど、透明性をもって対応した点が肝要であると考える。

第5章

座談会

第5章　座談会

〈座談会〉
『経営者保証ガイドラインの実務と課題』刊行に当たって

〈司会〉　弁護士　中井　康之
　　　　　弁護士　小林　信明
　元中小企業再生支援全国本部顧問　藤原　敬三
　　　　埼玉りそな銀行　獅子倉基之
〈オブザーバー〉　弁護士　三森　仁
　　　　　弁護士　髙井　章光

○中井　本日は、『経営者保証ガイドラインの実務と課題』を出版するに当たり、GLの実務における運用状況や、実務上の問題点について、皆さんで議論をしていただきたいと思います。

◆自己紹介◆

　最初に、自己紹介をお願いできますでしょうか。小林さんからお願いします。
○小林　弁護士の小林信明でございます。長島・大野・常松法律事務所に所属しております。主な業務として倒産や事業再生分野の仕事を行っております。また、このGLについては、GL研究会の座長として策定に関与し、また、今般の信用保協会法等の改正にも関与したということで、このような機会が得られたものと思っており、大変光栄に存じております。本日は皆様方のお話を聞いて、GLが実務に定着するためにはどのようにすればよいのかなどについて勉強したいと思っております。よろしくお願いいたします。
○中井　続いて藤原さん、お願いします。
○藤原　中小企業再生支援全国本部の藤原でございます。この3月まで統括プロジェクトマネージャーを務めておりましたが、4月より顧問に就任しております。GLは2013年にスタートしましたが、私もその研究会の委員として参画させていただきました。再生支援協議会の現場で、できるだけ多くのGLの利用実績をつくりたいと願ってはいるのですが、感覚としてはまだまだかなというのが実感です。この機会を通じて先生方と意見交換しながら、いかに普及させるか、どうすれば利用が進むのかについて、勉強させていただきたいと思っておりますので、よろしくお願いいたします。
○中井　続けて獅子倉さん、お願いします。

第5章　座談会

○**獅子倉**　埼玉りそな銀行で融資部を担当しております獅子倉基之でございます。私は、GLが制定される前の「在り方研究会」の委員を藤原様とご一緒したご縁で、本日お声がけいただきました。実務を担う者として、先生方のご意見を拝聴し今後の業務に活かして参りたいと考えております。よろしくお願いいたします。
○**中井**　ありがとうございます。GL研究会座長の小林さん、GL運用を担っている再生支援協議会でたくさんの実績を積まれている藤原さん、そして債権者の立場からりそな銀行の獅子倉さん、こういうメンバーにお集まりいただきました。

　なお、オブザーバーとして、三森仁弁護士と髙井章光弁護士に議論に加わっていただき、REVICと特定調停におけるGLの運用状況について適宜コメントをいただくことを予定しています。

　司会を務めさせていただく私も、GL研究会の一員として、GLの策定に関与しましたが、残念ながら、その後、具体的案件に関与する機会がありませんでした。本日は、実務の運用、特にどういう問題や課題があるのか、将来の展望などをぜひ議論していただき、GLをさらによりよいものにしたいなと思い参加させていただきました。本日はどうぞよろしくお願いいたします。

◆GLの利用実績と課題◆

○**中井**　最初に、GLの利用実績を紹介していただきたいと思います。中小企業再生支援協議会では相当数の実績があるようですので、藤原さんからご紹介をお願いします。
○**藤原**　お手元に資料を配らせていただきましたが、2013年度から2016年度までの利用実績を都道府県別に整理したものです。都道府県というのは協議会という意味です。この中で保証人の数としては333人、うち一体型が302人、単独型が31人ということで、圧倒的に一体型です。また、企業ベースでは175社となり、おおむね1社2人の保証人というのが平均的なところです。あとは都道府県別に見ると、まだゼロという県がいくつかあり、非常に目立つところです。本日獅子倉さんにお越しいただいていますが、埼玉りそな銀行の地元である埼玉県の支援協の利用実績が非常に多い。実は、支援協における金融機関別の利用実績でも、埼玉りそな銀行さんがトップなのです。その辺の事情もまた後ほどお話聞かせていただければと思います。
【編集者注：中小企業再生支援協議会における2013年度（平成25年度）から2019年度（令和元年度）までの利用実績を年度別に整理したものが、別表1の「経営者保証ガイドラインに基づく保証債務整理手続の年度別推移（都道府県別）」のとおりで、ケース別に整理したものが別表2の「経営者保証ガイドラインに基づく保証債務整理手続のケース別累計実績（都道府県別）」のとおりで、累計すると、保証人の数としては960人で、うち一体型が837人、単独型が123人、企業ベースでは550社で、うち一体型が466社、単独型が84社です。】
○**中井**　REVICの実務にかかわっている三森さん、REVICではいかがでしょうか。
○**三森**　REVICにおいては、有用な経営資源をもつ事業者等の事業再生を支援す

る事業再生支援業務に伴うGLの適用と、転廃業支援（経営者の再チャレンジ支援）のための特定支援という制度におけるGLの適用の２種類があります。特徴的な特定支援の利用実績ですが、REVICのホームページによると、2017年９月末の累計数値で、これまでの相談件数は759件、そのうち特定支援の決定に至ったもの、すなわちGLが適用された件数は55件です。
【編集者注：特定支援の利用実績は、令和２年３月末までの累計数値で、これまでの相談受付件数は1144件、そのうち特定支援の決定に至ったもの、すなわちGLが適用された件数は120件です。】

○中井　日弁連で特定調停スキームの作成にかかわった髙井さん、特定調停での利用状況はわかるでしょうか。

○髙井　近時は特定調停において積極的な活用を行うべく、日弁連が最高裁と協議をもって、この浸透を図ろうとしているように聞いておりますけれども、具体的な数字については必ずしも把握しておりません。金融機関向けの雑誌等における事例の報告においては、単独型が多いように見受けられますが、最近では会社の再生もしくは廃業の際に一体として保証債務を処理するケースも散見されているように思います。

○中井　ありがとうございます。債権者の立場から見て、この数字をどのようにお感じになられるか、ざっくばらんな感想を獅子倉さんのほうからお聞かせいただければと思います。

○獅子倉　GLを立ち上げ数年が経過しました。当初、ここまで件数が増えていくのかと疑問ではありましたが、支援協が積極的に進めていただいたということや債務者が中小企業の場合、法人と経営者は一体なので経営者保証が残ってしまうことを危惧し再生を決断できない方がいらっしゃいます。しかし、時を経て徐々に制度が浸透してきたと思われることからこのような実績になったのではないかと思います。でも、目線の合わない債務者はまだ多くいます。どうやってわれわれから働きかけていくのかということが今後の課題であると考えます。

○中井　小林さん、GL研究会の座長として、これらの実績数字をどのように評価しますでしょうか。

○小林　いま、支援協、REVIC、特定調停の実績数字をお聞きしましたけれども、金融庁でも実績数値を公表しております。実績の数値のとり方が難しいのでしょうけれども、民間金融機関がメインバンクとしてかかわりGLを使った債務整理案件は、GLが適用開始の2014年２月から2017年３月までで498件ということです。また、中小企業庁でも政府系金融機関がかかわった、GLを使った整理件数を公表しておりまして2014年２月から2017年３月までで244件です。この実績数字、あるいは先ほどご報告があった実績数字を踏まえても、あまり利用件数は多くないというのが正直な印象です。

　その理由は何なのかということですが、そもそも中小企業の債務整理、事業再生の件数自体が少ないことが影響していると思っています。中小企業で債務整理、事業再生を行うことになった段階で個人保証が付いている場合には、GLが使われる

【別表１】 経営者保証ガイドラインに基づく保証債務整理手続の年度別推移（都道府県別）

(名・社)

都道府県	累計 件数(保証人数)	累計 企業数	二次対応完了 令和元年度 件数(保証人数)	二次対応完了 令和元年度 企業数	二次対応完了 平成30年度 件数(保証人数)	二次対応完了 平成30年度 企業数	二次対応完了 平成29年度 件数(保証人数)	二次対応完了 平成29年度 企業数	平成25～28年度 件数(保証人数)	平成25～28年度 企業数
北海道	24	14	2	2	1	1	3	1	18	10
青森県	11	7	3	3	0	0	4	2	4	2
岩手県	14	7	1	1	6	2	3	2	4	2
宮城県	3	2	3	2	0	0	0	0	0	0
秋田県	22	13	4	3	12	6	2	1	4	3
山形県	17	9	4	2	7	4	4	2	2	1
福島県	8	4	0	0	0	0	2	1	6	3
茨城県	11	6	5	3	3	1	3	2	0	0
栃木県	15	9	3	3	0	0	3	2	9	4
群馬県	30	18	6	4	8	6	1	1	15	7
埼玉県	47	34	5	5	8	6	5	4	29	19
千葉県	16	12	7	6	1	1	5	3	3	2
東京都	30	25	10	9	7	5	4	3	9	8
神奈川県	10	9	1	1	2	1	1	1	6	6
新潟県	28	13	10	4	2	2	11	4	5	3
長野県	41	19	12	5	5	3	9	4	15	7
山梨県	7	4	2	1	1	1	2	1	2	1
静岡県	53	28	4	4	21	9	15	6	13	9
愛知県	33	19	7	4	8	4	11	4	7	7
岐阜県	28	12	4	3	1	1	8	3	15	5
三重県	36	19	6	4	2	1	8	6	20	9
富山県	14	7	0	0	0	0	8	5	6	2
石川県	18	7	8	1	8	2	1	1	1	3
福井県	15	7	1	1	4	2	1	1	9	3
滋賀県	9	6	1	1	0	0	4	2	4	3
京都府	21	12	2	2	9	5	3	2	7	3
奈良県	16	9	7	5	4	2	5	2	0	0
大阪府	45	31	13	11	11	8	12	8	9	4
兵庫県	35	23	13	9	11	7	5	4	6	3
和歌山県	3	2	0	0	0	0	1	1	2	1
鳥取県	23	9	4	2	12	4	5	2	2	1
島根県	13	8	5	3	1	1	4	3	3	1
岡山県	33	18	7	4	5	3	2	2	19	9
広島県	25	15	2	2	9	6	5	3	9	4
山口県	8	4	3	1	0	0	0	0	5	3
徳島県	26	12	1	1	4	2	8	4	10	5
香川県	24	16	11	7	6	4	2	2	5	3
愛媛県	22	9	5	3	2	2	8	1	7	2
高知県	8	5	2	1	0	0	1	1	5	3
福岡県	22	17	10	7	4	4	1	1	7	5
佐賀県	4	4	1	1	1	1	0	0	2	2
長崎県	29	14	9	5	7	2	9	3	8	4
熊本県	17	7	0	0	4	4	1	1	2	1
大分県	10	7	0	0	4	1	1	1	5	5
宮崎県	22	12	3	2	4	3	2	1	13	6
鹿児島県	3	2	0	0	2	1	1	1	0	0
沖縄県	3	2	0	0	2	2	0	0	0	0
全国（合計）	960	550	215	142	212	118	200	115	333	175

頻度は高いのではないかと推測しております。このGLが作成された目的は、早期に中小企業の事業再生や清算（以下、「事業再生等」という）に着手しやすくすることにあるわけですが、中小企業が本当は、事業再生や債務整理をすべき状況であるにもかかわらず、それが着手されていないということであれば、その対策が重要になるのではないかと思っています。

【編集者注：金融庁の公表した、民間金融機関がメインバンクとしてかかわりGLを使った債務整理案件は、GLが適用開始の2014年2月から2020年3月までで1356件で、中小企業庁が公表した、政府系金融機関がかかわった、GLを使った整理案件は、2014年2月から2020年3月までで783件です。】

○**藤原** 今の話の中で私が若干気になっているところは、中小企業の抜本再生は、確かに多くはないのですが、それでも債権放棄案件で年間70件程度は継続的にありました。それは、GLができる前からです。そして保証債務についても、実は同じような処理がなされていた。これが、GLができたことによって、その保証債務の処理が、どれだけ増えたのかというところが、重要なのではないかと感じております。その観点からいうと、あまり変わっていないのではないかなという感覚があり

【別表２】経営者保証ガイドラインに基づく保証債務整理手続のケース別累計実績（都道府県別）

(名・社)

都道府県	二次対応完了（累計）						都道府県	二次対応完了（累計）					
	保証人数ベース			企業数ベース				保証人数ベース			企業数ベース		
	保証人数	内、一体	内、単独	企業数	内、一体	内、単独		保証人数	内、一体	内、単独	企業数	内、一体	内、単独
北海道	24	23	1	14	13	1	滋賀県	9	7	2	6	5	1
青森県	11	11	0	7	7	0	京都府	21	19	2	12	11	1
岩手県	14	14	0	7	7	0	奈良県	16	13	3	9	7	2
宮城県	3	0	3	2	0	2	大阪府	45	43	2	31	29	2
秋田県	22	16	6	13	9	4	兵庫県	35	26	9	23	16	7
山形県	17	17	0	9	9	0	和歌山県	3	3	0	2	2	0
福島県	8	8	0	4	4	0	鳥取県	23	21	2	9	8	1
茨城県	11	11	0	6	6	0	島根県	13	10	3	8	5	3
栃木県	15	14	1	9	8	1	岡山県	33	31	2	18	16	2
群馬県	30	28	2	18	16	2	広島県	25	19	6	15	11	4
埼玉県	47	47	0	34	34	0	山口県	8	8	0	4	4	0
千葉県	16	14	2	12	10	2	徳島県	26	22	4	12	11	1
東京都	30	23	7	25	18	7	香川県	24	15	9	16	9	7
神奈川県	10	6	4	9	6	3	愛媛県	22	21	1	9	8	1
新潟県	28	23	5	13	12	1	高知県	8	4	4	5	3	2
長野県	41	39	2	19	18	1	福岡県	22	22	0	17	17	0
山梨県	7	7	0	4	4	0	佐賀県	4	4	0	4	4	0
静岡県	53	44	9	28	21	7	長崎県	29	25	4	14	12	2
愛知県	33	29	4	19	16	3	熊本県	17	16	1	7	6	1
岐阜県	28	28	0	19	19	0	大分県	18	18	0	9	9	0
三重県	36	31	5	19	16	3	宮崎県	22	15	7	12	8	4
富山県	14	13	1	7	6	1	鹿児島県	3	3	0	2	2	0
石川県	18	12	6	7	5	2	沖縄県	3	3	0	2	2	0
福井県	15	11	4	7	5	2	全国（合計）	960	837	123	550	466	84

ます。数字としては捉えていないのですが、実はこれ位の数字は、GLができる前からもある程度できていたのではないかという感覚があるのですが、この辺りは獅子倉さん、いかがですか。

○獅子倉　弊行では、支援協が発足した当初から多くの案件をご一緒に取り組ませていただきました。そのため、早い時期から再生に取り組んでおります。藤原さんからはいつも「保証債務の整理を放っておくのはだめだよ」とご指摘をいただいており、事業再生と保証債務の整理を大抵、一体で実施してきたというのが現状です。確かに、GL制定以降、著しく増えたのかというと、そうではないのでしょう。ただ、事業再生の件数自体が少しずつ認知され、支援協議会の利用件数も増えていますので、そのような観点から着実に増えてきていると私は思っております。

◆GLの利用が多くない理由はどこにあるのか◆

○中井　もともとGL研究会の設立前に、先ほど獅子倉さんから説明のあった「在

り方研究会」がありましたが、そこでも企業は窮境に陥ってもなかなか事業再生を進めない、廃業になればさらにそうかもしれません。なぜそうなるのかという実態調査から、それは経営者保証もしくは第三者保証の存在が、経営者に対して、再生または廃業の決断を遅らせている実情がある、そういう基本認識があったと思います。従来から、主たる債務の整理をするとき、保証債務の整理も必然だったと思いますが、それゆえ、保証問題が、早期再生や廃業促進の障害になっているという実態があったのだろうと思います。

　そこで、経営者保証について何らかの解決の道筋をきちんと提示することによって事業再生が促進されることが期待される、そのことに一定の合理性があるだろうと思います。ところが、藤原さんがおっしゃったように、GLをつくったにもかかわらず、現実にはなかなか早期再生や早期廃業が増えていないとすれば、その原因はどこにあるのかということが問題になりますが、その点について藤原さんから発言をお願いします。

○藤原　確かに、経営者に対してのインセンティブは増えたと思います。ただし、実際に抜本再生に取り組むかどうかというのは、実質的には金融機関が決めている話です。企業の経営者が、具体的な行動を自ら起こすという例はほとんどない。であれば、金融機関が社長を説得するときのプラスの道具として活用しているのかどうかということになります。しかし、今、金融機関が積極的に抜本的な債権放棄に取り組むのかどうかというと、残念ながらそうではないところが多いというのが実感です。したがって、利用が思うように進まない原因の1つは、金融機関側の姿勢だと思います。したがって、当然のことながら、抜本再生に積極的に取り組む金融機関では、GLの利用も多いという結果になります。

○中井　ありがとうございます。ご指摘いただいたように、1つは、金融機関側の姿勢に問題があるだろうと思います。他方、債務者サイドから相談を受けている者にとっては、経営者側の問題も見えてきます。具体的には、債権カット型の事業再生を求めれば、必ず経営者保証が顕在化する、だから、これを回避したいという気持ちとともに、やはり経営者ですから事業を頑張りたいと、無理をしすぎる弊害の2つがあるように思います。この2つの意識を取り除くことができるのかが肝心なところと思います。この点、小林さん、いかがでしょう。

○小林　今の皆さんのご意見に異論はまったくありません。どうして本来抜本再生、事業再生をしてもいいような中小企業でそれが進まないのかというと、金融機関がそっちの方向のマインドにならないということがあると思います。そして経営者も、経営者保証問題は離れても、金融機関がその方向を望まないのであれば抜本再生、事業再生に着手するよりは、今の状況で事業を続けられるなら続けようというマインドになってしまう状況が多くなっていると考えています。ただ、GLを策定する際にも議論されたように、抜本再生、事業再生をするべき中小企業がその着手をせずに、先送りばかりしていると、本来であれば生産性を高めるためにニューマネーを入れてさらなる発展が見込めるところが、どんどんじり貧になってしまい事業再生ができなくなったり、廃業するにしても債権者への弁済額がどんどん減って

第5章　座談会

いくことになります。そのようなおそれは金融機関の方にも認識いただいていると思うのですけれども、それを踏まえて、そのような中小企業については、金融機関や経営者はそろそろ抜本再生、事業再生に向けた行動を考えていただく必要があるのではないかとは思います。そして、金融機関も経営者もそっちの方向のマインドになったときに、その決断の障害となっている経営者保証については、このGLである程度対応できるので、経営者が決断しやすくなると思っています。GLがそういう形で利用されるようになることが望ましく、それを目指しているということになると思います。

○**中井**　小林さんから指摘のあった、一般的な金融機関に対する期待については、獅子倉さんも同じ意見ではないかと思いますが、追加がありましたらお願いします。

○**獅子倉**　やはり先生方がおっしゃるように、弊行では、過去にtoo lateという事態が起きていたことから、なるべく早め早めに対応しております。しかし、債務者は一所懸命に事業を営むがゆえに、御自分の現実をきちんと受け止めることができないケースがあります。そのような場合、例えば、バランスシートやPLに関し、過去の推移や今後の見込みをご覧いただき「このまま漫然と放置されれば、清算をしても価値が出ず、従業員の雇用も守れませんよ」というお話をして理解を求めております。現在の中小企業では取引金融機関数は非常に増加しており、好き勝手なことをいう金融機関があります。金融機関調整をお願いするには、まず、支援協にご相談し、各行が同じ情報を共有しながら協議を行う。そのような状況で企業が一所懸命、事業再生に向かい取り組んでいくのであれば、インセンティブの1つとしてGLを使い、経営者保証の整理をしています。個々の債務者に方針を明確にし、それぞれのステージに応じた対応を早目早目に行っていくということが必要であると思います。

○**中井**　金融機関の立場から、GLに対する取組みの有り様をお話しいただきました。ありがとうございます。債務者の立場からすると、従来は、金融支援を受けた債務者の経営者は、過大な保証債務があるため破産しか選択の道がないというのが一般的理解でしたが、現在でもそのような理解をしている経営者はまだまだ多いのではないか、それが、このGLを使うことによって破産をしないで保証債務の整理ができる、このことを経営者の皆さんに十分理解していただくことによって、早期の抜本的な処理を前提とした再生もしくは廃業ができるのではないかと思います。それが、まさにGLの狙いだと思います。

このGLの狙いというか功績の1つは、早期再生、早期廃業を進めるための役割を担うということです。私は、もう1つあると思うのです。それは、経営者の保証責任は現実に手元にある財産をきちんと開示して提供すれば、それを超えた過剰な債務は免除されるのだ、民法の保証責任はそのようなものだという理解になればよいなと思っていましたが、GLはまさにそのような仕組みを提供しています。自由財産プラスアルファまで残して、破産しなくても保証債務の整理ができるわけです。このようにGLには大きな2つの意義・役割があるのではないかと思います。

藤原さんが支援協手続を進める上で、金融機関の対応、そして今申し上げた債務

者の対応を踏まえて、このGLをどのように広げていくかという観点から、ご意見をいただけるでしょうか。

◆GLのメッセージ＝破産しなくても保証債務の整理ができる◆

○藤原　今、すごく整理できたというか、そういう形のGLのメッセージが明確であれば、もっと広がったのではないのかと感じます。つまり、GLを利用すれば破産しなくても保証債務が整理できる、というわかりやすいメッセージが実はない。それともう1つは、一般的な理解として、自由財産プラスアルファというものをきちんと全部示せばそれが利用できるというわかりやすいメッセージがあれば、もっと広がったのではないのかなという感覚があります。

　私は、先ほどまだまだ広がっていないとは言いましたけれども、このGLができたことによる一番の肌感覚としての変化は何かというと、保証協会がここに参加してくれたことです。今まで保証協会は、保証履行請求はしないけれども保証契約の解除はできないという運用がほとんどであったのだろうと思います。しかし、このGLができたことによって、金融機関がGLで解除するのであれば保証協会も同じように解除しましょう、と明確に変わったというのは非常に大きな変化というか功績だと思います。あとは、これを広げるために、今、先生がおっしゃられたような2つのわかりやすいメッセージをいかに明快に出せるかということに尽きると感じます。

　あと1つ付け加えさせていただくとすれば、それを具体化していくためには――後ほどまた議論させていただけたらありがたいのですが、一体型と単独型を、そもそも分けて考えたほうがよいのではないかという点です。

○中井　ありがとうございます。小林さんにも、総論的な意見をお願いできますか。その上で、個別論点に進みたいと思います。

○小林　今の藤原さんや中井さんの話にもありましたが、GLは、①保証人は手元にある財産をきちんと開示してこれを提供すれば、それを超えた保証債務が免除され、破産を免れるということ、さらに、②事業再生を早期に決断すればインセンティブ資産が認められ、破産した場合よりも多くの資産が手元に残る可能性があるということ、の2つのことが規定されています。ところが、そのメッセージ性が弱いというご指摘がありましたが、これはGLを作った者としては耳が痛いところです。このGL、あるいはQAの記載文言だけでは伝わりにくいところは、いろいろな周知活動で、もっとこの辺も強調すべきだ、そういう努力をさらにし続けなければいけないのだと思いました。

　もう1つ、良い点として言っていただいた保証協会の対応ですが、従前、保証協会というのは非常に対応がきつくて苦労した経験が私にもあるのですけれども、幸いなことに、このGLでは研究会に全国保証協会連合会の代表が加わったということもあって、保証協会側の対応も弾力的になってきたと思います。ただ、各地区の保証協会で対応が分かれているということも聞いていますが、それも改善する方向になっているのではないかと考えています。今般（平成29年6月法改正、平成30年

第5章　座談会

4月1日施行)、信用保証協会法が改正になって、保証協会には経営支援という役割が強化され、またその活動もモニターされるので各地区の信用保証協会の対応も期待できるのではないかと思います。
○中井　GL全体の課題と将来のあり方については、最後にもう一度議論をしたいと思いますので、ここから各論に入らせていただきます。

◆**対象債務者としての適格性：粉飾がある場合**◆

○中井　1つ目は対象債務者の問題です。対象債務者は誠実でなければならない、というのが大原則ですが、この誠実性の要件、とりわけ主たる債務者において粉飾のある場合の取扱いが問題になっています。金融機関から見れば、粉飾は債務者としての不誠実性を示す1つの兆候で、そのような債務者の経営者に対して保証債務の免除等を許すことが正当化できるのかという、そもそも論があると思います。この点について、金融機関としての基本的なお考えを獅子倉さんからご発言いただけるでしょうか。
○獅子倉　本来、(粉飾をしている先の経営者が)個人財産を残そうとする場合、(経営者責任の観点から)事業再生の対象先とはいえないと考えます。ただ、中小企業の場合は(粉飾の)程度問題もあり、一所懸命事業を行っている場合や事業再生に資する債務者ならば、俎上に載せてもいいのではないか、と思っています。しかし、明確な基準があるわけではなく、あくまでもケース・バイ・ケースであります。要は事業再生に資する債務者か否かという判断をきちんと行うべきであるということであります。
○中井　支援協が対象とする中小企業にもさまざまな会社があり、いろいろな態様の粉飾を見ておられると思うのですが、藤原さんから、粉飾を例として、GLの適用を認めるかどうかという点で、基本的なスタンスを教えていただければと思います。
○藤原　粉飾という言葉の定義が曖昧なのですが、現実問題として、厳しく見れば、ほぼ100％といっていいくらい粉飾しているという見方もあります。とはいえ、実際に支援協で抜本再生するときに、どうしても金融機関として、これは耐えられない、許せない、というケースとしては、借入残をごまかしていたとか、金融機関ごとに異なる決算書を出していたとか、そういうレベルであり、こうなるとさすがに主債務のところでも合意は難しいと同時に、保証債務のところでもGLの利用は難しいということになります。それ以外のレベルでは、ほとんどのケースで金融機関は飲みこんでいるというのが実態だろうと思います。その感覚からすれば、私は、このGLの中の不誠実という言葉の意味を具体的に限定してしまう。それ以外はいいと、そう例示してしまったほうが、いきすぎかもしれませんが、わかりやすく、また反対もないのではないかという気もします。

　もう1つ、表明保証に関しての不誠実問題も気になります。後ほど、ご意見をうかがいたいところなのですが、表明保証書に何を書くのかということをもう少し明確化したほうがいいのでは、という気がしております。この2つが明確化されれば、

この問題は解決してしまうという気がしています。

◆QAの改定：適時適切な情報開示の意義◆

○中井　GL 3項に、GLの適用対象となる保証契約の要件として、「主たる債務者及び保証人の双方が弁済について誠実であり、対象債権者の請求に応じ、それぞれの財産状況等（負債の状況を含む。）について適時適切に開示していること」という要件があります。この要件をそのまま読むと、粉飾があると、直ちに適用対象となる保証契約ではないと解されるおそれがあり、実際に聞くところでは、ここにこう書いてあるから、この債務者の場合はGLを使えないという意見が出ていると聞いています。これが、GL制定後にもGL研究会で議論になり、さらに検討を続けて、最近、GLのQAが改定されました。この点、小林さんからご説明いただけるでしょうか。

○小林　今、中井さんからご紹介があったように、3項でGLの対象となる保証契約というのは規定しておりまして、その(3)を文字通りに読むと、厳しく対応しようと思えば、多くの中小企業、あるいは、その経営者が対象にならなくなってしまうおそれもあります。そういった状況を受けて、いろんな実務を経験していただいている方々から問題提起があったわけです。

その問題提起の1つとしては、「適時適切に開示していること」についてでして、中小企業ではあまり正確でない財務情報を開示している場合も多いのだから、保証債務の整理段階に入った後は厳格に適時適切な情報開示をすべきであるけれども、保証債務の整理に入る前については、そもそもこの適時適切な情報開示の要件というものは適用外とすべきではないかというような議論がありました。ただ、このGLというのは、平時の段階での金融機関と経営者・中小企業のあるべき付き合い方をも示しているので、平時から適時適切な情報開示をすべきだという理念を排除することはできないので、債務整理前の段階でもこの条項は適用があると解さざるを得ないとは思います。この定めが7項の債務整理の規定ではなく、総論部分の3項に規定されていることからも明らかであると思います。

ただ一方で、保証整理の前の状況と整理の入った後の状況とでは、適時適切な情報を開示すべきだという要求の程度が違うということはあると思います。そこで、保証債務の整理に入った後については、適時適切な情報開示は厳格に適用する、他方、保証債務の整理の入る前の段階では、財産の状況等の不正確な開示があったことで直ちにGLの適用が否定されるのではなくて、不正確な表示の金額とか、態様とか、流用があったかどうかといった動機の悪質性を踏まえ総合的に勘案して、先ほど獅子倉さんがおっしゃったように、GLを利用させてはならないというような観点から悪質なものに限定することがいいのではないかと思っております。そういったことについては、多分、実務の感覚でも一致することだと思います。そこで、研究会でもいろんな方の意見を聞いた上で、今、私が言ったような趣旨での、整理手続の開始の後と前とでは基準を変え、整理手続の入る前については悪質なものに限定してGLの適用を否定するような内容でQAが改定（QA 3-3〔2017年6月28日

改定〕）されたということです。これについては、第2章**1**を参照していただければと存じます。

　藤原さんからお話がありましたけれども、残念ながら、不誠実な場合はこれだという例が限定的に列挙はできなかったわけですけれども、これに関する実務の考え方は、だんだん固まっていくのではないかと思います。

○中井　新たなQAの回答は、「債務整理着手後や一時停止後における適時適切な開示等の要件は、厳格に適用されるべきものと考えられますが、他方、債務整理着手前や一時停止前において、主たる債務者又は保証人による債務不履行や財産状況等の不正確な開示があったことなどをもって直ちにGLの適用が否定されるものではなく、債務不履行や財産の状況等の不正確な開示の金額及びその態様、私的流用の有無等を踏まえた動機の悪質性といった点を総合的に勘案して判断すべきと考えられます」としています。藤原さんがおっしゃっているようなすぱっとしたものではなくて、総合考慮説的な記載ですが、いかがでしょうか。

○藤原　十分伝わると思いますので、結構かと思います。

○中井　獅子倉さん、どうでしょう。

○獅子倉　よくわかります。

◆QAの改定：免責不許可事由の「おそれ」◆

○中井　もう1つ、対象債務者の問題として従来議論されていたのは、GLの7項、保証債務の整理の1項、保証債務の整理の対象となり得る保証人の定義にイ、ロ、ハ、ニとありまして、そのニに「保証人に破産法252条第1項──破産法252条というのは免責不許可の問題ですが──に規定される免責不許可事由が生じておらず、そのおそれもないこと」という規定があったことから、「そのおそれ」についての解釈問題がしばしば生じていました。今回のQA改定に際して、研究会で議論されたようですので、この点も、小林さんから説明をお願いできるでしょうか。

○小林　これもGLの適用可能性に関する問題です。免責不許可事由というのが破産法252条1項に規定されているわけですけれども、GLは、7項(1)ニで、GLの整理の対象となり得る要件として、保証人に免責不許可事由（破252条1項10号を除く）が生じておらず、「そのおそれもない」ということが定められています。そして、「そのおそれのない」ことの解釈として、不許可事由よりも幅広く該当するということを意味するのだという意見もあったところです。しかし、その解釈によりますと、GLの利用適格が制限されてしまいますので、「そのおそれもない」という言葉自体は、GL上存在する必要はないのではないかというような意見が実務の方々から寄せられたところでございます。

　この「そのおそれもない」というのは、保証債務整理開始時点での免責不許可事由自体を幅広くするということではなくて、破産法252条の免責不許可事由というのは破産手続が開始になった後に生じる事由もあるので、GLの債務整理の手続に着手した後、不誠実な行為をした場合について、破産手続開始後に免責不許可事由が生じた場合とパラレルに考えて、規定されているということと理解しております。

そうなるとGLが着手した時点から見ると、「そのおそれがない」というのは将来のことを指していると解釈できるのではないかと思っております。ですから、GLの手続が開始時点ですでに免責不許可事由に該当することの概念を広げたというのではなくて、将来のことを指しているものだと考えれば、不当に利用適格が制限されないような解釈、運用が可能になるのではないかと思います。そのようなことが改定後のQAの7-4-2で記載されたということです。

具体的に言うと、「免責不許可事由が生じておらず」というのは、保証債務の整理の申出前において免責不許可事由が生じていないことを指し、「そのおそれもない」とは、保証債務の整理の申出から弁済計画の成立までの間において免責不許可事由に該当する行為をするおそれのないことを指します。

なお、これらの債務者の利用適格要件については、第2章❶を参照してください。

〇中井　「そのおそれ」については、こういう形でQAで明らかにしたのですが、現場感覚からして、免責不許可事由、すなわち財産減少行為や偏頗弁済行為があった事例の取扱いで、このおそれが問題になったことがあるのか、また、今回の改定で解決できるのかなどについて、コメントすることがあれば藤原さんからお願いできるでしょうか。

〇藤原　現場において、「そのおそれ」ということが議論になってストップしたという事例は聞いてはおりません。実務的にはあまり影響がないと思います。

〇中井　獅子倉さんいかがでしょうか。

〇獅子倉　私も同様です。これでできないというのはございませんでした。

◆第三者保証人の適格性◆

〇中井　対象債務者に関するもう1つの論点ですが、第三者保証人があります。GLはその名前の通り、経営者が保証している場合を想定していますが、第三者保証人の取扱いについて教えていただけるでしょうか。藤原さん、いかがでしょうか。

〇藤原　GLができたことによって、この扱いがどう変わったかということであれば、あまり変わらないと感じております。従前より第三者保証人というのは、経営者ではないし、ほとんど経営責任がない、関与もしていなかったというケースが多いわけですから、その人を破産させるということについては、金融機関もあまり求めなかったのではないかと思います。したがって、保証を解除するということについては比較的柔軟に行われてきたと感じます。ただ、あとはどれだけの保証履行してもらうかという点についてはケース・バイ・ケースで判断されてきたと思います。したがって、GL上どう扱うのかということは、あまり決められないのではないのではというのが正直な気持ちです。

〇中井　獅子倉さん、いかがでしょうか。

〇獅子倉　そもそも第三者保証自体が極めて稀ですから、件数はほとんどないと思います。あとは藤原さんがおっしゃる通りです。

〇中井　今の実務では、そもそも第三者保証は少ないが、第三者保証人は、経営者と比較すれば責任において軽いので、GLの成立以前から、しかるべき弁済をすれ

ば、それを超える部分は免除するという実務、つまり破産まで求めない実務があった、こう理解してよいでしょうか。したがって、GLでは直接排除されていませんから、この適用を求めてきた場合にも、それほど問題なく運用されていると理解してよろしいでしょうか。この点、小林さんからコメントがありますか。

◆早期事業再生等への寄与◆

〇小林　このGLは、「経営者保証GL」という名前ですけれども、経営者以外の保証人、いわゆる第三者保証人がこのGLを適用することは認められているということは明記しているところです（GL3項(2)注5）。ただ、経営者保証人の場合には主たる債務者について早期事業再生等の着手の決断に寄与したということを受けて、主たる債務者の事業再生等の実効性の向上等に資するものとして、主たる債務と保証債務と一体として経済合理性を考えるというのが、このGLの大きな特徴です。したがって、その観点から経営者については破産よりも多くの残存資産、インセンティブ資産を残すことができることを認めているわけですけれども、経営者以外の第三者について、そういうような考え方がとれるのかという問題点があるということになります。

　多くの方々からは、そもそも経営者保証人よりも第三者保証人のほうが保護すべき社会的要請が強いのだから、経営者保証人にインセンティブ資産を認めるのであれば、当然、第三者保証人にもより多くの財産を、インセンティブ資産を残すべきだというようなお話をよく聞くわけです。そのお気持ちは非常によくわかるのですけれども、繰返しになりますが、このGLは、主たる債務者について早期事業再生等の着手の決断に寄与するというところから、主たる債務と保証債務と一体として経済合理性を考えるという建付けをとっているので、第三者保証人が主たる債務者の早期の事業再生等の着手の決断に寄与している場合には、経営者保証人と同様の取扱いが可能ですが、その決断に寄与していない場合には、主たる債務と保証債務と一体として経済合理性を考えることはできず、インセンティブ資産は認められないのではないかと考えています（GL7項(3)③、GL・QA7-18）。もっともその早期の事業再生に寄与したかどうかというのは事実判断の問題ですし、第三者でもいろんな寄与の仕方があるので、そこについては弾力的に判断してもよいのではないかとは思っております。また、これに該当しない場合でも、個別事情を考慮して経営者と保証人との間で残存資産の配分調整を行うことで、第三者保証人により多くの残存資産を残すことも考えられます（GL・QA7-18）。

　加えてGLを離れたところで、私的整理ですから、そのようなことを、債権者、債務者と保証人とが合意するというのは否定されないと思っています。

〇中井　在り方研究会の時からも、経営者保証が早期事業再生等の障害になっているということは広く承認され、加えて第三者保証があると第三者保証人に迷惑をかけられないという気持ちから、経営者は、やはり事業再生がなかなか決断できなかったという事実が確認されていました。GLを適用して、経営者保証人にインセンティブ資産を残すことによって早期事業再生を促進するという観点からいえば、

やはり第三者保証人についても、この手続に乗れば保証債務の整理ができる、インセンティブ資産も残るということで経営者を納得させ、それにより経営者の決断が促進される。

そういうことからすれば、第三者保証人であっても、このGLの適用は否定されることはないし、結果として早期事業再生ができて回収増加額があれば、これは経営者のみならず、第三者保証人にもその範囲内でインセンティブを与えてよいのではないか、そのような理解は十分できると思います。この点は、先ほどのお２人のご発言からすれば、違和感はないと理解してよろしいでしょうか。

○藤原　これはそもそも論になるかもしれませんが、このGLの中に、どこまで具体的に規定していくのかについてなのですが、これは細かく規定し出すと切りがない。したがって、逆に少し大きく捉え、基本精神だけを明確に記載するほうが本当はすっきりすると感じています。

そう感じておりますので、先ほど小林先生からもお話があったように、このGLの外でやればよいと思います。ただ、そこも取り込むようなGLにするという考え方もあるのかもしれません。さらに、第三者保証人の問題に関してだけいえば、第三者保証人はとらないという方向になっているわけですから、過去にあったものの整理ということで新規には起きてこない。消滅に向けての過渡期だと思います。過去にあったものの処理と限定すれば、このGLの中に例外として入れても問題はないかもしれないと、個人的にはそんな気もしております。

○獅子倉　同じです。新規で取得することは基本的にはありません。過去に残ったものが、年々減っていくという理解であります。私もケース・バイ・ケースであると思います。

○中井　ありがとうございます。小林さん、いかがでしょうか。

○小林　皆さんのご意見とあまり結論が変わらないと思っているのですが、GLでも早期の事業再生等の決断に寄与したというところで、第三者保証人についても適用を認めることができます。ですから、早期の事業再生等に寄与したのだという判断ができればよいのです。それを早期の事業再生等の決断に寄与してないけれども、インセンティブ資産を認めるべきだという言われ方をすると、このGLやQAの明文に反することになると思っているということです。

なお、第三者保証人の問題については、第２章■を参照してください。

◆GLは、主たる債務者の整理を前提としている◆

○中井　司会者として念のために確認しておきます。というのは、このGLは、主たる債務者の整理、それは再生も廃業もありですが、主たる債務の早期整理を行うために経営者保証の整理を進めようという観点からできたものだから、当然のことながら、主たる債務者の整理を前提にしている、つまり、主たる債務者について何の整理もしないままに、経営者保証のみの整理をするために適用されることはない、その理解は共通でしょうね。ここで確認だけさせていただきます。

第5章　座談会

◆支援専門家や債務者代理人に期待される役割◆

○中井　GLでは支援専門家に登場してもらう必要があります。支援専門家は、GLの趣旨を十分に理解して運用していると思いますが、支援専門家によって問題が生じた事例もあるようにも聞いております。藤原さんから、支援専門家なり債務者代理人に注意していただきたいことがあれば、ご指摘をお願いできるでしょうか。

○藤原　1つ困った事例が起きていました。幸い無事に解決する見通しなのですが、会社の債務者企業の代理人の弁護士が保証債務の整理に関しても支援専門家として携わっていただいているケースです。実務上、これは決して違和感のある話ではなく、支援協も昔から同じ対応ですから別に問題はないのですが、実は支援専門家としてのお立場から、保証人の要望通り、高額の残余資産の要求をされました。そこで、何が起きたかというと、金融機関としては、保証人からのその要求では主債務の整理も賛成できないということになり、協議が長期化してしまい、その間に保証人が亡くなってしまった。そうすると、存命のうちに処理できたのであれば、保険の解約返戻金の処理として、それくらいは残してもいいのでは、ということで計算されていたものが、死亡保険金に姿を変えてくると金額も違いますので、これをどう扱うのかということになり、妙な話になってしまいました。これは当初から想定されていたものではないのだから残してほしいという要求が出て、金融機関としては、とんでもないということになり、再び膠着状態となりました。しかし、幸い、支援専門家の弁護士もご理解いただき、無事に解決に向っていると聞いているところです。このような事例では、支援専門家という立場と会社の債務者企業の代理人という立場というのが少し、問題になるのではという気がしております。本事例では、最終的には無事に解決する見込みではありますが、このような事例があります。

○中井　具体的な事案について問題提起をしていただきました。多くの事例では主たる債務者の代理人と保証人の支援専門家が共通している場合が多いのではないかと思います。それは、あまり手続を重たくせずに迅速な処理を図るという観点からは、十分に承認できるところではないかと思いますが、利益相反的な行動に出ているとすれば、同一の代理人が両者を兼ねることはご指摘の通り不適切でしょう。しかも、具体的に利益が相反するような場面が生じて、かえって主たる債務者の整理が遅れたり、それを阻害したりすることになれば本末転倒といえます。そういう問題状況のご指摘かと思います。これは、われわれ弁護士としては心しなければならないことかなと思います。ここは問題点の指摘にとどめてよろしいでしょうか。

○小林　特定調停のスキームでは、支援専門家は、会社と個人との関係ではどういう位置づけにしているのでしょうか。

○髙井　特定調停の一体型ですと、同じ代理人がやることが多いと思います。単独型においても、例えば会社民事再生代理人をやって、そのまま支援専門家として保証人の代理人の立場で特定調停をやるという場合もあります。このような場合において、特に利益相反が問題になった局面が生じたという話は聞いていません。

○中井　参考のために、事業再生ADRでは、主たる債務者の代理人と支援専門家

は基本的に分けるという基本的な指針を示しています。
〇小林　REVICでは、いかがでしょうか。
〇三森　REVICでは、支援専門家の選定は行っていません。もっとも、表明保証の適正性に関しては、REVIC自らの立場で（実際は、REVICから私財調査を受託した外部アドバイザーを通じて）確認し、それを金融機関のほうにお示しすると、そんな感じになります。
〇藤原　非常に特殊な事例をお話しさせていただいたのかもしれませんが、理論的にはこんなことが起きてしまいます。なぜ起きたのかというと、保証人側として無理な要求をしたから起きてしまったのです。企業の代理人と保証人の支援専門家を兼ねる場合には、やはり企業を再生させることをメインに考えていただきたいと思います。このような事例は、今後、起きないことを願っています。
〇小林　支援専門家・代理人が会社と経営者個人の双方についてなれるかどうかというのは、GL作成の時も議論がされました。中井さんからもお話がありましたけれども、あまり手続を重くするのはよくない、過重な負担になるのはよくないということから、両方兼ねるということは許容した経緯があります。ただ、利益相反が顕在化する等には留意すべきであるというスタンスだったと思います（GL・QA5-8）。ですから、事案に応じて支援専門家・代理人が双方同じ者の場合もあり得るだろうし、事案によっては別々にすべきだという場合もあるという整理かと思います。

　さらに、今、藤原さんのご指摘は、代理人が一緒に兼ねるかどうかという形式的な問題を超えた問題があると思っています。関与する弁護士の識見や経験が不足していて、かえって事業再生にマイナスの影響になっているとなると、それは問題なので、弁護士としても、その辺を自覚して勉強に努める必要があるし、弁護士会等々でも、そういうような事業再生にマイナスになる行動をしないように研修等も必要なのではないかとは思いました。支援専門家からの視点の問題点については、第1章❸の論稿を参照してください。
〇中井　ありがとうございました。最後は代理人のあり方にも及びましたけれども、以上で、対象債務者の問題は終わらせていただきます。

◆対象債権者の範囲：特にリース債権者・取引債権者や特殊法人の場合◆

〇中井　次に、対象債権者について簡単に議論したいと思います。原則は保証債務の整理ですから、当然主に想定されているのは、主たる債務者に対して貸付債権をもっている金融債権者です。それ以外の保証債務としては、リース債権に対する保証や、ごく稀に取引債権に対する保証もあります。支援協では、リース債権等の保証債務があるとき対象債権者の取扱いはどのようになっているのでしょうか。
〇藤原　原則対象にはなりません。支援協では、リース債権を主債務の整理の対象とする再生計画は、近時、目にしてはいません。しかし、リース会社がシ・ローンのメンバーとして貸付債権をもっているケースも多いことから、支援協とリース会社との接点も増え、支援協に関する理解は急速に進んできたようにも感じています。

したがって、もし、そうなった場合でもGLについても、他の金融機関と同様に対象債権者になっていただくことにご理解いただけるものと考えています。

　しかし、リース会社よりも、政府系機関の対応に苦慮する例があります。政府系の金融機関というと公庫とか商工中金、ここは問題ないのですが、特殊法人という政府系機関が非常にたくさんあり、それらの中には、いまだにお話をしても賛同いただけない、テーブルにもついていただけないという例もあるというのが実状です。

○中井　ありがとうございます。三森さん、リース債権についてREVICでの取扱いをご紹介いただけますか。

○三森　前述しましたように、REVICでは、通常の主債務者を再生する局面のGLの適用と、特定支援という転廃業に絞ったGLの適用の2種類があります。再生局面においては、リース会社のリース物件を使用、継続するケースも多くあるので、そういうケースはリース債権者を取り込んでというのはなかなか難しいのですが、そういうケースにおいてもリース物件を使わないと判断した場合にはリース債権者を取り込んでやるということもなされています。転廃業のほうはリース物件もお返ししてしまうわけですから、基本的にリース債権者を取り込んでいいと思っています。あとは合意形成の容易さとか、リース物件の使用の必要性や合意形成の見通しといった観点からケース・バイ・ケースで対応していると思いますので、リース債権の処理において最終的に合意形成できなかったというケースはなかったと思います。

○中井　髙井さん、特定調停の場合はどうでしょうか。主たる債務者について法的倒産手続をとるので、リース債権があった場合は、特定調停における保証債務の整理の場面では当該リース債権者も対象債権者に含めていると理解してよろしいのでしょうか。

○髙井　そうですね。主債務者の整理においてリース債権を対象とすることで、保証債務が現実化する場合では、対象債権者に入れることは普通だと思います。

○中井　今、藤原さんから特殊法人の場合についてご指摘がありましたが、REVICもしくは特定調停において何か問題になった事例というのはありますでしょうか。

○髙井　私の経験においては、特殊法人はこれから対応しようとしている案件がありますが、まだ現実的に対応していない案件ですので詳細にはわかりません。農業協同組合が債権者のケースではGLで保証債務を整理したことはあります。ただし、事業協同組合が組合員に対して融資する場合において、GLの対象となるのか否かと向こうから言われたことがあり、理解が進んでおらず対応に困難な面が生じ得るように感じました。また、公的な機構からの融資などは、簡単には応じてもらえず、手ごわいのではないかという印象をもっています。ただ、実際にはまだそのような経験はなく、また、他においても話を聞いたことはありません。

○中井　いずれにしろ、GLを将来的にも広めていく、もしくは保証債務の整理ということが事業再生にとって必要不可欠だとすれば、それは通常の企業のみならず、学校であったり、医療法人であったり、その他特殊な事業を行っている団体であれ、同じだろうと思いますから、この対象債権者の範囲の拡大については、今後の検討

課題とここでは確認させていただきます。小林さんも中小企業庁を通じて他省庁に対する働きかけをご検討いただければと思います。
○小林　実態を把握して問題提起したいと思います。そういう特殊法人というのは、債権は金融債権なのですか。
○藤原　はい。
○中井　貸金債権ですよね。
○小林　GLは、対象債権者について、「中小企業に対する金融債権を有する金融機関等であって、現に経営者に保証債権を有するもの」としています（GL1項）。その特殊法人は「中小企業に対する金融債権を有する金融機関等であって」の「等」のところに該当するのでしょうね。
○藤原　○○機構という名前になりますね。
○三森　REVIC法では、2条で金融機関等の定義があって、5号で特殊法人も入れていて、施行規則2条で先ほど来出ている独立法人である種々の機構等の特殊法人が列挙されています。そんな感じですから、REVIC法上は金融機関等に「特殊法人」も含まれているということになります。
○小林　REVIC法に入っているからGLでも「等」には入るべきだと、そういうような解釈ですか。
○三森　そのような解釈も成り立ち得るのではないかと思います。
○藤原　正直、実務の中で監督官庁、省庁のほうから話をしてもらっても実務ではストップするのですね。これが現実なので、政府もこう言っているよというペーパーを出しても、いや、うちは知らない、やったことないしで終わる。これが実務です。

◆早期再生・早期廃業による回収見込増加額と経済合理性◆

○中井　ここで対象債権者についての議論を終えさせていただいて、次は実体的な中身の問題に入ります。GLの最も中心的な概念である経済合理性について議論させていただきたいと思います。このGLは、基本的には企業の早期再生を目指すわけですが、早期再生することによって、債権者にとっては主たる債務者からの回収見込額が増大する。事業再生をすることによって清算する場合に比べて回収見込額が増大すれば、その部分を保証人に対してインセンティブ資産として認める。保証人にインセンティブ資産を与えても、主たる債務者からの回収額と合体して考えれば十分に経済合理性がある。これがスタートだと思います。

　そして、必ずしも事業再生に限らず、早期廃業、清算する場合であっても、経営者保証について解決をするための道具概念として、今清算した場合の回収額と、清算が遅れた場合の回収額を比較すれば、遅れたことによって回収額が減る。その差額を、今廃業清算する場合の回収増加額と見て、その範囲内で経営者にインセンティブを与え、これによって早期廃業を実現する、こういう考え方で整理されたと思います。この経済合理性の考え方、つまり、主たる債務者と保証人の回収見込額を合体して考えるという、この理解について、藤原さん、支援協で問題になってい

る事柄もしくは問題意識がありましたらご紹介いただけるでしょうか。
○藤原　支援協の場合はほとんどが一体型なので、この問題が出てくることはあまりありません。この問題が出てくるのは、単独型のときだと思います。支援協ではまだ単独型の事例が少ないので、この辺りが議論になったという事例は聞いておりません。
○中井　このGLの経済合理性の考え方について、債権者の立場から、獅子倉さん、いかがでしょうか。
○獅子倉　私どもが今やらせていただいているのは、基本的に全部一体型ですので、個別型というのはないものですから、これから研究はしていかないといけないなとは考えております。
○中井　一体型であれば、再建型であっても清算型であっても、それほど問題なく回収見込額の増加額が量的に把握できて、その分を何らかの形で保証人に還元できているという理解でよろしいでしょうか。三森さん、この点に関するREVICにおける考え方をご説明いただけるでしょうか。

◆経済合理性の考え方：清算の手法の違いによる回収見込額の増加額を考慮できるか◆

○三森　REVICでは、先ほどのGLの趣旨のご説明における「早期廃業・清算による回収見込額の増加額の範囲内で経営者にインセンティブを与える」という点を、「早期のかつ適切な任意整理による回収見込額の増加額の範囲内で経営者にインセンティブを与える」ことも、GL上許容されているとの考え方をとっています。すなわち、主債務者を廃業する場合、特定支援ケースですが、REVICが関わってつくる特定支援＝任意整理での清算における回収見込額、主債務者と保証人の返済額を合算して出します。それと破産になった場合の回収見込額、それは主債務者も保証人もいずれも破産した場合の見込額。この2者を比較して、債権者にとって経済合理性がある限りにおいては残余財産を認めてあげていいのではないかと。経済合理性と残余財産の双方を認めると、そういう考え方です。具体的な違いは、例えば、私的整理での清算において破産よりも在庫商品を高く売れるとか、あるいは売掛金を多く回収できる、そういったところもインセンティブ資産の根拠にしていいのではないかという発想です。
○中井　今の点について少し補足させていただくと、私の理解では、もともとGLは早期事業再生、早期廃業を目指す。そのために問題となっている経営者保証をどう解決するかという観点だったわけですから、早期に事業再生することによって回収見込額が増大するから、その増大した範囲でインセンティブを認めましょう、早期に廃業せずに、仮に廃業が3年遅れたら3年遅れただけ資産が劣化するので、早く廃業をしたことを褒めることとし、早く廃業したことによる回収見込額の増加額をインセンティブ資産として保証人に与えましょう、そのような枠組みを基礎として、GL・QA7-16などにおいて、回収見込額の増加額の考え方が説明されていると思います。
　それに対してREVICが特定支援の枠組みにおいて問題視されているのは、その

枠組みでは、廃業の時期の違いを比較しただけでは増加額が見込めないという事案が少なからずあるようで、それは端的にいえば、遅れに遅れた廃業が特定支援の対象ですから、もはや今廃業しても増加額は認めがたい。そこから別の比較を考えて、任意整理か破産かで当然換価額・回収額が違うことに注目して、任意整理をすることによって破産した場合より回収見込額が増える。この増えた部分を何らかの形で保証人に還元できないか。こういう発想をしたのだと思います。そうすると、GLを素直に読む限りは出てこない整理の手法の違い、清算の手法の違いによる差額をインセンティブ資産として認めようという考え方であるように思います。

◆QAの改定：清算方法の違いによる経済合理性判断◆

○中井　この点について、その後、REVICの指摘も受けて研究会でさらに議論が進んだようです。支援協ではあまり問題になっていないようですが、今回のQAの改定において取り込まれましたので、小林さんからここで説明をお願いしたいと思います。

○小林　はじめに申し上げますと、REVICの取扱いを認めるためにQAを改定したわけではありません。GLを実務に定着させるためにどういう問題点があって、GLの趣旨からどのように考えるべきなのかという観点から検討してQAを改定したということです。私の理解するところは、このGLの経済合理性の特徴というのは、主たる債務者と保証人個人の債務整理を一体として経済合理性を考える。そこにポイントがあると思います。

　そして、その経済合理性の考え方を具体的事案でどのように適用するかが問題になるわけですが、中井さんがおっしゃっていたQAの7-16では、対象債権者は、主たる債務者が再生型手続の場合（第2会社方式による場合を含む）は主たる債務の回収見込額と主たる債務者が破産手続を行った場合の回収見込額とを比較し、主たる債務者が清算型手続の場合は主たる債務および保証債務の現時点における回収見込額と清算手続が遅延した場合の回収見込額とを比較して、回収見込額が増加すると見積もれる場合に、その範囲内で、インセンティブ資産を残存資産に含めることができることを示しています。

　このQAに関し、保証債務について私的整理手続を行うことによって、破産手続と比較して、資産がより高額で換価・処分できて、保証人の破産手続の場合と比較して回収見込額が増加する場合には、QA7-16の元の明文の定めからは離れますが、「経済合理性」については「主たる債務と保証債務を一体として判断する」ものであることを踏まえ、保証債務の回収見込額の増加額を考慮して、インセンティブ資産の上限を定めることができないかが議論されてきました。これを肯定する立場からは、QA7-16の規定は、回収見込額の増加が見込まれる典型例を取り上げ、その場合の回収見込額の増加額の算出方法を示したものであり、それ以外の場合における回収見込額の増加額の算出を否定する趣旨まで含むものではないと解していました。今般のQA7-16の改定は、この議論に終止符を打つものであり、インセンティブ資産の範囲を定めるに当たって、保証人の資産の売却額が破産手続の場合

と比較して高額になって保証債務の回収見込額の増加額が見込まれる場合も、従来の算出方法による回収見込額の増加額に加えて考慮できることを明らかにしたものであると理解しています。

　この問題については、第2章❸「経済合理性」の論稿を参照していただければと存じます。

○中井　この点、最初に藤原さんが指摘された、もっとシンプルに考えましょうよという観点からすると、QAがだんだんと精密化し、細かな議論になっているのかなという感じがしないではありません。ただ、今の方向を大きく考えて理解するとすれば、GLは、確かに早期再生、早期廃業支援のために保証債務を整理するというところからスタートしたけれども、これも一番最初に藤原さんが指摘されたように、主たる債務をきちんと整理すれば、経営者は破産しなくても保証債務の整理ができるということに重点があるとすれば、破産より清算、任意整理をすることにより金融機関は有利な回収が得られるのであれば、その有利部分について保証人に分けましょうという発想につながると思います。今回のQAは、早期化に加えて任意整理をすることによって、増えたパイを金融機関と経営者保証人とで分けましょうということに広がったと理解できるように思います。この点について、藤原さん、ご感想がありましたらお願いします。

○藤原　理解しますが、やはり複雑ですよね。つまり相当理論的に考えていかないと、そこに行き着かない。もっとわかりやすく、会社が破綻したからといって、会社の保証人である個人まで破産させてはいけないというGLにできたら、というのが私の願いです。個人の破産を求めてもいい場合、また破産しなければいけない場合というのはどんなケースなのだろうか。もちろん、本人が破産を望むのであれば別です。破産したほうが有利というケースも当然ありますので。あるいは、債権者がやはり破産しろと要求する場合はどんな場合なのだろうということに限定していく、と言ったらおかしいのですが、原則、破産させないというGLにできればと思います。その中で、細かい点をできるだけ決めずに、支援専門家の弁護士が、柔軟に保証人と債権者を説得していくという私的整理の基本みたいなところを、もう少し生かしたいと思います。そこに幅をもたせたほうが、より多くの保証人が救えるような気がします。逆にあまり決めすぎると、かえって救えなくなるのではという気もします。

○中井　獅子倉さんにこういう聞き方をした場合、いかがでしょうか。破産をしたら100の回収しかできないが、任意整理をすることによって130の回収ができるとしたとき、その増加分30について保証人と金融債権者で分ける。この基本的な考え方について、債権者の立場から見て、それほど違和感がないのかどうか。REVICの問題提起の中身はそれに等しいように思いますが、その点いかがでしょうか。

○獅子倉　ケース・バイ・ケースだと思います。回収に協力したことは評価し得ると思いますが、個別事案の中で具体的にどのような状況なのかを判断をしないといけません。ただ、可能性としては十分あり得る話と思います。任意整理を受け入れないがために破産などの法的手続となれば時間がかかりすぎて、結局、より多くの

回収ができなくなるというケースも十分考えられます。
　先ほど申し上げた通り、債務者が再生なら再生に資する否かということでしすし、廃業なら誠実に対応しているか否かいうのは大前提であります。その前提で判断するということです。検討は十分できると思います。
○**中井**　今回のQAの改定は、清算の手法の差によるプラス部分の配分を認めるには、当然、誠実な債務者であることが前提になっていると思います。それを踏まえたQAの改定と理解をすればよろしいでしょうか。
○**小林**　まさしくその通りですけれども、先ほどの藤原さんのご指摘についていうと、今般のQAの改定は私的整理の柔軟性を排除するのではなくて、柔軟性をより高めるための改正だと思うのです。今までのQA7-16だけであれば、主たる債務者が再生する場合、主たる債務者が破産した場合と比較して回収見込額が増加するときに限るし、また主たる債務者が清算する場合、時期に遅れた場合と比較して回収見込額が増加するときに限り、その増加額を範囲として保証人のインセンティブ資産を認められるというように解釈されかねないので、インセンティブ資産が認められる場合には、それ以外の場合を排除しないということを示したと理解していますので、私的整理の柔軟性を高めるものだと考えています。そして、その柔軟対応の前提としては、当然、債務者の誠実性というか、今までやってきた行動等を踏まえて、金融機関と合意できるかどうかが重要になると思っております。
○**中井**　そういう形で債務整理ができるとすれば、このGLの適用を受けた債務整理として、当然、税務上のメリットも受けられる、このように理解してよいのでしょうか。
○**小林**　そういうことと理解しています。

◆ゼロ弁済と経済合理性◆

○**中井**　ありがとうございました。経済合理性の考え方に関して、あと1点確認をしたいと思います。それは、支援協手続において、保証人からの弁済がゼロというような事案が現実にあるのか、もし仮にあるとして、それは経済合理性の観点からも容認されているのかということを教えていただきたいと思います。
○**藤原**　ゼロもあります。どちらかというと支援協の場合にはGLができる前から、会社の破綻によって経営者は破産しなければいけないというのをなくそうというのが出発点なので、たとえゼロ弁済でも破産はさせないということで、特にここは違和感はありません。
○**中井**　先ほど獅子倉さんがおっしゃったことを私なりに理解すれば、債務者は誠実で、資産の開示もきちんとした結果、今ある財産が自由財産の範囲内であれば、そのすべての財産を自由財産として残して、残余、つまり全額になりますが、その免除もやむを得ない、こういう整理をしているということでよろしいでしょうか。獅子倉さん、いかがでしょうか。
○**獅子倉**　おっしゃる通りです。過去、何例も対応してきましたが、債務整理後、社長がベンツに乗っていたということもありませんし、皆さん、誠実に対応してい

ただいています。今までの支援協との信頼関係という形で整理しています。
○**小林** ゼロ弁済について、第2章**3**「経済合理性」の論稿を参照いただければ幸いです。

◆**インセンティブ資産について：生計費**◆

○**中井** 経済合理性の範囲内でインセンティブ資産を認める場合、そのインセンティブ資産として、どういうものが取り上げられ、問題になっているのか、議論させていただければと思います。

　1つ目は、いわゆる生計費です。これは自由財産に対するプラスアルファ分として、一定額に段々収れんしつつあるのかもしれません。そのことをどのように評価するのか、という観点からの質問です。本来は、回収見込額の増加額の範囲内でインセンティブ資産を残せることになっており、相当柔軟な規律になっていますが、段々と一定の相場観が出てきているように思います。その辺りの実務の運用についてお尋ねしたいと思います。藤原さんからお願いできますか。

○**藤原** 考え方はいろいろあるのかもしれませんが、実際に支援協の現場の実例からすると、いわゆる積上方式ですべて運用されています。この運用で保証人、あるいは債権者のほうからも、特に違和感はないようです。支援協で、ここまで広がってきたのですから、「自由財産プラス生計費」という形を具体的な目安として、「ここまで」という金額、それは500万でも400万でもよいので、もう少し明確にしたほうが実は広がるのではないかと思っています。

　それはなぜかというと、このGLに則ってやれば税がオーケーであるという解釈については、実は金融機関はそのようには理解していないと思います。国税照会は、極めて限定的な事例照会しかとれてないという解釈もありますので、それが広がらない1つの要因にもなっているかもしれません。もう少し確実に、ここまで落とせば税がオーケーしてくれるという文書照会ができるようなところまでいけば理想だと思います。

○**中井** 今のご意見は2つの方向で、つまり経営者に対して、この手続にのれば自由財産プラス一定額、それが400万円か500万円かはともかく、それが残るということが広くアピールできていない、浸透していない。他方で、金融機関に対しても、そこまで残しても、残額の債権放棄について税務上の処理が問題なくできるということについての理解も一般化されていない。それがこのGL手続の広い活用につながっていない理由ではないか、こういうご指摘と承ってよろしいのでしょうか。

○**藤原** はい。

○**中井** 獅子倉さん、今の点はいかがでしょうか。

○**獅子倉** 弊行では支援協と一緒に進めておりますので、その点に関し疑義が生じたことは実はあまりございません。しかし、他の金融機関の方にお聞きしますと、ご指摘の通り明確な基準があるわけではないので、少し疑問視されているところもあるようです。例えば、保証人の資産に対し相当ネガティブになっている印象はあります。

354

◆個別事情による積上げ◆

○中井　藤原さんから積上方式とおっしゃっていただいた、3つ目の個別事情による積上げについて、少し例を示して教えていただくことはできますでしょうか。
○藤原　圧倒的に多いのは、保証人である経営者が、高齢で持病を抱えているというケースにおける保険です。入院保険などはかなり幅広く残すことが認められています。柔軟に金融機関も認めてくれていると理解しています。
○中井　REVICで、いわゆる生計費と華美でない住宅以外に、特に残しているようなものがあれば、三森さん、ご紹介いただけないでしょうか。
○三森　藤原様の発想と同じでして、GLは1つの目安であると。それに加えて、保証人がご高齢であって病気があるケース、あるいは家族の介護をしなければならないケース、そういったことでの配慮をするために加算すると。それはやはり金融機関の皆様の理解を得てやるんですが、そういう形だと思います。
○中井　髙井さん、特定調停ではいかがですか。
○髙井　同じような形で、ご高齢の方で今後病院に行くような持病がある場合に、保険以外であっても、例えば現金があれば、生活費プラスアルファで療養費を残すということはよくあると思います。
○中井　この点について、小林さんからコメントがありますか。

◆QAの改定：資産処分代金の生計費への充当◆

○小林　1点だけ指摘させてください。QAの7-14について今お話があった生計費ですが、これはQAの書き方も悪かったと思うのですけれども、一定期間の生計費に相当する現預金という記載になっております。そのため、整理手続が始まったときに現預金がないと、生計費が認められないのではないかという見解もあったところなのですが、それは今般のQAの改定で、生計費に当たるものとしては、資産を処分して、換価した金銭もこれに充てることができることは明確化したということがあります。
○中井　今回のQAの改定で、QA7-14-2が新設されました。その説明をしていただきました。ありがとうございます。

◆華美でない自宅◆

○中井　残存資産に関してもう1つは、華美でない自宅について、これは相対的概念で地域によっても、さまざまな事情を踏まえて判断されているのではないかと思いますが、この華美でない自宅について、藤原さんから、コメントをお願いできるでしょうか。
○藤原　比較的問題になっておらず、従来通りというか、親族の方に買っていただいているケースが多いと思います。鑑定評価をとって話し合いながら処理されているので、最終的に華美だからだめだとかいう理由で合意に至らなかったというケースは耳にしていません。先般も1件、明らかに相当程度華美な自宅だったケースが

第5章　座談会

あったのですが、保証人が自宅を競売に付すことを了解して主債務の整理が成立し、その後、当初想定価格以上での処理は困難であるとの債権者の判断により、最終的には親族に売却されることになったという事例もあります。

○中井　自宅は、ほとんどの場合、担保に入っているので、そのような処理になっているということでしょうか。

○藤原　はい。

○中井　担保に入っていない場合に、そのまま残したような事例はないということでしょうか。

○藤原　多少あります。地方の場合、処分するのが難しい上に、高齢の方も多いのです。また、支援協を利用する金融機関は、そもそも債権放棄までしてこの会社を再生させようという前向きな出発点に立っていることから、保証人の自宅の問題だけで会社の再生を否定することはまず考えられず、何とか接点を見出そうとするからだと思います。

○中井　支援協の主たる場面が再建型ですから、その中での保証債務の整理になります。藤原さんは、一体型と単独型を分けて考えるべきだとお考えのようですが、それも今のような実務に即したご発言だったのでしょうか。単独型になってくると、金融機関の姿勢も変わってくるかもしれないということを含んでいるのでしょうか。

○藤原　はい。

○中井　獅子倉さん、いかがでしょう。

○獅子倉　単独型はほとんどないので何とも言えませんが、自宅に関しては、髙井先生がおっしゃった個別事情というのは十分認められると思います。私の記憶では、自宅を担保に供していないケースはなかったように思います。

○中井　担保に供している自宅は、親族に買い取っていただく事例が多いようですが、そのときの買取価格は、早期処分価格的な発想で決まっているのでしょうか。

○藤原　そういうケースが多いと思います。

○中井　そのとき、鑑定をとって公正な市場価格でないとだめだとか、そこまでの議論はあまりないのでしょうか。

○藤原　すべてとは言いませんが、鑑定はとっていると思います。

○獅子倉　とっていますね。

○中井　そのときの鑑定基準というのは、いわゆる市場価格としての公正な価格でしょうか。それとも早期処分価格でしょうか。

○藤原　両方出ている。その中での早期でよいという形で処理されていると思います。

○中井　華美でない自宅について、REVICの取扱例を教えていただけるでしょうか。

○三森　REVICでも親族等に買い取ってもらう形が多いように思います。大まかな集計数値ですが、保証人自宅で、約5割が物上保証ありで、そのうちおよそ半分弱が親族売却処理のようです。物上保証がない残りの5割のほとんど（全体の4割強）が残存資産とする処理のようでした。

○中井　特定調停ではどうでしょうか。
○髙井　親族等による買取りの方法のほか、担保権者との間でも分割弁済の合意を特定調停で締結したことがあります。
○中井　ここまでの議論について、小林さんからコメントがあるでしょうか。

◆単独型における運用とその受皿◆

○小林　華美でない自宅の処理にてついては、皆さんのご発言について違和感はありません。インセンティブ資産の合意について、一体型の場合には、金融機関との信頼関係を前提にした処理が非常にスムーズだということかと思います。ただ、私どもの立場からすると、主たる債務者を法的整理にして、同時に保証人の債務を私的に整理する場合もある。GLの趣旨からすると、主たる債務者の早期の事業再生等に資する場合には、主たる債務者を法的整理で整理するという場合も含みますので、その場合でもぜひ保証人の債務整理の段階では、主たる債務を早期に事業再生等に着手したということを評価していただいて、金融機関の目線からも保証人の残存資産についても弾力的に取り扱っていただければと思います。もちろん、これは債務者の誠実性の問題とか、支援専門家、あるいは代理人が金融機関にうまく説得できて信頼関係を保てるのかとか、いろいろな要素が債務者側にもあるとはわかっているのですけれども、支援協においても、主たる債務者の法的整理の場合にもぜひ温かい目で見ていただければなと思います。なお、残存資産の範囲については、第2章❹の論稿を参照していただければと思います。

○中井　小林さんから支援協への期待というのでしょうか、単独型についても温かい目で見てもらいたいとの意見がありましたので、すこし道草をさせていただきたいと思います。

　もともとGL研究会では、主たる債務者について制度化された私的整理を利用することを前提に、同時に経営者保証についても同じ制度化された私的整理の中で処理しましょうということを基本として制度設計をしたわけです。それであっても、主たる債務者について法的倒産手続が当然想定されるわけで、そのときにもGLの適用を認めるとすれば、受皿が問題となりました。つまり、主たる債務者は、法的手続をとる場合に、経営者の保証債務の整理はどこで行うのかという議論になりまして、支援協やREVIC、事業再生ADRといった制度化された私的整理枠組みを使うのは難しいのではないか、とすれば、あるのは何かと考えると、特定調停ではないかとなったわけです。

　しかし、特定調停だけで受皿としてうまくいくのかという問題意識から、支援協にぜひとも引き受けてもらえないかという意見が出て、結果的に、支援協も受皿として単独型の整理を引き受けていただくことになった経緯があります。主たる債務者について、法的倒産手続を行う代理人弁護士、債務者代理人としては、ぜひ経営者保証についても支援協をはじめとして、私的整理について知見と経験を有する制度化された私的整理機関において、円滑な整理ができることを願っています。

○藤原　誤解があってはいけないのですが、支援協としては受けた以上はやるつも

りでおりますし、また実際にやりたいのです。しかし、単独型の話はあまりきませんし、また話がきてもやはり難しいのです。それをより多く円滑に対応するためには、実は先ほどからわかりやすくというお話をさせていただいているところであり、会社が破産しても個人は破産させてはならないというメッセージが明確にあり、さらに「99万、プラス300万。400万まで残して、後は保証履行し、残りは保証解除」という形の運用ルールがあれば、単独型も非常に受けやすいと思います。もちろん、99万円のみの場合もありますが。GLが、このような明確な表現にはなってないので、個別に非常に難しい話になっているのでないかと感じています。もちろん、これ以外に固有債務の取扱いに関する難しさもありますが。

○中井　私は、藤原さんの基本的な考え方に賛成です。今回の債権法改正に関する議論では、保証債務の整理の場面において、契約上の責任がある以上法律論として責任制限を認めることは難しいという結論になりました。しかし、過酷な結果が生じていることに対して何とかしなければならないという点では認識を共有していました。そこで、契約法というハードローの世界で解決することは難しいけれども、いわゆるソフトローとしてのGLで適正に処理することは可能であるとの理解から、「経営者保証GL」ができたのではないかと思います。保証債務が不幸にして顕在化したときに、その時点で所有する財産を誠実に開示し、それを弁済に充てれば、それを超える部分は免除を受けることができる。それが破産によらずにできる制度であることを世間にアピールし理解を求めていくことは、保証債務の整理一般の問題としても極めて重要なことではないかと思います。

◆基準時後に取得した新得財産◆

○中井　残存資産の考え方について確認したいのですが、それは基準時の問題です。この基準時の問題は、一般的には支払猶予の要請、つまり私的整理を開始しますといった時点における財産を基準にして残存資産の範囲も決めることになるのが普通です。先ほど藤原さんが問題提起されましたが、その後に例えば多額の生命保険金が入ったり、相続があったりした場合にどう考えるか。また、一時停止後の通常収入は、新得財産として扱われるのが自然だろうと思うのですけれども、予定外の資産が入ってきたときに、それをどう考えるのか。基準時を前に置いてしまうと、実はそれは新得財産になりますが、それが私的整理の場面で適当なのか、納得感が得られるのか、という問題意識があります。この辺りについて、支援協ではどのようになっているのか、教えていただきたいと思います。

○藤原　特に明確になってないというか、ケース・バイ・ケースだろうと思います。返済猶予の要請をかけたときに、その日を基準にしていくという基本的な考え方はありますけれども、とはいえ、想定外のスポット的なことがあった場合、どうするか。これは話合いの中で決めていくので、場合によっては、その基準日を変えるということも、全員が合意するならそちらにするという、よくいえば柔軟な対応をしていると思います。

○中井　私も同じような意見ですが、金融機関からすれば、債権を放棄する前、最

終合意をする前に予想外の、例えば生命保険金が入った、相続財産が入ったときに、それは新得財産だから保証履行の対象にはならないということが容認できるのか、金融機関の立場からのご意見を、獅子倉さん、お聞かせいただければと思います。
○獅子倉　結局、私的整理の話でありますので、ケース・バイ・ケースであると思います。
○中井　基準時の問題について、小林さん、いかがでしょうか。
○小林　私的整理ですから、債務者と債権者の合意が必要ですし、その合意の前提として、債務者の現時点の状況だけではなくて、今後の状況も考慮して合意がなされるということだと思います。
　ただ、GLは、新得財産というか、破産の手続開始後に得た財産については、典型例は将来の収入ですが、破産では弁済原資にしないという取扱いを踏まえて、同じような考え方を採用したということがありますので（GL・QA7-23）、その辺も踏まえて具体的な事案に応じて考えることになると思います。そして、先ほど中井さんが言ったように、新得財産も普通の収入みたいなものと、あぶく銭的なものなどいろいろな種類がありますし、あるいは債務者と債権者、金融機関との今までの付き合い方なども個別的に違いがあります。ですから、事案によって異なるとは思いますけれども、新得財産は弁済原資に入らないという原則はGLが明確に示しているので、その原則は踏まえた上で具体的な事案に応じていただければとは思っています。

◆**弁済計画：物上保証がある場合**◆

○中井　次に、弁済計画に関する論点を少し議論したいと思います。
　主たる債務者が、保証人や物上保証人から弁済が見込まれる場合に、主たる債務者の弁済計画において、その金額をどのように考慮するのでしょうか。また、保証人や物上保証人の求償権をどのように取り扱うのでしょうか。藤原さん、支援協における整理を、教えていただけるでしょうか。
○藤原　これはケース・バイ・ケースとしか言いようがありません。主債務の合意のためにどの道具を使うかであり、その中の道具の1つが物上保証の処理ということなので、その評価をどうするかというのも、合意のための道具です。これを明確にこうあるべきとか決めると、進まなくなると思います。
○中井　そうすると、保証人、物上保証人からの回収額は別だから単純に主たる債務者に対する債権額を基準に按分弁済すると一律に決まっているわけではなくて、原則は債権額按分ですが、場合によっては物上保証人から多額の回収をしている金融機関には若干譲歩してもらうこともあるということでしょうか。
○藤原　どちらかというと逆で、物上保証があるところは担保されている、保全されている、それが出発点です。したがって、法的整理とまったく逆です。
○中井　なるほど。その点が知りたかったのですが、原則は、むしろ物上保証は保全扱いをしているということでしょうか。獅子倉さん、いかがでしょうか。
○獅子倉　おっしゃる通りです。

第5章　座談会

◆求償権の取扱い◆

○中井　求償権の多くは、関係者のした物上保証ですから、基本的に放棄扱いなのでしょうか。
○小林　そういう実務はよくわかっているのですが、保証人に対して多額の債権をもっている債権者から見ると、保証人の求償権があれば、それも弁済原資になるわけですが、金融機関から見て、求償権を放棄するということに全然違和感はないのですか。
○獅子倉　そのようなケースは、あまりなかったと思います。
○小林　債権者の保証債権と主たる債権のシェアが同じであれば、結果的に同じかもしれないですが、それが異なる場合その辺のことについては、保証人に債権をもっている金融機関のほうが気にしないのかというのは少し心配にはなりますけれどもね。
○藤原　どちらかというと、逆に保証人は、原則、求償権を放棄します。これが基本ですが、物上保証人によっては、第三者であるケースも結構あり、機械的に求償権放棄というわけにはいかず、やはり本人に確認して協力を得られるかどうかとか、場合によっては計画に入れざるを得ないとか、ケース・バイ・ケースだと思います。
○中井　求償権も、原則は放棄かもしれないけれども、物上保証人や保証人に対する債権者の構成も見て、ケース・バイ・ケースで適切なバランスをとることになるという理解でしょうか。
○小林　その理解でよいと思います。そのような弾力的な取扱いができるところが私的整理のよいところだと思います。

◆主たる債務者と保証人の弁済計画の一方の不履行◆

○中井　主たる債務者の弁済計画と保証人の弁済計画も決まり、弁済を開始したけれど、主たる債務者の弁済計画が途中で頓挫するという不幸な事態もないわけではありません。そのとき、保証人との間で一定額の弁済と残債放棄の合意がある場合、主たる債務者の債務不履行は、保証人の合意に基本的には影響しないという理解で実務は動いているのでしょうか。
○藤原　そのような事例には、出くわしてはいませんが、すでに合意している以上、そうなると思います。
○三森　私も弁済計画上連動させる設計でなければ、主たる債務者の債務不履行は、保証人の合意に基本的には影響しないように思います。
○髙井　実際に経験したことはありませんが、単独型であれば、保証債務のみが対象となって債務名義にもなる合意が成立していますので、主たる債務者の弁済実績が連動することはないと思います。一体型の場合には、調停条項の記載の仕方によっては連動するように考えられてしまうような条項となってしまう場合もあるかもしれません。調停条項の解釈の問題になるように思います。
○小林　違和感ありません。なお、一体型の問題点、のみ型の問題点、そして複数

当事者の場合の問題点は、第２章**7**ないし**9**の論稿を参照していただければと思います。

◆表明保証：固有債務の確認◆

○中井　最初に藤原さんから問題提起のあった表明保証の問題について議論したいと思います。藤原さんから、この点が不透明で、GLの制度自体の活性化を阻害しているのではないかという問題提起がありました。この表明保証について、具体的に支援協で問題になった事案があるのでしょうか。ご紹介いただければと思います。

○藤原　支援協のQAでサンプルも出させていただいているのですが、その表明保証のサンプルに関して、プラスの財産である資産の欄はあるのですが、債務を記載する欄が設けられてはいません。もちろん、必要であれば記載できるのですが、ここは明確に記載欄を設けたほうがよいのではと感じています。固有の債務の有無というのも、ここに記載した上で議論されていくべきことだと思うからです。これは諸刃と言ったら変ですけれども、書かないほうが動きやすいというケースもあるかもしれませんが、誠実ということからすれば、固有の債務もあるのかないのかというところを、明確に書くべきだと考えています。

○小林　私はその見解に賛成です。固有債務もやはり記載したほうが債務者の状況もわかるし、将来の懸念を防ぐためにも──懸念というのは、後でまた議題になると思いますが、よいのではないかと思います。今の実務が、固有債務については記載しないというのが多いと聞いています。固有債務も千差万別で、個々の日常的な債務については、記載しないでよいのでしょうけれども、ある程度多額の借入債務についてはやはり記載したほうがよいと思うのです。

◆表明保証：積極財産の記載漏れ◆

○中井　固有債務の話の前に、表明保証について１点確認をさせていただきたいのです。それは、積極財産について、これだけの財産しかないと表明保証をしたにもかかわらず、ほかにも財産があったという場合の取扱いについて、GLを素直に読む限り、その場合は表明保証違反となり免除の効力がすべて失われる、このような書き方になっています。故意であれば、それはやむを得ないと思うのですが、必ずしも故意とは限らず、本当に忘れていたために記載漏れの財産があることもあるように思います。そのような場合の対応について、最近の実務では、追加で新たな財産が発見された場合、しかも、それが故意で隠したわけではなくて、過失にすぎない場合、支援専門家の弁護士も確認できなかったような場合には、発見された財産を換価して追加弁済すれば、保証免除の効力は失われないという実務がとられていると思います。この点、特に問題になった事案はないでしょうか。

○藤原　ないですね。

○中井　今のような処理で違和感はありませんか。

○藤原　はい。

○獅子倉　同じです。

○小林　今の点で言うと、故意か過失かの事実認定が難しそうですが。
○藤原　金額だと思います。例えば1億ぐらい出てきましたと言われたら、ちょっと待ってという話になると思います。
○小林　それは過失とは考えられないよと、そういうことですか。
○藤原　考えられません。それが100万くらいでしたら、それを処理するほうが面倒くさいし仕方がないという結論になるのだと思います。だからといって、良いとは言いませんが。
○中井　私も事業再生ADRの手続実施者をしているときに、それなりの地方の名士の方が、複数の生命保険に入っており、4本は財産目録に明示していたのですが、実は4本ではなくて6本あって、後から2本が出てきた事案があります。それは整理ミスでしょうが、そのような場合に免除の効力が全部失われるのは酷だと思います。実際、その計画では、過失で記載漏れがありその後に発見されたときは、新たに発見された財産を換価して弁済するとして、その範囲で免除の効力は失われるが、その余の免除の効力は失われないとすることが明示されていました。
○小林　その辺りの考え方も、今回の改定の前にQAが改定（2015年7月31日改定QA7-31）になって、免除の撤回が限定的なことも許されるようになりました。なお、免除の効果については、第2章**5**の論稿を参照していただければと思います。

◆**固有債務がある場合**◆

○中井　支援協手続の実務では、固有債務について債務の確認をしない、財産目録にも債務の記載をしないとうかがって少し驚きました。

　固有債務があることによって、2つの面から問題が生じるだろうと思います。つまり、保証債権者にのみ、今ある財産の全部を弁済してしまって固有債権者には弁済しないとなれば、保証債権者への弁済が偏頗弁済になりかねないという問題が1つあります。他方で、多額の固有債務があると、保証債務の整理において分割弁済等の約束をした場合、その履行可能性が阻害されるというリスクが生じます。そう考えると、どうしても固有債務は一定把握しておく必要があるのではないかという問題意識です。そういうことも考えると、場合によっては固有債務も対象債権に含めて保証債務と一緒に整理する必要があるのではないかと思うのです。

　最初に、固有債務の確認をしないという点について、いかがでしょうか。
○藤原　実際問題は、いろいろ確認をする中で、これは問題にならないであろうというものを外しています。明らかに問題になるのは、やはり書いているということだと思います。問題はその程度であり、すべて書きなさいというのか、ヒヤリングした中で、このぐらいはいいよということにするのかの違いだと思います。
○中井　つまり、固有債務の内容・程度によって大体見極めをつけるという意味なのでしょうか。
○藤原　ということですね、入口で。表明保証書を書いていただく段階で話合いはなされると思います。例えばこんな事例もあります。保証債務以外に固有の債務があり、これが簡単に処理できないので、結果的には第2会社方式により、主債務に

関する事業再生を先行し、保証債務の整理を別途処理とし、別途GLの利用を進めている例もある。
○中井　保証人の主たる債務については、別のテーブルで整理を終えてしまい、保証債務はGLで行うということでしょうか。
○藤原　はい。
○小林　今の対応の問題は少し置いておいて、その前の表明保証のところなのですが、ヒアリングしている過程で固有債務がある程度大きい場合には債務計上をし、それほど大きい金額ではないというときには、固有債務については表明保証の対象にしていない、そういう取扱いということですか。
○藤原　はい。これは、書式として出したときに、資産に関する状況という標題の書式となってしまっているので、そういうような扱いが生じていると思います。これは改定すべきなのかもしれません。
○小林　もう少し言うと、GLは表明保証の対象は「資産」ではなく「資力」と書いてあり、債務も意識したような形での表現ぶりにはなっています（GL7項(3)⑤イ）。
○藤原　検討します。
○中井　REVICは、固有債務があるとき、どのように処理しているのでしょうか。
○三森　GL・Q7-28に従い、弁済計画の履行に重大な影響を及ぼすおそれのない限りは対象債権にはしないと。ただ、破産との比較もありますから、細かいものの中には漏れるものもあるかもしれませんが、基本的には経済合理性を検証する表には載せて破産との比較をするということだと思います。
○中井　対象債権にはしないけれども、破産と比較するためには、それを認識して弁済額の相当性を検証していると、こういうことになるのでしょうか。
○三森　はい。
○中井　髙井さん、特定調停の場合、コメントがありますか。
○髙井　ケース・バイ・ケースだろうと思います。
○中井　ケース・バイ・ケースという場合、切分けの重要ポイントみたいなものがあれば、教えていただけますか。やはり、金額の大きさでしょうか。
○髙井　少し大きいのはやはり開示しないといけないというように考えることになりますよね。
○中井　念のためですけれども、開示の問題だけですか、それとも対象債権に含めるというところまで考えるのでしょうか。
○髙井　対象債権に含めるかどうかは、例えば金額は大きいんですけれども、住宅ローンで月々30年、安定して弁済できているものは含めません。含めないで考えていったほうがわかりやすい場合があるかなと思います。含める場合ですと、保証債務という1つのグループではない属性の債権者を入れなければいけないものですから、経済合理性について別に考える立場の債権者を入れなければいけないので、まとまることが難しい場合があるように思います。
○中井　いずれの場合も対象債権者には含めない。しかし、多額のものについては

認識して弁済計画を作る、こういう整理が多いようですが、その点について皆さん違和感はないという理解でよろしいでしょうか。
○藤原　はい。
○中井　GLによれば、計画の履行に障害のあるような場合は固有債権者も取り込んでもいいような記載にはなっていますが、支援協の実務としては、取り込んではいないということでしょうか。
○藤原　取り込む場合もあります。というのは、固有の債権を有している債権者が理解してくれそうにない人たちだと、その債権者を除外して、偏頗弁済という事態が生じる危険性もありますので、やっぱり取り込みますね。除外はできないですね。しかし、安心できる、例えば個人の学資ローンや住宅ローンとか、その種のものであれば問題ないと判断するケースも多いと思います。
○中井　この点について、小林さんから整理をしていただけるでしょうか。
○小林　私は、先ほど多額の固有債務を財産目録や表明保証に入れるべきだと言いましたが、対象債権に入れるべきかどうかというのは別の論点であると思います。対象債権に入れなくても、固有債務を記載することのほうが債務者の財産状態を明らかにするのでよいと思っています。

　次に、私も実際に経験したこともある、この固有債務の整理をどうするかという問題点ですが、固有債務の債権者である金融機関が保証債権者と同じで、かつ、個人が借りても結果的に会社にお金がいっているような場合は、GLの対象債権者に含めさせて、GLで一体として整理するということに違和感がないと思います。そうではなくて、主たる債務者に対する債権者、保証債権者と違う金融機関が固有債権者になっている場合には、経済的な合理性の見地が、他の保証債権者と立場が違うので、同じ手続に入れるということについては、慎重に考えたほうがよいと思っています。というのは、固有債権者には経済合理性の観点から主たる債権についての回収増加額というものがないので、保証債権とは弁済率に違いが出てくる可能性がある。保証債権者の場合はインセンティブ資産もあるけれども、固有債権者の場合にはそれは認められないのでないかとか、いろいろな違いがあることになります。そして、その金融機関がGLの整理に賛成してくれるかどうかわからないので、対象債権者に入れて同じ整理手続で行うのは難しいのではないかと思います。

　他方で、先ほど藤原さんと中井さんで話が出ていたように、対象債権者にしない場合のデメリットも大きいということもあります。対象債権者にしない場合、固有債権者は債務カットがないわけですから、保証人に対して、せっかく残存資産を残したとしても、固有債権者が残存資産から回収を得てしまうという不平等さがある。または、保証人が固有債権者に結果的に弁済できなかった場合には、保証債権だけ弁済できて固有債権者が弁済できないということになり、保証債権者の弁済が偏頗弁済的になり、逆方向の不公平が出てきてしまうこともある。

　そういうことを考えると、多額の固有債権者がいる場合は、債務整理をしたほうがよいと思いますが、それをGLによる保証債権と同一の整理手続でやるのではなくて、別の整理手続でやるという方向がいいのではないかと思っています。そうす

ると、保証債権者と固有債権者との間で弁済率に違いが生じても、仕方がないと言いやすいですし、あるいは、固有債権者の一部が反対であったとしても、保証債務だけの整理手続は成立するという観点からいってもプラスがあるのではないかと思っています。

　固有債権の処理については、第2章❻の論稿を参照にしていただければと存じます。

○中井　最後に小林さんがおっしゃった方法は、1つの提案だろうと思います。保証債権者については保証債権者としての1つのテーブルがあり、固有債権者は固有債権者でまた別のテーブルをつくり、お互い調整しながら、見合いながら、全体のバランスがとれるように整理する。そこでは、合理的な理由があれば差もあってもいい、そういうご提案ですね。

○小林　そういうことです。

○中井　十分にあり得る解決方法だろうと思います。

○小林　もちろん場合によっては、さっき言ったように、一緒に対象債権者にする場合もあるとは思うのです。しかし、必ず対象債権者にしなくてはいけないかというと、そうでもないと思っているということです。

○中井　対象債権者に含めてしまうと、保証債権者は主たる債務者から回収増加額が得られるので、そこは若干譲歩できるけれども、固有債権者にとっては、主たる債務者からの回収増加額がないので、インセンティブ資産を残せば清算価値を下回ってしまうという問題がどうしても生じてしまう。とすると、1つのテーブルにのせると、平等にしようと思うと、両方とも清算価値保障しなければならなくなりインセンティブ資産を保証人に残せない、インセンティブ資産を残すというメリットが使えないという問題が避けられない。固有債権があると、それだけ取扱いは難しくなる。とすれば、今の実務は差し当たって多額の固有債権者がいない限り、固有債権者は基本的には外に置いておいて、保証債権者のみを対象にGLを進めていく。この単純整理のほうが実務的なのでしょうね。

○小林　原則はそういうやり方だと思います。

○藤原　できればそこで、基本精神ではないですが、企業の再生を最優先にするという考え方を共有しておきたいところだと思います。

○小林　金融機関として、保証人に対して固有債権、貸付金がある場合にどういう対応をとられるか。金融機関はどういうように考えますか。

○獅子倉　逆のケースについて考えた場合ですが、法人への貸出がなく、その経営者のほうに個人貸出があるケースでは、先生方がおっしゃるように保証債権者と固有債権者との間での弁済率の差違に言及せざるを得ず、あまりにも固有債務が大きすぎる場合には成立しないと思います。例えば、株式購入を過去に行い整理したが債務は残っている場合や自宅を売却したけど債務は残っているというケースです。一方、個人への貸出がなく、法人への貸出があるケースでの保証債務についてですが、それを「放棄してください」と言われても、実際、なかなか難しいと思います。その場合、まずは、個人の実資力を見ないといけません。その上で、GLを使うの

第5章　座談会

がいいのか、そうでない方法で対応するのがいいのかを検討しなければなりません。

○中井　本日は貴重なご意見をいただき、ありがとうございました。最後に、感想も含めて将来のGLのあり方などについて皆様からご意見をいただければありがたいと思います。

○藤原　このGLの普及のためには、基本理念みたいなものをどこかで何らかの形で打ち出したいと感じました。具体的には、会社が破綻したからといって、個人まで破産させてはいけない、それは原則いけないというメッセージを出したい、と改めて感じたところです。そうすることによって、会社が法的整理に入り、そのときに経営者は原則破産を免れるという形のものが明確になってくれば単独型も普及するだろうし、会社の法的整理も、もっと早期再生、早期清算という観点から活用が進むのではないかと思います。それをどこかのタイミングで、それは1年後か2年後かわかりませんが、できればそういうメッセージを明確にしていきたい。特に、単独型の普及が大切ではないかと感じた次第です。

○獅子倉　本日は勉強させていただき、大変ありがとうございました。われわれ金融機関としても、小林先生がお書きになられていますように、お客様との信頼関係を大事にしないといけないと考えます。先ほどから私、早期再生、早期再生と申し上げております。単独でできない場合もありますが、ただ、放置することで時間の経過により傷口が広がることもあります。ですから、早期にお客様に対しさまざまなご提案を行い、インセンティブの1つであるGLをもっとアピールしなくてはいけないと思っております。弊行を含め金融機関が真摯に受け止め、お客様に対し、きちんとご説明ができるようしないといけないということを今日、改めて感じた次第であります。どうもありがとうございました。

○小林　冒頭、GLが利用されていないのではないかという問題提起があったところです。いうまでもなく、GLは中小企業が早期の事業再生等の着手をすることに資するために、経営者保証人に多くの残存資産を残してインセンティブを与えるという考え方を規定しているのですけれども、それに限らず、保証人は破産しないでも債務整理ができるとか、保証債務の整理について信用情報に登録されないとか、大きなメリットがあると思います。金融機関のほうでも、経済的合理性の範囲内では課税問題は生じないという建付けになっているので、債権者にとってもメリットがあると思います。ただ、こういうメリットがあるにもかかわらず、どうして利用実績が少ないのかということは改めて考えなければならないと思っています。それはGL自体のさらなる改善や周知活動が必要だとうこともありますが、より根本的には中小企業の事業再生等に向けた社会的な取組みがより重要なのではないかと考えています。

　その観点からいうと、藤原さんともいつか話したことがあるのですけれども、「経営者保証GL」という保証の観点からのGLだけではなくて、日頃から中小企業と金融機関の付き合い方を示すようなGLを作成することとか、あるいは、中小企業が事業再生をした場合には――それは第2の創業だと思っていますが、創業支援と同じように、ニューマネーを拠出して設備投資を可能にして生産性を向上させる

第5章　座談会

支援をするというような社会的な制度を設けるとか、そういった社会全体の取組みが必要なのではないかなと思っています。もちろん経営者保証GL自体としても、努力すべき点は努力しなければいけないことは当然だと思っています。
○**中井**　ありがとうございました。本日は拙い司会で時間も超過してしまいました。私も一言だけ申し上げますと、経営者保証GLは、もともと政策的な目的があってつくられました。それはまさに早期事業再生、早期廃業による日本経済の活性化を目的としたものであったと思います。そのために経営者の保証債務の整理が必要不可欠だという認識からです。

　しかし、それはさらに一般化されてきています。藤原さんのご発言にもありましたけれども、保証債務の整理のための一般ルールとして、極めて貴重な示唆を与えていると思います。つまり、先ほどから申し上げていますけれども、ある意味で民法というハードローではできないことをソフトローで解決していく、そういう知恵がここに多く含まれていると思います。皆さんのご発言を聞いていまして、改めてその思いを深くしました。本日は大変貴重な勉強の機会を与えていただき、ありがとうございました。

（2017年6月13日収録）

資料編

資料編

【資料1】経営者保証に関するガイドライン（経営者保証に関するガイドライン研究会）

(平成25年12月)

はじめに

　中小企業・小規模事業者等（以下「中小企業」という。）の経営者による個人保証（以下「経営者保証」という。）[1]には、経営への規律付けや信用補完として資金調達の円滑化に寄与する面がある一方、経営者による思い切った事業展開や、保証後において経営が窮境に陥った場合における早期の事業再生を阻害する要因となっているなど、企業の活力を阻害する面もあり、経営者保証の契約時及び履行時等において様々な課題が存在する。
　このため、平成25年1月、中小企業庁と金融庁が共同で有識者との意見交換の場として「中小企業における個人保証等の在り方研究会」を設置した。本研究会において、中小企業における経営者保証等の課題全般を、契約時の課題と履行時等における課題の両局面において整理するとともに、中小企業金融の実務の円滑化に資する具体的な政策的出口について継続的な議論が行われ、同年5月、課題の解決策の方向性とともに当該方向性を具体化したガイドラインの策定が適当である旨の「中小企業における個人保証等の在り方研究会報告書」が公表された。
　また、日本再興戦略（同年6月14日閣議決定）においても、新事業を創出し、開・廃業率10％台を目指すための施策として、当該ガイドラインが位置付けられている。
　同年8月、本報告書にて示された方向性を具体化することを目的として、行政当局の関与の下、日本商工会議所と全国銀行協会が共同で、有識者を交えた意見交換の場として「経営者保証に関するガイドライン研究会」を設置した。
　この「経営者保証に関するガイドライン」は、本研究会における中小企業団体及び金融機関団体の関係者、学識経験者、専門家等の議論を踏まえ、中小企業の経営者保証に関する契約時及び履行時等における中小企業、経営者及び金融機関による対応についての、中小企業団体及び金融機関団体共通の自主的自律的な準則として、策定・公表するものである。

1．目的

　このガイドラインは、中小企業金融における経営者保証について、主たる債務者、保証人[2]（保証契約の締結によって保証人となる可能性のある者を含む。以下同じ。）及び対象債権者（中小企業に対する金融債権を有する金融機関等であって、現に経営者に対して保証債権[3]を有するもの、あるいは、将来これを有する可能性のあるものをいう。また、

1　このガイドラインは中小企業・小規模事業者の経営者保証を主たる対象としているが、必ずしも対象を当該保証に限定しているものではない。
2　併存的債務引受を行った経営者であって、対象債権者によって、実質的に経営者保証人と同等の効果が期待されているものも含む。

【資料1】経営者保証に関するガイドライン

主たる債務の整理局面において保証債務の整理（保証債務の全部又は一部の免除等をいう。以下同じ。）を行う場合においては、成立した弁済計画により権利を変更されることが予定されている保証債権の債権者をいう。以下同じ。）において合理性が認められる保証契約の在り方等を示すとともに、主たる債務の整理局面における保証債務の整理を公正かつ迅速に行うための準則を定めることにより、経営者保証の課題に対する適切な対応を通じてその弊害を解消し、もって主たる債務者、保証人及び対象債権者の継続的かつ良好な信頼関係の構築・強化とともに、中小企業の各ライフステージ（創業、成長・発展、早期の事業再生や事業清算への着手、円滑な事業承継、新たな事業の開始等をいう。以下同じ。）における中小企業の取組意欲の増進を図り、ひいては中小企業金融の実務の円滑化を通じて中小企業の活力が一層引き出され、日本経済の活性化に資することを目的とする。

2．経営者保証の準則

(1) このガイドラインは、経営者保証における合理的な保証契約の在り方等を示すとともに主たる債務の整理局面における保証債務の整理を公正かつ迅速に行うための準則であり、中小企業団体及び金融機関団体の関係者が中立公平な学識経験者、専門家等と共に協議を重ねて策定したものであって、法的拘束力はないものの、主たる債務者、保証人及び対象債権者によって、自発的に尊重され遵守されることが期待されている。

(2) このガイドラインに基づき経営者保証に依存しない融資の一層の促進が図られることが期待されるが、主たる債務者である中小企業の法人個人の一体性[4]に一定の合理性や必要性が認められる場合等において経営者保証を締結する際には、主たる債務者、保証人及び対象債権者は、このガイドラインに基づく保証契約の締結、保証債務の整理等における対応について誠実に協力する。

(3) 主たる債務者、保証人及び対象債権者は、保証債務の整理の過程において、共有した情報について相互に守秘義務を負う。

(4) このガイドラインに基づく保証債務の整理は、公正衡平を旨とし、透明性を尊重する。

3．ガイドラインの適用対象となり得る保証契約

このガイドラインは、以下の全ての要件を充足する保証契約に関して適用されるものとする。

(1) 保証契約の主たる債務者が中小企業であること

(2) 保証人が個人であり、主たる債務者である中小企業の経営者であること。ただし、以下に定める特別の事情がある場合又はこれに準じる場合[5]については、このガイドラインの適用対象に含める。

---

3 中小企業の金融債務について、経営者により、実質的に経営者保証と同等の効果が期待される併存的債務引受がなされた場合における、当該経営者に対する債権も含む。

4 「中小企業における個人保証等の在り方研究会報告書」参照。

①　実質的な経営権を有している者、営業許可名義人又は経営者の配偶者（当該経営者と共に当該事業に従事する配偶者に限る。）が保証人となる場合
　②　経営者の健康上の理由のため、事業承継予定者が保証人となる場合
(3)　主たる債務者及び保証人の双方が弁済について誠実であり、対象債権者の請求に応じ、それぞれの財産状況等（負債の状況を含む。）について適時適切に開示していること
(4)　主たる債務者及び保証人が反社会的勢力ではなく、そのおそれもないこと

4．経営者保証に依存しない融資の一層の促進

　経営者保証に依存しない融資の一層の促進のため、主たる債務者、保証人及び対象債権者は、それぞれ、次の対応に努めるものとする。
(1)　主たる債務者及び保証人における対応
　　主たる債務者が経営者保証を提供することなしに資金調達することを希望する場合には、まずは、以下のような経営状況であることが求められる。
　①　法人と経営者との関係の明確な区分・分離
　　　主たる債務者は、法人の業務、経理、資産所有等に関し、法人と経営者の関係を明確に区分・分離し、法人と経営者の間の資金のやりとり（役員報酬・賞与、配当、オーナーへの貸付等をいう。以下同じ。）を、社会通念上適切な範囲を超えないものとする体制を整備するなど、適切な運用を図ることを通じて、法人個人の一体性の解消に努める。
　　　また、こうした整備・運用の状況について、外部専門家（公認会計士、税理士等をいう。以下同じ。）による検証を実施し、その結果を、対象債権者に適切に開示することが望ましい。
　②　財務基盤の強化
　　　経営者保証は主たる債務者の信用力を補完する手段のひとつとして機能している一面があるが、経営者保証を提供しない場合においても事業に必要な資金を円滑に調達するために、主たる債務者は、財務状況及び経営成績の改善を通じた返済能力の向上等により信用力を強化する。
　③　財務状況の正確な把握、適時適切な情報開示等による経営の透明性確保
　　　主たる債務者は、資産負債の状況（経営者のものを含む。）、事業計画や業績見通し及びその進捗状況等に関する対象債権者からの情報開示の要請に対して、正確かつ丁寧に信頼性の高い情報を開示・説明することにより、経営の透明性を確保する。
　　　なお、開示情報の信頼性の向上の観点から、外部専門家による情報の検証を行い、その検証結果と合わせた開示が望ましい。

5　このガイドラインは中小企業の経営者（及びこれに準ずる者）による保証を主たる対象としているが、財務内容その他の経営の状況を総合的に判断して、通常考えられるリスク許容額を超える融資の依頼がある場合であって、当該事業の協力者や支援者からそのような融資に対して積極的に保証の申し出があった場合等、いわゆる第三者による保証について除外するものではない。

【資料1】経営者保証に関するガイドライン

　　また、開示・説明した後に、事業計画・業績見通し等に変動が生じた場合には、自発的に報告するなど適時適切な情報開示に努める。
(2) 対象債権者における対応
　　対象債権者は、停止条件又は解除条件付保証契約[6]、ABL[7]、金利の一定の上乗せ等の経営者保証の機能を代替する融資手法のメニューの充実を図ることとする。
　　また、法人個人の一体性の解消等が図られている、あるいは、解消等を図ろうとしている主たる債務者が資金調達を要請した場合において、主たる債務者において以下のような要件が将来に亘って充足すると見込まれるときは、主たる債務者の経営状況、資金使途、回収可能性等を総合的に判断する中で、経営者保証を求めない可能性、上記のような代替的な融資手法を活用する可能性について、主たる債務者の意向も踏まえた上で、検討する。
　イ）法人と経営者個人の資産・経理が明確に分離されている。
　ロ）法人と経営者の間の資金のやりとりが、社会通念上適切な範囲を超えない。
　ハ）法人のみの資産・収益力で借入返済が可能と判断し得る。
　ニ）法人から適時適切に財務情報等が提供されている。
　ホ）経営者等から十分な物的担保の提供がある。

5．経営者保証の契約時の対象債権者の対応
　対象債権者が第4項(2)に即して検討を行った結果、経営者保証を求めることが止むを得ないと判断された場合や、中小企業における法人個人の一体性に一定の合理性や必要性が認められる場合等で、経営者と保証契約を締結する場合、対象債権者は以下の対応に努めるものとする。
(1) 主たる債務者や保証人に対する保証契約の必要性等に関する丁寧かつ具体的な説明
　　対象債権者は、保証契約を締結する際に、以下の点について、主たる債務者と保証人に対して、丁寧かつ具体的に説明することとする。
　イ）保証契約の必要性
　ロ）原則として、保証履行時の履行請求は、一律に保証金額全額に対して行うものではなく、保証履行時の保証人の資産状況等を勘案した上で、履行の範囲が定められること
　ハ）経営者保証の必要性が解消された場合には、保証契約の変更・解除等の見直しの可能性があること
(2) 適切な保証金額の設定
　　対象債権者は、保証契約を締結する際には、経営者保証に関する負担が中小企業の各

---

[6] 停止条件付保証契約とは主たる債務者が特約条項（コベナンツ）に抵触しない限り保証債務の効力が発生しない保証契約であり、解除条件付保証契約とは主たる債務者が特約条項（コベナンツ）を充足する場合は保証債務が効力を失う保証契約である。
[7] Asset Based Lending　流動資産担保融資

ライフステージにおける取組意欲を阻害しないよう、形式的に保証金額を融資額と同額とはせず、保証人の資産及び収入の状況、融資額、主たる債務者の信用状況、物的担保等の設定状況、主たる債務者及び保証人の適時適切な情報開示姿勢等を総合的に勘案して設定する。

このような観点から、主たる債務者の意向も踏まえた上で、保証債務の整理に当たっては、このガイドラインの趣旨を尊重し、以下のような対応を含む適切な対応を誠実に実施する旨を保証契約に規定する。

イ）保証債務の履行請求額は、期限の利益を喪失した日等の一定の基準日における保証人の資産の範囲内とし、基準日以降に発生する保証人の収入を含まない。

ロ）保証人が保証履行時の資産の状況を表明保証し、その適正性について、対象債権者からの求めに応じ、保証人の債務整理を支援する専門家（弁護士、公認会計士、税理士等の専門家であって、全ての対象債権者がその適格性を認めるものをいう。以下「支援専門家」という。）の確認を受けた場合において、その状況に相違があったときには、融資慣行等に基づく保証債務の額が復活することを条件として、主たる債務者と対象債権者の双方の合意に基づき、保証の履行請求額を履行請求時の保証人の資産の範囲内とする。

また、対象債権者は、同様の観点から、主たる債務者に対する金融債権の保全のために、物的担保等の経営者保証以外の手段が用いられている場合には、経営者保証の範囲を当該手段による保全の確実性が認められない部分に限定するなど、適切な保証金額の設定に努める。

6．既存の保証契約の適切な見直し
(1) 保証契約の見直しの申入れ時の対応
① 主たる債務者及び保証人における対応
主たる債務者及び保証人は、既存の保証契約の解除等の申入れを対象債権者に行うに先立ち、第4項(1)に掲げる経営状況を将来に亘って維持するよう努めることとする。
② 対象債権者における対応
主たる債務者において経営の改善が図られたこと等により、主たる債務者及び保証人から既存の保証契約の解除等の申入れがあった場合は、対象債権者は第4項(2)に即して、また、保証契約の変更等の申入れがあった場合は、対象債権者は、申入れの内容に応じて、第4項(2)又は第5項に即して、改めて、経営者保証の必要性や適切な保証金額等について、真摯かつ柔軟に検討を行うとともに、その検討結果について主たる債務者及び保証人に対して丁寧かつ具体的に説明することとする。

(2) 事業承継時の対応
① 主たる債務者及び後継者における対応
イ）主たる債務者及び後継者は、対象債権者からの情報開示の要請に対し適時適切に対応する。特に、経営者の交代により経営方針や事業計画等に変更が生じる場合に

【資料1】経営者保証に関するガイドライン

は、その点についてより誠実かつ丁寧に、対象債権者に対して説明を行う。
ロ）主たる債務者が、後継者による個人保証を提供することなしに、対象債権者から新たに資金調達することを希望する場合には、主たる債務者及び後継者は第4項(1)に掲げる経営状況であることが求められる。
② 対象債権者における対応
イ）後継者との保証契約の締結について
　対象債権者は、前経営者が負担する保証債務について、後継者に当然に引き継がせるのではなく、必要な情報開示を得た上で、第4項(2)に即して、保証契約の必要性等について改めて検討するとともに、その結果、保証契約を締結する場合には第5項に即して、適切な保証金額の設定に努めるとともに、保証契約の必要性等について主たる債務者及び後継者に対して丁寧かつ具体的に説明することとする。
ロ）前経営者との保証契約の解除について
　対象債権者は、前経営者から保証契約の解除を求められた場合には、前経営者が引き続き実質的な経営権・支配権を有しているか否か、当該保証契約以外の手段による既存債権の保全の状況、法人の資産・収益力による借入返済能力等を勘案しつつ、保証契約の解除について適切に判断することとする。

7．保証債務の整理

(1) ガイドラインに基づく保証債務の整理の対象となり得る保証人
　以下の全ての要件を充足する場合において、保証人は、当該保証人が負担する保証債務について、このガイドラインに基づく保証債務の整理を対象債権者に対して申し出ることができる。また、当該保証人の申し出を受けた対象債権者は、第2項の準則に即して、誠実に対応することとする。
イ）対象債権者と保証人との間の保証契約が第3項の全ての要件を充足すること
ロ）主たる債務者が破産手続、民事再生手続、会社更生手続若しくは特別清算手続（以下「法的債務整理手続」という。）の開始申立て又は利害関係のない中立かつ公正な第三者が関与する私的整理手続及びこれに準ずる手続（中小企業再生支援協議会による再生支援スキーム、事業再生ADR、私的整理ガイドライン、特定調停等をいう。以下「準則型私的整理手続」という。）の申立てをこのガイドラインの利用と同時に現に行い、又は、これらの手続が係属し、若しくは既に終結していること
ハ）主たる債務者の資産及び債務並びに保証人の資産及び保証債務の状況を総合的に考慮して、主たる債務及び保証債務の破産手続による配当よりも多くの回収を得られる見込みがあるなど、対象債権者にとっても経済的な合理性が期待できること
ニ）保証人に破産法第252条第1項（第10号を除く。）に規定される免責不許可事由が生じておらず、そのおそれもないこと

(2) 保証債務の整理の手続
　このガイドラインに基づく保証債務の整理を実施する場合において、主たる債務と保

証債務の一体整理を図るときは、以下のイ）の手続によるものとし、主たる債務について法的債務整理手続が申し立てられ、保証債務のみについて、その整理を行う必要性がある場合等、主たる債務と保証債務の一体整理が困難なため、保証債務のみを整理するときは、以下のロ）の手続によるものとする。

イ）主たる債務と保証債務の一体整理を図る場合

　　法的債務整理手続に伴う事業毀損を防止するなどの観点や、保証債務の整理についての合理性、客観性及び対象債権者間の衡平性を確保する観点から、主たる債務の整理に当たって、準則型私的整理手続を利用する場合、保証債務の整理についても、原則として、準則型私的整理手続を利用することとし、主たる債務との一体整理を図るよう努めることとする。具体的には、準則型私的整理手続に基づき主たる債務者の弁済計画を策定する際に、保証人による弁済もその内容に含めることとする。

ロ）保証債務のみを整理する場合

　　原則として、保証債務の整理に当たっては、当該整理にとって適切な準則型私的整理手続を利用することとする。

(3) 保証債務の整理を図る場合の対応

　　主たる債務者、保証人及び対象債権者は、保証債務の整理に当たり以下の定めに従うものとし、対象債権者は合理的な不同意事由がない限り、当該債務整理手続の成立に向けて誠実に対応する。

　　なお、以下に記載のない内容（債務整理の開始要件、手続等）については、各準則型私的整理手続に即して対応する。

① 一時停止等の要請への対応

　　以下の全ての要件を充足する場合には、対象債権者は、保証債務に関する一時停止や返済猶予（以下「一時停止等」という。）の要請に対して、誠実かつ柔軟に対応するように努める。

　　イ）原則として、一時停止等の要請が、主たる債務者、保証人、支援専門家が連名した書面によるものであること（ただし、全ての対象債権者の同意がある場合及び保証債務のみを整理する場合で当該保証人と支援専門家が連名した書面がある場合はこの限りでない。）

　　ロ）一時停止等の要請が、全ての対象債権者に対して同時に行われていること

　　ハ）主たる債務者及び保証人が、手続申立て前から債務の弁済等について誠実に対応し、対象債権者との間で良好な取引関係が構築されてきたと対象債権者により判断され得ること

② 経営者の経営責任の在り方

　　本項(2)イ）の場合においては、対象債権者は、中小企業の経営者の経営責任について、法的債務整理手続の考え方との整合性に留意しつつ、結果的に私的整理に至った事実のみをもって、一律かつ形式的に経営者の交代を求めないこととする。具体的には、以下のような点を総合的に勘案し、準則型私的整理手続申立て時の経営者が引き

【資料1】経営者保証に関するガイドライン

続き経営に携わることに一定の経済合理性が認められる場合には、これを許容することとする。
イ）主たる債務者の窮境原因及び窮境原因に対する経営者の帰責性
ロ）経営者及び後継予定者の経営資質、信頼性
ハ）経営者の交代が主たる債務者の事業の再生計画等に与える影響
ニ）準則型私的整理手続における対象債権者による金融支援の内容

なお、準則型私的整理手続申立て時の経営者が引き続き経営に携わる場合の経営責任については、上記帰責性等を踏まえた総合的な判断の中で、保証債務の全部又は一部の履行、役員報酬の減額、株主権の全部又は一部の放棄、代表者からの退任等により明確化を図ることとする。

③ 保証債務の履行基準（残存資産の範囲）

対象債権者は、保証債務の履行に当たり、保証人の手元に残すことのできる残存資産の範囲について、必要に応じ支援専門家とも連携しつつ、以下のような点を総合的に勘案して決定する。この際、保証人は、全ての対象債権者に対して、保証人の資力に関する情報を誠実に開示し、開示した情報の内容の正確性について表明保証を行うとともに、支援専門家は、対象債権者からの求めに応じて、当該表明保証の適正性についての確認を行い、対象債権者に報告することを前提とする。

なお、対象債権者は、保証債務の履行請求額の経済合理性について、主たる債務と保証債務を一体として判断する。

イ）保証人の保証履行能力や保証債務の従前の履行状況
ロ）主たる債務が不履行に至った経緯等に対する経営者たる保証人の帰責性
ハ）経営者たる保証人の経営資質、信頼性
ニ）経営者たる保証人が主たる債務者の事業再生、事業清算に着手した時期等が事業の再生計画等に与える影響
ホ）破産手続における自由財産（破産法第34条第3項及び第4項その他の法令により破産財団に属しないとされる財産をいう。以下同じ。）の考え方や、民事執行法に定める標準的な世帯の必要生計費の考え方との整合性

上記ニ）に関連して、経営者たる保証人による早期の事業再生等の着手の決断について、主たる債務者の事業再生の実効性の向上等に資するものとして、対象債権者としても一定の経済合理性が認められる場合には、対象債権者は、破産手続における自由財産の考え方を踏まえつつ、経営者の安定した事業継続、事業清算後の新たな事業の開始等（以下「事業継続等」という。）のため、一定期間（当該期間の判断においては、雇用保険の給付期間の考え方等を参考とする。）の生計費（当該費用の判断においては、1月当たりの標準的な世帯の必要生計費として民事執行法施行令で定める額を参考とする。）に相当する額や華美でない自宅等（ただし、主たる債務者の債務整理が再生型手続の場合には、破産手続等の清算型手続に至らなかったことによる対象債権者の回収見込額の増加額、又は主たる債務者の債務整理が清算型手続の場合に

377

は、当該手続に早期に着手したことによる、保有資産等の劣化防止に伴う回収見込額の増加額、について合理的に見積もりが可能な場合は当該回収見込額の増加額を上限とする。)を、当該経営者たる保証人(早期の事業再生等の着手の決断に寄与した経営者以外の保証人がある場合にはそれを含む。)の残存資産に含めることを検討することとする。ただし、本項(2)ロ)の場合であって、主たる債務の整理手続の終結後に保証債務の整理を開始したときにおける残存資産の範囲の決定については、この限りでない。

また、主たる債務者の債務整理が再生型手続の場合で、本社、工場等、主たる債務者が実質的に事業を継続する上で最低限必要な資産が保証人の所有資産である場合は、原則として保証人が主たる債務者である法人に対して当該資産を譲渡し、当該法人の資産とすることにより、保証債務の返済原資から除外することとする。また、保証人が当該会社から譲渡の対価を得る場合には、原則として当該対価を保証債務の返済原資とした上で、上記ニ)の考え方に即して残存資産の範囲を決定するものとする。

なお、上記のような残存資産の範囲を決定するに際しては、以下のような点に留意することとする。

　ａ）保証人における対応
　　保証人は、安定した事業継続等のために必要な一定期間の生計費に相当する額や華美でない自宅等について残存資産に含めることを希望する場合には、その必要性について、対象債権者に対して説明することとする。

　ｂ）対象債権者における対応
　　対象債権者は、保証人から、ａ）の説明を受けた場合には、上記の考え方に即して、当該資産を残存資産に含めることについて、真摯かつ柔軟に検討することとする。

④ 保証債務の弁済計画
　イ）保証債務の弁済計画案は、以下の事項を含む内容を記載することを原則とする。
　　ａ）保証債務のみを整理する場合には、主たる債務と保証債務の一体整理が困難な理由及び保証債務の整理を法的債務整理手続によらず、このガイドラインで整理する理由
　　ｂ）財産の状況(財産の評定は、保証人の自己申告による財産を対象として、本項(3)③に即して算定される残存資産を除いた財産を処分するものとして行う。なお、財産の評定の基準時は、保証人がこのガイドラインに基づく保証債務の整理を対象債権者に申し出た時点(保証人等による一時停止等の要請が行われた場合にあっては、一時停止等の効力が発生した時点をいう。)とする。
　　ｃ）保証債務の弁済計画(原則5年以内)
　　ｄ）資産の換価・処分の方針
　　ｅ）対象債権者に対して要請する保証債務の減免、期限の猶予その他の権利変更の内容

【資料1】経営者保証に関するガイドライン

ロ）保証人が、対象債権者に対して保証債務の減免を要請する場合の弁済計画には、当該保証人が上記の財産の評定の基準時において保有する全ての資産（本項(3)③に即して算定される残存資産を除く。）を処分・換価して（処分・換価の代わりに、処分・換価対象資産の「公正な価額」に相当する額を弁済する場合を含む。）得られた金銭をもって、担保権者その他の優先権を有する債権者に対する優先弁済の後に、全ての対象債権者（ただし、債権額20万円以上（この金額は、その変更後に対象債権者となる全ての対象債権者の同意により変更することができる。）の債権者に限る。なお、弁済計画の履行に重大な影響を及ぼす恐れのある債権者については、対象債権者に含めることができるものとする。）に対して、それぞれの債権の額の割合に応じて弁済を行い、その余の保証債務について免除を受ける内容を記載するものとする[8]。

また、本項(2)ロ）の場合においては、準則型私的整理手続を原則として利用することとするが、保証人が、上記の要件を満たす弁済計画を策定し、合理的理由に基づき、準則型私的整理手続を利用することなく、支援専門家等の第三者の斡旋による当事者間の協議等に基づき、全ての対象債権者との間で合意に至った場合には、かかる弁済計画に基づき、本項(3)⑤の手続に即して、対象金融機関が残存する保証債務の減免・免除を行うことを妨げない。

⑤ 保証債務の一部履行後に残存する保証債務の取扱い

以下の全ての要件を充足する場合には、対象債権者は、保証人からの保証債務の一部履行後に残存する保証債務の免除要請について誠実に対応する。

イ）保証人は、全ての対象債権者に対して、保証人の資力に関する情報を誠実に開示し、開示した情報の内容の正確性について表明保証を行うこととし、支援専門家は、対象債権者からの求めに応じて、当該表明保証の適正性についての確認を行い、対象債権者に報告すること

ロ）保証人が、自らの資力を証明するために必要な資料を提出すること

ハ）本項(2)の手続に基づき決定された主たる債務及び保証債務の弁済計画が、対象債権者にとっても経済合理性が認められるものであること

ニ）保証人が開示し、その内容の正確性について表明保証を行った資力の状況が事実と異なることが判明した場合（保証人の資産の隠匿を目的とした贈与等が判明した場合を含む。）には、免除した保証債務及び免除期間分の延滞利息も付した上で、追加弁済を行うことについて、保証人と対象債権者が合意し、書面での契約を締結すること

---

[8] 「公正な価額」に相当する額を弁済する場合等であって、当該弁済を原則5年以内の分割弁済とする計画もあり得る。

8．その他
(1) このガイドラインは、平成26年2月1日から適用することとする。
(2) このガイドラインに基づく保証契約の締結、保証債務の履行等を円滑に実施するため、主たる債務者、保証人、対象債権者及び行政機関等は、広く周知等が行われるよう所要の態勢整備に早急に取り組むとともに、ガイドラインの適用に先立ち、各々の準備が整い次第、このガイドラインに即した対応を開始することとする。
(3) このガイドラインは遡及的に適用されないため、保証人が本項(1)の適用日以前に保証債務の履行として弁済したものについては、保証人に返還できない。
(4) 主たる債務者及び保証人が、このガイドラインに即して策定した弁済計画を履行できない場合は、主たる債務者、保証人及び対象債権者は、弁済計画の変更等について誠実に協議を行い、適切な措置を講じるものとする。
(5) このガイドラインによる債務整理を行った保証人について、対象債権者は、当該保証人が債務整理を行った事実その他の債務整理に関連する情報（代位弁済に関する情報を含む。）を、信用情報登録機関に報告、登録しないこととする。

以　上

【資料２】「経営者保証に関するガイドライン」Q&A

平成25年12月５日	制定
平成26年10月１日	一部改定
平成27年７月31日	一部改定
平成29年６月28日	一部改定
平成30年１月26日	一部改定
令和元年10月15日	一部改定

【Ａ．総論】

Q.1　経営者保証に関するガイドライン（以下「ガイドライン」という。）において、このQ&Aはどのような位置付けになるのでしょうか。

A．ガイドラインに即して具体的な実務を行う上で留意すべきポイントを、「経営者保証に関するガイドライン研究会」において取りまとめたものです。

Q.2　ガイドラインの策定には、どのような背景があるのでしょうか。

A．経営者保証には経営者への規律付けや信用補完として資金調達の円滑化に寄与する面がある一方、①個人保証への依存が、借り手・貸し手双方が本来期待される機能（情報開示、事業目利き等）を発揮していく意欲を阻害している、②個人保証の融資慣行化が、貸し手側の説明不足、過大な保証債務負担の要求とともに、借り手・貸し手間の信頼関係構築の意欲を阻害している、③経営者の原則交代、不明確な履行基準、保証債務の残存等の保証履行時等の課題が、中小企業の創業、成長・発展、早期の事業再生や事業清算への着手、円滑な事業承継、新たな事業の開始等、事業取組の意欲を阻害している、などのおそれがあり、保証契約時・履行時等において様々な課題が存在することに鑑み、平成25年１月に中小企業庁と金融庁が「中小企業における個人保証等の在り方研究会」を設置し、課題の解決策の方向性を具体化したガイドライン策定が適当である旨を取りまとめました。

　日本再興戦略においても当該ガイドラインの策定が明記されています。

　ガイドラインの策定に向けて、日本商工会議所と全国銀行協会が「経営者保証に関するガイドライン研究会」を設置し、同年12月に「経営者保証に関するガイドライン」を策定しました。

Q.3　「中小企業・小規模事業者等」は、どのような者が含まれるのでしょうか。また、「個人事業主」は含まれるのでしょうか。

A．ガイドラインの主たる対象は中小企業・小規模事業者ですが、必ずしも中小企業基本法に定める中小企業者・小規模事業者に該当する法人に限定しておらず、その範囲を超える企業等も対象になり得ます。また、個人事業主についても対象に含まれます。

Q.4 「経営者」には、どのような者が含まれるのでしょうか。

A．経営者は、中小企業・小規模事業者等（以下「中小企業」という。）の代表者をいうが、以下のような者も含まれます。
  ➢実質的な経営権を有している者
  ➢営業許可名義人
  ➢経営者と共に事業に従事する当該経営者の配偶者
  ➢経営者の健康上の理由のため保証人となる事業承継予定者等

Q.5 保証人が、破産手続・民事再生手続といった法的手続により保証債務を整理する場合とガイドラインにより整理する場合では、どのような点が違うのでしょうか。

A．法的手続による保証債務の整理の場合、破産においては債務整理案に対する債権者の同意は不要であり、民事再生（小規模個人再生）においては債権者の過半数又は債権額の2分の1以上の反対がなければ、全ての債権者に対して債務整理は有効ですが、保証人の情報は公開されます（官報掲載）。
　ガイドラインによる保証債務の整理の場合、債務整理の成立には全ての対象債権者の同意が必要となりますが、保証人の情報は公開されません。

Q.6 保証人がガイドラインを利用するために、取引先の金融機関に事前に相談する必要はあるのでしょうか。

A．ガイドラインの利用に当たり、保証人は十分な時間的余裕をもって取引先の金融機関に事前に相談することが望ましいと考えられますが、当該相談はガイドラインの利用要件ではありません。

【B．各論】
（1．目的）

Q.1-1 「対象債権者」とは、どのような債権者のことをいうのでしょうか。
　また、「対象債権者」には、信用保証協会や、求償権者としての経営者も含まれるのでしょうか。

A．中小企業に対する金融債権を有する金融機関等であって、現に経営者に対して保証債

【資料２】「経営者保証に関するガイドライン」Q&A

権を有するもの、又は将来これを有する可能性のあるものをいいます。

信用保証協会（代位弁済前も含む）、既存の債権者から保証債権の譲渡を受けた債権回収会社（サービサー）、公的金融機関等も含まれます。なお、保証債権が債権回収会社（サービサー）等に売却・譲渡される場合においても、ガイドラインの趣旨に沿った運用が行われることが期待されます。

保証履行して求償権を有することとなった保証人は含まれません。

Q.1-2 「金融債権」には、どのような債権が含まれるのでしょうか。

A. 銀行取引約定書等が適用される取引やその他の金銭消費貸借契約等の金融取引に基づく債権をいいます。

（３．ガイドラインの適用対象となり得る保証契約）

Q.3-1 3(2)に「特別な事情がある場合又はこれに準ずる場合」とありますが、「これに準ずる場合」とは具体的にはどのような場合が該当するのでしょうか。

A. 財務内容その他の経営の状況を総合的に判断して、通常考えられるリスク許容額を超える融資の依頼がある場合であって、当該事業の協力者や支援者からそのような融資に対して積極的に保証の申出があった場合等が該当します。

Q.3-2 3(2)②について、「経営者の健康上の理由のため」としているのは何故でしょうか。

A. 金融機関においては、経営者以外の第三者保証を求めないことを原則とする融資慣行の確立が求められており、やむを得ず事業承継予定者に保証の提供を求める場合も、現経営者の健康上の理由という特別の事情を要件としています。よって、それ以外の場合、事業承継予定者の保証は原則取らないという考え方です。

なお、事業の後継者については、ガイドラインにおいて事業承継時に既存の保証契約の適切な見直しを行うこととしています。

Q.3-3 3(3)に「弁済について誠実」や「財産状況等（負債の状況等を含む。）について適時適切に開示」とありますが、債務整理着手前や一時停止前に、債務不履行や財産状況等の不正確な開示があった場合は、ガイドラインは適用されないのでしょうか。

A. 主たる債務者及び保証人の双方が、弁済について誠実であること、財産状況等について適時適切に開示していることという要件は、債務整理着手後や一時停止後の行為に限

資料編

定されるものではありません。
　債務整理着手後や一時停止後における適時適切な開示等の要件は、厳格に適用されるべきものと考えられますが、他方、債務整理着手前や一時停止前において、主たる債務者又は保証人による債務不履行や財産状況等の不正確な開示があったことなどをもって直ちにガイドラインの適用が否定されるものではなく、債務不履行や財産の状況等の不正確な開示の金額及びその態様、私的流用の有無等を踏まえた動機の悪質性といった点を総合的に勘案して判断すべきと考えられます。

> Q. 3-4　保証債務の整理局面において、自由財産を残存資産として残して弁済対象にしない場合は、「弁済について誠実」であるという要件に該当しないことになるのでしょうか。

A．保証債務の整理局面において、自由財産を残存資産として残し、それを弁済対象にしないことをもって、「弁済について誠実」であるという要件に該当しなくなるということはあり得ません。

> Q. 3-5　3⑷の「反社会的勢力ではなく、そのおそれもないこと」については、どのように判断するのでしょうか。

A．対象債権者が、主たる債務者、保証人から提出される弁済計画や必要書類の記載内容、対象債権者において保有している情報を基に総合的に判断します。

（4．経営者保証に依存しない融資の一層の促進）
⑴　主たる債務者及び保証人における対応

> Q. 4-1　4⑴①について、経営者保証を提供することなしに資金調達を希望する場合、主たる債務者は、法人の業務、経理、資産所有等に関し、適切な運用を図ることを通じて、法人個人の一体性の解消に努めることが求められていますが、具体的に主たる債務者や経営者はどのように対応すればよいのでしょうか。

A．法人の事業用資産の経営者個人所有の解消や法人から経営者への貸付等による資金の流出の防止等、法人の資産・経理と経営者の資産・家計を適切に分離することが求められます。例えば以下のような対応が想定されます。
　➢資産の分離については、経営者が法人の事業活動に必要な本社・工場・営業車等の資産を所有している場合、経営者の都合によるこれらの資産の第三者への売却や担保提供等により事業継続に支障を来す恐れがあるため、そのような資産については経営者の個人所有とはせず、法人所有とすることが望ましいと考えられます。なお、経営者が所有する法人の事業活動に必要な資産が法人の資金調達のために担保提供されてい

【資料2】「経営者保証に関するガイドライン」Q&A

たり、契約において資産処分が制限されているなど、経営者の都合による売却等が制限されている場合や、自宅が店舗を兼ねている、自家用車が営業車を兼ねているなど、明確な分離が困難な場合においては、法人が経営者に適切な賃料を支払うことで、実質的に法人と個人が分離しているものと考えられます。
➢ 経理・家計の分離については、事業上の必要が認められない法人から経営者への貸付は行わない、個人として消費した費用（飲食代等）について法人の経費処理としないなどの対応が考えられます。

なお、上記のような対応を確保・継続する手段として、取締役会の適切な牽制機能の発揮や、会計参与の設置、外部を含めた監査体制の確立等による社内管理体制の整備や、法人の経理の透明性向上の手段として、「中小企業の会計に関する基本要領」等に拠った信頼性のある計算書類の作成や対象債権者に対する財務情報の定期的な報告等が考えられます。

また、こうした対応状況についての公認会計士や税理士、弁護士等の外部専門家による検証の実施と、対象債権者に対する検証結果の適切な開示がなされることが望ましいと考えられます。

Q. 4-2　4(1)①について、法人と経営者の間の資金のやりとりにおける「社会通念上適切な範囲」とは、どのような範囲をいうのでしょうか。

A.　法人と経営者の間の資金のやりとりにおける「社会通念上適切な範囲」は、法人の規模、事業内容、収益力等によって異なってくるため、必要に応じて公認会計士、税理士等の外部専門家による検証結果等を踏まえ、対象債権者が個別に判断します。

Q. 4-3　4(1)①の「外部専門家」とは、どのような専門家をいうのでしょうか。
　　また、「外部専門家」には「顧問税理士」等の顧問契約を結んでいる専門家は含まれるのでしょうか。

A.　資産負債の状況、事業計画・事業見通し、それらの進捗状況等について検証を行うことができる公認会計士、税理士、弁護士等の専門家をいいます。また、顧問契約を結んでいる専門家も含まれます。

Q. 4-4　4(1)①の「外部専門家による検証を実施」について、外部専門家はどのようなことを検証すればよいのでしょうか。

A.　外部専門家は、以下のようなことを検証することが期待されます。
➢ 業務、経理、資産所有等に関し、法人と経営者の関係が明確に区分・分離されているか。

➤法人と経営者の間の資金のやりとり（役員報酬・配当、オーナーへの貸付等）を社会通念上適切な範囲を超えないものとする体制（役員報酬の決定プロセスのルール化、社内監査体制の確立等）が整備されているか。

　また、対象債権者から法人と経営者の明確な分離や適時適切な情報開示等の更なる改善を求められた場合等には、これらの実現に向けた主たる債務者及び保証人に対する適切なアドバイスを行うことが期待されます。

　なお、外部専門家による検証は、対象債権者が経営者保証を求めない可能性等を検討するための必須要件ではありません。但し、対象債権者は外部専門家による検証結果の開示を受けた場合、必要に応じて4(2)イ）からホ）の要件を補完するものとして活用することが考えられます。

Q. 4-5　4(1)②について、「財務状況及び経営成績の改善を通じた返済能力の向上等により信用力を強化する」とありますが、具体的にはどのような財務状況が期待されているのでしょうか。

A．経営者個人の資産を債権保全の手段として確保しなくても、法人のみの資産・収益力で借入返済が可能と判断し得る財務状況が期待されています。例えば、以下のような状況が考えられます。
➤業績が堅調で十分な利益（キャッシュフロー）を確保しており、内部留保も十分であること
➤業績はやや不安定ではあるものの、業況の下振れリスクを勘案しても、内部留保が潤沢で借入金全額の返済が可能と判断し得ること
➤内部留保は潤沢とは言えないものの、好業績が続いており、今後も借入を順調に返済し得るだけの利益（キャッシュフロー）を確保する可能性が高いこと

Q. 4-6　4(1)③の「資産負債の状況（経営者のものを含む。）」における、経営者の資産負債の状況の開示・説明は、経営者が保証人になっていない場合でも必要でしょうか。

A．法人個人の一体性の解消が継続されているかを確認する必要がある場合等において、対象債権者から情報開示の要請があれば、経営者の資産負債の状況を開示・説明することが望ましいと考えられます。

Q. 4-7　4(1)③について、「正確かつ丁寧に信頼性の高い情報を開示・説明することにより、経営の透明性を確保する」とありますが、具体的にはどのような対応が求められるのでしょうか。

【資料２】「経営者保証に関するガイドライン」Q&A

Ａ．対象債権者の求めに応じて、融資判断において必要な情報の開示・説明が求められます。例えば、以下のような対応が求められます。
  ➢ 貸借対照表、損益計算書の提出のみでなく、これら決算書上の各勘定明細（資産・負債明細、売上原価・販管費明細等）の提出
  ➢ 期中の財務状況を確認するため、年に１回の本決算の報告のみでなく、試算表・資金繰り表等の定期的な報告

(2) 対象債権者における対応

> Q.4-8　4(2)の「停止条件又は解除条件付保証契約」とは、どのような契約をいうのでしょうか。また、停止条件又は解除条件付保証契約に付される特約条項（コベナンツ）とはどのようなものなのでしょうか。

Ａ．停止条件付保証契約とは主たる債務者が特約条項（コベナンツ）に抵触しない限り保証債務の効力が発生しない保証契約をいいます。
　解除条件付保証契約とは主たる債務者が特約条項（コベナンツ）を充足する場合は保証債務が効力を失う保証契約をいいます。
　停止条件又は解除条件付保証契約の特約条項（コベナンツ）の主な内容は、以下のとおりです（具体的な内容は個別案件における当事者間の調整により確定）。
  ➢ 役員や株主の変更等の対象債権者への報告義務
  ➢ 試算表等の財務状況に関する書類の対象債権者への提出義務
  ➢ 担保の提供等の行為を行う際に対象債権者の承諾を必要とする制限条項等
  ➢ 外部を含めた監査体制の確立等による社内管理体制の報告義務等

> Q.4-9　4(2)の「ABL」とは、どのような融資手法なのでしょうか。

Ａ．ABL（Asset Based Lending）とは、企業が保有する在庫や売掛金等を担保とする融資手法をいいます。債務者にとっては、これまで担保としてあまり活用されてこなかった在庫や売掛金等を活用することにより、資金調達枠が拡大し、円滑な資金調達に資することが期待されます。一方で、債権者にとっては、企業の在庫や売掛金等を継続的にモニタリングすることを通じて、企業の経営実態をより深く把握することが可能となり、信用リスク管理の強化が期待されます。

> Q.4-10　4(2)に「主たる債務者において以下のような要件が将来に亘って充足すると見込まれる」とありますが、イ）からホ）までのいずれかの要件が将来に亘って充足することが見込まれる場合は、当該企業に経営者保証を求めない可能性等が検討されることになるのでしょうか。

387

A．中小企業に経営者保証を求めない可能性等の検討に際しては、イ）からホ）までの全ての要件の充足が求められるものではなく、個別の事案ごとに判断されることになります。例えば、イ）からホ）の要件の多くを満たしていない場合でも、債務者とのリレーションを通じて把握した内容や事業性評価の内容を考慮して、総合的な判断として経営者保証を求めない可能性等の検討が考えられます。また、各要件の判断基準を明確化するために、これらの要件を細かい条件に分割し、当該条件の一部を充足していなくても要件を満たすことが出来るといったような柔軟な運用を行うことも考えられます。

なお、ホ）の要件に関しては、ハ）の要件を補完するものであり、経営者等が十分な物的担保を提供しなければ、経営者保証の提供が求められるという趣旨ではなく、経営者による物的担保の提供を推奨するものではありません。

Q. 4-11　4(2)に「経営者保証を求めない可能性、代替的な融資手法を活用する可能性について検討する」とありますが、どのような場合は、経営者保証を求めない可能性を検討し、どのような場合は代替的な融資手法の活用を検討するのでしょうか。

A．法人個人の一体性の解消等が図られている、あるいは、解消等を図ろうとしている主たる債務者が資金調達を要請した場合、例えば、イ）からニ）の要件の充足状況を勘案する際に、取締役会の適切な牽制機能の発揮や監査体制の確立等、社内管理体制が整理されている場合や、法人の経営と所有（株主）が分離されている場合等においては、主たる債務者において内部又は外部からのガバナンスが十分に働いており、将来に亘って要件を充足する蓋然性が高いと考えられるため、経営者保証を求めない可能性が高まるものと考えられます。

他方、主たる債務者において上記のような内部又は外部からのガバナンスが十分ではない場合には、将来に亘って要件が充足されることを担保するため、又は将来の要件充足に向けた取組みを促すため、特約条項を付した停止条件又は解除条件付保証契約等の代替的な融資手法の活用が考えられます。なお、経営者が法人の株主となっていることのみをもって、ガバナンスが不十分であると判断するものではありません。

Q. 4-12　4(2)に「金利の一定の上乗せ」とありますが、具体的にはどのように金利を設定するのでしょうか。

A．経営者保証を求めないことによる信用リスク等の増大は、法人の社内管理体制の整備等経営改善の状況や、法人の規模、事業内容、収益力等によって異なってくるため、そのリスクに見合った適切な金利が個別に設定されることとなります。

なお、経営者保証を求める必要がある債務者に対しては、例えば経営者保証を代替する手段として、経営者保証を提供する場合とそうでない場合のそれぞれの適用金利を提示するなど、対象債権者の判断により保証提供の有無に応じた金利の選択肢を提案する

【資料２】「経営者保証に関するガイドライン」Q&A

ことが考えられます。その結果、最終的に主たる債務者及び保証人が、経営者保証を提供することを選択した場合でも、対象債権者は第５項に即して保証契約の必要性等について丁寧かつ具体的に説明するとともに、適切な保証金額の設定に努めることが求められます。

> Q. 4-13　4(2)について、対象債権者がその判断にあたり、主たる債務者である企業の事業内容や成長可能性などを踏まえて、個人保証の要否や代替的な融資手法を活用する可能性を検討する場合には、どのような対応が望ましいでしょうか。

A．対象債権者が、主たる債務者である企業の事業内容や成長可能性などを踏まえて、個人保証の要否や代替的な融資手法を活用する可能性を検討する場合には、企業の財務データ面だけに捉われず、主たる債務者との対話や経営相談等を通して情報を収集し、事業の内容や持続・成長可能性などを含む事業性を適切に評価することが望ましい対応であると考えられます。

その際、対象債権者は、主たる債務者から、財務情報だけでなく、事業計画や業績見通し等の情報について、より詳しい説明が受けられるよう、主たる債務者と信頼関係を築き、アドバイスを行うとともに、必要に応じて説明を促していくことが考えられます。また、主たる債務者は、それに応じ正確な情報を開示し、丁寧に説明することが期待されます。

なお、以上の取組みは、主たる債務者の企業規模や経営体制等を踏まえたうえで、柔軟に進めていくべきものと考えられます。

（５．経営者保証の契約時の対象債権者の対応）
(1) 主たる債務者や保証人に対する保証契約の必要性等に関する丁寧かつ具体的な説明

> Q. 5-1　5(1)イ) 及びハ) に「保証契約の必要性」、「経営者保証の必要性が解消された場合には、保証契約の変更・解除等の見直しの可能性があること」とありますが、具体的にどのような説明が求められるのでしょうか。

A．例えば、4(2)イ) 〜ニ) の要件に掲げられている要素のどの部分が十分ではないために保証契約が必要なのか、どのような改善を図れば保証契約の変更・解除の可能性が高まるのかなどを、対象債権者が策定している基準等を踏まえて、債務者の状況に応じて個別に具体的に説明することが求められ、例えば以下のような対応が考えられます。
- ➤ 4(2)イ)、ロ)、ハ) に関し、主たる債務者が抱えている問題点とその解消に向けて主たる債務者が取り組むべき対応等について、助言を行うこと（(ハ)の資産・収益力については可能な限り定量的な目線を示すことが望ましい）。
- ➤ 4(2)ニ) について、対象債権者が必要とする情報の種類、情報提供の頻度を示すこと。

資料編

> Q.5-2　5(1)ハ）に「保証契約の変更・解除等の見直し」とありますが、保証契約の変更には、既存の保証契約を停止条件又は解除条件付保証契約に変更することも含まれるのでしょうか。

A．保証契約の変更には、既存の保証契約を停止条件又は解除条件付保証契約に変更することも含まれます。

(2) 適切な保証金額の設定

> Q.5-3　5(2)に「形式的に保証金額を融資額と同額とはせず」とありますが、保証金額については、具体的にどのような取扱いになるのでしょうか。

A．保証金額については、以下の取扱いが考えられます。
- ➤保証債務の整理に当たっては、ガイドラインの趣旨を尊重し、5(2)イ）及びロ）に規定する対応を含む適切な対応を誠実に実施する旨を保証契約に規定する。
- ➤物的担保等の経営者保証以外の債権保全の手段が用いられている場合は、当該手段により保全の確実性が認められる額を融資額から控除した額を保証金額とする。

> Q.5-4　保証契約において、5(2)イ）に記載されているように「保証人の履行請求額は、期限の利益を喪失した日等の一定の基準日における保証人の資産の範囲内」とした場合、基準日の到来条件の解釈により、主たる債務者が期限の利益を早期に喪失する事態が生じる懸念はないのでしょうか。

A．契約当事者間で、基準日の到来期限の解釈を契約締結時にできるだけ明確化することにより、主たる債務者が期限の利益を早期に喪失する事態が生じる懸念が減殺されるものと考えられます。なお、保証債務を整理する場合には、保証人がガイドラインに基づく保証債務の整理を対象債権者に申し出た時点（保証人等による一時停止等の要請が行われた場合にあっては、一時停止等の効力が発生した時点）を基準日とする旨を保証契約に明記しておくことも考えられます。

> Q.5-5　5(2)ロ）に「保証人が保証履行時の資産の状況を表明保証」するとありますが、その際に、保証人は、残高証明書等の資産の状況を示す資料を添付する必要があるのでしょうか。

A．保証人が保証履行時の資産の状況を表明保証する際には、残高証明書等の資産の状況を示す書類を添付します。

Q. 5-6　5(2)ロ に「(保証人による表明保証の適正性について) 保証人の債務整理を支援する専門家の確認」を受けることとありますが、具体的には、適正性の確認を行った旨の書面を支援専門家から入手することになるのでしょうか。

A．保証人の債務整理を支援する専門家の確認を受けた場合は、保証人は当該専門家から確認を行った旨の書面を入手することとなります。

Q. 5-7　支援専門家の適格性基準は、どのような内容なのでしょうか。

A．支援専門家の適格性については、当該専門家の経験、実績等を踏まえて、対象債権者が総合的に判断することとなります。ただし、当該専門家が弁護士でない場合には、支援内容が非弁行為とならないように留意する必要があります。

Q. 5-8　保証人の代理人弁護士や顧問税理士も支援専門家に含まれるのでしょうか。

A．保証人の代理人弁護士や顧問税理士も支援専門家に含まれます。なお、主たる債務者と保証人の代理人が同一人物である場合には、両者間の利益相反の顕在化等に留意する必要があります。

Q. 5-9　5(2)ロ に「その状況に相違があったときには、融資慣行等に基づく保証債務の額が復活する」とありますが、「融資慣行等に基づく保証債務の額」とは、具体的にはどのような金額なのでしょうか。

A．融資慣行等に基づく保証債務の額とは、根保証契約の場合は保証極度額を、特定債務保証契約の場合は融資金額をそれぞれいいます。

Q. 5-10　5(2)ロ に、対象債権者が保証契約を締結する際には、一定の条件の下で、「主たる債務者と対象債権者の双方の合意に基づき、保証の履行請求額を履行請求時の保証人の資産の範囲内とする」ことを含む適切な対応を誠実に実施する旨を保証契約に規定することとありますが、主たる債務者と対象債権者の二者間による合意のみで保証履行の請求範囲を定められ、保証人は当該合意の当事者にならないのでしょうか。

A．「主たる債務者と対象債権者の双方の合意」とは、「保証契約の当事者である保証人と、主たる債務者及び対象債権者の双方との合意」との趣旨であり、保証人の合意の上で手続きが進められるものです。

資料編

Q. 5-11 5(2)に「経営者保証の範囲を（物的担保等の経営者保証以外の）手段による保全の確実性が認められない部分に限定する」とありますが、具体的にはどのように範囲を設定するのでしょうか。

A．物的担保等の経営者保証以外の債権保全の手段が用いられている場合は、当該手段により保全の確実性が認められる額について融資額から控除した額を保証金額とする対応が考えられます。なお、保全の確実性については、将来的な担保価値の変動の可能性も考慮の上、判断することとなりますが、価格変動の可能性等をもって、保全の確実性がないと判断するわけではないことに留意する必要があります。例えば、価格変動リスクが高い土地の場合であっても、その土地が無価値になるのではなく、対象債権者が合理的と判断する範囲内において保全の確実性が存在すると考えられます。

（6．既存の保証契約の適切な見直し）

Q. 6-1 6(1)①について、既存の経営者保証の解除等の申入れを対象債権者に行う場合、主たる債務者及び保証人は、第4項(1)に掲げる経営状況を将来に亘って維持するよう努めることが求められていますが、具体的に主たる債務者や保証人はどのように対応すればよいのでしょうか。

A．法人の事業用資産の経営者個人所有の解消や法人から経営者への貸付等による資金の流出の防止等、法人の資産・経理と経営者の資産・家計を適切に分離することが求められます。例えば以下のような対応が想定されます。
➤ 資産の分離については、経営者が法人の事業活動に必要な本社・工場・営業車等の資産を所有している場合、経営者の都合によるこれらの資産の第三者への売却や担保提供等により事業継続に支障をきたす恐れがあるため、そのような資産については経営者の個人所有とはせず、法人所有とすることが望ましいと考えられます。なお、経営者が所有する法人の事業活動に必要な資産が法人の資金調達のために担保提供されていたり、契約において資産処分が制限されているなど、経営者の都合による売却等が制限されている場合や、自宅が店舗を兼ねている、自家用車が営業車を兼ねているなど、明確な分離が困難な場合においては、法人が経営者に適切な賃料を支払うことで、実質的に法人と個人が分離しているものと考えられます。
➤ 経理・家計の分離については、事業上の必要が認められない法人から経営者への貸付は行わない、個人として消費した費用（飲食代等）について法人の経費処理としないなどの対応が考えられます。

なお、上記のような対応を確保・継続する手段として、取締役会の適切な牽制機能の発揮や、会計参与の設置、外部を含めた監査体制の確立等による社内管理体制の整備や、法人の経理の透明性向上の手段として、「中小企業の会計に関する基本要領」等に拠った信頼性のある計算書類の作成や対象債権者に対する財務情報の定期的な報告等が考え

られます。
　また、こうした対応状況についての公認会計士、税理士等の外部専門家による検証の実施と、対象債権者に対する検証結果の適切な開示がなされることが望ましいと考えられます。

> Q. 6-2　前経営者に係る既存の保証契約を事業承継時に解除するために、前経営者や後継者はどのように対応すればよいのでしょうか。

A．例えば、以下のような取組みが考えられます。
- 前経営者は、実質的な経営権・支配権を有していないことを対象債権者に示すために、中小企業の代表者から退くとともに、支配株主等に留まることなく、実質的にも経営から退くこと（併せて、当該法人から報酬等を受け取らないこと）。
- 前経営者が、主たる債務者から社会通念上適切な範囲を超える借入等を行っていることが認められた場合は、これを返済すること。
- 対象債権者にとって、法人の資産・収益力では既存債権の回収に懸念が残り、前経営者との保証契約以外の手段では既存債権の保全が乏しい場合には、前経営者の資産のうち、具体的に保全価値があるものとして対象債権者が認識していた資産と同等程度の保全が、後継者等から提供されること。

(7. 保証債務の整理)
(1) ガイドラインに基づく保証債務の整理の対象となり得る保証人

> Q. 7-1　ガイドラインは、主たる債務の整理手続が、再生型と清算型のいずれであっても利用することができるのでしょうか。

A．いずれの整理手続においても、ガイドラインの利用は可能です。

> Q. 7-2　7(1)ロ）に「利害関係のない中立かつ公正な第三者が関与する私的整理手続及びこれに準ずる手続（準則型私的整理手続）」とありますが、「利害関係のない中立かつ公正な第三者」とは、どのような者をいうのでしょうか。また、当該手続には、主たる債務者と対象債権者が相対で行う広義の私的整理は含まれないのでしょうか。

A．「利害関係のない中立かつ公正な第三者」とは、中小企業再生支援協議会、事業再生ADRにおける手続実施者、特定調停における調停委員会等をいいます。
　したがって、主たる債務者と対象債権者が相対で行う広義の私的整理は、「準則型私的整理手続」には含まれません。ただし、保証人が、合理的理由に基づき、支援専門家等の第三者の斡旋による当事者間の協議等に基づき、全ての対象債権者との間で弁済計

画について合意に至った場合には、対象債権者が、ガイドラインの手続に即して、残存する保証債務の減免・免除を行うことは可能です。

> Q.7-3 主たる債務者が法的倒産手続の申立てを行ったために、対象債権者から保証債務の履行を求められた後においても、保証人は保証債務の整理の申し出を行うことができるのでしょうか。

A．対象債権者から保証債務の履行を求められた後においても、保証人は保証債務の整理の申し出を行うことが可能です。

> Q.7-4 7(1)ハに「主たる債務者の債務及び保証人の保証債務を総合的に考慮して、破産手続による配当よりも多くの回収を得られる見込みがある」とありますが、対象債権者は、どのようにして回収の見込みを判断するのでしょうか。

A．主たる債務者が再生型手続の場合、以下の①の額が②の額を上回る場合には、ガイドラインに基づく債務整理により、破産手続による配当よりも多くの回収を得られる見込みがあるものと考えられます。
①主たる債務及び保証債務の弁済計画（案）に基づく回収見込額（保証債務の回収見込額にあっては、合理的に見積もりが可能な場合。以下同じ。）の合計金額
②現時点において主たる債務者及び保証人が破産手続を行った場合の回収見込額の合計金額

　なお、主たる債務者が第二会社方式により再生を図る場合、以下の①の額が②の額を上回る場合には、ガイドラインに基づく債務整理により、破産手続による配当よりも多くの回収を得られる見込みがあるものと考えられます。
①会社分割（事業譲渡を含む）後の承継会社からの回収見込額及び清算会社からの回収見込額並びに保証債務の弁済計画（案）に基づく回収見込額の合計金額
②現時点において主たる債務者及び保証人が破産手続を行った場合の回収見込額の合計金額

　主たる債務者が清算型手続の場合、以下の①の額が②の額を上回る場合には、ガイドラインに基づく債務整理により、破産手続による配当よりも多くの回収を得られる見込みがあるものと考えられます。
①現時点において清算した場合における主たる債務の回収見込額及び保証債務の弁済計画（案）に基づく回収見込額の合計金額
②過去の営業成績等を参考としつつ、清算手続が遅延した場合の将来時点（将来見通しが合理的に推計できる期間として最大３年程度を想定）における主たる債務及び保証債務の回収見込額の合計金額

【資料２】「経営者保証に関するガイドライン」Q&A

> Q.7-4-2　7(1)ニ）に「保証人に破産法第252条第１項（第10号を除く。）に規定される免責不許可事由が生じておらず、そのおそれもないこと」とありますが、「免責不許可事由が生じておらず」及び「そのおそれもないこと」とは、それぞれどの時点の状況を指すのでしょうか。また、対象債権者や支援専門家は、保証人に免責不許可事由が生じておらず、そのおそれがないことをどのように確認すればよいのでしょうか。

A．「免責不許可事由が生じておらず」とは、保証債務の整理の申し出前において、免責不許可事由が生じていないことを指し、「そのおそれもないこと」とは、保証債務の整理の申し出から弁済計画の成立までの間において、免責不許可事由に該当する行為をするおそれのないことを指します。

　また、免責不許可事由が生じていないことや、そのおそれがないことについては、必要に応じ、例えば、保証人の表明保証により確認することが考えられます。

> Q.7-5　7(2)ロ）の「適切な準則型私的整理手続」とは、どのような手続が想定されるのでしょうか。

A．「適切な準則型私的整理手続」とは、保証債務のみを整理することが可能な準則型私的整理手続をいいます。

> Q.7-6　7(2)イ）の主たる債務と保証債務の一体整理を図る場合と、同ロ）の保証債務のみを整理する場合における支援専門家の役割はそれぞれどのようなものでしょうか。

A．いずれの場合においても、支援専門家の役割は、保証債務に関する一時停止や返済猶予の要請、保証人が行う表明保証の適正性についての確認、対象債権者の残存資産の範囲の決定の支援、弁済計画の策定支援が考えられます。なお、支援専門家の役割の範囲は事案によって異なります。

(3) 保証債務の整理の手続

> Q.7-7　対象債権者の「合理的な不同意事由」とは、どのような事由をいうのでしょうか。

A．保証人が、ガイドライン第７項(1)の適格要件を充足しない、一時停止等の要請後に無断で財産を処分した、必要な情報開示を行わないなどの事由により、債務整理手続の円滑な実施が困難な場合をいいます。

資料編

①一時停止等の要請への対応

> Q.7-8 大部分の対象債権者が保証債務の弁済計画案に同意したものの、一部の対象債権者の同意が得られないときは、どうなるのでしょうか。

A．法的債務整理手続と異なり、ガイドラインに基づく債務整理においては、全ての対象債権者の弁済計画案への同意が必要なため、一部の対象債権者から弁済計画案について同意が得られない場合、債務整理は成立しません。
　ただし、ほとんど全ての対象債権者が合意したにもかかわらず、ごく一部の対象債権者の同意が得られない場合において、これらの債権者を対象債権者から除外することによっても弁済計画に与える影響が軽微なときは、同意しない債権者を除外することにより債務整理を成立させることが可能です。

> Q.7-9 一時停止等の要請は、支援専門家等が連名した書面により行うこととなっていますが、対象債権者による当該支援専門家の適格性の判断はいつ行われるのでしょうか。

A．対象債権者による支援専門家の適格性の判断は、ガイドラインに基づく債務整理についての相談や一時停止等の要請を保証人から受けたときや、対象債権者が当該要請の応否の判断を行うとき等に行われます。

> Q.7-10 一時停止等の要請は、保証人等が連名した書面により行うこととなっていますが、保証人には、信用保証協会を含むのでしょうか。

A．ガイドラインの適用対象となる保証契約における保証人は個人であるため、信用保証協会は含みません。

> Q.7-11 一時停止等は、いつから開始されるのでしょうか。

A．一時停止等の要請が、保証人、支援専門家等の連名した書面で行われた場合は、対象債権者が当該要請を応諾したときから開始します。
　一時停止等の要請が、債権者集会等において行われた場合においては、当該集会に参加した全ての対象債権者が当該要請を応諾したときから開始します。

> Q.7-12 一時停止等の要請後に、保証人が、資産の処分や新たな債務の負担を行った場合はどうなるのでしょうか。

A．対象債権者は、保証人に対し説明を求めたうえで、当該資産の処分代金を弁済原資に

【資料２】「経営者保証に関するガイドライン」Q&A

含めることを求めることや、当該処分等を 7(3)の「合理的な不同意事由」として、当該資産の処分等を行った保証人に関する債務整理に同意しないこと等が考えられます。

③保証債務の履行基準

Q. 7-13　7(3)③について「なお、対象債権者は、保証債務の履行請求額の経済合理性について、主たる債務と保証債務を一体として判断する」とありますが、具体的にはどのように判断するのでしょうか。

A.　主たる債務者が再生型手続の場合、以下の①の額が②の額を上回る場合には、ガイドラインに基づく債務整理により、破産手続による配当よりも多くの回収を得られる見込みがあるため、一定の経済合理性が認められます。
①主たる債務及び保証債務の弁済計画（案）に基づく回収見込額の合計金額
②現時点において主たる債務者及び保証人が破産手続を行った場合の回収見込額の合計金額

　なお、主たる債務者が第二会社方式により再生を図る場合、以下の①の額が②の額を上回る場合には、ガイドラインに基づく債務整理により、破産手続による配当よりも多くの回収を得られる見込みがあるため、一定の経済合理性が認められます。
①会社分割（事業譲渡を含む）後の承継会社からの回収見込額及び清算会社からの回収見込額並びに保証債務の弁済計画（案）に基づく回収見込額の合計金額
②現時点において主たる債務者及び保証人が破産手続を行った場合の回収見込額の合計金額

　主たる債務者が清算型手続の場合、以下の①の額が②の額を上回る場合には、ガイドラインに基づく債務整理により、破産手続による配当よりも多くの回収を得られる見込みがあるため、一定の経済合理性が認められます。
①現時点において清算した場合における主たる債務の回収見込額及び保証債務の弁済計画（案）に基づく回収見込額の合計金額
②過去の営業成績等を参考としつつ、清算手続が遅延した場合の将来時点（将来見通しが合理的に推計できる期間として最大 3 年程度を想定）における主たる債務及び保証債務の回収見込額の合計金額

Q. 7-14　対象債権者は、回収見込額の増加額を上限として、経営者の安定した事業継続、事業清算後の新たな事業の開始等（以下「事業継続等」という。）のため、一定期間の生計費に相当する額や華美でない自宅等を保証人の手元に残すことのできる残存資産に含めることを検討することとなりますが、具体的にはどのような資産が検討の対象となり、どのような判断により残存資産に含めることを確定するのでしょうか。

資料編

A．破産手続における自由財産（破産法第34条第3項及び第4項その他法令により破産財団に属しないとされる財産）は残存資産に含まれます。
　経営者たる保証人が、自由財産に加えて、安定した事業継続等のため、一定期間の生計費に相当する現預金や華美でない自宅等を残存資産に含めることを申し出た場合、対象債権者は、準則型私的整理手続における利害関係のない中立かつ公正な第三者（Q7-2参照）の意見も踏まえつつ、当該申出の応否や保証人の手元に残す残存資産の範囲について検討することとします。なお、残存資産の範囲の検討においては、以下のような目安を勘案することとします。
　　（当事者の合意に基づき、個別の事情を勘案し、回収見込額の増加額を上限として、以下のような目安を超える資産を残存資産とすることも差し支えありません。）

〈一定期間の生計費に相当する現預金〉
➢「一定期間」については、以下の雇用保険の給付期間の考え方等を参考にします。
　〈参考〉雇用保険の給付期間

保証人の年齢	給付期間
30歳未満	90日～180日
30歳以上35歳未満	90日～240日
35歳以上45歳未満	90日～270日
45歳以上60歳未満	90日～330日
60歳以上65歳未満	90日～240日

　（引用元）厚生労働省職業安定局　ハローワークインターネットサービス　ホームページ
　　　　　（ガイドライン公表日時点）

➢「生計費」については、1月当たりの「標準的な世帯の必要生計費」として、民事執行法施行令で定める額（33万円）を参考にします。なお、「華美でない自宅」を残すことにより保証人に住居費が発生しない場合は、一般的な住居費相当額を「生計費」から控除する調整も考えられます。
➢上記のような考え方を目安としつつ、保証人の経営資質、信頼性、窮境に陥った原因における帰責性等を勘案し、個別案件毎に増減を検討することとします。

〈華美でない自宅〉
➢一定期間の生計費に相当する現預金に加え、残存資産の範囲を検討する場合、自宅が店舗を兼ねており資産の分離が困難な場合その他の場合で安定した事業継続等のために必要となる「華美でない自宅」については、回収見込額の増加額を上限として残存資産に含めることも考えられます。
➢上記に該当しない場合でも、保証人の申出を踏まえつつ、保証人が、当分の間住み続けられるよう、「華美でない自宅」を、処分・換価する代わりに、当該資産の「公正な価額」に相当する額から担保権者やその他優先権を有する債権者に対する優先弁済額を控除した金額の分割弁済を行うことも考えられます。なお、弁済条件については、保証人

【資料２】「経営者保証に関するガイドライン」Q&A

の収入等を勘案しつつ、保証人の生活の経済的再建に支障を来すことのないよう定めることとします。

〈主たる債務者の実質的な事業継続に最低限必要な資産〉
➤ 主たる債務者の債務整理が再生型手続の場合で、本社、工場等、主たる債務者が実質的に事業を継続する上で最低限必要な資産が保証人の所有資産である場合は、原則として保証人が主たる債務者である法人に対して当該資産を譲渡し、当該法人の資産とすることにより、保証債務の返済原資から除外します。なお、保証人が当該法人から譲渡の対価を得る場合には、原則として当該対価を保証債務の返済原資とした上で、保証人の申出等を踏まえつつ、残存資産の範囲を検討します。

〈その他の資産〉
➤ 一定期間の生計費に相当する現預金に加え、残存資産の範囲を検討する場合において、生命保険等の解約返戻金、敷金、保証金、電話加入権、自家用車その他の資産については、破産手続における自由財産の考え方や、その他の個別事情を考慮して、回収見込額の増加額を上限として残存資産の範囲を判断します。

Q. 7-14-2　保証人が保有する資産を処分・換価して得られた金銭の一部を残存資産に含めることはできるのでしょうか。

A．保証人が保有する資産を処分・換価して得られた金銭について、Q 7-14の考え方に基づき、保証人の残存資産に含めることは可能です。

Q. 7-15　7(3)③に記載されている「経営者の安定した事業継続、事業清算後の新たな事業の開始等」の「等」には何が含まれるのでしょうか。

A．「等」には事業再生時に経営者を退任する場合や事業清算後に新たな事業を開始しない場合も含まれます。

Q. 7-16　7(3)③に記載されている「回収見込額の増加額」とは、具体的にはどのように算出するのでしょうか。

A．主たる債務者が再生型手続の場合、合理的に見積もりが可能な場合には、①から②を控除して算出します。
　①主たる債務の弁済計画（案）に基づく回収見込額
　②現時点において主たる債務者が破産手続を行った場合の回収見込額
　※　保証人の資産の売却額が、現時点において保証人が破産手続を行った場合の保証人の資産の売却額に比べ、増加すると合理的に考えられる場合は、当該増加分の価額も加えて算出することができます。

なお、主たる債務者が第二会社方式により再生を図る場合、合理的に見積もりが可能な場合には、①から②を控除して算出します。
① 会社分割（事業譲渡を含む）後の承継会社からの回収見込額及び清算会社からの回収見込額の合計金額
② 現時点において主たる債務者が破産手続を行った場合の回収見込額
※ 保証人の資産の売却額が、現時点において保証人が破産手続を行った場合の保証人の資産の売却額に比べ、増加すると合理的に考えられる場合は、当該増加分の価額も加えて算出することができます。

主たる債務者が清算型手続の場合、合理的に見積もりが可能な場合には、①から②を控除して算出します。
① 現時点において清算した場合における主たる債務及び保証債務の回収見込額の合計金額
② 過去の営業成績等を参考としつつ、清算手続が遅延した場合の将来時点（将来見通しが合理的に推計できる期間として最大3年程度を想定）における主たる債務及び保証債務の回収見込額の合計金額
※ 準則型私的整理手続を行うことにより、主たる債務者又は保証人の資産の売却額が、破産手続を行った場合の資産の売却額に比べ、増加すると合理的に考えられる場合は、当該増加分の価額も加えて算出することができます。

Q.7-17 7(3)③について、経営者の安定した事業継続等のため、一定期間の生計費に相当する額を保証人の手元に残すことのできる残存資産に含めることを検討するとありますが、経営者たる保証人が経営者を退任する場合においても、このガイドラインの対象となるのでしょうか。

A．経営者たる保証人が経営者を退任する場合においても、このガイドラインの対象となります。

Q.7-18 7(3)③について、経営者以外の保証人（いわゆる第三者保証人）は早期の事業再生等の着手の決断に寄与した場合には、このガイドラインに即して、回収見込額の増加額を上限として、経営者の安定した事業継続等のため、一定期間の生計費に相当する額や華美でない自宅等を保証人の手元に残すことのできる残存資産に含めることを検討することとなりますが、早期の事業再生等の着手の決断に寄与していない第三者保証人については、このガイドラインに即して経営者に破産手続における自由財産に加えて一定の資産が残った場合においても、破産手続における自由財産以外の資産については履行を求められるのでしょうか。

A．早期の事業再生等の着手の決断に寄与していない経営者以外の保証人については、一

【資料２】「経営者保証に関するガイドライン」Q&A

義的には、対象債権者から破産手続における自由財産以外の資産については保証債務の履行を求められることが想定されますが、個別事情を考慮して経営者と保証人との間で残存資産の配分調整を行うことは可能です。例えば、第三者保証人により多くの残存資産を残すことも考えられます。

Q.7-19　対象債権者は、回収見込額の増加額を上限として、経営者の安定した事業継続、事業清算後の新たな事業の開始等（以下「事業継続等」という。）のため、一定期間の生計費に相当する額や華美でない自宅等を保証人の手元に残すことのできる残存資産に含めることを検討することとなりますが、華美でない自宅等に抵当権を設定している場合はどのような扱いになるのでしょうか。

A.　ガイドラインに基づく保証債務の弁済計画の効力は保証人の資産に対する抵当権者には及びません。したがって、当該抵当権者は、弁済計画の成立後も、保証人に対して抵当権を実行する権利を有します。

　ただし、７(3)④ロ）にあるように、ガイドラインに基づく弁済計画においては、当該計画の履行に重大な影響を及ぼす恐れのある債権者を対象債権者に含めることが可能であるため、例えば、自宅等に対する抵当権の実行により、弁済計画において想定されている保証人の生活の経済的再建に著しく支障を来すような場合には、保証人が、当分の間住み続けられるよう、抵当権者である債権者を対象債権者に含めた上で、弁済計画の見直しを行い、抵当権を実行する代わりに、保証人が、当該資産の「公正な価額」に相当する額を抵当権者に対して分割弁済する内容等を当該計画に記載することも考えられます。なお、弁済条件については、保証人の収入等を勘案しつつ、保証人の生活の経済的再建に支障を来すことのないよう定めることとします。

Q.7-20　７(3)③について、「ただし、本項(2)ロ）の場合であって、主たる債務の整理手続の終結後に保証債務の整理を開始したときにおける残存資産の範囲の決定については、この限りではない。」とありますが、この場合の残存資産の扱いはどのようになるのでしょうか。

A.　上記のケースでは、対象債権者は主たる債務の整理終結時点で、保証人からの回収を期待し得る状況にあります。

　このような場合においては、自由財産の範囲を超えて保証人に資産を残すことについて、対象債権者にとっての経済合理性が認められないことから、残存資産の範囲は上記のケースでは自由財産の範囲内となります。

　以上の点を勘案すると、保証債務の整理の申立ては、遅くとも、主たる債務の整理手続の係属中に開始することによって、自由財産の範囲を超えた資産について保証人の残存資産に含めることを検討することが可能となることから、支援専門家等の関係者にお

いても、この点を踏まえて保証人に助言することが期待されます。

> Q. 7-21　7(3)③について、「ただし、本項(2)ロ）の場合であって、主たる債務の整理手続の終結後に保証債務の整理を開始したときにおける残存資産の範囲の決定については、この限りではない。」とありますが、「主たる債務の整理手続の終結後」とは具体的にどの時点を指すのでしょうか。

A．主たる債務の整理が準則型私的整理手続による場合は、主たる債務の全部又は一部の免除等に関して成立した関係者間の合意の効力が発生した時点をいいます。
　主たる債務の整理が法的債務整理手続による場合は、主たる債務に関する再生計画等が認可された時点又はこれに準じる時点をいいます。

④保証債務の弁済計画

> Q. 7-22　保証人は、保証債務の弁済計画案をいつまでに対象債権者に提出すればよいのでしょうか。

A．準則型私的整理手続を利用する場合は、各手続に沿って提出します。なお、主たる債務と保証債務の一体整理を図る場合は、主たる債務の弁済計画案の提出と同時の提出となります。
　また、準則型私的整理手続を利用することなく、支援専門家等の第三者の斡旋による当事者間の協議に基づき整理を行う場合には、弁済計画の作成について対象債権者と調整することになります。

> Q. 7-23　保有する資産を換価・処分して弁済に充てる内容の弁済計画案とする場合、保証人は、全財産を手放す必要があるのでしょうか。

A．ガイドラインを利用した場合、保証人は全財産を手放す必要はなく、少なくとも、債務整理後に以下のような自由財産を手元に残すことが可能です。
➢債務整理の申出後に新たに取得した財産
➢差押禁止財産（生活に欠くことのできない家財道具等）
➢現金（99万円）
➢破産法第34条第4項に基づく自由財産の拡張に係る裁判所の実務運用に従い、通常、拡張が認められると考えられる財産
　また、自由財産に加えて、経営者の安定した事業継続等のため、一定期間の生計費に相当する額や華美でない自宅等についても、Q 7-14の考え方に基づき、残存資産とすることが検討されます。

【資料２】「経営者保証に関するガイドライン」Q&A

> Q. 7-24　7(3)④イ) c) に、「保証債務の弁済計画は（原則５年以内)」とありますが、５年超の弁済計画も、必要に応じて認められるのでしょうか。

A．個別事情等を考慮して、関係者間の合意により５年を超える期間の弁済計画を策定することも可能です。

> Q. 7-25　7(3)④ロ）に「処分・換価の代わりに「公正な価額」に相当する額を弁済する」とありますが、「公正な価額」はどのように算定されるのでしょうか。

A．関係者間の合意に基づき適切な評価基準日を設定し、当該期日に処分を行ったものとして資産価額を評価します。具体的には、法的倒産手続における財産の評定の運用に従うことが考えられます。

> Q. 7-26　7(3)④ロ）の「担保権者その他の優先権を有する債権者」には、具体的にはどのような者が含まれるのでしょうか。

A．国や地方公共団体等は、公租公課の債権者として、優先権を有する債権者に含まれます。

> Q. 7-27　保有する資産を換価・処分して弁済に充てる内容の弁済計画案とする場合、債権額20万円未満の債権者は、対象債権者にはならないのでしょうか。

A．対象債権者間の合意により、対象債権者となる場合があり得ます。
　例えば、20万円未満の債権者の数が多い場合において、これらの全ての債権者に対して全額を弁済すると、対象債権者に対する返済原資が減り、対象債権者に対して破産手続による回収の見込みを下回る弁済しかできず、ガイドラインに適合した弁済計画案が作成できなくなるおそれがあるときには、破産手続による回収の見込みを下回ることがないよう20万円未満の債権者も対象債権者として、全額の弁済を行うのではなく、保証債務の免除を要請することが考えられます。

> Q. 7-28　対象債権者がガイドラインに即して保証人に資産を残した場合においても、ガイドラインの適用を受けない他の債権者が残存資産からの回収を求めた場合、結局、保証人に資産は残らず、また、債権者間の衡平性が確保されないこととなるのではないでしょうか。

A．残存資産からの回収等によって弁済計画の履行に重大な影響を及ぼす恐れのある債権者については、保証人の資産の処分・換価により得られた金銭の配分の際に対象債権者

に含めることにより、当該債権者を含めた調整を行うことが可能です。

> Q.7-29 脚注8に「「公正な価額」に相当する額を弁済する場合等であって、それを原則5年以内の分割弁済とする計画もあり得る」とありますが、第5項(2)イ)における「保証の履行請求額は、基準日以降に発生する保証人の収入を含まない」との記載との整合性は、どのように図られているのでしょうか。

A．ガイドラインにおいては、原則として、基準日以降に発生する収入は返済原資として想定していません。
　ただし、例外として、保証人からの申し出により、資産を換価・処分しない代わりに、公正な価額に相当する額を分割して弁済する方法をとる場合に、将来の収入が返済原資に充当され得ることがあります。

> Q.7-30 7(3)④に記述されている「準則型私的整理手続を利用することなく、支援専門家等の第三者の斡旋」により保証債務の整理を行う場合の「支援専門家等の第三者」とは、どのような者をいうのでしょうか。

A．「支援専門家等の第三者」は、準則型私的整理手続における各種第三者機関の機能を代替することになるため、弁護士等の第三者であり、かつ、全ての対象債権者がその適格性を認めるものが該当することとなります。

⑤保証債務の一部弁済後に残存する保証債務の取扱い

> Q.7-31 7(3)⑤ニ)の「保証人が開示し、その内容の正確性について表明保証を行った資力の状況が事実と異なることが判明した場合」には、過失の場合も含まれるのでしょうか。

A．保証人の過失により、表明保証を行った資力の状況が事実と異なる場合も含まれますが、当該過失の程度を踏まえ、当事者の合意により、当該資産を追加的に弁済に充当することにより、免除の効果は失効しない取扱いとすることも可能です。また、そのような取扱いとすることについて保証人と対象債権者が合意し、書面で契約しておくことも考えられます。

> Q.7-32 ガイドラインに沿って保証債務の減免・免除が行われた場合の保証人及び対象債権者の課税関係はどのようになるのでしょうか。

A．対象債権者が、ガイドラインに沿って準則型私的整理手続等を利用し対象債権者としても一定の経済合理性が認められる範囲で残存保証債務を減免・免除する場合、保証人

【資料２】「経営者保証に関するガイドライン」Q&A

に対する利益供与はないことから、保証人及び対象債権者ともに課税関係は生じないこととなります。（中小企業庁及び金融庁から国税庁に確認済）

（8．その他）

> Q.8-1　ガイドラインは、いつから適用となるのでしょうか。また、適用期限はあるのでしょうか。

A．ガイドラインは平成26年２月１日から適用を開始します。
適用期限は特に設けられていません。

> Q.8-2　ガイドラインの適用開始日である平成26年２月１日以前に締結した保証契約について、既存の保証契約の見直しや保証債務の整理を図る場合、このガイドラインの適用を受けるのでしょうか。

A．ガイドラインの適用開始日以前に締結した保証契約であっても、ガイドラインで掲げられている要件を充足する場合には、適用開始日以降に既存の保証契約の見直しや保証債務の整理を図る際、このガイドラインの適用を受けることとなります。

> Q.8-3　8(2)に「主たる債務者、保証人、対象債権者及び行政機関等は、広く周知等が行われるよう所要の態勢整備に早急に取り組む」とありますが、具体的にどのような取組みが求められるのでしょうか。

A．対象債権者となる金融機関の団体や主たる債務者となる中小企業の団体、行政機関及び公認会計士、税理士等の外部専門家等による広報・周知活動を始め、さらに、必要に応じ、相談窓口の設置、金融機関による社内規程・マニュアルや契約書の整備等の取組み等が考えられます。

> Q.8-4　対象債権者が、主たる債務者や保証人に対して、弁済計画の実施状況の報告を求めることは可能でしょうか。

A．第２項(2)において「経営者保証を締結する際には、主たる債務者、保証人及び対象債権者は、このガイドラインに基づく保証契約の締結、保証債務の整理等における対応について誠実に協力する」ことが規定され、また、第３項(3)において、「主たる債務者及び保証人の双方が弁済について誠実であり、対象債権者の請求に応じ、それぞれの財産状況等（負債の状況を含む。）について適時適切に開示していること」をガイドライン適用の要件としています。このような点に鑑みると、対象債権者が、主たる債務者や保証人に対して、弁済計画の実施状況の報告を請求することは可能であり、主たる債務者

405

等は当該請求に対して誠実に協力することが求められるものと考えられます。
　ただし、主たる債務者等が弁済計画の実施状況を適時適切に対象債権者に報告しなかったことをもって、直ちに弁済計画に関する当事者間の合意の効力が否定されるものではなく、その場合の合意の効力については、当該合意に関する当事者間の取り決めにより決定されるものと考えられます。

Q.8-5　8⑸に「このガイドラインによる債務整理を行った保証人について、対象債権者は、当該保証人が債務整理を行った事実その他の債務整理に関連する情報（代位弁済に関する情報を含む。）を、信用情報登録機関に報告、登録しないこととする。」とありますが、債務整理に関する情報については、具体的にはどのような扱いになるのでしょうか。

A．弁済計画について対象債権者と合意に至った時点、又は、分割弁済の場合は債務が完済された時点で、「債務履行完了」として登録し、信用情報機関への事故情報の登録は行われません。

Q.8-6　ガイドラインの改廃は行われることがあるのでしょうか。また、それは、どのようなプロセスを経て行われるのでしょうか。

A．ガイドラインについては、運用状況を踏まえ、必要に応じ改廃が行われることとなります。その際には、関係する当局とも連携をとりつつ、本研究会において検討することが考えられます。

以　　上

【資料２】「経営者保証に関するガイドライン」Q&A

●ガイドラインおよびガイドラインQ&A策定以降の改定履歴等

時　期	概　要
平成25年12月5日	ガイドラインの策定（平成26年2月1日から適用）
平成26年1月16日	ガイドラインQ&Aの策定（平成26年2月1日から適用）
平成26年10月1日 （第1次Q&A改定）	ガイドラインQ&Aについて、次の改定を実施。 ① 保証履行の請求範囲の設定における保証人の位置づけの明確化（【各論】Q.5-10の新設） ➢ ガイドライン5項(2)（適切な保証金額の設定）は、対象債権者と経営者が保証契約を締結する場合、保証債務の整理にあたっては主たる債務者と対象債権者の双方の合意に基づき、保証の履行請求額を履行請求時の保証人の資産の範囲内とすることを保証契約に規定することを求めているが、保証人抜きで主たる債務者と債権者の合意により保証の履行請求額を定めるように読めることから、保証人も当該合意の当事者であることを明確化 ② 経済合理性の判断方法等の明確化（【各論】Q.7-4、Q.7-13、Q.7-16の改定） ➢ ガイドラインによる保証債務の整理が認められる要件である経済合理性の判断方法や、残存資産の上限となる回収見込額の増加額の算定方法等を具体的に規定しているものの、必ずしも十分に整理されていないことから明確化
平成27年7月31日 （第2次Q&A改定）	ガイドラインQ&Aについて、次の改定を実施。 ① 保証の履行請求額を確定する「一定の基準日」の例示（【各論】Q.5-4の改定） ➢ ガイドライン5項(2)イ において、「保証債務の履行請求額は、期限の利益を喪失した日等の一定の基準日における保証人の資産の範囲内」とすることを保証契約に規定することとされているが、保証人が保証債務の整理を対象債権者に申し出た時点を基準日とすることを保証契約に明記しておくことが考えられることを明確化 ② 相対で行う広義の私的整理に関する修正（【各論】Q.7-2の改定） ➢ 保証人と対象債権者が相対で行う広義の私的整理について、「主たる債務者と対象債権者が相対で行う広義の私的整理」が準則型私的整理手続に該当するか確認する設問に修正 ③ 免責不許可事由が生じるおそれがないことの確認方法（【各論】Q.7-4-2の新設） ➢ ガイドライン7項(1)ニ において、ガイドラインに基づく整理の対象となり得る保証人の条件として、保証人に「免責不許可事由が生じておらず、そのおそれもないこと」が規定されているが、免責不許可事由が生じるおそれがないことの確認方法として、必要に応じて保証人の表明保証により確認することを例示

資料編

時　期	概　要
	④ **主たる債務と保証債務の一体整理を図る場合と、保証債務のみを整理する場合の支援専門家の役割についての表現振りの整理（【各論】Q.7-6の改定）** ➢ 保証債務のみを整理する場合の支援専門家の役割について、主たる債務と保証債務の一体整理を図る場合には、支援専門家が「弁済計画の策定支援」を行うケースがあることを踏まえ修正 ⑤ **一時停止等の要請後に保証人が資産の処分や新たな債務の負担を行った場合の対象債権者の対応（【各論】Q.7-12の改定）** ➢ 一時停止等の要請後に保証人が資産の処分や新たな債務の負担を行った場合の対象債権者の対応について、より分かりやすく修正するとともに、例として「保証人に対し説明を求めた上で、当該資産の処分代金を弁済原資に含めることを求めること」を追加 ⑥ **目安を超える資産を残存資産とする場合の取扱い（【各論】Q.7-14の改定）** ➢ 当事者間の合意に基づき、個別の事情を勘案し、回収見込額を上限として、当該目安を超える資産を残存資産とすることも差し支えないことを明確化 ⑦ **経営者と第三者保証人との間での残存資産の配分調整（【各論】Q.7-18の改定）** ➢ 個別事情を考慮し、経営者と第三者保証人との間で残存資産の配分調整について、第三者保証人により多くの残存資産を残すことも考えられることを追記 ⑧ **保証人の過失により、保証人が表明保証を行った資力の状況が、事実と異なることが判明した場合の取扱い（【各論】Q.7-31の改定）** ➢ 保証人の過失により、表明保証を行った資力の状況が事実と異なることが判明した場合、当事者の合意により、当該資産を追加的に弁済することにより、免除の効果は失効しない取扱いとすることも可能なこと、また、そのような取扱いとすることについて保証人と対象債権者が合意し、書面で契約しておくことも考えられることを追記
平成29年6月28日 （第3次Q&A改定）	ガイドラインQ&Aについて、次の改定を実施。 ① **ガイドラインの適用対象（【総論】Q.3の改定）** ➢ ガイドラインの適用対象となる「中小企業・小規模事業者等」について、企業以外の者（社会福祉法人など）も対象になり得ることを明確化 ② **弁済の誠実性や適時適切な開示の要件の明確化（【各論】Q.3-3、3-4の新設】）** ➢ ガイドラインの適用要件として、主たる債務者および保証人の双方が弁済について誠実であり、財産状況等について適時適切に開示していることが規定されているが、これらの要件について、債務整理着手前や一時停止前の行為にも適用されるものの、債務整理着手前や一時停止前に債務不履行や不正確な開示があったことなどをもってただちにガイドライ

時　期	概　要
	ンの適用が否定されるものではないことを明確化。あわせて、自由財産を弁済対象としないことをもって、弁済の誠実性が否定されるものではないことを明確化 ③ 免責不許可事由が生じるおそれがないことの判断時点の明確化（【各論】Q.7-4-2の改定） ➤ 保証債務の整理時におけるガイドラインの適用要件の一つとして規定されている、保証人に免責不許可事由が生じるおそれがないという要件については、保証債務の整理の申し出から弁済計画の成立までの間において、免責不許可事由に該当する行為をするおそれのないことを意味することを明確化 ④ 保証人保有資産の処分・換価による金銭の残存資産への算入（【各論】Q.7-14-2の新設） ➤ 保証人が保有する資産を処分・換価して得られた金銭の一部についても、保証人の残存資産の範囲に含むことが可能であることを明確化 ⑤ 保証人の資産の売却額の増加が見込まれる場合における回収見込額の増加額の算出方法（【各論】Q.7-16の改定） ➤ 再生型手続において、保証人の資産の売却額が、現時点において破産手続を行った場合に比べて、増加すると合理的に考えられる場合は、当該増加分を加えて、回収見込額の増加額を算出することが可能であることを明確化。また、清算型手続において、主たる債務または保証人の資産の売却額が、破産手続を行った場合の資産の売却額に比べて、増加すると合理的に考えられる場合は、当該増加分を加えて、回収見込額の増加額を算出することが可能であることを明確化
平成30年1月26日 （第4次Q&A改定）	ガイドラインQ&Aについて、次の改定を実施。 ○ 事業性評価に着目した経営者保証ガイドラインの運用（【各論】Q.4-13の新設） ➤ 対象債権者が、主たる債務者である企業の事業内容や成長可能性などを踏まえて、個人保証の要否や代替的な融資手法を活用する可能性を検討する場合には、企業の財務データ面だけに捉われず、主たる債務者との対話や経営相談等を通して情報を収集し、事業の内容や持続・成長可能性など含む事業性を適切に評価することが望ましいこと等を明確化。また、対象債権者は、情報の収集等にあたり、主たる債務者との信頼関係の構築等をしつつ、必要に応じて説明を促していくこと、主たる債務者は、それに応じ正確な情報を開示し、丁寧に説明することが期待されることを明確化

資料編

時　期	概　要
令和元年10月15日 （第5次Q&A改定）	ガイドラインQ&Aについて、次の改定を実施。 ① **外部専門家の追加、外部専門家の検証の明確化**（【各論】Q. 4-1、4-3、4-4の改定） ➤ 債務者に求められる要件への対応状況の検証等ができる士業の例として、弁護士を追加。また、外部専門家による検証は、経営者保証を求めない可能性を検討するための必須条件ではないことを明確化 ② **停止条件付・解除条件付保証契約**（【各論】Q. 4-8の改定） ➤ 条件付保証契約のコベナンツ例として、外部を含めた監査体制の確立等による社内管理体制の報告義務等を追加 ③ **ガイドラインの要件判断における柔軟な対応方法の例示**（【各論】Q. 4-10の改定） ➤ ガイドライン4項(2)における要件をすべて満たしていなくても、債権者は総合的な判断により、経営者保証を求めない可能性を検討することや、各要件の基準を明確化するために、要件を細分化する方法を追加 ④ **将来の要件充足を促すための条件付保証契約の活用**（【各論】Q. 4-11の改定） ➤ 将来の要件充足に向けた取組みを促すための条件付保証契約等の活用を追加 ⑤ **保証の有無に応じた金利水準の選択肢の提示**（【各論】Q. 4-12の改定） ➤ 経営者保証の代替的手段の一つとして、債権者は債務者に対して保証有無に応じた金利の選択肢を提案する手法があることを例示 ⑥ **保証徴求時等の説明内容**（【各論】Q. 5-1の改定） ➤ 債権者は、説明の際に保証契約の必要性や保証の解除に際して債権者に期待する財務内容を定量的な目線で示す等、債務者が取り組むべき対応について助言を行うことが望ましいことを追記 ⑦ **物的担保等の保全を加味した適切な保証金額の設定**（【各論】Q. 5-11の改定） ➤ 適切な保証金額の設定にあたって、物的担保等がある場合に、債権者が合理的と判断する範囲内において担保価額を考慮した保証金額を設定することを明記
令和元年12月24日	**特則の策定**（令和2年4月1日から適用）

（出典）小林信明監修・岡島弘展編著『これでわかる経営者保証〔改訂版〕』（金融財政事情研究会、2020）86頁以下。

【資料３】 事業承継時に焦点を当てた
「経営者保証に関するガイドライン」の特則

(令和元年12月)

1．はじめに
- 経営者保証の取扱いについては、平成26年2月の「経営者保証に関するガイドライン」（以下「ガイドライン」という。）の運用開始以降5年余りが経過した中、新規融資に占める無保証融資等の割合の上昇、事業承継時に前経営者、後継者の双方から二重に保証を求める（以下「二重徴求」[1]という。）割合の低下など、経営者保証に依存しない融資の拡大に向けて取組みが進んできたところである。
- ただし、事業承継に際しては、経営者保証を理由に後継者候補が承継を拒否するケースが一定程度あることが指摘されるなど、課題が残されている。
- この点、ガイドラインが主たる対象とする中小企業・小規模事業者（以下「中小企業」という。）を取り巻く最近の状況をみると、経営者の高齢化が一段と進む下で、休廃業・解散件数が年々増加傾向にある。更には、その予備軍である後継者未定企業も多数存在する中、このまま後継者不在により事業承継を断念し、廃業する企業が一段と増加すれば、地域経済の持続的な発展にとって支障をきたすことになりかねない点が懸念されている。
- このため、「成長戦略実行計画」（令和元年6月21日閣議決定）では、中小企業の生産性を高め、地域経済にも貢献するという好循環を促すための施策として、経営者保証が事業承継の阻害要因とならないよう、原則として前経営者、後継者の双方からの二重徴求を行わないことなどを盛り込んだガイドラインの特則策定が明記された。
- 以上を踏まえ、本特則は、ガイドラインを補完するものとして、主たる債務者、保証人及び対象債権者のそれぞれに対して、事業承継に際して求め、期待される具体的な取扱いを定めたものである[2]。
- 本特則が、主たる債務者、保証人及び対象債権者において広く活用され、経営者保証に依存しない融資の一層の実現に向けた取組みが進むことで、円滑な事業承継が行われることが期待される。

---

1 本特則における二重徴求とは、同一の金融債権に対して前経営者と後継者の双方から経営者保証を徴求している場合をいい、例えば、代表者交代前の既存の金融債権については前経営者、代表者交代後の新規の金融債権は後継者からのみ保証を徴求している場合には、二重徴求に該当しない。
2 本特則に定めのない事項については、ガイドライン及び同Q&Aが適用され、本特則における各用語の定義は、特に断りのない限り、ガイドライン及び同Q&Aと同様とする。

2．対象債権者における対応

- 事業承継時の経営者保証の取扱いについては、原則として前経営者、後継者の双方から二重には保証を求めないこととし、後継者との保証契約に当たっては経営者保証が事業承継の阻害要因となり得る点を十分に考慮し保証の必要性を慎重かつ柔軟に判断すること、前経営者との保証契約については、前経営者がいわゆる第三者となる可能性があることを踏まえて保証解除に向けて適切に見直しを行うことが必要である。
- また、こうした判断を行うに当たっては、ガイドライン第4項(2)に即して検討しつつ、経営者保証の意味（規律付けの具体的な意味や実際の効果、保全としての価値）を十分に考慮し、合理的かつ納得性のある対応を行うことが求められる。

(1) 前経営者、後継者の双方との保証契約
- 原則として前経営者、後継者の双方から二重には保証を求めないこととし、例外的に二重に保証を求めることが真に必要な場合には、その理由や保証が提供されない場合の融資条件等について、前経営者、後継者の双方に十分説明し、理解を得ることとする。例外的に二重徴求が許容される事例としては、以下の通りである。
  ① 前経営者が死亡し、相続確定までの間、亡くなった前経営者の保証を解除せずに後継者から保証を求める場合など、事務手続完了後に前経営者等の保証解除が予定されている中で、一時的に二重徴求となる場合
  ② 前経営者が引退等により経営権・支配権を有しなくなり、本特則第2項(2)に基づいて後継者に経営者保証を求めることが止むを得ないと判断された場合において、法人から前経営者に対する多額の貸付金等の債権が残存しており、当該債権が返済されない場合に法人の債務返済能力を著しく毀損するなど、前経営者に対する保証を解除することが著しく公平性を欠くことを理由として、後継者が前経営者の保証を解除しないことを求めている場合
  ③ 金融支援（主たる債務者にとって有利な条件変更を伴うもの）を実施している先、又は元金等の返済が事実上延滞している先であって、前経営者から後継者への多額の資産等の移転が行われている、又は法人から前経営者と後継者の双方に対し多額の貸付金等の債権が残存しているなどの特段の理由により、当初見込んでいた経営者保証の効果が大きく損なわれるために、前経営者と後継者の双方から保証を求めなければ、金融支援を継続することが困難となる場合
  ④ 前経営者、後継者の双方から、専ら自らの事情により保証提供の申し出があり、本特則上の二重徴求の取扱いを十分説明したものの、申し出の意向が変わらない場合（自署・押印された書面の提出を受けるなどにより、対象債権者から要求されたものではないことが必要）
- なお、対象債権者は、事業承継時に乗じた安易な保全強化や上記の例外的に二重徴求が許容される事例の拡大解釈による二重徴求を行わないようにする必要があり、事業承継を機に単に単独代表から複数代表になったことや、代表権は後継者に移転したも

【資料３】事業承継時に焦点を当てた「経営者保証に関するガイドライン」の特則

のの、株式の大半は前経営者が保有しているといったことのみで二重徴求を判断することのないよう留意する必要がある。
・また、本特則策定以降、新たに二重に保証を求めた場合や既に二重徴求となっている場合には、二重徴求となった個別の背景を考慮し、一定期間ごと又はその背景に応じたタイミングで、安易に二重徴求が継続しないよう、適切に管理・見直しを行うことも必要である。

(2) 後継者との保証契約
・後継者に対し経営者保証を求めることは事業承継の阻害要因になり得ることから、後継者に当然に保証を引き継がせるのではなく、必要な情報開示を得た上で、ガイドライン第４項(2)に即して、保証契約の必要性を改めて検討するとともに、事業承継に与える影響も十分考慮し、慎重に判断することが求められる。
・具体的には、経営者保証を求めることにより事業承継が頓挫する可能性や、これによる地域経済の持続的な発展、金融機関自身の経営基盤への影響などを考慮し、ガイドライン第４項(2)の要件の多くを満たしていない場合でも、総合的な判断として経営者保証を求めない対応ができないか真摯かつ柔軟に検討することが求められる。
・また、こうした判断を行う際には、以下の点も踏まえて検討を行うことが求められる。
　① 主たる債務者との継続的なリレーションとそれに基づく事業性評価や、事業承継に向けて主たる債務者が作成する事業承継計画や事業計画の内容、成長可能性を考慮すること
　② 規律付けの観点から対象債権者に対する報告義務等を条件とする停止条件付保証契約[3]等の代替的な融資手法を活用すること
　③ 外部専門家や公的支援機関による検証や支援を受け、ガイドライン第４項(2)の要件充足に向けて改善に取り組んでいる主たる債務者については、検証結果や改善計画の内容と実現見通しを考慮すること
　④ 「経営者保証コーディネーター」[4]によるガイドライン第４項(2)を踏まえた確認

3　停止条件付保証契約とは、主たる債務者が特約条項（コベナンツ）に抵触しない限り保証債務の効力が発生しない保証契約をいう。ガイドラインQ&Aでは、特約条項の主な内容として、①役員や株主の変更等の対象債権者への報告義務、②試算表等の財務状況に関する書類の対象債権者への提出義務、③担保の提供等の行為を行う際に対象債権者の承諾を必要とする制限条項等、④外部を含めた監査体制の確立等による社内管理体制の報告義務等、を例示している。

4　「経営者保証コーディネーター」は、中小企業庁の委託事業として令和２年度から開始する「事業承継時の経営者保証解除に向けた専門家支援スキーム」において、経営者保証がネックで事業承継に課題を抱える中小企業を対象に、①中小企業経営者からの相談受付や周知、②ガイドライン第４項(2)及び本特則の要件を踏まえた「事業承継時判断材料チェックシート」に基づく経営状況の確認（見える化）、③前記②のチェックシートをクリアできない先の経営の磨き上げに向けた公的支援制度の活用、④中小企業経営者が保証解除に向けて取引金融機関と交渉・目線合わせを行う際の専門家（主に中小企業診断士や税理士、弁護士等）の派遣等を行うこととしている。

を受けた中小企業については、その確認結果を十分に踏まえること
・こうした検討を行った結果、後継者に経営者保証を求めることが止むを得ないと判断された場合、以下の対応について検討を行うことが求められる。

⑤ 資金使途に応じて保証の必要性や適切な保証金額の設定を検討すること（例えば、正常運転資金や保全が効いた設備投資資金を除いた資金に限定した保証金額の設定等）

⑥ 規律付けの観点や財務状況が改善した場合に保証債務の効力を失うこと等を条件とする解除条件付保証契約[5]等の代替的な融資手法を活用すること

⑦ 主たる債務者の意向を踏まえ、事業承継の段階において、一定の要件を満たす中小企業については、その経営者を含めて保証人を徴求しない信用保証制度[6]を活用すること

⑧ 主たる債務者が事業承継時に経営者保証を不要とする政府系金融機関の融資制度[7]の利用を要望する場合には、その意向を尊重して、真摯に対応すること

(3) 前経営者との保証契約
・前経営者は、実質的な経営権・支配権を保有しているといった特別の事情がない限り、いわゆる第三者に該当する可能性がある。令和２年４月１日からの改正民法の施行により、第三者保証の利用が制限されることや、金融機関においては、経営者以外の第三者保証を求めないことを原則とする融資慣行の確立が求められていることを踏まえて、保証契約の適切な見直しを検討することが求められる。

・保証契約の見直しを検討した上で、前経営者に対して引き続き保証契約を求める場合には、前経営者の株式保有状況（議決権の過半数を保有しているか等）、代表権の有無、実質的な経営権・支配権の有無、既存債権の保全状況、法人の資産・収益力による借入返済能力等を勘案して、保証の必要性を慎重に検討することが必要である。特に、取締役等の役員ではなく、議決権の過半数を有する株主等でもない前経営者に対し、止むを得ず保証の継続を求める場合には、より慎重な検討が求められる。

・また、本特則第２項(4)のとおり、具体的に説明することが必要であるほか、前経営者の経営関与の状況等、個別の背景等を考慮し、一定期間ごと又はその背景等に応じた

5　解除条件付保証契約とは、主たる債務者が特約条項（コベナンツ）を充足する場合は保証債務が効力を失う保証契約をいう。ガイドラインQ&Aにおける特約条項の主な内容は、脚注3の①〜④を参照。なお、この場合、財務状況の改善をコベナンツとすることも考えられる。

6　本保証制度（「事業承継特別保証制度」）は、保証申込受付日から３年以内に事業承継を予定する具体的な計画を有し、資産超過である等の財務要件を満たす中小企業に対して、経営者保証が提供されている借入（事業承継前のものに限る。）を借り換えて無保証とするなど、事業承継時に障害となる経営者保証を解除し、事業承継を促進することを企図している。借換えについては、信用保証付借入のみならず、いわゆる「プロパー借入」（他金融機関扱い分も含む。）も対象とする。令和２年度より取扱い開始。

7　例えば、日本政策金融公庫の「事業承継・集約・活性化支援資金」が挙げられる。

【資料3】事業承継時に焦点を当てた「経営者保証に関するガイドライン」の特則

必要なタイミングで、保証契約の見直しを行うことが求められる（根保証契約についても同様）。

(4) 債務者への説明内容
- 主たる債務者への説明に当たっては、対象債権者が制定する基準等を踏まえ、ガイドライン第4項(2)の各要件に掲げられている要素（外部専門家や経営者保証コーディネーターの検証・確認結果を得ている場合はその内容を含む）のどの部分が十分ではないために保証契約が必要なのか、どのような改善を図れば保証契約の変更・解除の可能性が高まるかなど、事業承継を契機とする保証解除に向けた必要な取組みについて、主たる債務者の状況に応じて個別・具体的に説明することが求められる。特に、ハ）で定める法人の資産・収益力については、可能な限り定量的な目線を示すことが望ましい。
- また、金融仲介機能の発揮の観点から、事業承継を控えた主たる債務者に対して、早期に経営者保証の提供有無を含めた対応を検討するよう促すことで、円滑な事業承継を支援することが望ましい。
- 更に、保証債務を整理する場合であっても、ガイドラインに基づくと、一定期間の生計費に相当する額や華美ではない自宅等について、保証債務履行時の残存資産に含めることが可能であることについても説明することが求められる。

(5) 内部規程等による手続の整備
- 本特則第2項(1)から(4)に沿った対応ができるよう、社内規程やマニュアル等を整備し、職員に対して周知することが求められる。
- なお、社内規程等の整備に当たっては、原則として前経営者、後継者の双方からの二重徴求を行わない、経営者保証に依存しない融資を一層推進するとの考えの下、経営者保証の徴求を真に必要な場合に限るための対応を担保するためには、具体的な判断基準や手続を定めるなど、工夫した取組みを行うことが望ましい。

3．主たる債務者及び保証人における対応
- 主たる債務者及び保証人が経営者保証を提供することなしに事業承継を希望する場合には、まずは、ガイドライン第4項(1)に掲げる経営状態であることが求められる。特に、この要件が未充足である場合には、後継者の負担を軽減させるために、事業承継に先立ち要件を充足するよう主体的に経営改善に取り組むことが必要である。
- このため、「事業承継ガイドライン」に記載の事業承継に向けた5つのステップ[8]も参照しつつ、事業承継後の取組みも含めて、以下のような対応が求められる。
- また、以下の対応を行うに際しては、ガイドライン第4項(1)①に掲げる外部専門家の検証や公的支援機関の支援を活用することも推奨される。

資料編

(1) 法人と経営者との関係の明確な区分・分離
　・経営者は、事業承継の実行（本特則では代表者交代のタイミングをいう。）に先立ち、あるいは経営権・支配権の移行方法・スケジュールを定めた事業承継計画や事業承継前後の事業計画を策定・実行する中で、法人と経営者との関係の明確な区分・分離を確認した上で、その結果を後継者や対象債権者と共有し、必要に応じて改善に努めることが望ましい。

(2) 財務基盤の強化
　・事業承継に向けて事業承継計画や事業計画を策定する際に、現経営者と後継者が対象債権者とも対話しつつ、将来の財務基盤の強化に向けた具体的な取組みや目標を検討し、計画に盛り込むことで、対象債権者とも認識を共有する。
　・また、その際、公的支援機関が提供する支援制度を活用して、外部専門家のアドバイスを受けるなど、計画の実現可能性を高めることも推奨される。

(3) 財務状況の正確な把握、適時適切な情報開示等による経営の透明性確保
　・自社の財務状況、事業計画、業績見通し等について、決算書を含めた法人税等確定申告書一式や試算表、資金繰り表等により、現経営者と後継者が認識を共有することが必要である。
　・対象債権者との間では、望ましい情報開示の内容・頻度について認識を共有するとともに、代表者交代の見通しやそれに伴う経営への影響、ガイドラインの要件充足に向けた取組み等を含めた事業承継計画等について、対象債権者からの情報開示の要請に対して正確かつ丁寧に信頼性の高い情報を可能な限り早期に開示・説明することが望ましい。
　・また、外部専門家による情報の検証も活用し、開示した情報の信頼性を高める取組みも推奨される。
　・併せて、対象債権者が適切なタイミングで経営者保証の解除を検討できるように、株式の移転や、経営権・支配権の移転等が行われた場合は、速やかに対象債権者に報告することが求められる。
　・なお、ガイドラインに基づき保証債務の整理を行うと、一定期間の生計費に相当する額や華美ではない自宅等について、保証債務履行時の残存資産に含めることが可能であり、普段から対象債権者と良好な関係を構築することが重要である。

8　「事業承継ガイドライン」（中小企業庁、平成28年12月）では、事業承継に向けたステップとして、①事業承継に向けた準備の必要性の認識、②経営状況・経営課題等の把握（見える化）、③事業承継に向けた経営改善（磨き上げ）、④事業承継計画の策定（親族内・従業員承継の場合）／M&A等のマッチング実施（社外への引継ぎの場合）、⑤事業承継の実行を定め、計画的な事業承継を促している。

【資料3】事業承継時に焦点を当てた「経営者保証に関するガイドライン」の特則

4．その他
・本特則は、令和2年4月1日から適用することとする。
・本特則に基づく取扱いを円滑に実施するため、主たる債務者、保証人、対象債権者及び行政機関等は、広く周知等が行われるよう所要の態勢整備に早急に取り組むとともに、本特則の適用に先立ち、各々の準備が整い次第、本特則に即した対応を開始することとする。

資料編

【資料4】「経営者保証に関するガイドライン」に基づく保証債務の整理に係る課税関係の整理

(平成26年1月16日制定)

Q1【主たる債務と保証債務の一体整理を既存の私的整理手続により行った場合】

　甲社は、この数年間業績不振が続いており、債務超過の状態に陥ったことから、今般、中小企業再生支援協議会による再生支援スキームを利用して甲社の再生計画を策定するとともに、本ガイドラインに基づき甲社の経営者で保証人である乙氏による弁済も当該再生計画の内容に含めることとしました。

　主たる債務者甲社の債務は100百万円（A銀行70百万円、B銀行20百万円、C銀行10百万円）、乙氏の保証債務は100百万円（A銀行70百万円、B銀行20百万円、C銀行10百万円）、本ガイドラインによる保証債務の整理申立て時の乙氏の保有資産の価額は30百万円（自宅兼店舗20百万円、現金10百万円）です。

　中小企業再生支援協議会による再生支援スキームを利用して策定された甲社の再生計画（保証人である乙氏による弁済も含む）に全金融債権者（A銀行、B銀行、C銀行）が同意して、次のとおり、甲社の債務及び乙氏の保証債務の整理を一体的に行うこととなりました。

①　乙氏の残存資産については、本ガイドライン7(3)③に従い、現金1百万円と甲社の事業継続に必要となる乙氏の自宅兼店舗20百万円とし、残りの乙氏の資産9百万円を返済に充当する。

②　返済後の甲社の債務91百万円のうち41百万円の債権放棄を行い50百万円まで減額する。

(注) A銀行・B銀行・C銀行の間で、上記の①の返済及び上記②の債権放棄に係る損失の負担については応分とする。

　甲社の再生計画が合理的な再生計画であるという前提にたった場合、乙氏の残存保証債務50百万円について免除を行ったとしても、甲社から回収が見込まれる部分の保証債務の免除を行ったに過ぎず、乙氏に対する経済的利益の供与はないことから、所得税法第36条に規定する収入の実現はなく、乙氏に所得税の課税関係は生じないものと解して差し支えありませんか。

　また、乙氏に対する経済的利益の供与はないことから、全金融債権者において保証債権の放棄に係る寄附金課税（法人税法37条）は生じないものと解して差し支えありませんか。
甲社の主債務乙氏の保証債務乙氏の資産甲社の主債務乙氏の保証債務乙氏の資産

【資料4】「経営者保証に関するガイドライン」に基づく保証債務の整理に係る課税関係の整理

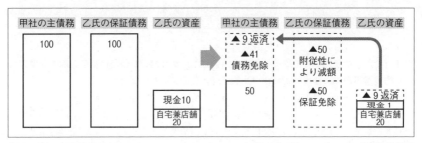

(注) 乙氏の保証債務の免除に際しては、ガイドライン7(3)⑤に基づき、乙氏による誠実な情報開示と表明保証及び全金融債権者がその適格性を認める甲社の顧問税理士によるその適正性の確認を経て乙氏の資産を把握し、乙氏が開示した資産の状況について、事実と異なることが判明した場合に免除保証債務及び免除期間分の延滞利息も付した上で追加弁済を行うことを乙氏と全金融債権者が合意し書面で契約し、中立かつ公正な第三者である中小企業再生支援協議会による再生支援スキームにおける検討委員会の委員の確認・報告を経ています（以下、Q4まで同様の手続きを経ています。）。

A1 Q1のとおりに解して差し支えありません。
（理由）
1 主たる債務の整理が私的整理手続により行われる場合、主たる債務である甲社の債務が91百万円から50百万円に減額されれば、乙氏の保証債務はその附従性（民法448条）により50百万円に減額されます。
2 全金融債権者が、残債務に付されている乙氏の保証債務50百万円について免除したとしても、偶発債務を免除したにすぎず、乙氏に対する経済的利益の供与はないことから、所得税法第36条に規定する収入の実現はなく、乙氏に所得税の課税関係は生じないこととなります。
3 また、乙氏に対する経済的利益の供与はないことから、全金融債権者において保証債権の放棄に係る寄附金課税（法人税法37条）は生じないこととなります。なお、本事例では主たる債務と保証債務の一体整理が行われることとなりますが、私的整理手続により策定される主たる債務者甲社の再生計画が合理的な再生計画であることを前提とすれば、全金融債権者が当該計画に基づき行う甲社に対する債権放棄による損失（41百万円）については、原則として、法人税基本通達9-4-2の取扱いにより、損金の額に算入することができるものと考えられます。
　(注) 上記ケースと異なり、中小企業の金融債務について、経営者により、実質的に経営者保証と同等の効果が期待される併存的債務引受がなされた場合における、当該経営者に対する債権（ガイドライン脚注2・3参照）について、金融債権者から返済の免除がされたときは、当該経営者は経済的利益の供与を受けたことになり債務免除益が生じますが（所得税基本通達36-15）、その債務免除益のうち、債務者が資力を喪失して債務を弁済することが著しく困難であると認められる場合に受けたものについては、課税関係は生じないことになります（所得税基本通達36-17）（以下、Q4まで同様です。）。

資料編

(注) この税務上の取扱いについては、中小企業庁及び金融庁から国税庁に確認済みです（以下、Q4まで同様です）。

Q2【主たる債務について既に法的整理（再生型）が終結した保証債務の免除を、既存の私的整理手続により行った場合（法的整理からのタイムラグなし）】

甲社は、この数年間業績不振が続いており、債務超過の状態に陥ったことから、今般、民事再生手続を申し立てて再生計画を策定することとなりました。また、同時に、甲社の経営者で保証人である乙氏の保証債務について、本ガイドラインに従い特定調停手続を利用して整理することとなりました。

主たる債務者甲社の債務は100百万円（A銀行70百万円、B銀行20百万円、C銀行10百万円）、甲社の経営者で保証人である乙氏の保証債務は100百万円（A銀行70百万円、B銀行20百万円、C銀行10百万円）、保証債務の整理申立て時の乙氏の保有資産の価額は21百万円（自宅兼店舗20百万円、現金1百万円）です。

甲社の再生計画及び乙氏の弁済計画の内容は次のとおりであり、全金融債権者は、本ガイドライン7(3)③に従い、保証債務の履行請求額の経済合理性について、甲社の債務と乙氏の保証債務を一体として判断して、乙氏の保証債務を免除することとしています。

・甲社の再生計画
　　甲社の債務を100百万円から50百万円に減額する。
・乙氏の弁済計画
　　乙氏の残存資産については、本ガイドライン7(3)③に従い、現金1百万円と甲社の事業継続に必要となる乙氏の自宅兼店舗20百万円とし、乙氏の保証債務100百万円を全額免除する。
(注) A銀行・B銀行・C銀行の間で、甲社に対する債権放棄に係る損失の負担については応分とする。

甲社の再生計画の認可後、全金融債権者が乙氏の弁済計画に同意して保証債務（100百万円）の免除を実施しました。この場合、全金融債権者は、甲社の債務と乙氏の保証債務を一体として判断した上で、甲社の事業継続に必要となる資産を残存資産に含めることで回収見込額の最大化を図ったものであり、乙氏に対する経済的利益の供与はないことから、所得税法第36条に規定する収入の実現はなく、乙氏に所得税の課税関係は生じないものと解して差し支えありませんか。

また、乙氏に対する経済的利益の供与はないことから、全金融債権者において保証債権の放棄に係る寄附金課税（法人税法37条）は生じないものと解して差し支えありませんか。

【資料4】「経営者保証に関するガイドライン」に基づく保証債務の整理に係る課税関係の整理

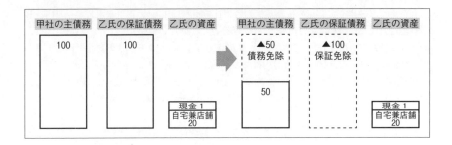

A2　Q2のとおりに解して差し支えありません。
（理由）
1　主たる債務の整理が民事再生手続により行われる場合、民事再生法177条2項にて、再生計画の効力は保証人に影響を及ぼさないこととされているため、主たる債務者である甲社の債務が100百万円から50百万円に減額されても乙氏の保証債務は100百万円のまま残存することになります。
2　全金融債権者は、本ガイドライン7(3)③に従い、甲社の債務と乙氏の保証債務を一体として判断して、現金1百万円と甲社の事業継続に必要となる乙氏の自宅兼店舗20百万円を乙氏の手元に残すこととし、乙氏の保証債務100百万円を全額免除したとのことですが、現実に履行される前の保証債務を免除したとしても、乙氏に対する経済的利益の供与はないことから、所得税法第36条に規定する収入の実現はなく、乙氏に所得税の課税関係は生じないこととなります。
3　また、乙氏に対する経済的利益の供与はないことから、全金融債権者において保証債権の放棄に係る寄附金課税（法人税法37条）は生じないこととなります。なお、本事例では主たる債務の整理と保証債務の整理が同時に行われることとなりますが、主たる債務について民事再生法の規定に基づき甲社の再生計画の認可決定があった場合において、当該決定により切り捨てられることとなった金額（50百万円）については、全金融債権者において貸倒れとして損金の額に算入することができるものと考えられます（法人税基本通達9−6−1(1)）。
　（注）保証債務のみを整理するに当たり、本ガイドライン7(3)④のとおり、準則型私的整理手続によらず、支援専門家等の斡旋によった場合であっても、本ガイドラインの要件を満たす合理的な弁済計画を策定し対象債権者としても一定の経済合理性が認められる範囲で、保証債務を減免・免除する場合には、上記と同様に取り扱われます（以下、Q4まで同様です。）。

Q3【過去に主たる債務について法的整理（再生型）により整理がなされた保証債務の免除を、既存の私的整理手続により行った場合（法的整理からのタイムラグあり）】
　甲社は、過去に会社更生手続を申し立てて更生計画を策定し、その認可を得て、負債整理を行いました。

資料編

　会社更生手続申立て時点の主たる債務者甲社の債務は100百万円（A銀行70百万円、B銀行20百万円、C銀行10百万円）、甲社の経営者で保証人である乙氏の保証債務は100百万円（A銀行70百万円、B銀行20百万円、C銀行10百万円）であり、この更生計画により、甲社の債務は100百万円から50百万円に減額されました。

　甲社の更生計画の認可が行われた後に、乙氏は、自身の保証債務100百万円について、本ガイドラインに基づき特定調停手続を利用して保証債務の整理を開始することとしました。

　保証債務の整理申立て時の乙氏の保有資産の価額は21百万円（自宅20百万円、現金1百万円）であり、弁済計画の内容は、次のとおりです。
① 乙氏の残存資産については、ガイドライン7(3)③に従い、破産手続における自由財産の範囲内であると考えられる0.99百万円とする。
② 残りの乙氏の資産20.01百万円（21百万円－0.99百万円）を返済に充当した上で、残余の保証債務79.99百万円を免除する。
（注）A銀行・B銀行・C銀行の間で、返済は応分とする。

　全金融債権者が乙氏の弁済計画に同意して保証債務の免除を実施しました。
　この場合、乙氏の残存資産について破産手続における自由財産の範囲内として残余を返済に充当したものであり、残存保証債務の免除による乙氏に対する経済的利益の供与はないことから、所得税法第36条に規定する収入の実現はなく、乙氏に所得税の課税関係は生じないものと解して差し支えありませんか。
　また、乙氏に対する経済的利益の供与はないことから全金融債権者において保証債権の放棄に係る寄附金課税（法人税法37条）は生じないものと解して差し支えありませんか。

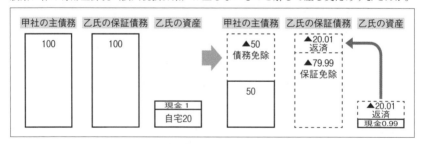

A3　Q3のとおりに解して差し支えありません。
（理由）
1　主たる債務の整理が会社更生手続により行われる場合、会社更生法203条2項にて、更生計画の効力は保証人に影響を及ぼさないこととされているため、主たる債務である甲社の債務が100百万円から50百万円に減額されても乙氏の保証債務は100百万円のまま残存することになります。

【資料4】「経営者保証に関するガイドライン」に基づく保証債務の整理に係る課税関係の整理

2　保証債務の整理開始前に会社更生手続の認可がなされている場合、全金融債権者は乙氏の保証債務100百万円からの回収を期待し得る状況にありますが、本ガイドラインに従い破産手続における自由財産0.99百万円を乙氏の残存資産として、現実に履行される前の残存保証債務を免除したとしても、乙氏に対する経済的利益の供与はないことから、所得税法第36条に規定する収入の実現はなく、保証人に所得税の課税関係は生じないこととなります。

3　また、乙氏に対する経済的利益の供与はないことから、全金融債権者において保証債権の放棄に係る寄附金課税（法人税法37条）は生じないこととなります。

Q4【主たる債務について既に法的整理（清算型）が終結した保証債務の免除を、既存の私的整理手続により行った場合（法的整理からのタイムラグなし）】

　甲社は、この数年間業績不振が続いており、債務超過の状態に陥ったことから、今般、特別清算開始の申立てをし、負債整理を行うこととなりました。また、同時に、甲社の経営者で保証人である乙氏の保証債務について、本ガイドラインに従い特定調停手続を利用して整理することとなりました。

　主たる債務者甲社の債務は100百万円（A銀行70百万円、B銀行20百万円、C銀行10百万円）、乙氏の保証債務は100百万円（A銀行70百万円、B銀行20百万円、C銀行10百万円）、保証債務の整理申立て時の乙氏の保有資産の価額は21百万円（自宅20百万円、現金1百万円）です。

　甲社の特別清算に係る協定及び乙氏の弁済計画の内容は次のとおりであり、全金融債権者は、本ガイドライン7(3)③に従い、保証債務の履行請求額の合理性について、甲社の債務と乙氏の保証債務を一体として判断して、乙氏の保証債務を免除することとしています。

・甲社の特別清算に係る協定
　　全金融債権者に対し総額30百万円の弁済をし、残額70百万円の債権を切り捨てる。
・乙氏の弁済計画
　①　乙氏の残存資産については、本ガイドライン7(3)③に従い、破産手続における自由財産（0.99百万円）に加え、一定期間の生計費に相当する金額（1.95百万円）を含める（合計2.94百万円）。
　②　残りの乙氏の資産18.06百万円（21百万円－2.94百万円）を返済に充当した上で、残余の保証債務81.94百万円を免除する。
　（注）A銀行・B銀行・C銀行の間で、上記②の返済を応分とする。

　なお、保証債務の免除額は、全金融債権者が、本ガイドライン7(3)③に従い乙氏による甲社の早期の事業清算の着手の決断が甲社の保有資産等の劣化防止に寄与したことなどを総合的に勘案して、乙氏に自由財産に加え一定期間の生計費に相当する金額を乙氏の手元に残すことについて合意し、決定されたものです。

　甲社の特別清算手続終結後、全金融債権者が乙氏の弁済計画に同意して残存保証債務

(81.94百万円)の免除を実施しました。この場合、全金融債権者は、主たる債務と保証債務を一体として判断した上で、回収額の最大化を図ったものであり、この保証債務の免除による乙氏に対する経済的利益の供与はないことから、所得税法第36条に規定する収入の実現はなく、乙氏に所得税の課税関係は生じないものと解して差し支えありませんか。

また、乙氏に対する経済的利益の供与はないことから、全金融債権者において保証債権の放棄に係る寄附金課税(法人税法37条)は生じないものと解して差し支えありませんか。

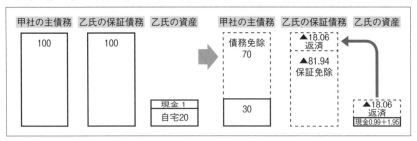

A4　Q4のとおりに解して差し支えありません。
(理由)
1　主たる債務の整理が特別清算手続により行われる場合、会社法571条2項にて、協定の効力は保証人に影響を及ぼさないこととされているため、主たる債務者である甲社の債務が100百万円から30百万円に減額されても乙氏の保証債務は100百万円のまま残存することになります。

2　全金融債権者は、本ガイドライン7(3)③に従い、主たる債務と保証債務を一体として判断して、乙氏による甲社の早期の事業清算の着手の決断が甲社の保有資産等の劣化防止に寄与したことなどを総合的に勘案して、乙氏に自由財産に加え一定期間の生計費に相当する金額を乙氏の手元に残し、残余の保証債務を免除したものであり、現実に履行される前の保証債務の免除による保証人に対する経済的利益の供与はないことから、所得税法第36条に規定する収入の実現はなく、乙氏に所得税の課税関係は生じないこととなります。

3　また、乙氏に対する経済的利益の供与はないことから、全金融債権者において保証債権の放棄に係る寄附金課税(法人税法37条)は生じないこととなります。なお、本事例では主たる債務の整理と保証債務の整理が同時に行われることとなりますが、主たる債務について特別清算に係る協定の認可の決定があった場合において、当該決定により切り捨てられることとなった金額(51.94百万円＝70百万円－18.06百万円)については、全金融債権者において貸倒れとして損金の額に算入することができるものと考えられます(法人税基本通達9－6－1(2))。

【資料5】中小企業再生支援協議会等の支援による経営者保証に関する
ガイドラインに基づく保証債務の整理手順

(令和元年6月26日)

　本手順は、産業競争力強化法第134条第1項の規定に基づき、中小企業再生支援業務を行う者として認定を受けた者（以下、「認定支援機関」という。）又は中小企業再生支援全国本部（以下、「全国本部」という。）が実施する、「経営者保証に関するガイドライン」（以下、「ガイドライン」という。）に基づく保証債務の整理の支援を実施する業務（以下、「保証債務整理支援業務」という。）について、その内容、手続、基準等を定めるものである。なお、本手順は、ガイドライン第7項(2)イに規定する主たる債務と保証債務の一体整理を図る場合（以下、「一体型」という。）とガイドライン第7項(2)ロに規定する保証債務のみを整理する場合（以下、「単独型」という。）のいずれの場合にも対応する手順として定めるものである。また、本手順で使用する用語について、本手順中に特段の定義がない場合にはガイドラインに従うものとする。

1．目的
　本手順は、認定支援機関又は全国本部の支援業務部門（以下、総称して「実施部門」という。）において、幅広く中小企業者及びその経営者等から保証債務の整理に関する相談を受けるとともに、保証債務整理支援業務に対応することで、ガイドラインの目的である中小企業金融の実務の円滑化を実現し、中小企業の活力の再生に向けた取り組みを促すことを目的としている。

2．保証債務整理支援業務の内容
① 実施部門は、ガイドラインに基づき、保証債務の整理に係る相談（窓口相談：第一次対応）に応じる。窓口相談の業務手順は「3．窓口相談（第一次対応）」のとおりとする。
② 実施部門は、窓口相談（第一次対応）で把握した主たる債務者たる中小企業者（以下、「主債務者」という。）及び保証人の状況に基づき、実施部門において弁済計画策定支援を行うことが適当であると判断した場合には、外部専門家（企業や事業の再生に関する高度の専門的な知識と経験を有する弁護士、公認会計士、税理士、中小企業診断士、金融関係者等）を活用しつつ、債権者等との連携を図りながら具体的で実現可能な弁済計画の策定支援（弁済計画策定支援：第二次対応）を行う。弁済計画策定支援の業務手順は「4．弁済計画策定支援（第二次対応）」のとおりとする。
③ 統括責任者は、中小企業再生支援協議会（以下、「協議会」という。）の会長（ただし、全国本部の支援業務部門が実施する場合には、事業再生支援センター長とする。）に対し、適宜、業務の遂行状況の報告を行う。

3．窓口相談（第一次対応）

窓口相談の業務手順は、以下のとおりとする。

① 実施部門は、相談に応じる時間を定め、保証人及び支援専門家（ガイドライン第5項(2)ロに規定する支援専門家。以下、保証人及び支援専門家を総称して「保証人ら」という。）の連名の申し出により（相談申込書（書式1）の受理）、統括責任者補佐（場合によっては統括責任者）が応対する。なお、保証人に支援専門家がいない場合には、統括責任者は、必要に応じて、支援専門家候補を紹介することができる。

② 統括責任者及び統括責任者補佐は、保証人らから保証債務の整理に向けた取り組みの相談を受け、以下に掲げる事項を把握し、課題の解決に向けた適切な助言、支援機関等の紹介を行う。

・保証契約の概要
・主債務者の法的債務整理手続又は準則型私的整理手続（ガイドライン第7項(1)ロに規定する法的債務整理手続又は準則型私的整理手続）における状況
・保証人の資産及び債務の状況
・主債務者の資産及び債務の状況
・保証人の破産法第252条第1項（第10号を除く。）に規定する免責不許可事由に関する状況
・取引金融機関との関係
・主債務者の窮境原因、経営責任の内容
・残存資産（ガイドライン第7項(3)③に規定する保証人の手元に残すことのできる資産）の範囲に関する意向
・弁済計画の方針

③ 統括責任者又は統括責任者補佐は、窓口相談で把握した主債務者及び保証人に関する状況を基に、保証人の承諾を得て、対象債権者（ガイドライン第1項に規定する対象債権者）の全部又は一部に対し、その意向を確認することができる。

④ 統括責任者は、対象債権者の意向等を踏まえ、弁済計画策定支援をすることが困難と判断した場合には、保証人らにその旨を伝え、必要に応じて、弁護士を紹介する等、可能な対応を行う。

⑤ 統括責任者は、窓口相談（第一次対応）の結果について、中小企業庁が別途定める様式に従って窓口相談対応報告書を作成し、各経済産業局及び沖縄総合事務局（以下、「各経済産業局等」という。）及び全国本部へ文書又は電磁的方法により提出するものとする（ただし、全国本部の支援業務部門が実施する場合には、中小企業庁へ文書又は電磁的方法により提出するとともに、全国本部にて文書又は電磁的方法により保管するものとする。）。

4．弁済計画策定支援（第二次対応）

弁済計画策定支援の業務手順は、以下のとおりとする。

【資料5】中小企業再生支援協議会等の支援による経営者保証に関するガイドラインに基づく保証債務の整理手順

(1) 対象となる保証人

　　弁済計画策定支援は、ガイドライン第7項(1)に規定する要件を満たす保証人を対象とする。

(2) 弁済計画策定支援の開始

　① 統括責任者は、窓口相談（第一次対応）で把握した状況を基に、弁済計画の策定を支援することが適当であると判断した場合には、保証人らから利用申請書（一体型の場合は書式2-1。単独型の場合は書式2-2）及びその添付資料（別紙1及び2）の提出を受ける。

　② 統括責任者及び統括責任者補佐は、提出された利用申請書及びその添付資料の記載事項を確認するとともに、保証人の承諾を得て、対象債権者の意向を確認する。

　③ 統括責任者は、利用申請書の記載事項及び対象債権者の意向を踏まえ、認定支援機関の長（ただし、全国本部の支援業務部門が実施する場合には、事業再生支援センター長とする。）と協議の上、弁済計画の策定を支援することを決定する。なお、統括責任者は、利用申請書の記載事項及び対象債権者の意向を踏まえ、弁済計画策定支援をすることが困難と判断した場合には、保証人らにその旨を伝える。

　④ 統括責任者は、弁済計画策定支援を行うことを決定した場合には、その旨を保証人らに通知する。また、保証人の状況に応じて、対象債権者に対し、弁済計画策定支援を行うことを伝え、協力を要請する。

　⑤ 統括責任者は、弁済計画策定支援を行うことを決定した場合には、原則として、ガイドライン第7項(3)①に従って、主債務者、保証人、支援専門家及び実施部門の連名で返済猶予等の要請（書式3-1）を行うこととする（ただし、単独型の場合には、保証人、支援専門家及び実施部門の連名で足りるものとする（書式3-2）。）。また、統括責任者は、一体型の場合には、必要に応じて主たる債務及び保証債務の返済猶予等を同時に行う等主たる債務及び保証債務の一体整理が円滑に進むように助言を行う。

　⑥ 統括責任者は、弁済計画策定支援を行うことを決定した場合には、中小企業庁が別途定める様式に従って第二次対応開始報告書を作成し、各経済産業局等及び全国本部へ文書又は電磁的方法により提出するものとする（ただし、全国本部の支援業務部門が実施する場合には、中小企業庁へ文書又は電磁的方法により提出するとともに、全国本部にて文書又は電磁的方法により保管するものとする。）。

(3) 個別支援チームの編成

　① 統括責任者は、統括責任者や統括責任者補佐の他、外部専門家から構成される個別支援チームを編成し、弁済計画の策定の支援を行う（ただし、個別支援チームには弁護士を含むものとする。）。なお、一体型の場合、本手順により編成される個別支援チームは、主債務者に対する再生計画策定支援の開始により編成された個別支援チームと同一の構成であることを妨げない。

　② 統括責任者は、原則として、統括責任者補佐の出向元が主要債権者（対象債権者のうち、保証人に対する債権額が上位のシェアを占める債権者。）となる弁済計画策定

支援を行う場合、統括責任者補佐が保証人又は対象債権者等との間に利害関係を有する場合その他必要と認める場合は、当該統括責任者補佐を個別支援チームの一員として参画させてはならない。ただし、当該統括責任者補佐を参画させないことにより当該支援業務の円滑な運営に支障を来すおそれがある場合に限り、統括責任者は保証人及び対象債権者等の承諾を得て、当該統括責任者補佐を個別支援チームに参画させることができる。
　③　統括責任者は、保証人及び主要債権者との間に利害関係を有しない外部専門家を選定する。
(4)　弁済計画案の作成
　①　個別支援チームは、保証人による資力に関する情報の開示、支援専門家による確認等を通じ、保証人の資産及び債務の状況を把握し、それに基づき、保証人の弁済計画案の作成を支援する。
　②　保証人は、開示した情報の内容の正確性について表明保証を行うとともに、個別支援チームの支援のもと、ガイドラインにしたがった弁済計画案を作成する。また、支援専門家は、対象債権者からの求めに応じて、保証人による表明保証の適正性につき確認を行い、報告を行うものとする。
　③　保証人ら及び個別支援チームは、資産及び債務の状況の調査や弁済計画案作成の進捗状況に応じて適宜会議を開催し、協議・検討を行う。この会議には、必要に応じて、対象債権者、主債務者等も参加することができる。
(5)　弁済計画案の内容
　　弁済計画案の内容は、ガイドライン第7項(3)②から⑤の規定に従った内容とする。なお、一体型の場合には、原則として、主債務者の再生計画案に保証人の弁済計画案も記載するものとする。
(6)　弁済計画案の調査報告
　①　個別支援チームに参画した弁護士は、弁済計画案の内容の相当性及び実行可能性を調査し、調査報告書を作成の上、対象債権者に提出する。
　②　調査報告書には、次に掲げる事項を含めるものとする。
　　（ⅰ）弁済計画案の内容
　　（ⅱ）弁済計画案の実行可能性
　　（ⅲ）経済合理性
　　（ⅳ）破産手続における自由財産及び担保提供資産に加えてその余の資産を残存資産に含める場合には、その相当性
(7)　債権者会議の開催と弁済計画の成立
　①　保証人らにより弁済計画案が作成された後、保証人ら及び個別支援チームが協力の上、全ての対象債権者による債権者会議を開催する。債権者会議では、対象債権者全員に対し、弁済計画案の調査結果を報告するとともに、弁済計画案の説明、質疑応答及び意見交換を行い、対象債権者が弁済計画案に対する同意不同意の意見を表明する

【資料5】中小企業再生支援協議会等の支援による経営者保証に関するガイドラインに基づく保証債務の整理手順

期限を定める。なお、債権者会議を開催せず、弁済計画案の説明等を持ち回りにより実施することは妨げない。
　② 対象債権者の全てが、弁済計画案について同意し、その旨を文書等により確認した時点で弁済計画は成立する。なお、一体型の場合には、主債務者の再生計画案についての同意をもって、弁済計画案についての同意があったものとみなすことができる。
　③ 対象債権者の一部から弁済計画案について同意が得られない場合において、不同意の対象債権者を除外しても弁済計画の実行上影響が無いと判断できる場合には、不同意の対象債権者からの権利変更を除外した変更計画を作成し、不同意の対象債権者以外の対象債権者の全てから同意を得た場合には、変更後の弁済計画の成立を認めることができる。
　④ 保証人ら及び個別支援チームは、対象債権者等と協議の上、必要に応じて弁済計画案を修正し、対象債権者の合意形成に努める。
(8) 弁済計画策定支援の完了
　① 弁済計画策定支援の完了時点は、弁済計画が成立した時点とする。
　② 統括責任者は、弁済計画策定支援が完了した場合、支援内容を認定支援機関の長に報告するとともに、中小企業庁が別途定める様式に従って第二次対応完了報告書を作成し、各経済産業局等及び全国本部へ文書又は電磁的方法により提出するものとする（ただし、全国本部の支援業務部門が実施する場合には、中小企業庁へ文書又は電磁的方法により提出するとともに、全国本部にて文書又は電磁的方法により保管するものとする。）。
(9) 弁済計画策定支援の終了
　① 弁済計画策定支援を開始した後、弁済計画案の作成を断念した場合、弁済計画について全ての対象債権者の同意を得られる見込みがない場合、弁済計画について全ての対象債権者の同意を得られなかった場合（ただし、本手順4.(7)③に基づき変更後の弁済計画が成立した場合を除く。）など、弁済計画策定支援が完了しないことが明らかとなったとき、統括責任者は、保証人らに対して弁済計画策定支援の終了を通知するとともに、中小企業庁が別途定める様式に従って第二次対応終了報告書を作成し、各経済産業局等及び全国本部へ文書又は電磁的方法により提出するものとする（ただし、全国本部の支援業務部門が実施する場合には、中小企業庁へ文書又は電磁的方法により提出するとともに、全国本部にて文書又は電磁的方法により保管するものとする。）。
　② ①の場合であっても、実施部門は、保証人らの要請に基づき、専門家の紹介など可能な範囲での支援を行うことができる。

5．弁済計画策定支援が完了した案件の公表

弁済計画策定支援が完了した案件の公表については、原則として、実施部門における完了手続が行われた後、中小企業庁において、全国の案件を取りまとめ、集計の上、これを

行うことができる。

6．守秘義務
(1) 認定支援機関及び全国本部の役職員（統括責任者、統括責任者補佐、外部専門家を含む。）、協議会の委員又はこれらの職にあった者は、本業務においてその職務上知り得た秘密を漏らしてはならない。
(2) 認定支援機関及び全国本部は、①統括責任者、統括責任者補佐の委嘱、②外部専門家の委嘱等において、在職中、退任後を問わず保証人の了承を得た場合を除いていかなる情報も第三者に開示しない旨を明記した文書を徴求する。
(3) 万が一、守秘について、保証人が疑義を持つような状況が生じた場合には、保証人の申し出に基づいて、各経済産業局等（全国本部の支援業務部門が実施する場合には、機構）が事実関係を調査し、その調査結果を保証人に報告する。
(4) 実施部門が窓口相談（第一次対応）及び弁済計画策定支援（第二次対応）の過程で作成する報告書等保証人に係る書類一切は、保証人の文書による事前了承を得た先に対してその写し（電子ファイルを含む。）を交付する以外は、実施部門において厳重に管理する。

〈以下略〉

【資料6】「中小企業再生支援協議会等の支援による経営者保証に関する
　　　　ガイドラインに基づく保証債務の整理手順」Q&A

　　　　　　　　　　　　　　　　　　　　　　　　　　平成27年4月20日策定
　　　　　　　　　　　　　　　　　　　　　　　　　　令和元年6月26日改定

【総論】

Q.1　このQ&Aは、どのような位置付けになるのですか。

A．産業競争力強化法第134条第1項の規定に基づき、中小企業再生支援業務を行う者として認定を受けた者（以下、「認定支援機関」といいます。）又は中小企業再生支援全国本部（以下、「全国本部」といいます。）が実施する、「経営者保証に関するガイドライン」（以下、「ガイドライン」といいます。）に基づく保証債務の整理の支援を実施する業務（以下、「保証債務整理支援業務」といいます。）に関し、その内容、手続、基準等を定めた「中小企業再生支援協議会等の支援による経営者保証に関するガイドラインに基づく保証債務の整理手順」（以下、「本手順」といいます。）について、実務上留意すべき事項を中小企業庁においてまとめたものです。

Q.2　本手順制定の目的はどのようなものですか。

A．ガイドラインが策定・公表されたことを受け、準則型私的整理手続の実施機関である認定支援機関及び全国本部（注）の支援業務部門（以下、総称して「実施部門」といいます。）が、幅広く中小企業者及びその経営者等から保証債務の整理に関する相談を受けるとともに、保証債務整理支援業務に対応するにあたり、整理の進め方等について統一的ルールを整備することにより、実施部門による案件処理を円滑化させるとともに、外部信頼性の強化を図ることを目的としています。
　以下、本手順に定められた手順に準拠して実施部門が行う保証債務整理支援業務を「本整理手続」といいます。また、実施部門が、主たる債務者である中小企業者について実施する中小企業再生支援協議会事業実施基本要領等（中小企業再生支援協議会の支援による再生計画の策定手順（再生計画検討委員会が再生計画案の調査・報告を行う場合）、を含む。）に定められた手順に準拠して実施する私的整理を総称して「協議会スキーム」といいます。
　（注）産業競争力強化法（平成26年1月20日施行）により、全国本部においても、中小企業者を対象に、再生計画の作成及び実行に係る支援並びに経営改善に係る支援を行うこととされました。

> Q.3 保証債務整理支援業務を行うにあたり、実施部門はどのような立場に立つのでしょうか。

A．実施部門は、保証人の代理人でも債権者の代理人でもなく、中立公正な第三者として、保証債務整理支援業務を行います。すなわち、実施部門は、中立的な立場で、弁済計画案の策定支援、弁済計画案の調査報告及び債権者との合意形成に向けた調整等を実施します。

　なお、保証債務整理実施業務の実施に際し、相談に来る保証人が、債権者との間で合理的な協議交渉ができていないケースもあります。そのような場合において、保証人が合理的な理由もなく不利益を受けないよう、実施部門は中立公正な立場から配慮する必要があります。

　また、支援専門家が弁護士でない場合には非弁行為（注）にならないように留意する必要があります（ガイドラインQ&A【各論】Q5-7）。

（注）非弁行為とは、弁護士でない者が報酬を得る目的で弁護士業務を反復継続の意思をもって行うことをいい、非弁行為は法律で特別に許可されている場合を除き、一律に禁止されています。

> Q.4 本整理手続は、ガイドラインにおける保証債務の整理の手続である「主たる債務と保証債務の一体整理を図る場合」、「保証債務のみを整理する場合」の双方に対応しているのでしょうか。

A．本手順は、ガイドライン第7項(2)イに規定する主たる債務と保証債務の一体整理を図る場合（以下、「一体型」といいます。）とガイドライン第7項(2)ロに規定する保証債務のみを整理する場合（以下、「単独型」といいます。）のいずれの場合にも対応する手順として定めるものであり、双方に対応しています（本手順前文参照）。

　【一体型】は、主たる債務の整理について協議会スキームが利用され、同スキームと並行して、保証債務の整理について本整理手続に準拠して保証債務の整理を行う場合です。

　【単独型】は、主たる債務の整理について法的債務整理手続若しくは協議会スキーム以外の準則型私的整理手続（ガイドライン第7項(1)ロにおける定義を参照）が利用され、保証債務の整理についてのみ本整理手続に準拠して保証債務の整理を行う場合、又は主たる債務の整理について協議会スキームが終結した後に、保証債務の整理についてのみ本整理手続に準拠して保証債務の整理を行う場合です。これには、主たる債務の整理手続が係属中の場合と、主たる債務の整理手続が既に終結している場合の二つの類型があります。

【資料6】「中小企業再生支援協議会等の支援による経営者保証に関するガイドラインに基づく保証債務の整理手順」Q&A

> Q.5 ガイドラインでは、主たる債務の整理手続が、再生型と清算型のいずれであっても利用可能となっていますが、本整理手続による保証債務の整理では、いずれの場合にも対応するのでしょうか。

A．本整理手続による保証債務の整理は、主たる債務の整理手続が、再生型、清算型のいずれの場合であっても、対応します。 なお、清算型の場合には、保証債務の整理のみを行う【単独型】による対応や専門家の紹介を行うなどの対応をします。

> Q.6 本整理手続に基づき【一体型】により保証債務の整理を行う場合の手続面での留意点はありますか。

A．本整理手続に基づき【一体型】により保証債務の整理を行うためには、主たる債務の整理に関する協議会スキームが終結（再生計画策定支援の完了）するときまでに、本整理手続による保証債務の整理を開始しておく必要があります。
　具体的には、①協議会スキームにおける主たる債務者の窓口相談（第一次対応）と同時に本整理手続による窓口相談（第一次対応）を実施し、協議会スキームにおける主たる債務者の再生計画策定支援（第二次対応）の開始にあわせ、本整理手続における保証債務の整理を開始するか、②主たる債務者の再生計画策定支援（第二次対応）が開始した後完了するときまでの間に本整理手続における保証債務の整理を開始する必要があります。いずれの場合においても、主たる債務者の再生計画案に、保証人による弁済計画案を含めることとなるため、協議会スキームの進捗にあわせ、適切なタイミングで、本整理手続における弁済計画策定支援（第二次対応）の開始及び返済猶予等の要請を行うことができるよう、窓口相談及び利用申し込みを行う必要がある点に留意が必要です。
　なお、【一体型】において、保証債務の整理が必要となるのは、主たる債務の整理において債権放棄等の要請を含む再生計画を策定する場合ですが、協議会スキームでは、再生計画策定支援（第二次対応）の開始後に、財務デューデリジェンスや事業デューデリジェンスを実施することが通常であり、再生計画策定支援の開始時には対象債権者に対して要請する金融支援の内容が明らかではありません。このような場合、当初から主たる債務者の再生計画策定支援（第二次対応）と同時に本整理手続による保証債務の整理を開始するのではなく、主たる債務の整理手続の過程で債権放棄等を要請する方針となった時点で本整理手続による保証債務の整理を開始する（上記②）ことが一般的であると考えられます。

> Q.7 【一体型】の場合の手続フローはどうなっていますか。

A．【一体型】の場合の手続フロー図は、(図1)【一体型】のとおりです。
　図1のとおり、【一体型】の場合には、主たる債務の整理手続の過程、すなわち主た

資料編

る債務に関する協議会スキームの再生計画策定支援の開始後完了するときまでの間に本整理手続を進めていく流れが一般的です。

他方で、当初より主たる債務の整理について債権放棄を想定し、主たる債務の整理とともに保証債務の整理を予定している場合には、主たる債務に関する協議会スキームにおける再生計画策定支援（第二次対応）の開始と同時に本整理手続の弁済計画策定支援（第二次対応。本手順第4項）を開始する場合がありえますが、その場合も、主たる債務者の返済猶予等の要請と保証人の返済猶予等の要請を同時に行う点（本手順第4項(2)⑤）を除き手続フローに相違はありません。

（図1）【一体型】

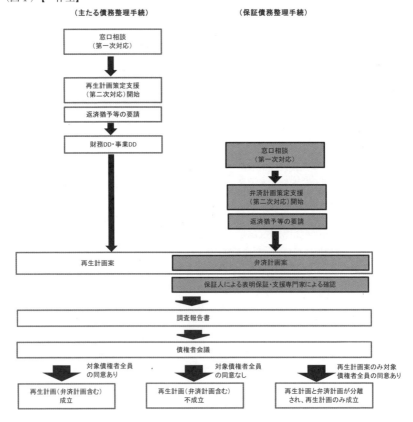

Q.8 【単独型】の場合の手続フローはどうなっていますか。

A. 【単独型】の場合の手続フロー図は、（図2）【単独型】のとおりです。

【資料6】「中小企業再生支援協議会等の支援による経営者保証に関するガイドラインに基づく保証債務の整理手順」Q&A

【単独型】には、主たる債務の整理手続との関係で、①主たる債務の整理手続が係属中の場合と②主たる債務の整理手続が既に終結している場合の二つの類型があります。両者は、保証債務の履行基準（残存資産の範囲）に相違がありますが（Q7参照）、手続フローに相違はありません。

もっとも、【単独型】では、主たる債務の整理手続が実施部門の外で行われているか既に終結しているため、主たる債務の整理手続の進捗やその整理内容を確認しながら手続を進める必要があります。例えば、主たる債務の整理手続が民事再生手続の場合には、財産評定の内容や再生計画の内容を確認しなければ経済合理性を判断できず、インセンティブ資産（Q9参照）を残存資産に含めることを検討することができないため、再生計画の認可決定が出た後に弁済計画案に対する調査報告書が作成されることになると考えられます。また同様に、主たる債務の整理手続が破産手続である場合には、破産債権者に対する配当額が確定した後に弁済計画案に対する調査報告書が作成されることになると考えられます。なお、主たる債務の整理手続の進捗やその整理内容を確認するためには、破産管財人、民事再生申立代理人又は監督委員等の関係者の協力を得る必要がある点にも留意が必要です。

（図2）【単独型】

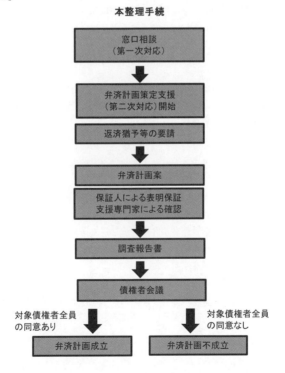

Q.9　本整理手続において保証人の手元に残すことができる資産（以下、「残存資産」といいます。）の範囲は、破産手続を行った場合とどのように異なりますか。

A．破産手続の場合、破産者の手元に残すことができる資産は破産手続における自由財産（破産法34条第3項及び第4項その他法令により破産財団に属しないとされる財産。以下、「自由財産」といいます。）の範囲に限定されます。

　本整理手続では、保証人が、自由財産に加えて、安定した事業継続等のため、一定期間の生計費に相当する現預金や華美でない自宅等を残存資産に含めることを申し出た場合、経営者たる保証人による早期の事業再生等の着手の決断について、主たる債務者の事業再生の実効性の向上等に資するものとして、対象債権者としても一定の経済合理性が認められる場合には、対象債権者の回収見込額の増加額を上限として、一定期間の生活費に相当する金額や華美でない自宅等（以下、「インセンティブ資産」といいます。）について当該保証人の残存資産に含めることを検討することができます（ガイドライン第7項(3)③、ガイドラインQ&A【各論】Q7-14、同7-23）。

　ただし、本整理手続に基づき、【単独型】のうち「主たる債務の整理手続が既に終結している場合」において保証債務の整理を行う場合は、対象債権者は主たる債務の整理終結時点で、保証人からの回収を期待しうる状況にあり、このような場合においては、自由財産の範囲を超えて保証人に資産を残すことについて、対象債権者にとっての経済合理性が認められないことから、残存資産の範囲は自由財産の範囲に限定されます（ガイドライン第7項(3)③、ガイドラインQ&A【各論】Q7-20）。

Q.10　本整理手続においてインセンティブ資産について保証人の残存資産に含めることを希望する場合の留意点はありますか。

A．対象債権者がインセンティブ資産について保証人の残存資産に含めることを検討するためには、主たる債務の整理手続が終結する前に、本整理手続による保証債務の整理が開始される必要があります（ガイドライン第7項(3)③）。また、保証債務の整理は対象債権者に対して申し出る必要がありますので、本整理手続において保証人にインセンティブ資産を当該保証人の残存資産に含めることを検討する場合には、主たる債務の整理手続が終結する前に、統括責任者が弁済計画策定支援を行うことを決定し、対象債権者に対して弁済計画策定支援を行うことを伝えるか（本手順4．(2)④）又は返済猶予等の要請が行われる必要があります。

　なお、本整理手続以外の準則型私的整理手続（特定調停等）を利用する場合、当該手続においてインセンティブ資産について保証人の残存資産に含めることを希望するときは、主たる債務の整理手続が終結する前に、当該手続が開始される必要があります。

【資料6】「中小企業再生支援協議会等の支援による経営者保証に関するガイドラインに基づく保証債務の整理手順」Q&A

> Q.11 主たる債務の整理において、いわゆる「第二会社方式」を活用して実質的な債権放棄を受ける場合、協議会スキームによる再生計画成立の後に主たる債務者について特別清算手続が申し立てられますが、本整理手続の利用にあたって留意する点はありますか。

A. 主たる債務の整理において、いわゆる「第二会社方式」が活用される場合、協議会スキームの終結後に主たる債務者について特別清算手続の開始が申し立てられますが、協議会スキームの終結時に主たる債務の整理について再生計画が成立しており、その後の特別清算手続は再生計画の実行に他なりません。したがって、インセンティブ資産について保証人の残存資産に含めることを希望する場合には、主たる債務の整理手続である協議会スキームが終結する前に、本整理手続による保証債務の整理が開始される必要があります（Q10参照）。

> Q.12 本整理手続により弁済計画が成立しなかった場合、他の準則型私的整理手続により保証債務の整理をすることはできますか。

A. 例えば、対象債権者が本整理手続による保証債務の整理に明確に反対の意向を示すなどの理由により本整理手続において弁済計画策定支援が開始されなかった場合や、弁済計画案に対する対象債権者の同意が得られず弁済計画策定支援が完了せずに終了した場合に、別途、特定調停手続を利用することが考えられます。

　なお、特定調停手続では、民事調停法第17条の決定（以下、「17条決定」といいます）がなされ、対象債権者が当該決定に異議の申立てをしなければ調停条項（弁済計画）に従った調停が成立する制度があります。したがって、対象債権者が保証債務の整理について積極的に同意できないものの17条決定がなされた場合には異議の申立てをしないと見込まれる場合などには、本整理手続を終了し、特定調停手続に移行することが望ましいです。特定調停手続による保証債務の整理については、平成26年12月12日に日本弁護士連合会が公表した「経営者保証に関するガイドラインに基づく保証債務整理の手法としての特定調停スキーム利用の手引き」を参照してください。

【各論】
（対象）

> Q.13 本整理手続が対象とする「保証人」は、どのような保証人ですか。

A. 【一体型】の場合は、主たる債務の整理が協議会スキームにより行われるため、対象となる主たる債務者は、協議会スキームの対象となる「対象企業」（すなわち「中小企業再生支援協議会事業実施基本要領6．(1)規定する要件を満たす中小企業者」）に限られます。したがって、対象企業の保証人であり、かつ、ガイドライン第7項(1)に規定す

る要件を満たす保証人が本整理手続の対象となります（本手順第4項(1)）。

　【単独型】の場合は、主たる債務の整理が法的債務整理手続又は協議会スキーム以外の準則型私的整理手続により行われるため、ガイドライン第7項(1)に規定する要件を満たす保証人であれば本整理手続の対象となります。

Q.14　本整理手続が対象とする「保証人」には、第三者保証人も含まれますか。

A．特別の事情がある場合又はこれに準じる場合については、第三者保証人も含まれます（ガイドライン3項(2)）。

　「特別の事情がある場合」とは、実質的な経営権を有している者、営業許可名義人又は経営者の配偶者（当該経営者と共に当該事業に従事する配偶者に限る。）が保証人となる場合、経営者の健康上の理由のため、事業承継予定者が保証人となる場合とされています（ガイドライン3項(2)）。

　「これに準じる場合」とは、財務内容その他の経営の状況を総合的に判断して、通常考えられるリスク許容額を超える融資の依頼がある場合であって、当該事業の協力者や支援者からそのような融資に対して積極的に保証の申し出があった場合とされています（ガイドライン3項(2)、ガイドライン脚注5）。

Q.15　対象債権者とはどのような債権者のことをいうのでしょうか。

A．中小企業に対する金融債権を有する金融機関等であって、現に経営者に対して保証債権を有するもの、又は将来これを有する可能性のあるものをいいます。信用保証協会（代位弁済前も含む）、既存の債権者から保証債権の譲渡を受けた債権回収会社（サービサー）、公的金融機関等も含まれます。なお、保証債権が債権回収会社（サービサー）等に売却・譲渡される場合においても、ガイドラインの趣旨に沿った運用が行われることが期待されます。保証履行して求償権を有することとなった保証人は含まれません（ガイドラインQ&A【各論】Q1-1）。

Q.16　ガイドラインに定義される対象債権者に該当しない債権者（例えば保証債権を有するリース債権者や主たる債権を有するカードローン債権者など）がいる場合、これらの債権者を手続から除外して本整理手続を利用することはできますか。

A．ガイドラインは、ガイドラインが適用される対象債権者として、「中小企業に対する金融債権を有する金融機関等であって、現に経営者に対して保証債権を有するもの」と定義しています（ガイドライン1項）。したがって、例えば、保証債権を有するリース債権者や主たる債権を有するカードローン債権者など、ガイドラインに定義される対象債権者に該当しない債権者がいる場合であっても、当該債権者を手続から除外して本整

【資料6】「中小企業再生支援協議会等の支援による経営者保証に関するガイドラインに基づく保証債務の整理手順」Q&A

理手続を利用することは可能です。ただし、当該債権者を除外して弁済計画を作成し弁済することが当該債権者との関係で偏頗的な弁済となるおそれや、当該債権者が保証人の残存資産から回収する場合には債権者間の衡平性を害するおそれ、当該債権者が残存することにより弁済計画の履行が困難となるおそれがないかに十分に留意する必要があります（ガイドラインQ&A【各論】Q7-28参照）。

Q.17 ガイドラインに定義される対象債権者に該当しない債権者（例えば保証債権を有するリース債権者や主たる債権を有するカードローン債権者など）がいる場合、これらの債権者を手続に含めて本整理手続を利用することはできますか。

A．ガイドラインでは、「弁済計画の履行に重大な影響を及ぼす恐れのある債権者については、対象債権者に含めることができるものとする。」（ガイドライン7項(3)④ロ）とされており、ガイドラインに定義される対象債権者に該当しない債権者を対象債権者に含めることを認めています。したがって、当該債権者を対象債権者に含めて本整理手続を利用することは可能です。ただし、弁済計画策定支援の決定にあたっては、当該債権が本整理手続において対象債権者に含まれることを了承していることが必要です。

（窓口相談）

Q.18 窓口相談（第一次対応）にあたって用意する資料は何ですか。

A．窓口相談で確認する事項は、以下のとおりとされています（本手順第3項②）。
・保証契約の概要
・主たる債務者の法的債務整理手続又は準則型私的整理手続における状況
・保証人の資産及び債務の状況
・主たる債務者の資産及び債務の状況
・保証人の破産法第252条第1項（第10号を除く。）に規定する免責不許可事由に関する状況
・取引金融機関との関係
・主たる債務者の窮境原因、経営責任の内容
・残存資産の範囲に関する意向
・弁済計画の方針

窓口相談では、これらの事項の確認に必要となる資料の持参を求めることがあります。例えば、保証契約書、主たる債務者に関する資料、主たる債務者の手続に関する資料、保証人の資産や債務の概要が分かる資料、残存資産に関する書類（例えば、不動産であれば、登記簿、固定資産税評価書等）といった資料が考えられます。支援専門家は、保証人におけるこれら資料の用意について支援を行うことが望ましいです。

資料編

Q.19 支援専門家がいない場合、保証人だけで相談できますか。

A．窓口相談は、保証人及び支援専門家の連名の申し出により行うことが必要（本手順第3項①）ですが、支援専門家がいない場合であっても、実施部門の統括責任者は、必要に応じて、支援専門家候補を紹介することができます（本手順第3項①）。したがって、保証人から紹介依頼があり、統括責任者が必要と判断した場合には、支援専門家候補を紹介することが可能です。

Q.20 主たる債務者の代理人が保証人の支援専門家として本整理手続を利用することは問題ありませんか。

A．主たる債務者の代理人が保証人の支援専門家に就任することは可能ですが、主たる債務者と保証人間の利益相反の顕在化等に留意する必要があります（ガイドラインQ&A【各論】Q5-8参照）。

Q.21 相談申込書の「保証債務の整理が開始できなかった場合又は弁済計画が不成立に終わった場合の一切の不利益」とは具体的にどういう不利益でしょうか。

A．【一体型】の場合、保証人が協議会スキームの係属中に本整理手続の利用を申し込んだものの弁済計画策定支援（第二次対応）が開始されなかったり、対象債権者の同意が得られず弁済計画が成立せず本整理手続が終了することがありえます。

このような場合、保証人は、本整理手続以外の準則型私的整理手続（例えば特定調停手続）を利用して保証債務の整理を目指すことが考えられますが、その時点で協議会スキームにおいて再生計画が成立し終結していた場合には、後に利用する準則型私的整理手続においては、主たる債務の整理手続の終結後に保証債務の整理を開始したときに該当し、インセンティブ資産について残存資産に含めることができなくなる不利益を意味します。

【単独型】の場合でも、主たる債務の整理について法的債務整理手続や協議会スキーム以外の準則型私的整理手続を利用し、当該手続が係属中に保証債務の整理についてのみ本整理手続を進めていたものの、弁済計画策定支援（第二次対応）が開始されなかったり、対象債権者の同意が得られず弁済計画が成立せず本整理手続が終了する場合には、同様の不利益が生じ得ますので、注意が必要です。

Q.22 窓口相談（第一次対応）において、対象債権者の全部又は一部に対し意向を確認することができるとされていますが、どの程度の確認がなされるのでしょうか。

A．弁済計画の策定を支援することが適当であるか否かを判断するための意向確認ですの

【資料6】「中小企業再生支援協議会等の支援による経営者保証に関するガイドラインに基づく保証債務の整理手順」Q&A

で、具体的な弁済計画への同意の可能性を確認するものではありません。免責不許可事由に該当する事実がある等の理由により破産手続を求めるなど、対象債権者が当該保証人について本整理手続による保証債務の整理を検討することに対して合理的な不同意事由がないことを確認します。

Q.23　本整理手続による保証債務の整理を検討することについて、免責不許可事由に該当する事実がある等の理由により破産手続を求めるなど、対象債権者から合理的な不同意事由が示された場合、どうなるのでしょうか。

A．窓口相談を行った保証人について、免責不許可事由に該当する事実がある等の理由により破産手続を求めるなど、対象債権者が本整理手続による保証債務の整理を検討することについて合理的な不同意事由が示され、弁済計画が成立する見込みがない等、弁済計画策定支援を開始することが困難と判断した場合には、弁済計画策定支援（第二次対応）は開始せず、本整理手続は終了します。この場合、統括責任者は、保証人らにその旨を伝え、必要に応じて、弁護士を紹介する等、可能な対応を行います。

なお、対象債権者が保証債務の整理について積極的に同意できないものの民事調停法第17条決定がなされた場合には異議の申立てをしないと見込まれる場合などには、特定調停手続の利用を助言することが考えられます（Q12参照）。

（弁済計画策定支援の開始）

Q.24　免責不許可事由に該当する事実がある場合、本整理手続を利用できないのですか。

A．例えば、無償又は廉価で資産を譲渡した事実があった場合に、当該事実を対象債権者に報告するとともに、譲渡した資産自体を戻したり、相当価格の支払を受けるなどにより資産状況を回復したうえで弁済計画を作成する等の対応により、対象債権者の理解が得られ、弁済計画が成立する見込みがあれば、本整理手続の利用は否定されるものではないと考えます。

Q.25　利用申請書に添付する別紙1「資産に関する状況」及び別紙2「負債に関する状況」とは別に、改めて表明保証書を提出する必要はあるのでしょうか。

A．別紙1「資産に関する状況」及び別紙2「負債に関する状況」は、統括責任者が、当該保証人について弁済計画策定支援（第二次対応）を開始するか否かを判断するための資料として提出されるものであり、保証人が対象債権者に対して行う資力に関する情報の開示とは異なります。

したがって、保証人は、弁済計画策定支援が開始された後、弁済計画案を提出するに

資料編

際して、対象債権者に対して自らの資力に関する情報を開示し、開示した情報の内容の正確性について改めて表明保証書を提出し表明保証を行う必要があります（本手順第4項(4)①、②）。表明保証の方法については、Q38を参照ください。

Q.26 弁済計画策定支援（第二次対応）の開始にあたり、対象債権者の意向を確認するとされていますが、どの程度の確認がなされるのでしょうか。

A．弁済計画策定支援を開始するにあたり、弁済計画の成立が見込めるか否かを判断するための意向確認です。弁済計画策定支援が開始されると個別支援チームの外部専門家の費用について保証人本人の費用負担が発生すること等も踏まえ、対象債権者が、利用申請書の内容に基づいた弁済計画案の方針に対して合理的な不同意事由がなく弁済計画の成立の見込みがあることを確認します。

　なお、対象債権者に該当しない債権者がいる場合であって、当該債権者を対象債権者に含めることを希望する場合は、当該債権者の意向も確認する必要があります。

Q.27 弁済計画策定支援（第二次対応）を行うことを決定したとき、どのように「返済猶予等の要請」が行われますか。

A．弁済計画策定支援を行うことを決定した場合、原則として、主債務者、保証人、支援専門家及び実施部門の連名により、対象債権者に対し、返済猶予等の要請を行います。ただし、単独型の場合には、保証人、支援専門家及び実施部門の連名で足ります（本手順第4項(2)⑤）。

　返済猶予等の要請を行うことにより、保証人がガイドラインに基づく保証債務の整理を対象債権者に申し出たこととなります。

　なお、【一体型】の場合で、主たる債務に関する協議会スキームにおける再生計画策定支援（第二次対応）の開始と同時に本整理手続の弁済計画策定支援（第二次対応）を開始する場合には、主たる債務に関する返済猶予等の要請と保証債務に関する返済猶予等の要請を同時に行うことも可能です（本手順第4項(2)⑤）。

Q.28 利用申請書を提出した後に弁済計画策定支援（第二次対応）が開始されない場合はあるのでしょうか。

A．統括責任者が、利用申請書の記載内容及び対象債権者の意向等を踏まえて、弁済計画の成立の見込みがないなど、弁済計画策定支援をすることが困難と判断した場合には、利用申請書を提出した後であっても、弁済計画策定支援を開始せず、窓口相談で終了することはありえます。

【資料6】「中小企業再生支援協議会等の支援による経営者保証に関するガイドラインに基づく保証債務の整理手順」Q&A

(個別支援チームの編成)

Q.29　個別支援チームはどのような立場に立つのですか。

A．個別支援チームは、実施部門の下に組成され、保証人及び対象債権者のいずれの立場にも立たない中立公正な立場から、弁済計画案の策定を支援します。この点、保証人の立場で弁済計画案の策定を支援する支援専門家とは立場が異なります。

Q.30　個別支援チームのメンバーには、どのような専門家が参画するのですか。

A．個別支援チームは、統括責任者や統括責任者補佐の他、外部専門家から構成されます。個別支援チームには、弁護士を一名含める必要があります。

Q.31　【一体型】の場合に、主たる債務者の再生計画策定支援の個別支援チーム又はそのメンバーが、本整理手続における個別支援チーム又はそのメンバーを兼ねることはできますか。

A．可能です（本手順第4項(3)①）。【一体型】において、主たる債務及び保証債務の一体整理を円滑に進める観点からは、主たる債務者の再生計画策定支援の個別支援チームのメンバーが本整理手続における個別支援チームのメンバーを兼ねることが望ましいといえます。ただし、Q30のとおり、必ず弁護士一名が個別支援チームのメンバーとなっていなければなりません。

(弁済計画案の作成)

Q.32　弁済計画案は誰が作成するのですか。

A．弁済計画案は保証人が支援専門家の支援を受けて作成するものです。個別支援チームは、保証人による弁済計画案の作成を支援するに過ぎません。

Q.33　【一体型】の場合、弁済計画案は、再生計画案とは別に作成するのですか。

A．【一体型】の場合には、原則として主たる債務者に関する再生計画案の中に弁済計画案を記載することになります（本手順第4項(5)）。

(弁済計画案の内容)

Q.34　本整理手続において作成される弁済計画案の内容はどのようなものですか。

A．本整理手続において作成される弁済計画案の内容は、ガイドライン第7項(3)②から⑤

の規定に従った内容でなければなりません（本手順第4項(5)）。ただし、ガイドライン第7項(3)②の「経営者の経営責任の在り方」については、主たる債務の整理手続で作成する再生計画案に記載されるのが一般的です。

> Q.35 弁済計画案の作成にあたって、保証債務の履行基準（残存資産の範囲）、弁済計画の記載内容等は具体的にどのように記載すればよいですか。

A．弁済計画案の作成にあたっては、「保証債務の履行基準（残存資産の範囲）」、「弁済計画の記載内容」、「保証債務の一部履行後に残存する保証債務の取り扱い」について、ガイドライン第7項(3)③から⑤及びガイドラインQ&A【各論】Q7-13から29に記載されている内容を十分に参照して作成する必要があります。

　なお、ガイドラインにおける対象債権者としての経済合理性の判断の仕方や残存資産の範囲の考え方は、「上限」の基準を示したものであり一定の幅があると考えられますので、弁済計画案の作成にあたっては、事案に応じて、全ての対象債権者との間で合意形成が可能な内容とする必要があります。

> Q.36 資力に関する情報の開示及びその表明保証はどのようにすればよいでしょうか。

A．ガイドラインにおいて、保証人は、対象債権者に対し、自らの資力に関する情報を誠実に開示し、開示した情報の内容の正確性について表明保証を行うことが求められており（ガイドライン第7項(3)⑤イ））、本整理手続においても、弁済計画を提出するにあたり、保証人による資力に関する情報の開示と開示した情報の内容の正確性についての表明保証が求められています（本手順第4項(4)①、②）。

　保証人による資力に関する情報の開示及びその表明保証の様式については、【参考書式】を参照ください。

　なお、例えば、対象債権者に該当しない債権者がいる場合には、弁済計画案の相当性を判断するにあたり、当該債権者の状況を把握する必要がありますので、資産状況だけでなく負債状況についても表明保証を求めることもありえます。

> Q.37 弁済計画策定支援（第二次対応）決定前に、支援専門家による一時停止等の要請が行われていた場合、財産評定及び表明保証の基準時（ガイドライン第7項(3)④イ)b)）はいつですか。

A．本手順において、財産評定及び表明保証の基準時は、原則として、弁済計画策定支援（第二次対応）決定日とします。ただし、弁済計画策定支援決定日以前に支援専門家による一時停止等の要請が、ガイドライン7項(3)①イ)ロ)に従って行われており、当該

【資料6】「中小企業再生支援協議会等の支援による経営者保証に関するガイドラインに基づく保証債務の整理手順」Q&A

要請時点を財産評定及び表明保証の基準時とすることについて対象債権者の同意がある場合には、当該要請時点を財産評定及び表明保証の基準時として取り扱うこともできます。

> Q.38 支援専門家による表明保証の適正性の確認は、どのように行えばよいのでしょうか。

A．弁済計画を提出する際、支援専門家は、対象債権者からの求めに応じて、保証人による表明保証の適正性についての確認を行い、対象債権者に報告することが求められます（ガイドライン第7項(3)⑤イ）参照）。
　支援専門家による確認は、保証人が表明保証した開示した情報の内容についての適正性を確認することを意味します。したがって、支援専門家としては、相当な注意を払って、確認を行うものであり、保証人が開示した資産以外に資産がないことを保証するものではありません。
　支援専門家による確認の様式については、【参考書式】を参照ください。

> Q.39 保証人が開示し、その内容の正確性について表明保証した資力の状況が事実と異なることが判明した場合、どうなるのでしょうか。

A．保証人は、免除された保証債務及び免除期間分の延滞利息を付した上で追加弁済を行わなければなりません（ガイドライン第7項(3)⑤ニ）参照）。【参考書式】を参照ください。

> Q.40 過失により表明保証した資産目録に記載されなかった資産が判明した場合でも、追加弁済を行わなければならないのでしょうか。

A．過失により資産目録に記載されなかった資産が判明された場合であっても、原則として追加弁済を行わなければなりません（ガイドラインQ&A【各論】Q7-31）。

（弁済計画案の調査報告）

> Q.41 調査報告書は誰が作成するのですか。

A．個別支援チームに参画した弁護士が作成します。

資料編

> Q.42 【一体型】の場合、原則として、主たる債務者に関する再生計画案の中に弁済計画案が記載されますが、調査報告書は再生計画案と弁済計画案それぞれについて作成されるのですか。

A．【一体型】の場合、原則として、再生計画案の中に弁済計画案が記載されており、当該再生計画案に対する調査報告書の中で弁済計画案に対する調査内容についても記載されるのが通常です。

（債権者会議の開催と弁済計画の成立）

> Q.43 債権者会議は必ず開催しなければならないのですか。

A．債権者会議を開催せず、弁済計画案の説明等を持ち回りにより実施し、対象債権者から各別に同意不同意の意見を書面で表明してもらう方法によることも許容されます（本手順第4項(7)①）。

> Q.44 大部分の債権者が弁済計画案に同意したが、一部の対象債権者の同意が得られないときはどうなるのですか。

A．本整理手続は私的整理手続であり、弁済計画案の成否を多数決で決することはできません。したがって、一部の対象債権者から同意が得られないときは、弁済計画は成立しないこととなります。
　もっとも、同意が得られなかった対象債権者を除外しても弁済計画の実行上影響がない（弁済計画の実行が可能である）と判断できる場合には、当該不同意の対象債権者からの権利変更の内容を除外した変更計画を作成し、変更計画について不同意の対象債権者を除外した全ての対象債権者の同意を得た場合には、変更計画につき弁済計画を成立させることは可能です（本手順第4項(7)③）。

> Q.45 【一体型】の場合において、対象債権者から、再生計画案については同意を得られる見込みだが、弁済計画案について同意が得られる見込みがない場合どうなりますか。

A．再生計画案と弁済計画案を分離し、再生計画案については成立させ、本整理手続については弁済計画策定支援を終了させることになります。

> Q.46 【一体型】の場合において、同意の意見を書面により表明してもらう場合、再生計画と弁済計画のそれぞれについて書面を確認する必要があるのでしょうか。

【資料6】「中小企業再生支援協議会等の支援による経営者保証に関するガイドラインに基づく保証債務の整理手順」Q&A

A．【一体型】の場合には、主たる債務者の再生計画案についての同意をもって、保証人の弁済計画案についての同意があったものとみなすことができます（本手順第4項(7)②）。

（その他）

Q.47　成立した弁済計画は公表されるのですか。

A．公表されません。

Q.48　弁済計画が成立した場合、信用情報登録機関における取扱いはどうなりますか。

A．弁済計画が成立した時点又は分割弁済の場合においては弁済が完了した時点において、「債務履行完了」として登録し、信用情報登録機関には事故情報の登録は行われません（ガイドラインQ&A【各論】Q8-5）。

以　　上

〈以下略〉

【資料7】経営者保証に関するガイドラインに基づく保証債務整理の手法としての特定調停スキーム利用の手引

2014年（平成26年）12月12日
2020年（令和2年）2月19日　改訂
日本弁護士連合会

　本手引は，2013年（平成25年）12月に公表された「経営者保証に関するガイドライン」（以下「経営者保証GL」といいます。）に基づく保証債務の整理のうち，保証債務のみを整理する「単独型」について，簡易裁判所の特定調停手続を利用する場合に，その運用を円滑にするために作成された「経営者保証に関するガイドラインに基づく保証債務整理の手法としての特定調停スキーム利用の手引き」を，その後の運用等を踏まえて改訂するものです。

　なお，主たる債務者の手続と一体として保証債務整理を図る場合（「一体型」）は，主たる債務者が事業再生を図るときは，「事業者の事業再生を支援する手法としての特定調停スキーム利用の手引」を，主たる債務者が廃業支援を図るときは，「事業者の廃業・清算を支援する手法としての特定調停スキーム利用の手引」も併せて参照してください。本手引及び「事業者の事業再生を支援する手法としての特定調停スキーム利用の手引」並びに「事業者の廃業・清算を支援する手法としての特定調停スキーム利用の手引」の適用場面については，別紙1「各手引の適用場面」を参照してください。

　本手引は，「単独型」を主な対象として作成されたものですが，経営者保証GLの要件，進め方，弁済計画の策定などは共通する部分が多いため，「一体型」を進める際の参考にも資するものになります。また，本文中において経営者保証GLの条項を引用するときは項番の冒頭に「GL」と表記し，「経営者保証に関するガイドラインQ&A」は「Q&A」と略称します。

第1　特定調停スキーム（経営者保証GL単独型）の概要・要件
1　特定調停スキーム（経営者保証GL単独型）のメリット
　(1)　保証人のメリット
　　①　破産をしないで保証債務整理ができること。
　　②　信用情報機関に登録されることなく保証債務整理ができること。
　　③　インセンティブ資産を残す余地があること。
　　④　今後の収入により，一定の財産の公正な価額を弁済し財産を残す余地があること。
　　⑤　破産手続と異なり，財産の管理処分権を失わないこと。
　(2)　対象債権者のメリット
　　①　経済的合理性が確保されていること。

【資料7】経営者保証に関するガイドラインに基づく保証債務整理の手法としての特定調停スキーム利用の手引

 ② 裁判所が関与すること。
 ③ 寄付金課税その他税務上の問題が生じないこと。
 ④ 株主代表訴訟の問題が生じにくいこと。

2 特定調停スキーム（経営者保証GL単独型）の活用事例
(1) 事業者（主たる債務者）について
 ① 主たる債務者は、民事再生手続により事業再生を図った事例
 ② 主たる債務者は、破産手続又は特別清算手続により整理を図った事例
 ③ 主たる債務者は、特定調停スキーム、中小企業再生支援協議会スキーム及び事業再生ADR手続等により整理を図ったものの、保証債務の整理がなされなかった事例や既に終結した事例
(2) 保証人について
 ① 自宅について
  ア オーバーローン（被担保債権が物件価値を上回る）を前提として、住宅ローンの返済を継続しつつ自宅に居住し続ける事例
  イ 対象債権者に経済的合理性が認められることを前提として、自宅を保証人の資産（いわゆるインセンティブ資産）として残し、自宅に居住し続ける事例
  ウ 事業者（主たる債務者）の対象債権者に対する担保権設定済の自宅について、近親者等の第三者が適正価格にて購入し、当該第三者の理解を得て自宅に居住し続ける事例
 ② その他資産について
  ア 自由財産程度の財産を残した事例
  イ 対象債権者の経済的合理性を踏まえて、当該経済的合理性の範囲内で一定の資産を残す事例
  ウ 保証人の状況（介護費用、医療費等）を踏まえて、一定の生計費を残す事例
  ※保証人の保有する資産や経済的合理性の程度等に応じて様々なケースがあります。

3 特定調停スキーム（経営者保証GL単独型）の費用
(1) 裁判所手数料（調停申立てに当たっての印紙代）
(2) 弁護士（支援専門家）に要する費用
 支援専門家及び代理人となる弁護士の費用がかかります。

4 特定調停スキーム（経営者保証GL単独型）の要件
 特定調停スキーム（経営者保証GL単独型）を利用するに当たっては、原則として次の事項を全て充たす必要があります。なお、個別の要件の解釈や認定については、対象債権者との協議により、柔軟に解釈等が可能な場合も考えられます。

(1) 経営者保証GLによる保証債務整理の対象となり得る保証人であること
　① 経営者保証GL3項要件を充足していること（GL7項(1)イ）。
　　経営者保証GLによる保証債務整理の開始の申出をすることができる保証人かどうかを確認するための要件になります。具体的には，以下の要件を満たすことが必要です。
　　ア　主債務者が中小企業であること（GL3項(1)，Q&A3）。
　　イ　保証人が個人であり，主債務者である中小企業の経営者等であること（GL3項(2)，Q&A4）。
　　　※いわゆる第三者による保証について除外するものではありません（GL脚注5参照）。
　　ウ　主債務者及び保証人の双方が弁済について誠実であり，財務情報等を適時適切に開示していること（GL3項(3)，Q&A3-3，3-4）。
　　エ　主たる債務者及び保証人が反社会的勢力ではなく，そのおそれもないこと（GL3項(4)，Q&A3-5）。
　② 主たる債務者が法的債務整理手続の開始申立て又は利害関係のない中立かつ公正な第三者が関与する私的整理手続及び準則型私的整理手続の申立てを経営者保証GLの利用と同時に現に行い，又は，これらの手続が係属し，若しくは既に終結していること（GL7項(1)ロ）
　③ 対象債権者において，破産手続による配当よりも多くの回収を得られる見込みがある等，経済的な合理性が期待できること（GL7項(1)ハ，Q&A7-4）
　　※破産管財費用が生じないことから，通常，当該要件は充足していることが多いと考えられます。
　④ 破産法第252条第1項（第10号を除く）に規定される免責不許可事由が生じておらず，そのおそれもないこと（GL7項(1)ニ）具体的には以下のような場合です。
　　ア　著しく不利益な条件で債務を負担したり，又は信用取引により商品を購入し著しく不利益な条件で処分してしまったりしたことがないこと（破産法第252条第1項第2号）。
　　イ　一部の債権者に特別の利益を与える目的又は他の債権者を害する目的で，義務ではない担保の提供，弁済期が到来していない債務の弁済又は代物弁済をしたことがないこと（破産法第252条第1項第3号）。
　　ウ　保証債務整理に至る経過の中で，当時の資産・収入に見合わない過大な支出又は賭博その他の射幸行為をしたことがないこと（破産法第252条第1項第4号）。
　　エ　1年前から保証債務整理の開始日までの間に，他人の名前を勝手に使ったり，生年月日，住所，負債額及び信用状態等について虚偽の事実を述べて，借金をしたり，信用取引をしたりしたことがないこと（破産法第252条第1項第5号）。

【資料7】経営者保証に関するガイドラインに基づく保証債務整理の手法としての特定調停スキーム利用の手引

　　オ　その他免責不許可事由がないこと（破産法第252条第1項各号（第10号を除く。）。
　　　※免責不許可事由がある場合でも，問題行為の瑕疵を治癒するなど破産法第252条第2項の裁量免責に準じる事由がある場合には，当該要件が充足される場合もあり得ると考えられます。
　　　※破産法第252条第7号～9号及び第11号はいずれも破産手続を前提とするものであり，経営者保証GLを利用しようとする保証人について第7～9号及び第11号に該当する事由が生じている，又は生じるおそれがあることは通常想定されません。
(2)　対象債権者について
　　事業者（主たる債務者）に対して金融債権を有する金融機関（信用保証協会を含みます。以下同じ。）及び保証人に対して保証債権を有する金融機関を対象債権者とすること。ただし，保証人の弁済計画の履行に重大な影響を及ぼすおそれのある債権者については，金融債権を有する債権者以外でも対象債権者に含めることができます（GL7項(3)④ロ）。
(3)　返済猶予等の要請が適正に行われていること
　　ア　保証人と支援専門家が連名した書面が出されていること（GL7項(3)①）
　　イ　全ての対象債権者に対して同時に行われていること（GL7項(3)①）
　　ウ　対象債権者との間で良好な取引関係が構築されてきたこと（GL7項(3)①）
　　　※全ての要件を充足する場合には，対象債権者は，一時停止や返済猶予（以下「返済猶予等」といいます。）の要請に対して，誠実かつ柔軟に対応するよう努めることになります。
　　　※返済猶予等の効力が発生した時点は，保証人の財産評定の基準時点となります（GL7項(3)④イｂ）。
　　エ　GL7項(3)の合理的な不同意事由がないこと（Q&A7-7，7-12）
　　　※対象債権者は，合理的な不同意事由がない限り，保証債務整理手続の成立に向けて誠実に対応することになります。
(4)　残存資産の範囲が相当で対象債権者の経済的合理性が期待できること
　　破産手続による配当よりも多くの回収を得られる見込みがあるなど，対象債権者にとって経済的な合理性が期待できること。
　　例えば，主たる債務者が清算型手続の場合，以下の①の額が②の額を上回る場合には，経営者保証GLに基づく債務整理により，破産手続による配当よりも多くの回収を得られる見込みがあるため，一定の経済合理性が認められます。
　①　現時点において清算した場合における主たる債務の回収見込額及び保証債務の弁済計画（案）に基づく回収見込額の合計金額
　②　過去の営業成績等を参考としつつ，清算手続が遅延した場合の将来時点（将来見通しが合理的に推計できる期間として最大3年程度を想定）における主たる債

務及び保証債務の回収見込額の合計金額
- (5) 弁済計画の内容も相当であること
  すなわち，以下の内容を記載していること。
  ① 一体整理が困難な理由等が記載されていること（GL 7 項(3)④イa）。
    ※一体型の場合には，不要ですが，他方で，経営責任について検討することが必要です。
  ② 財産評定の基準時点の財産の状況が記載されていること（GL 7 項(3)④イb）。
  ③ （残存資産ではない）処分・換価対象資産がある場合，「公正な価額」に相当する額を弁済する計画を示すか，処分方針を記載していること（GL 7 項(3)④イc，d）。
  ④ 按分弁済の計画となっていること（GL 7 項(3)④ロ）。
- (6) 保証債務の免除要請も適正に行われていること
  すなわち，以下の要件を充足していること。
  ① 保証人が資力に関する情報と資料の開示を行い，表明保証を行っていること（GL 7 項(3)⑤イ，ロ）。
  ② 支援専門家が表明保証の適正性についての確認を行い，対象債権者に報告していること（GL 7 項(3)⑤イ）。
  ③ 資力の状況が事実と異なる場合（過失も含む），免除した保証債務及び延滞利息を付した追加弁済を行う旨の書面による契約締結がなされていること（GL 7 項(3)⑤ニ）。
- (7) 十分な事前調整
  対象債権者との間で保証人の弁済計画案の提示，説明，意見交換等の事前協議を行い，十分な事前協議を行っていること。

> ポイント：対象債権者との十分な事前調整
> 特定調停手続を円滑に実施するためには，いきなり調停を申し立てるのではなく，事前に十分に債権者と協議を行うことが肝要です。経営者保証GLにおいても，返済猶予等の要請の段階において，対象債権者及び保証人が，手続申立て前から債務の弁済等について誠実に対応し，対象債権者との間で良好な取引関係が構築されてきたと対象債権者により判断され得ることが求められています（GL 7(3)①ハ）。また，申立前の段階において，対象債権者と支援専門家（多くは申立人代理人が兼ねることになると思われます。）が，保証債務の弁済計画（GL 7(3)④）や残存資産の範囲（GL 7(3)③）などについて十分に調整することが重要です。さらに事前に債権者から合意の見込みを得ておくことができれば，特定調停手続を迅速かつ円滑に成立させることが容易になります。支援専門家である申立人代理人の合意形成に向けた役割は極めて重要なものであり，経営者保証GLも対象債権者との十分な事前調整を前提としています（GL 7(3)③，④）。

【資料7】経営者保証に関するガイドラインに基づく保証債務整理の手法としての特定調停スキーム利用の手引

第2 経営者保証GL単独型特定調停手続の進め方
1 事前準備及び相談対応
保証人から保証債務整理に関する相談を受けた弁護士は，おおむね以下に掲げる事項を聴取・確認し，関係資料の提供を受けます。
- 主たる債務者の状況の概要
   資料：商業登記簿謄本，定款，株主名簿
- 主たる債務者の事業再生，廃業の方針等の確認
- 主たる債務者の手続が進行している場合には，その進捗状況や対象債権者に対する弁済計画等の確認
   資料：再生手続の場合には，財産評定書，再生計画案，破産手続の場合には，配当に関する資料
- 主たる債務者と保証人の取引金融機関との関係
- 主たる債務者の窮境原因，経営責任の内容
- 保証人の資産に関する資料
   資料：資産目録，預貯金通帳，不動産固定資産評価証明書など資産に関する資料，住宅ローンやカードローンの明細など固有の債務に関する資料
- 残存資産の範囲に関する意向
- 現在ないし今後の生活状況（収入状況）

2 弁護士に求められる役割
(1) 一体型の検討
弁護士は主たる債務者の債務整理の相談の際に，保証債務整理の相談を受けることが多いと考えられます。保証債務の整理は，主たる債務の準則型私的整理手続と一体として行うことが原則ですので（例えば，主たる債務者について特定調停手続や中小企業再生支援協議会の手続により整理を図る場合には，同一の手続で保証債務整理を図ることになります。），まずは同一の手続で進められるかどうかを検討する必要があります。主たる債務者と一体で保証債務整理を図る方が経営者保証GLに基づく整理が成立しやすい面もあります。

そこで，弁護士は，主たる債務者の事業再生や廃業の準則型私的整理手続の可能性について，十分に確認し，一体整理ができないか検討することが期待されます。

ただし，主たる債務者について準則型私的整理手続を利用しつつ，保証債務整理のみ単独で整理を図ることが合理的な場合もあります。例えば，対象債権者との交渉の結果，対象債権者から，経営者の経営責任の重さを踏まえると保証債務の整理について積極的に同意することができないが，民事調停法第17条による裁判所の決定があれば従うとの意向が示されている場合には，主債務者の手続が別の私的整理手続で進行していたとしても，保証人については（単独型の）特定調停手続の申立てをすることが考えられます。

(2) 主たる債務者破産の案件でも経営者保証GLの検討や説明をすべきこと

　従前、主たる債務者破産の案件においては、経営者保証人も同時に破産をするケースが多かったと考えられます。

　しかしながら、経営者保証GLには、前述のとおり、多くのメリットがあります。インセンティブ資産を残せない案件であっても、経営者保証GLに基づき整理を図ることは経営者保証人の意向に沿った対応と言えます。経営者保証GLの要件を充足している案件は相応に存在すると考えられます。

　そこで、弁護士は、経営者保証GLの要件充足の確認、経営者保証GLを進めることのメリット、留意点等を検討した上で、保証人に対し、経営者保証GLに基づく整理の可能性について十分に説明することが求められます。

> ※誠実要件の確認と対象債権者との調整
> 　①主たる債務者及び保証人の双方が弁済について誠実であり、財務情報等を適時適切に開示していることや②免責不許可事由のおそれがないという要件は、誠実要件と言われ、問題となることがあり、対象債権者と調整することが求められます。
> 　①要件について、Q&Aでは、債務整理着手前や返済猶予前において、主たる債務者又は保証人による債務不履行や財産状況等の不正確な開示があったことなどをもって直ちに経営者保証GLの適用が否定されるものではなく、債務不履行や財産の状況等の不正確な開示の金額及びその態様、私的流用の有無等を踏まえた動機の悪質性といった点を総合的に勘案して判断すべきとされていますので（Q&A3-3参照）、留意することが求められます。
> 　②要件について、保証人に免責不許可事由がある場合、保証人（及び支援専門家）は、破産法第252条第2項の裁量免責に準じる事情（免責不許可事由の性質、重大性、帰責性、債権者の態度や意見、手続への協力の有無や程度等）があるか確認し、裁量免責が認められるべき事案に準じる事案であれば、対象債権者に対し、丁寧な説明を行い、調整を図ることが期待されます。免責不許可事由の「おそれ」の意味について、Q&A7-4-2を確認することが必要です。

(3) 返済猶予等の要請の時期や留意点

　原則として、返済猶予等の要請は、主たる債務者・保証人・支援専門家が連名した書面により行われる必要があります（GL7(3)①イ）。

　返済猶予等の要請の書面の例は、別添書式1のとおりです（この書式は支援専門家と保証人の代理人弁護士が同一であることを前提としています。）。

　返済猶予等の要請は、原則として、全ての対象債権者に対して同時に行われる必要があります（GL7(3)①ロ）。

　財産評定の基準時点は、保証人（支援専門家）がGLに基づく保証債務の整理を対象債権者に申し出た時点（保証人等による返済猶予等の要請が行われた場合に

【資料7】経営者保証に関するガイドラインに基づく保証債務整理の手法としての特定調停スキーム利用の手引

あっては，返済猶予等の効力が発生した時点をいう。）とされていますので（GL7(3)④イb），返済猶予等の効力がいつ生じたか，対象債権者とで協議，確認し，確定させることが求められます。

> ※インセンティブ資産を残す希望がある場合には，主たる債務の整理手続の進行に十分な注意が必要であること
> 　主たる債務の整理手続が既に終結している場合において，保証債務の整理を行う場合は，対象債権者は主たる債務の整理終結時点で，保証人からの回収を期待し得る状況にあり，このような場合においては，自由財産の範囲を超えて保証人に資産を残すことについて，対象債権者にとっての経済合理性が認められないことから，残存資産の範囲は自由財産の範囲に限定され（GL7(3)③，Q&A7-20），インセンティブ資産を残す余地がなくなってしまうことに十分に留意することが求められます。

(4) 合理的な不同意事由が生じないように指導すること

　経営者保証GLは，対象債権者は「合理的な不同意事由」がない限り，債務整理手続の成立に向けて誠実に対応すべきとしており（GL7(3)柱書），反対に，「合理的な不同意事由」が発生すると保証債務の整理は成立しないおそれが高くなります。

　ここでいう「合理的な不同意事由」とは，必要な情報開示を行わない，返済猶予等の要請後に資産を処分したり，新たな債務を負担することが例示されています（Q&A7-7，7-12）。これ以外にも，破産法第252条第1項（第10号を除く。）に規定される免責不許可事由に該当するかそのおそれがある行為も当然に含まれます。

　弁護士は，必要な情報開示を行うとともに保証人が問題行為に及ばないように十分に指導監督する必要があります。

(5) 資産状態，固有の債務の状態の確認

　保証人の資産状態を確認し，資産目録（財産目録）を作成することは，支援専門家となる弁護士の重要な役割になります。弁護士は，保証人の財産状況の裏付け資料を確認し，別添書式2-2の資産目録にて整理することが求められます。

※経営者保証GLにおいては，資力の状況が事実と異なる場合（過失も含む。），免除した保証債務及び延滞利息を付した追加弁済を行う旨の書面による契約締結がなされることが要件とされており（GL7項(3)⑤ニ），弁護士においては通帳の過去の履歴の確認等の裏付け資料をもって資産状態の十分な確認が求められます。

※住宅，車両リースなど担保付資産については，担保資産の価値と被担保債務額を比較し，余剰の資産価値があるか否かを確認することが求められます。余剰がない場合には，資産価値はないものとして評価することが考えられます。

※不動産などの資産の評価方法について，不動産鑑定まで実施するのか，近隣不動産業者の簡易な査定書や固定資産評価証明等を使うかについて，対象債権者と協議し，適切な方法を確定することが期待されます。資産価値については，早期

455

処分価格で評価することが考えられます（Q&A 7-25参照）。保証人（支援専門家）と対象債権者とで協議の上，評価額を確定することが期待されます。

※固有の債務は原則として，経営者保証GLの対象債権者には含まれません。しかし，固有の債務の金額が相応に大きく，今後の収入での弁済が困難な場合等，弁済計画の履行に重大な支障が生じる場合には，対象債権者に加える対応が考えられます（GL 7(3)④ロ）。そのほか，別途特定調停や任意整理を行うことも考えられます。

※固有の債権者が多数いる場合でも経営者保証GLの検討をするべき

　実務上，経営者保証GLの本来的な対象債権者ではない固有の債権者が多数あり，多額に上る場合，経営者保証GLの活用を断念し，破産申立を選択することが少なくないと考えられます。

　しかしながら，固有の債権者が多数いる場合でも，債権者の属性によっては調整ができる場合も少なくありません。また，固有の債権者を対象債権者に取り込む方法だけでなく，固有の債権者と保証債権者を別々のグループとして交渉を図るとか，固有の債権者については（個別の任意整理では難しいとしても）民事調停法第17条決定により解決を図ることなど様々柔軟な対応が考えられるところです。

　固有の債権者がいる事案においても，経営者保証GLの活用ができるケースも少なくありません。

　なお，2019年5月28日，公益社団法人リース事業協会にて，「中小企業向けのリース契約に関する経営者保証ガイドライン」が制定されており，2020年1月1日から適用が開始されています。同ガイドラインは，経営者保証GLを参考としており，6項によると，保証債務の整理に関する協議を求められた場合は，それに参加することに努めるとされています。同ガイドラインにより，リース債権者を対象債権者に取り込みしやすくなっている面があります。そのほか，金融機関とリース債権者を別々のグループとして交渉を図る，17条決定により解決を図ることも考えられます。

---

(6) 保証履行の範囲の相当性（経済的合理性を満たすこと）の確認

※保証人が自由財産の範囲内の財産しか有していない場合，保証人が破産した場合でも対象債権者は，保証人の財産から配当を期待できる立場にありません。GL上も自由財産は残すことが相当とされており，自由財産を残す内容で弁済計画を立案しても，対象債権者の経済的合理性は充足されていると考えられますし，弁済について誠実という要件を満たさない事態になるわけではないと考えられます（Q&A 3-4参照）。

※自由財産には，例えば中小企業退職金共済法に基づく退職金，小規模企業共済などの差押禁止財産も含まれることには注意が必要です。

※保証人が自由財産を超える財産を有するものの，自由財産しか残さず（インセンティブ資産を残さず），自由財産を超える部分については，換価・弁済する計画

【資料7】経営者保証に関するガイドラインに基づく保証債務整理の手法としての特定調停スキーム利用の手引

の場合も対象債権者の経済的合理性は充足されていると考えられます。なお，この場合には，相応の保証履行を行うことが考えられるため，対象債権者の平等性，公平性が問題となることが多いと考えられ，注意が必要です。
(7) インセンティブ資産を残す場合の必要性の説明
保証人がインセンティブ資産を残す希望がある場合，その必要性について，対象債権者に対して説明することが求められます（GL 7項(3) a）。
(8) 主たる債務者の手続の確認（インセンティブ資産を残す場合の検討事項）
経営者保証GLにおいては，主たる債務者と保証人について，一体的に経済的合理性を判断しますので，保証人が自由財産しか残さない場合は別として，インセンティブ資産を残す場合，主たる債務者の整理手続の内容を確認しなければ，主たる債務者と一体として経済的合理性を確認できないことになります。
そこで，弁護士は，例えば，主たる債務の整理手続が民事再生手続の場合には，主たる債務者の財産評定の内容や再生計画の内容を確認することが必要です。また，主たる債務の整理手続が破産手続である場合には，破産債権者に対する配当額を確認することが必要です。このように弁護士には，破産管財人，民事再生申立代理人又は監督委員等の関係者の協力を得て，その内容について，対象債権者や調停委員会に適時適切に説明することが求められます。

3 事前準備及び金融機関との協議の開始

弁護士は，調停申立て前に，保証債務の弁済計画案を策定し，対象債権者にこれらを開示して協議を重ね，十分な事前調整を行うことが求められます。
十分な事前調整を行う手順は事案により異なると思われますが，一般的には，次のような手順で進められるものと考えられます。
(1) 保証人との事前協議，方針選択
保証人自身も破産手続による整理が望ましいのか，経営者保証GLによる整理が望ましいのか，十分に確認することが求められます。
(2) 対象債権者（信用保証協会を含む）への返済猶予の申入れ
※預金の取扱いには，十分な検討が必要です。
※必要に応じて，個別訪問を実施します。
※経営者保証GL 7項(3)①ロでは，返済猶予の申入れが全ての対象債権者に対して同時に行われていることが必要とされていることに留意が必要です。
※返済猶予等の効力が発生した時点は，保証債務についての経済的合理性を判断する「基準日」の意味を持ちますので，申出時期の検討をすることに加え，対象債権者とも十分に協議することが求められます。
(3) 資産目録，調停条項（弁済計画）案，表明保証書・確認報告書等の作成
(4) 対象債権者に対する調停条項（弁済計画案）の説明，意見交換，修正など
弁済計画の内容が経営者保証GLの要件に沿っていることを説明するため，代理

人弁護士は，適宜，別添書式6-1「経営者保証に関するガイドライン（GL）に基づく保証債務整理（単独型）　GL要件該当性及び弁済計画案等の御説明」を活用して，保証債務整理の対象となる保証人であること，保証債務整理を図る場合の対応が適正であること，残存資産の範囲及び弁済計画の内容が相当であることなどを説明します。別添書式6-1の活用方法や作成方法や留意点については，別紙2の活用マニュアルを御確認ください。

4　特定調停の申立て

(1) 当事者

申立人：債務者（保証人）

相手方：対象債権者（金融機関等）複数でも，1件として申立てが可能

※信用保証協会の保証付債権がある場合は，信用保証協会を利害関係人として参加してもらうことも可能です。ただし，信用保証協会との十分な事前調整を行うことを優先して，代位弁済後に申立てをすることも考えられます。

※経営者保証GLの適用を受けない債権者が残存資産から回収等をすることによって弁済計画の履行に重大な影響を及ぼすおそれの生じる場合には，保証人の資産の処分・換価により得られた金銭の配分の際に対象債権者に含めることにより，当該債権者を含めた調整を行うことも可能です（Q&A7-28）。

※本スキームは，前記「ポイント：対象債権者との十分な事前調整」のとおり，調停申立て前に対象債権者と調整しておくことが前提となっており，対象債権者ごとに進行が区々になる可能性は極めて低いことから，対象債権者の数にかかわらず，原則として1件の申立て（したがって，申立書も1通）で足りると考えられます。

なお，事前調整を行った結果，対象債権者ごとに進行が区々となる可能性があると判断される場合には，申立てを対象債権者ごとに分ける（申立書も複数とする）必要があります。

(2) 管轄裁判所

相手方の住所，居所，営業所若しくは事務所（以下「相手方の住所等」といいます。）の所在地を管轄する簡易裁判所又は当事者が合意で定める簡易裁判所

※一体型においては，地方裁判所本庁に併置された簡易裁判所に申し立てることが予定されていますが，本手引の対象とする単独型においても，弁済計画に経済合理性があること（GL7(3)⑤，Q&A7-13）を確認する（特定債務等の調整の促進のための特定調停に関する法律第18条第1項，第20条参照）ためには，企業経理等に関する専門的知見を有する調停委員の関与が望まれることから，当面の間は，専門性のある調停委員を速やかに選任しやすい地方裁判所本庁に併置された簡易裁判所に申立てをすることをお勧めします。

なお，この場合，法定の土地管轄が地方裁判所本庁併置の簡易裁判所にはなく，また，事前合意がないときであっても，特定調停については広く自庁処理が認め

【資料7】経営者保証に関するガイドラインに基づく保証債務整理の手法としての特定調停スキーム利用の手引

られていますので，それを前提として地方裁判所本庁併置の簡易裁判所に申し立てることは可能です（自庁処理するかどうかは，特定債務等の調整の促進のための特定調停に関する法律第4条に基づき，裁判所が判断することになります。）。
(3) 提出すべき書類（書式，記載例は，別添のとおり）
　○ 訴訟委任状
　○ 資格証明書（相手方）
　○ 対象債権者の担当等一覧表（担当部署，担当者，連絡先（電話番号，FAX番号）の一覧表）
　○ 資産目録（別添書式2-1）
　○ 表明保証書・確認報告書（別添書式2-2）
　　※対象債権者に資産内容を開示した後調停成立までの間に新たな財産が見つかる可能性を踏まえ，対象債権者と協議の上，申立て時に表明保証書・確認報告書を提出せず，調停成立時までに追完することも考えられます。
　○ 調停申立書（別添書式3）
　　正本は1通，副本は相手方の数。
　○ 関係権利者一覧表（別添書式4）
　　※申立て時点において，対象債権としない債権者がいる場合には，当該債権者についても，関係権利者一覧表に記載が必要です。
　○ 調停条項案（別添書式5-1～5-3）

5　調停手続の進行
　以下の記述は，あくまでも典型的な期日の進行方法を想定したものであり，個別具体的な事案に応じた調停委員会の進行に委ねることになります。
(1) 第1回調停期日
　① 調停委員会による申立人及び各対象債権者（金融機関）の意向確認
　② （場合によっては）調停成立，民事調停法第17条決定
(2) 期日間
　期日間に調整が必要な場合には，申立人代理人弁護士が各対象債権者（金融機関）との間で協議，調整
(3) 第2回以降の調停期日
　① 全ての対象債権者（金融機関）との間で調停条項につき合意に達すれば，調停成立
　② 一部ないし全ての対象債権者が調停条項につき裁判所の決定があれば異議を述べないという段階まで達すれば，民事調停法第17条決定

　　　　　　　　　　　　　　　　　　　　　　　　　　　　　　以　　上

〈以下略〉

資料編

【資料8】株式会社地域経済活性化支援機構支援基準

内閣府・総務省・財務省・厚生労働省・経済産業省告示第一号

　株式会社地域経済活性化支援機構(以下「機構」という。)は地域経済の活性化に貢献するため、地域金融機関等と連携しつつ、有用な経営資源を有しながら過大な債務を負っている中小企業者その他の事業者であって債権放棄等の金融支援を受けて事業再生を図ろうとするものに対する再生支援等を通じた事業再生の支援及び地域経済の活性化に資する資金供給を行う投資事業有限責任組合の業務を執行する株式会社の経営管理等を通じて、地域の事業者の収益性・生産性の向上等に資する支援を行うものである。
　「過大な債務を負っている」については、収益力に比して過剰な債務を負っているため、債権放棄等の金融支援による事業再生又は債務整理が求められている状態をいう。
　機構が再生支援決定及び当該決定に係る買取決定、特定支援決定及び当該決定に係る買取決定、特定専門家派遣決定、特定組合出資決定並びに特定経営管理決定を行うに当たっては、地域の事業者の公正かつ自由な競争を阻害することがないようにするとともに、当該決定に関連する事業者の収益性・生産性の向上等を図るため、次に定める基準に厳に従って中立かつ公正な立場からこれを行うものとする。その際、再生支援が競争に与える影響が限定的であると考えられる場合を除き、あらかじめ競争への影響を検討・評価することとし、特に株式会社地域経済活性化支援機構法(平成21年法律第63号。以下「法」という。)第25条第1項第1号括弧書に規定する主務大臣が認める事業者の再生支援を行う場合には、「公的再生支援に関する競争政策上の考え方」(平成28年3月31日公正取引委員会)にも準拠するものとする。また、機構が再生支援決定又は特定支援決定を行うに当たっては、再生支援又は特定支援の申込みをした事業者(以下「申込事業者」という。)の企業規模が小さいことのみを理由として不利益な取扱いをしてはならない。
　なお、機構は、業務の実施に当たっては、地域において事業者の事業の再生又は地域経済活性化事業活動を支援する業務を行う者との業務上の提携その他の当該者が行う支援の能力の向上に資する方法を採用するよう努めるものとする。

Ⅰ．再生支援決定基準
　機構は、再生支援の申込みがあったときに、当該申込みが次の1．から7．までの全てを満たし事業再生計画の実施を通じた事業の再生が見込まれるものでない限り、再生支援決定をしてはならない。
　1．事業再生が見込まれることを確認するものとして次の(1)から(5)までの全てを満たすこと。
　　(1) 再生支援の申込みに当たって、次の①又は②のいずれかを満たしていること。
　　　① 当該申込みが、いわゆるメインバンク等の当該申込事業者の事業再生上重要な債権者である一以上の者との連名によるものであること。
　　　② 事業の再生に必要な投融資等(スポンサー(注)等からの援助を含む。)を受

【資料8】株式会社地域経済活性化支援機構支援基準

けられる見込みがある、又は①に規定する者から事業再生支援計画に対する同意を得られる見込みがあることから、①の場合と実質的に同程度の再生の可能性があることを書面により確認することができること。
(注) スポンサーとは、一般的に、再生支援対象事業者に対する投融資等を通じて、再生支援対象事業者の事業の再生をコミットする投資家のことをいう。例えば機構が出資する場合には、支援終了時等において、機構の再生支援対象事業者に対する出資に係る株式又は持分の譲渡先となる。機構の再生支援決定の時点でスポンサーが決定している場合と、機構の再生支援決定後、支援終了までの間に、入札等を通じて、スポンサーを選定する場合がある。

(2) 申込事業者が再生支援決定が行われると見込まれる日から5年以内に、次に掲げる①生産性向上基準及び②財務健全化基準を満たすこと。ただし、事業者の属する事業分野の特性、当該事業者の規模等を勘案し、これらの基準のうちの一部について、その期間内に満たすことが見込まれないことについて合理的と認められる特段の事情があると機構が認める場合は、これを硬直的に適用することとはしない。
なお、各指標の計算方法については、備考において定めるほか、「事業再編の実施に関する指針」（平成26年財務省・経済産業省告示第1号）において別に定めるところ（有利子負債に係る計算方法を除く。）による。

① 生産性向上基準
次のa）からd）までのいずれかを満たすこと。
a）自己資本当期純利益率（注）が2％ポイント以上向上
b）有形固定資産回転率が5％以上向上
c）従業員1人当たり付加価値額が6％以上向上
d）a）からc）までに相当する生産性の向上を示す他の指標の改善
(注) 企業再生ファンド、他の事業会社等による事業の買収を伴う等事業部門単位で指標を判断することが必要な場合にあっては、当該事業部門の属する事業分野の特性に応じて、総資産減価償却費、前営業利益率総資産研究開発費前営業利益率又は総資産減価償却費前研究開発費前営業利益率のいずれかの指標を選択することができる。

② 財務健全化基準
次のa）及びb）のいずれも満たすこと。（注1）
a）有利子負債（資本性借入金がある場合は当該借入金を控除）のキャッシュ・フローに対する比率が10倍以内（注2）
b）経常収入が経常支出を上回ること。
(注1) 申込事業者が国又は地方公共団体から補助金等の交付を受けている場合においては、次のイ）及びロ）のいずれも満たすことを条件として、当該補助金等の額をキャッシュ・フロー及び経常収入の額に算入することができるなど、当該補助金等の交付を受けられることを前提としてa）及びb）を満たすかど

イ）当該補助金等の目的、その目的に応じた必要額及びその積算根拠が明確で
　　　　あるなど、透明性が確保されていること。
　　　ロ）当該補助金等を交付する者が、その財政力等の観点も踏まえつつ、その自
　　　　主的な判断に基づき、一定の期間継続して当該補助金等の交付を行う蓋然性
　　　　が高いと認められること。
　　（注２）
$$\frac{\text{有利子負債合計額} - \text{現預金} - \text{信用度の高い有価証券等の評価額} - \text{運転資金の額}}{\text{留保利益} + \text{減価償却費} + \text{引当金増減}} \leq 10$$

(3) 申込事業者を再生支援決定時点で清算した場合の当該事業者に対する債権の価値を、事業再生計画を実施した場合の当該債権の価値が下回らないと見込まれること。

(4) 機構が申込事業者に対する債権の買取り、資金の貸付け（社債の引受けを含む。以下同じ。）、債務の保証又は出資（債務の株式化を含む。以下同じ。）を行う場合には、再生支援決定が行われると見込まれる日から５年以内に、新たなスポンサの関与等により申込事業者の資金調達（リファイナンス）が可能な状況となる等、申込事業者に係る債権（債務の保証の履行により取得する求償権を含む。）又は株式若しくは持分の処分が可能となる蓋然性が高いと見込まれること。なお、再生支援の実施に当たっては、いわゆるメインバンク、スポンサー等から資金支援を受けるなど、民間の資金を最大限に活用するものとする。

(5) 事業再生計画の内容に機構が申込事業者に対して出資をすることが含まれる場合には、次に掲げる要件を全て満たすこと。なお、機構による出資はスポンサーへの譲渡までの暫定的な措置であることを踏まえ、機構は、その要否及びスポンサーへの譲渡の確実性について十分な検討を行うとともに、再生支援決定時にスポンサーが決まっていない場合でも、事業再生計画に対する債権者の合意を得る段階までの間に、スポンサーの選定を行うよう努め、スポンサーを得た場合は、出資は、可能な限りスポンサーから行うよう調整するものとする。

　① 機構が事業再生計画の実行支援を強力に推進する上で、機構による出資が真に必要不可欠であること。
　② 機構等が申込事業者に対しその株式又は持分の比率に応じたガバナンス（経営管理）を発揮できる体制を構築すること。
　③ 機構からの出資により、メインバンク、スポンサー等からの投融資等を受けることができると見込まれること。
　④ 企業価値の向上により、投下資金以上の回収が見込まれること。

２．過剰供給構造にある事業分野に属する事業を有する事業者については、事業再生計画の実施が過剰供給構造の解消を妨げるものでないこと。なお、過剰供給構造の判定方法及びその解消方法等については「事業再編の実施に関する指針」において別に定めるところによる。

【資料8】株式会社地域経済活性化支援機構支援基準

　　3．申込事業者が、労働組合等と事業再生計画の内容等について話合いを行ったこと又は行う予定であること。
　　4．申込事業者が法第25条第1項各号に掲げる法人（以下「除外法人」という。）でないこと。
　　　（注）除外法人については、申込み時には除外法人ではないものの、その後、短期間に除外法人となることが見込まれる法人（申込み時に一時的に除外法人でなくなったものの、その後、短期間に再び除外法人となることが見込まれる法人を含む。）については、機構が再生支援をすることができない。
　　5．申込事業者に対する再生支援（機構が、スポンサーを選定し、又は再生支援対象事業者に係る債権若しくは株式若しくは持分の譲渡その他の処分を行うことを含む。）が、一定の取引分野における競争相手の利益を不当に侵害しないこと。
　　6．事業再生計画の内容に機構又はスポンサー以外の者に対して第三者割当増資を行うことが含まれる場合には、当該第三者割当増資の適時かつ適切な情報開示の実施など、必要とされる透明性の確保の措置が講じられる予定であること。
　　7．法第15条に掲げる地域経済活性化支援委員会の委員は、管財人（民事再生法（平成11年法律第225号）第64条第2項又は会社更生法（平成14年法律第154号）第42条第1項の管財人をいう。）又は管財人代理（民事再生法第71条第1項又は会社更生法第70条第1項の管財人代理をいう。）等とならないこと。

Ⅱ．再生支援決定に係る買取決定基準

　機構は、次の1．から5．までの全てを満たす場合でなければ、買取決定をしてはならない。
　　1．買取申込み等に係る債権のうち、買取りをすることができると見込まれるものの額及び法第26条第1項第2号に掲げる同意に係るものの額の合計額が必要債権額を満たしていること。
　　2．買取決定の対象となる買取申込み等をした関係金融機関等が回収等停止要請に反して回収等をしていないこと。
　　3．買取価格は、再生支援決定に係る事業再生計画を勘案した適正な時価を上回らない価格であること。
　　4．買取決定時点においても、再生支援決定基準を満たすこと。
　　5．再生支援決定までに、再生支援対象事業者が労働組合等と事業再生計画の内容等について話合いを行っていなかった場合には、当該話合いを行ったこと。

Ⅲ．特定支援決定基準

　機構は、特定支援の申込みがあったときに、当該申込みが次の1．から5．までの全てを満たす場合でなければ、特定支援決定をしてはならない。
　　1．申込事業者が、過大な債務を負っており、既往債務を弁済することができないこと又は近い将来において既往債務を弁済することができないことが確実と見込まれること（事業者が法人の場合は債務超過である場合又は近い将来において債務超過となる

ことが確実と見込まれる場合を含む。）。
2. 申込事業者の代表者等（当該事業者の債務の保証をしている者に限る。）が、金融機関等と協力して新たな事業の創出その他の地域経済の活性化に資する事業活動の実施に寄与するために必要な当該事業者の債務の保証に係るものに限る。）の整理を行おうとする場合であること。
3. 申込事業者及びその代表者等の債務の整理について、次の(1)から(6)までの全ての要件を満たすこと。
   (1) 申込事業者及びその代表者等が弁済について誠実であり、関係金融機関等及び機構に対してそれぞれの財産状況（負債の状況を含む。）に関して、適時に、かつ、適切な開示を行っていること。
   (2) 申込事業者の主たる債務及び代表者等の保証債務について、破産手続による場合の配当よりも多くの回収を得られる見込みがあるなど、関係金融機関等にとっても経済的な合理性が期待できること。
   (3) 代表者等に破産法（平成16年法律第75号）第252条第1項各号（第10号を除く。）に掲げる事由が生じておらず、又はそのおそれもないこと。
   (4) 代表者等の弁済計画が、次の①から⑤までの全ての事項が記載された内容であること。
      ① 債務の整理を行うことによって、新たな事業の創出その他の地域経済の活性化に資する事業活動の実施に寄与する見込み（新たな事業の創出、事業の再生又は他の事業者の経営に参加若しくは当該事業者に雇用され当該事業者の成長発展等に寄与すること等の見込みをいう。）。
      ② 財産の状況
      ③ 保証債務の弁済計画（原則として、特定支援決定が行われると見込まれる日から5年以内に保証債務の弁済を終えるものに限る。）
      ④ 資産の換価及び処分の方針
      ⑤ 関係金融機関等に対して要請する保証債務の減免、期限の猶予その他の権利変更の内容
   (5) 申込事業者の弁済計画が、次の①から④までの全ての事項が記載された内容であること。
      ① 財産の状況
      ② 主たる債務の弁済計画（原則として、特定支援決定が行われると見込まれる日から5年以内に債務の弁済を終えるものに限る。）
      ③ 資産の換価及び処分の方針
      ④ 関係金融機関等に対して要請する債務の減免、期限の猶予その他の権利変更の内容
   (6) 申込事業者の弁済計画が、将来の収益による弁済により事業再生を図ろうとするものである場合には、Ⅰ．において定める事業再生の見込みの要件に準ずる要件を

【資料8】株式会社地域経済活性化支援機構支援基準

持つ私的整理手続（機構の再生支援手続と同等の利害関係のない中立かつ公正な第三者が関与するものに限る。）（注）による事業再生の見込みが弁済計画において確認されること。

　なお、事業者が、機構に、事業再生計画の実施を通じた事業再生の支援を求める場合は、法第25条に定める再生支援手続によるものとする。

（注）中小企業再生支援協議会による再生支援、事業再生ADR、私的整理ガイドライン、特定調停等をいう。

4．申込事業者が、労働組合等と弁済計画の内容等について話合いを行ったこと又は行う予定であること。

5．申込事業者が、法第25条第1項第1号の政令で定める事業者及び同項第2号から第4号までに掲げる法人（以下「特定除外法人」という。）並びに再生支援対象事業者でないこと。

（注）特定除外法人については、申込み時には特定除外法人でないものの、その後、短期間に特定除外法人となることが見込まれる法人（申込み時に一時的に特定除外法人でなくなったものの、その後、短期間に再び特定除外法人となることが見込まれる法人を含む。）については、機構が特定支援をすることができない。

Ⅳ．特定支援決定に係る買取決定基準

機構は、次の1．から5．の全てを満たす場合でなければ、買取決定をしてはならない。

1．買取申込み等に係る債権のうち、買取りをすることができると見込まれるものの額及び法第32条の3第1項第2号に掲げる同意に係るものの額の合計額が必要債権額を満たしていること。

2．買取決定の対象となる買取申込み等をした関係金融機関等が回収等停止要請に反して回収等をしていないこと。

3．買取価格は、特定支援決定に係る弁済計画を勘案した適正な時価を上回らない価格であること。

4．買取決定時点においても、特定支援決定基準を満たすこと。

5．特定支援決定までに、特定支援対象事業者が労働組合等と弁済計画の内容等について話合いを行っていなかった場合には、当該話合いを行ったこと。

Ⅴ．特定専門家派遣決定基準

機構は、次の1．及び2．のいずれも満たす場合でなければ、特定専門家派遣決定をしてはならない。

1．特定専門家派遣の申込みに係る理由書の内容に照らし、機構が特定専門家派遣をすることにより、当該申込みをした者が、事業者の事業の再生又は地域経済活性化事業活動を支援する業務を円滑に実施することができると見込まれること。

2．特定専門家派遣の申込みをした者の業務の実施体制に照らし、機構が特定専門家派遣をすることが必要であると認められること。

Ⅵ．特定組合出資決定基準
　機構は、次の１．から６．までの全てを満たす場合でなければ、特定組合出資決定をしてはならない。
　１．地域の経済金融情勢等に照らし、機構が特定組合出資をしなければ、事業再生支援や地域経済活性化支援を目的とする特定組合に、地域経済の活性化に資する資金供給を行うために十分な資金が集まらないと見込まれることその他の機構が特定組合出資をする必要があると認められる事情があること。
　２．機構のほかに一又は二以上の民間事業者が有限責任組合員として出資していること又は出資する見込みがあること。
　３．対象特定組合に対する民間事業者による出資の額の見込みに照らし、機構が行おうとする当該対象特定組合に対する出資の額が、当該対象特定組合が行う地域経済の活性化に資する資金供給のために必要と認められる金額の範囲内において行われ、かつ、原則として、一組合への出資限度額は出資約束金額総額の２分の１以下であること。
　４．特定組合出資の申込みをした特定組合の無限責任組合員に関し次の⑴から⑶までの全てを満たすこと。
　　⑴　地域経済の活性化に資する資金供給に関する専門的な知識及び経験を有する者が確保される見込みがあることその他の当該対象特定組合の業務の適切な運営を確保するために必要な人的体制が整備される見込みがあること。
　　⑵　無限責任組合員としての業務執行に携わった実績を有する者がいることその他の無限責任組合員の業務の適切な運営が確保される見込みがあること。
　　⑶　当該対象特定組合の業務の適切な運営を図ることができる健全な財務内容等が見込まれること。

Ⅶ．特定経営管理決定基準
　機構は、次の１．から４．までの全てを満たす場合でなければ、特定経営管理決定をしてはならない。
　１．地域の経済金融情勢等に照らし、機構が特定経営管理をしなければ、地域経済の活性化に資する資金供給を行うために十分な数の投資事業有限責任組合が設立されないと見込まれる地域が存在することその他の機構が特定経営管理をする必要があると認められる事情があること。
　２．特定経営管理に係る株式会社及び当該特定経営管理に係る投資事業有限責任組合に対する民間事業者による出資の額の見込みに照らし、機構が行おうとする当該株式会社に対する出資の額が、当該投資事業有限責任組合の設立及びその業務の適切な運営のために必要かつ最小限のものであること。
　３．特定経営管理に係る株式会社に対し、民間事業者から地域経済の活性化に資する資金供給に関する専門的な知識及び経験を有する者が職員として派遣される見込みがあることその他の当該株式会社及び当該特定経営管理に係る投資事業有限責任組合の業務の適切な運営を確保するために必要な人的体制が整備される見込みがあること。

【資料8】株式会社地域経済活性化支援機構支援基準

4．機構の財務の状況に照らし、機構が特定経営管理をしたとしても、当該特定経営管理以外の機構の業務の適切な運営に支障を来すおそれがないと認められること。

備考
Ⅰ．自己資本当期純利益率

$$自己資本当期純利益率 = \frac{当期純利益金額}{自己資本の額} \times 100$$

Ⅱ．総資産減価償却費前営業利益率

$$総資産減価償却費前営業利益率 = \frac{営業利益 + 減価償却費}{総資産の帳簿価額} \times 100$$

Ⅲ．総資産研究開発費前営業利益率

$$総資産研究開発費前営業利益率 = \frac{営業利益 + 研究開発費}{総資産の帳簿価額} \times 100$$

Ⅳ．総資産減価償却費前研究開発費前営業利益率

$$総資産減価償却費前研究開発費前営業利益率 = \frac{営業利益 + 減価償却費 + 研究開発費}{総資産の帳簿価額} \times 100$$

なお、総資産減価償却費前研究開発費前営業利益率については、研究開発費に減価償却費が含まれる場合には、当該額を研究開発費から除くものとする。

Ⅴ．有利子負債

　有利子負債 ＝ 短期借入金 ＋ 割引手形 ＋ 長期借入金（1年以内に返済予定のものを含む。）
　　　　　　 ＋ 社債（1年以内に償還予定のものを含む。）

〈以下略〉

●執筆者一覧● (50音順)

網野　精一（Seiichi Amino）【担当：第 4 章❺】
　弁護士（阿部・井窪・片山法律事務所）
　阿部・井窪・片山法律事務所パートナー、中小企業再生支援協議会アドバイザー。倒産・事業再生分野においては、各地域の法的整理・私的整理の案件を多く手がける。

市原　裕彦（Hirohiko Ichihara）【担当：第 1 章❹】
　昭和58年 4 月　市川東葛信用金庫（現在の東京ベイ信用金庫）入庫
　本店副店長、融資管理部支援課長、経営管理部コンプライアンス課長、営業推進部副部長、大野支店長、柏グループリーダー店長、地域サポート部長を経て平成29年 6 月、常勤理事地域サポート部長、令和元年 7 月、常勤理事人事部長、令和 2 年 6 月、常務理事人事部長

犬塚暁比古（Akihiko Inuzuka）【担当：第 4 章❷】
　弁護士（髙井総合法律事務所）
　破産・倒産事件を専門として扱っており、破産・民事再生等の法的債務整理手続のみならず、企業の私的整理手続、経営者等の経営者保証に関するガイドラインを用いた債務整理手続も数多く経験している。

宇野　俊英（Toshihide Uno）【担当：第 3 章❸】
　株式会社UNO&パートナーズ　代表取締役
　事業引継ぎ支援事業全国本部プロジェクトマネージャー（2015年より）
　1989年三菱銀行入行。その後、事業会社、ベンチャーキャピタルでベンチャー投資、バイアウト投資（事業承継ファンド）に従事。
　中小企業の経営支援、M&Aにつき豊富な経験を有する。

大石健太郎（Kentaro Oishi）【担当：第 2 章❼】
　弁護士（大石法律事務所）

大石法律事務所代表弁護士。小林信明弁護士のもと小林総合法律事務所、長島・大野・常松法律事務所で勤務し、平成27年に現事務所を開設。法的倒産手続・私的整理手続を問わず倒産・事業再生案件を多数幅広く手がけている。

大宮　立（Tatsushi Omiya）【担当：第2章❹】

弁護士（レックス法律事務所）

平成10年〜平成14年株式会社日本興業銀行勤務。平成15年弁護士登録後、森・濱田松本法律事務所入所。平成24年シティ法律事務所入所。平成30年現事務所を開設。社団法人日本証券アナリスト協会検定会員。金融機関に勤務した経験を活かし、多くの事業再生案件につき経験を有する。

岡島　弘展（Hironobu Okajima）【担当：第1章❶・第3章❶】

一般社団法人全国銀行協会業務部次長、経営者保証に関するガイドライン研究会事務局次長、全国銀行個人情報保護協議会事務局次長。

銀行界における融資業務態勢、中小企業金融、被災者債務整理、個人情報保護に係る体制整備等のほか、民法をはじめとする銀行実務に影響がある諸法令の改正対応等を含む銀行法務全般に係る課題の検討等を所管。

ガイドライン研究会事務局として、ガイドライン特則の制定に尽力。

片岡　牧（Maki Kataoka）【担当：第2章❻】

弁護士（堂島法律事務所）

平成26年より株式会社地域経済活性化支援機構に2年間出向し、経営者保証に関するガイドラインに基づく保証債務整理手続を含めた私的整理を多数取り扱う。

加藤　寛史[*]（Hirofumi Kato）【担当：第4章❶】

弁護士（阿部・井窪・片山法律事務所）

阿部・井窪・片山法律事務所パートナー。中小企業再生支援全国本部プロジェクトマネージャー(2007年より)。同副統括プロジェクトマネージャー(2019年より)。中小企業再生支援全国本部プロジェクトマネージャーとして、「中小企業再生支援協議会等の支援による経営者保証に関するガイドラインに基づく保証債務の整理手順」の策定に関与。

執筆者一覧

木村　真也（Shinya Kimura）【担当：第4章❹】
　弁護士（木村総合法律事務所）
　大阪大学法科大学院高等司法研究科招へい教授、倒産実務交流会幹事、全国倒産処理弁護士ネットワーク、事業再生実務家協会、事業再生研究機構、大阪弁護士会倒産法実務研究会、第二東京弁護士会倒産法研究会会員等。
　倒産・事業再生案件につき精力的に取り組んでいる。

小林　信明(※※)（Nobuaki Kobayashi）【担当：第2章❶・❸・第5章】
　弁護士（長島・大野・常松法律事務所）
　長島・大野・常松法律事務所。経営者保証に関するガイドライン研究会座長として、経営者保証に関するガイドラインの策定を主導。中小企業庁政策審議会臨時委員（金融WG委員）、日弁連倒産法制等検討委員会元委員長、全国倒産処理弁護士ネットワーク副理事長、事業再生実務家協会専務理事、事業再生研究機構元代表理事。
　私的整理・法的整理を問わず、さまざまな倒産・事業再生案件につき豊富な経験を有する。

佐藤　俊彦（Toshihiko Sato）【担当：第1章❺】
　平成3年4月株式会社福島銀行入行
　平成28年6月執行役員就任
　平成30年6月取締役業務本部長兼審査部長兼与信統括部長
　令和元年6月取締役本店営業部長
　一般社団法人個人版私的整理ガイドライン運営委員会運営協議会委員

佐藤　昌巳（Masami Sato）【担当：第2章❸】
　弁護士（佐藤綜合法律事務所）
　佐藤綜合法律事務所所長。日弁連倒産法制等検討委員会元副委員長、全国倒産処理弁護士ネットワーク専務理事、事業再生実務家協会会員、事業再生研究機構会員、愛知県弁護士会倒産実務委員会元委員長。
　特に中小企業を対象とした倒産・事業再生案件につき豊富な経験を有する。

執筆者一覧

獅子倉基之（Motoyuki Shishikura）【担当：第 5 章】
　昭和63年 4 月埼玉銀行入行
　りそな銀行東京融資第三部審査役、審査部事業再生支援室長、埼玉りそな銀行所沢支店営業第一部長、融資部長（特定審査担当）を経て現在、融資部担当常務執行役員

須賀　一也（Kazuya Suga）【担当：第 2 章⑩】
　公認会計士（須賀公認会計士事務所）
　須賀公認会計士事務所代表。経営者保証に関するガイドライン研究会委員。日本公認会計士協会経営研究調査会再生支援専門部会研究委員。事業再生研究機構理事。
　倒産・事業再生案件を多数経験。

髙井　章光*（Akimitsu Takai）【担当：第 2 章❷・第 3 章❷・第 4 章❷・第 5 章】
　弁護士（髙井総合法律事務所）
　髙井総合法律事務所代表。日弁連中小企業法律支援センター副本部長、日弁連倒産法制等検討委員会委員、全国倒産処理弁護士ネットワーク理事、第二東京弁護士会倒産法研究会元代表幹事。元司法試験考査委員（倒産法担当）。日本弁護士連合会の特定調停スキーム策定に関与し、経営者保証に関するガイドラインにつき、特定調停、中小企業再生支援協議会、地域経済活性化支援機構スキームにて活用している。

富岡　武彦（Takehiko Tomioka）【担当：第 2 章❺】
　弁護士（富岡総合法律事務所）
　2010年より2012年まで株式会社企業再生支援機構（現　株式会社地域経済活性化支援機構）勤務。事業再生実務家協会会員。全国倒産処理弁護士ネットワーク会員。

中井　康之**（Yasuyuki Nakai）【担当：第 2 章❻・第 5 章】
　弁護士（堂島法律事務所）
　堂島法律事務所代表パートナー。経営者保証に関するガイドライン研究会委員。法制審議会民法（債権関係）部会元委員。日弁連司法制度調査会委員。全国倒産

471

執筆者一覧

処理弁護士ネットワーク理事長。
倒産・事業再生案件につき豊富な経験を有するとともに、保証制度に詳しい。

西村　賢（Masaru Nishimura）【担当：第2章❾】
　弁護士（法律事務所Comm&Path）
　法律事務所Comm&Pathパートナー。経営革新等認定支援機関。
　法的・私的を問わず倒産・事業再生案件に多数関与。

野村　剛司（Tsuyoshi Nomura）【担当：第2章❽】
　弁護士（なのはな法律事務所）
　なのはな法律事務所所長。日弁連倒産法制等検討委員会委員、全国倒産処理弁護士ネットワーク常務理事、事業再生実務家協会会員、神戸大学法科大学院非常勤講師、元司法試験考査委員（倒産法担当）。
　倒産・事業再生案件につき豊富な経験を有し、制度の普及・教育にも努める。

萩原　佳孝（Yoshitaka Hagiwara）【担当：第4章❸】
　弁護士（シティユーワ法律事務所）
　シティユーワ法律事務所アソシエイト。
　2013年7月〜2017年7月株式会社地域経済活性化支援機構へ出向。

藤原　敬三（Keizou Fujiwara）【担当：第1章❷・第5章】
　元中小企業再生支援全国本部　顧問
　2003年3月みずほ銀行を退職、東京都中小企業再生支援協議会統括責任者、中小企業再生支援全国本部統括責任者、顧問を歴任、2020年9月退任。経済産業省等研究会委員を歴任、個人版私的整理ガイドライン運営協議会委員、経営者保証に関するガイドライン研究会委員、事業再生実務家協会常議員を勤めるなど。
　中小企業の事業再生につき豊富な経験を有する。

堀口　真（Shin Horiguchi）【担当：第4章❶】
　弁護士（阿部・井窪・片山法律事務所）
　阿部・井窪・片山法律事務所パートナー。元中小企業再生支援全国本部プロ

ジェクトマネージャー。法的整理・私的整理を問わず事業再生の分野で多くの経験を有する。特に中小企業の私的整理による事業再生および廃業支援に注力するとともに、経営者保証に関するガイドラインによる保証債務整理を積極的に活用している。

増田　薫則（Shigenori Masuda）【担当：第2章❹】
　弁護士（レックス法律事務所）
　平成18年弁護士登録後、シティ法律事務所入所。その後、預金保険機構等を経て、平成27年シティ法律事務所復帰。平成30年現事務所に参加。ゴルフ場経営会社等の再生手続のほか、近年では、金融円滑化法終了への対応策としての特定調停スキーム利用の手引きや経営者保証に関するガイドラインを利用した事業再生案件につき経験を有する。

三森　仁[*]（Satoru Mitsumori）【担当：第5章】
　弁護士（あさひ法律事務所パートナー）、平成27年6月〜29年6月㈱地域経済活性化支援機構常務取締役
　平成24年度第二東京弁護士会副会長、平成25年度・26年度第二東京弁護士会倒産法研究会代表幹事、平成25年〜29年（冬学期）東京大学法科大学院非常勤講師（倒産処理研究）。現在、事業再生研究機構代表理事、全国倒産処理弁護士ネットワーク常務理事、事業再生実務家協会常議員。

山形　康郎（Yasuo Yamagata）【担当：第1章❸】
　弁護士（弁護士法人関西法律特許事務所）
　弁護士法人関西法律特許事務所パートナー。全国倒産処理弁護士ネットワーク理事、事業再生実務家協会執行役員。
　経営者保証に関するガイドラインにおける支援専門家として、各種準則型私的整理手続における関与実績、成立実績を多数有する。

※**は編者、*は編集委員を指す。

経営者保証ガイドラインの実務と課題［第2版］

2018年3月10日　初　版第1刷発行
2020年12月30日　第2版第1刷発行

編　者	小　林　信　明
	中　井　康　之

発行者　　石　川　雅　規

発行所　　䌶商　事　法　務
〒103-0025　東京都中央区日本橋茅場町3-9-10
TEL 03-5614-5643・FAX 03-3664-8844〔営業〕
TEL 03-5614-5649〔編集〕
https://www.shojihomu.co.jp/

落丁・乱丁本はお取り替えいたします。　印刷／そうめいコミュニケーションプリンティング
©2020 Nobuaki Kobayashi, Yasuyuki Nakai　　　　　Printed in Japan
Shojihomu Co., Ltd.
ISBN978-4-7857-2832-8
＊定価はカバーに表示してあります。

[JCOPY]＜出版者著作権管理機構　委託出版物＞
本書の無断複製は著作権法上での例外を除き禁じられています。
複製される場合は、そのつど事前に、出版者著作権管理機構
（電話03-5244-5088、FAX 03-5244-5089、e-mail: info@jcopy.or.jp）
の許諾を得てください。